TEATRO ESPAÑOL

1960-1961

LA MADRIGUERA

LAS MENINAS

CUANDO LAS NUBES CAMBIAN DE NARIZ

EN LA RED

CERCA DE LAS ESTRELLAS

COLECCION LITERARIA
NOVELISTAS
DRAMATURGOS
ENSAYISTAS
POETAS

TEATRO ESPAÑOL
1960-1961

LA MADRIGUERA
Ricardo Rodríguez Buded

LAS MENINAS
Antonio Buero Vallejo

CUANDO LAS NUBES
CAMBIAN DE NARIZ
Eduardo Criado

EN LA RED
Alfonso Sastre

CERCA DE LAS ESTRELLAS
Ricardo López Aranda

PROLOGO, NOTAS Y APENDICE POR FEDERICO CARLOS SAINZ DE ROBLES

TOLLE LEGE

AGUILAR
MADRID - 1962

Núm. Rgtro.: 2020-62.
Depósito legal. M. 4916.—1962.

Printed in Spain. Impreso en España por Hijos de Vicente Mas,
Hermosa, 4 y 6, Madrid.

PROLOGO

BREVE RESEÑA DE UNA TEMPORADA TEATRAL

(1960-1961)

I

LAS OBRAS SELECCIONADAS

DESDE *que empecé, ya hace una docena de años, la selección anual de las obras de teatro que alcanzaron mayor éxito durante cada temporada, no había tenido la satisfacción que me llega ahora: poder incluir en este volumen, comprensivo de cinco, cuatro obras originales de autores auténticamente jóvenes. En años precedentes, solo por excepción me fue posible seleccionar una producción de autor novel, o casi. Pero año tras año se nutrieron estos volúmenes antológicos con los éxitos escénicos de los mismos ocho o diez autores: Pemán, Buero Vallejo, López Rubio, Ruiz Iriarte, Miguel Mihura, Juan Ignacio Luca de Tena, Joaquín Calvo Sotelo, Alfonso Paso, Claudio de la Torre... Y barajado —en colaboración con los públicos y los críticos—estos ocho o diez autores, me fue posible no interrumpir esta serie antológica del moderno teatro español. No tuve, cierto, mucho donde elegir, aun cuando lo elegido fue siempre de excelentísima calidad; y esta verdad, no porque la diga yo, sino porque, como ya he dicho, fue la verdad de la alta crítica y de los espectadores más exigentes.*

Pero, repito, por fin, en la temporada 1960-1961, triunfaron cuatro autores envidiablemente jóvenes: Alfonso Sastre, Ricardo Rodríguez Buded, Eduardo Criado y Ricardo López Aranda. En realidad, solo este último era autor novel cuando alcanzó el doble triunfo del "Premio Calderón de la Barca 1960" y de la escenificación de su galardonada producción. Alfonso Sastre es autor de una docena de obras de singularísimo valor, ya estrenadas, y algunas de las cuales quedaron incluidas en volúmenes anteriores de esta serie. Eduardo Criado, al reafirmar su valor teatral en Madrid, ya gozaba de justa consideración en Barcelona, donde varios Teatros de Cámara habíanle estrenado obras de importancia que se hicieron centenarias en los carteles. Y algo semejante cabe decir de Rodríguez Buded, quien había obtenido anterior y firme éxito—en una de esas llamadas funciones experimentales—*con su obra* Un hombre duerme.

¿Significa el triunfo, en una misma temporada, de cuatro autores muy jóvenes que nuestro teatro va encontrando el ancho y hermoso camino que siguió durante siglos de oro? ¿Es, solo, rara coincidencia, excepción admirable, en un panorama inconcreto, confuso, con únicamente escasas luminarias? No me atrevo a dar respuesta categórica. Me alegraría que en 1963, 1965, 1968, mi respuesta afirmativa lo fuera para aclarar la primera pregunta. Por ahora solo quiero congratularme con la posibilidad que se me brinda de seleccionar, para un mismo volumen, las obras de excepción de cuatro autores jóvenes agrupados en torno a la figura quizá más interesante y maciza de nuestro actual teatro: Antonio Buero Vallejo. Exacto: un maestro rodeado por cuatro aventajados discípulos; sin que esta imagen, vieja, signifique que estos discípulos lo sean en temática o métodos. Un "discipulado", pues, simplemente dictado por la edad, o por los años de aparición en la escena, que separan a estos de aquel. Así, para que ninguno de los cinco seleccionados se me enfade o discrepe de mi apreciación.

Lunes, 5 de diciembre de 1960. *Por el teatro Nacional de Cámara, en el Teatro María Guerrero, de Madrid, fue estrenada la obra* La madriguera, *de Ricardo Rodríguez Buded. Decorado bello de Víctor María Cortezo. La comedia obtuvo un éxito rotundo, y es un testimonio, con impresionante realismo, del llamado "teatro social". Pieza tragicómica en la que se plantea el angustioso problema de la clase media* que quiere y no puede; *que pretende disimular sus necesidades más perentorias con apariencias y frases muy* teatrales; *que no renuncia a sus pequeñas vanidades ni a sus pequeñas ilusiones, aun cuando estas y aquellas se le malogren cada día; que cae en la hipocresía por evitar* el qué dirán; *que se despeña hacia la cursilería con un escalofriante patetismo del que fluye, por contraste entre el fondo y la forma, la hilaridad. Drama para reír y sainete para llorar. En nuestro teatro contemporáneo cultivaron este seductor teatro realista Benavente, Carlos Arniches, Buero Vallejo, Alfonso Paso... Ello no quiere decir que Rodríguez Buded sea un cultivador más en un género ya perdurable y muy del gusto de los públicos. Rodríguez Buded lo cultiva* a su modo, *con peculiaridad atractiva y segura. Cada uno de los personajes de* La madriguera *tiene su problema, su risa, su lágrima, su mundo. Todos juntos componen un estado vital acuciante cuyos minutos transcurren sobrecargados de emoción. Estado vital sostenido sin apoyaturas en episodios secundarios, en recitados recuentos, en diálogos de relleno. Obra, en suma, candente y rectilínea. Y escrita con gran naturalidad.*

Viernes, 9 de diciembre de 1960. *En el teatro Español, de Madrid, fue estrenada la "fantasía velazqueña"* Las Meninas, *de Antonio Buero Vallejo. Extraordinarios figurines y decorados de Emilio Burgos. Magnífica dirección de José Tamayo. Y el éxito grande, clamoroso. Algunas frases fueron premiadas con muy espontáneas ovaciones. ¿Tema de* Las Meninas? *Unos cuantos episodios de la vida del genial pintor, cuando ya lo era de la Real Cámara y tenía aposentos en el Real Alcázar.*

El Velázquez que reaviva Buero Vallejo, que ha de defenderse contra las envidias de los pintores coetáneos y los juicios del Santo Oficio, es un Velázquez menos metido en sí mismo *del que nos ha dado a conocer la Historia, y mucho más propenso a la rebeldía, a la crítica de las instituciones y de los hechos candentes de su tiempo. Y por ello, quizá, un Velázquez más dramático, más interesado en bajar de las nubes de su arte para sentirse, con amargura y acusaciones, entre las criaturas menos favorecidas por la fortuna. Parte de la crítica y del público echó en cara a Buero Vallejo que hubiese convertido a Velázquez en un—según ellos—demagogo, no solo de su época, sino, por simbolismo, de los tiempos actuales. ¡Lamentable criterio de quienes* se pasan de suspicaces... *con su razón y por su cuenta! Cuanto en* Las Meninas *delata, enjuicia y sentencia adversamente Velázquez, ¿es que no fueron realidades de su tiempo? Lo fueron, sin lugar a dudas. ¿Pues por qué aplicar tales delaciones, juicios y sentencias a hechos actuales? Esta* adaptación *es obra, sí, de quienes se pasan de listos. Ahora bien: si la presunta demagogia que Buero Vallejo pone en labios de Velázquez* se adapta *en verdad a hechos contemporáneos, ¿qué culpa le cabe al dramaturgo? La culpa es, ni menos ni más, de las criaturas de hoy que protagonizan hechos calcos de los acaecidos hace tres siglos. Solo, ya está dicho, a la suspicacia y a la malicia los dedos se les vuelven huéspedes. Como obra escénica,* Las Meninas *me parece perfecta. Impecable su construcción. Admirables sus evocaciones de época y lugar. Seductores los ambientes familiar y cortesano. Noble y propio el lenguaje. Emotivo su contrapunto poético. Palpitantes en su reencarnación todas las criaturas históricas. ¿Que Buero Vallejo no ha sentado su tesis de un modo objetivo, y sí apasionadamente subjetivo? Es libertad que debe concedérsele al artista, mientras tal libertad no origine falsedad o libertinaje. Lo que está bien lejos de darse en* Las Meninas.

Martes, 7 de marzo de 1961. *El Teatro de Ensayo "Los Juglares" estrenó, en el teatro Goya, de Madrid, la obra de Eduardo Criado* Cuando las nubes cambian de nariz. *Obra anteriormente representada en Barcelona más de doscientas veces consecutivas. Se trata de una pieza burlesca en la mejor línea de teatro contemporáneo. Su primer acto se desarrolla dentro del género costumbrista, pero... como puesto ante unos espejos deformantes. En el segundo acto, el protagonista—en su evasión hacia lo fantástico o espiritualista—consume las consecuencias de los que fueron sus pecados reales: su prisa, su falta de caridad, su frívolo enjuiciamiento de los hechos trascendentales. El ultramundo del protagonista queda conmocionado por encontrados aires de farsa, de apólogo, de caricatura cruel, de jocosas reacciones ante el auténtico dramatismo.* Cuando las nubes cambian de nariz, *obra desarrollada en cuadros cortos y con un intermedio de carácter expresionista—que sirve para preparar el tránsito entre la realidad a la casi fantasmagoría—, está escrita con noble, grato y natural lenguaje; y abunda en frases, paradojas ingeniosas, no exentas de recóndito lirismo.*

Jueves, 9 de marzo de 1961. *En el teatro Recoletos, de Madrid, fue estrenado el drama de Alfonso Sastre* En la red. *Decorado muy expresivo de Javier Clavo y dirección magistral de Juan Antonio Bardem. Alfonso Sastre es un auténtico autor dramático, pues que, por ahora, parece no interesarle ningún otro género escénico sino el drama lindante con la tragedia. Realmente, las preocupaciones espirituales y sociales de este interesante escritor solo se ajustan a lo dramático. Por su intensidad. Por su trascendencia. Por la angustia vital de que están dotadas. Por las criaturas—despojadas de cualquier trance optimista o esperanzado que debe interpretar su contundente realismo, muchas veces* oscuro y subterráneo. *A todo ello debe añadirse que Alfonso Sastre jamás se limita a plantear y desarrollar los temas objetivamente; por el contrario, en todos ellos "toma partido" e impone a sus criaturas muchos de los propios ideales e ideas.* En la red—*lo ha declarado su autor—es un drama sobre la condición y destino sociales del* hombre clandestino; *del hombre torturado, bazuqueado por los infortunios, víctima de la inhumanidad de un mundo plagado de guerras brutales, de infernales campos de concentración, de odios implacables diluidos hipocritonamente en apariencias legales y en componendas sociales. Este hombre clandestino, cuyo sitio en el mundo ya está ocupado, ¿qué puede hacer para pervivir, cuáles derechos defienden su reincorporación a la vida cotidiana?* En la red *queda en esa línea de la tragedia griega. Y plásticamente recuerda los tonos sombríos, opacos, casi alucinantes, de algunas tragedias pictóricas de Solana. Como es lógico, Alfonso Sastre se vale de un diálogo mondado y crudo, de imágenes que son netos aguafuertes, de escenas rectilíneas huidizas aun de los conatos retóricos.*

Viernes, 5 de marzo de 1961. *En el teatro María Guerrero, de Madrid, fue estrenada la obra de Ricardo López Aranda ("Premio Calderón de la Barca 1960")* Cerca de las estrellas. *Magnífico decorado de Burmann. Excelente dirección de José Luis Alonso. Y uno de los éxitos más completos y sinceros que yo he presenciado en estos últimos veinte años. Incomprensible resulta la maestría con que un novel resuelve las situaciones—complejas y complicadas—y mueve una treintena de personajes. El tema, de lo más sencillo y humano: el transcurso de un día cualquiera en un hogar humilde de una ciudad. Y, por supuesto, en este hogar cada criatura tiene y mantiene sus alegrías, penas, ilusiones e inquietudes. El gran acierto de López Aranda es no haberse limitado* a insinuar *las vidas interiores de sus criaturas; muy al contrario, su insistencia enternecida en hurgar en estas vidas interiores hasta darles netitud y trascendencia independientes. Por ello,* en Cerca de las estrellas *hay tantas acciones como personajes, tomando cada uno de estos consideración y rango de auténticos protagonistas. La obra está ungida por una gran humanidad, por la ternura, por la poesía. Seduce y conmueve sin interrupción. Su gran moraleja es esta: que en la aceptación de nuestra vida—tal y como se nos ha dado providencialmente—está nuestra única posible felicidad. Felicidad que lo mismo puede exigirnos lágrimas que sonrisas.*

II

OTRAS OBRAS ESPAÑOLAS IMPORTANTES

9 de septiembre de 1960. *Teatro Goya, de Madrid. Estreno de la farsa* No puedo vivir sin ti, *de Alvaro de la Iglesia. Decorado de Sigfrido Burmann. Dirección de Vaszary. Obra que carece de acción directa, fiando su fortuna en una serie de episodios y de situaciones graciosos y "desorbitados". Puro humor* codornicesco.

30 de septiembre de 1960. *Teatro Reina Victoria, de Madrid.* La viudita naviera, *farsa gaditana con comentarios chirigoteros de José María Pemán. Muy buenos decorados de Ontañón y magníficos figurines de Víctor María Cortezo. Ilustraciones musicales del maestro Montorio. Obra llena de sales y limpias picardías, de poesía y de humor.*

7 de octubre de 1960. *Teatro Goya, de Madrid.* De París viene mamá, *farsa o comedieta, o mitad y mitad, de Víctor Ruiz Iriarte. Excelente decorado de Wolfgang Burmann. Obra con situaciones y diálogos de mucho y fino ingenio.*

8 de diciembre de 1960. *Teatro Lara, de Madrid.* Sentencia de muerte, *de Alfonso Paso. Buenas la dirección de González Vergel y la escenografía de Emilio Burgos. Comedia contra los vicios y lacras sociales, con sus correspondientes triacas. Humor fino, no excesivo,*

para no restar emoción realista a su noble intento. Habilísimamente evita Paso el clima de folletín.

22 de diciembre de 1960. *Teatro Alcázar, de Madrid.* Verde esmeralda, *farsa de Jaime Salom. Buen decorado de Ontañón. Un interesante tema policíaco desarrollado con muy fino humor.*

20 de enero de 1961. *Teatro Alcázar, de Madrid.* Dinero, *comedia de Joaquín Calvo Sotelo. Muy buenos decorados de Redondela y sobria dirección de González Vergel. Comedia de tesis: los egoísmos, las canalladas a que obliga la búsqueda ansiosa de la riqueza; conseguida la cual, su uso es siempre abuso, y casi siempre inmoralidad. Obra construida con la maestría y dialogada con la nobleza habituales en este gran autor.*

1 de febrero de 1961. *Teatro de la Comedia, de Madrid.* Retrato de boda, *farsa de Alfonso Paso. Buenos decorados de Emilio Burgos y acertada dirección de José Osuna. Exito claro y merecido para esta obra, en la que se suman, con buen pulso, todos los valores de Paso: maestría técnica, realismo, poesía, ingenio y humor.*

5 de febrero de 1961. *Teatro Lara, de Madrid.* Aurelia y sus hombres, *de Alfonso Paso ("Premio Nacional de Teatro 1961"). Escenografía muy bella de Emilio Burgos. Se trata de una de las mejores obras de este fecundísimo autor, mezcla ponderada de juguete cómico, sainete, vodevil, farsa y tragicomedia.*

15 de febrero de 1961. *Teatro Recoletos, de Madrid.* El tintero, *de Carlos Muñiz. Escenografía de José Jardiel y dirección de Julio Diamante. En esta obra mézclanse, a partes desiguales y no siempre con tino, el dramatismo y el humor, el respingo del esperpento y la tensión de la farsa.*

20 de febrero de 1961. *Teatro Español, de Madrid.* Esa melodía nuestra, *de Eduardo Criado. Excelentes decorados de José María Espada. Dirección de Pérez de Olaguer. Gran dignidad literaria la de esta obra entreverada de realismo de poesía.*

23 de febrero de 1961. *Teatro Alcázar, de Madrid.* El niño de su mamá, *de Alfonso Paso. Buena escenografía de Redondela. La tragicomedia del hombre tímido; tema muy antiguo y sobado, pero tratado por Paso con habilidad y peculiaridad.*

6 de marzo de 1961. *Teatro María Guerrero, de Madrid.* Final de horizonte *("Premio Tirso de Molina 1960"), de Fernando Martín Iniesta. Buenas la dirección, de Antonio Guiráu, y la escenografía, de José Menéndez. Tema: la diferencia que existe entre la caridad ostentosa y la caridad cristiana; y cómo esta es la única capaz de sostener las vidas oscuras y humildes.*

3 de abril de 1961. *Teatro Recoletos, de Madrid.* La señorita que pintó un biombo, *de José Montoto de Flores. Escenografía de Emilio Burgos y dirección de Moreno Ardanuy, acertadas. Su mayor originalidad consiste en estar escrita en verso libre y blanco, a la manera como Elliot escribió algunas de sus mejores piezas escénicas.*

13 de abril de 1961. *Teatro Lara, de Madrid.* Cuando tú me necesites, *de Alfonso Paso. Buena dirección, de Angel F. Montesinos, y buen decorado, de Emilio Burgos y Redondela. Tema: el amor apasionado del hombre que suele polarizar la madre en un hogar donde la vida transcurre tan medida, tan monótona, que da motivo a que el clima se enrarezca y tense... como sobresalto por algo desusado y removedor que puede llegar en cualquier momento. Y que llega...*

30 de mayo de 1961. *Teatro Infanta Beatriz, de Madrid.* La felicidad no lleva impuesto de lujo, *de Juan José Alonso Millán. Buena dirección de Luis Arana y acertada escenografía de Angel Orbe. Obra de fino humor, en la que se juega con la fortuna y los infortunios, gracias y fanfarrias de criaturas de "muy en candelero" en la época presente: astros de la pantalla, estrellas del folklore, populares* speakers...

3 de junio de 1961. *Teatro Recoletos, de Madrid.* Una tal Dulcinea, *de Alfonso Paso. Buena dirección, de*

Gustavo Perz Puig, y excelente decorado, de Matías Montero. Obra de gran interés, en la que se juega *a la perfección en dos planos: el de la realidad y el de la fantasía. Del juego nace una serie de lances y trances llenos de poesía y verdad, interpretados por criaturas en las que no se sabe qué atrae más, si su propensión al lirismo o su sometimiento a lo real.*

8 de agosto de 1961. *Teatro Reina Victoria, de Madrid.* Culpables, *de Jaime Salom. Escenografía de Emilio Burgos y dirección de Fernández Montesinos. Comedia policíaca bien construida y dialogada y con la tensión que el género exige.*

III

TEATRO EXTRANJERO

Muchas, quizá demasiadas obras extranjeras durante la temporada 1960-1961. Y tal abundancia—que merma posibilidades a los autores españoles—no es lo peor del hecho, siéndolo que el cincuenta por ciento de tales obras extranjeras no pasaron de la vulgaridad, y fuera mejor dejarlas quietecitas en su idioma. Para teatro vulgar, ya tenemos el ochenta por ciento del nuestro. Por supuesto, no mencionaré sino aquellas traducciones que *estaban pidiendo* nuestros escenarios.

2 de septiembre de 1960. *Teatro Recoletos, de Madrid.* Nacida ayer, *de Garson Kanin, traducida y adaptada y dirigida por José Gordón. Obra popularísima en los Estados Unidos y llevada en seguida a la pantalla. Sátira social—contra leyes y costumbres—no mejor que las estrenadas en España ayer por Linares Rivas y hoy por Joaquín Calvo Sotelo.*

8 de septiembre de 1960. *Teatro Lara, de Madrid.* Largo viaje hacia la noche, *de Eugene O'Neill, traducida y adaptada—y reducida—por León Mirlas. Excelente dirección, de González Vergel, y excelente esceno-*

grafía, de Mampaso. Obra póstuma del admirable autor norteamericano; exaltación de la angustia metafísica ante los problemas más realistas de la vida; angustia motivada tanto por dolencias físicas como por vicios sin freno posible.

28 de octubre de 1960. *Teatro María Guerrero, de Madrid.* El jardín de los cerezos, *de Antón Chejov, traducida por Josefina Sánchez Pedreño y Víctor Imbert, y dirigida por José Luis Alonso. Decorado y figurines magníficos de Víctor María Cortezo. Obra ya conocida de los públicos españoles, tanto por haberse publicado en libro varias veces, como por haber sido representada por teatro de cámara. Obra fundamental en el teatro ruso contemporáneo.*

16 de noviembre de 1960. *Teatro Reina Victoria, de Madrid.* Cherí, *novela famosa de* Colette, *escenificada por esta admirable escritora en colaboración con Marchand. Versión libre de Jaime Vico. Decorados excelentes, de Emilio Burgos, y excelente dirección de Cayetano Luca de Tena. Obra entreverada de perversión sexual y picardía* bulevardera *muy decimonónicas, y pletórica de ingenio, gracia y ternura poética.*

14 de diciembre de 1960. *Teatro Maravillas, de Madrid.* El laberinto, *de Trevor, traducción y adaptación de Manuel Pombo Angulo. Dirección de Gustavo Pérez Puig y escenografía de Emilio Burgos. Excelente obra policíaca.*

13 de enero de 1961. *Teatro María Guerrero, de Madrid.* El rinoceronte, *de Ionesco. Traducción de Trino Martínez. Escenografía de Mampaso. Dirección de José Luis Alonso. Obra famosa en el mundo..., con fama inexplicable ganada por esos* papanatas *que pululan por todas las latitudes. Porque en* El rinoceronte *todo es oscuro, absurdo, aburrido. En una palabra: el teatro de Ionesco es lo que el arte abstracto—malo—en la pintura: deslumbramiento de bobos o de* cucos.

18 de enero de 1961. *Teatro Reina Victoria, de Madrid.* Un tranvía llamado Deseo, *de Tennessee Williams.*

Traducción admirable de José Méndez Herrera. Dirección de González Vergel. Escenografía muy bella de Mampaso. Obra maestra del teatro universal contemporáneo. Esta—y no El rinoceronte, *de Ionesco—sí puede servir de modelo para un teatro de la* problemática angustiosa *actual en un mundo desequilibrado.*

28 de enero de 1961. *Teatro Infanta Isabel, de Madrid.* Calumnia, *de Lillian Hellmann. Traducción de Manuel Aznar y Cayetano Luca de Tena. Dirección escénica, impecable, de este último. Decorados de Emilio Burgos. Obra de tema audaz y delicadísimo: en un pensionado de señoritas, azuzado por la calumnia, surge la sombra de Lesbos. Pero una gran delicadeza ennoblece tan desasosegante tema.*

17 de febrero de 1961. *Teatro Infanta Isabel, de Madrid.* Los ojos que vieron la muerte, *de Agatha Christie. Versión y dirección de José Luis Alonso. Escenografía notable de Rafael Richard. Obra policíaca de excepción, como cuantas salen de la pluma de la más famosa—con Simenon a su par—cultivadora de tal género.*

22 de febrero de 1961. *Teatro de la Comedia, de Madrid.* Lecciones de matrimonio, *de Leslie Stevens. Traducción impecable de Conchita Montes. Dirección de José Osuna. Escenografía muy bella de Vicente Viudes. Auténtico y delicioso vodevil.*

28 de febrero de 1961. *Teatro Eslava, de Madrid.* Inquisición, *de Diego Fabri, en versión muy notable de Giulana Arali. Dirección de González Vergel y decorados de Emilio Burgos. Inmejorable modelo del llamado teatro católico.*

2 de abril de 1961. *Teatro Alcázar, de Madrid.* La caída de Orfeo, *de Tennessee Williams, en versión de Antonio de Cabo. Dirigida por José Tamayo. Libre interpretación—en el más noble y trascendental teatro—de un alucinante mito. Cruda, desnuda, violenta, removedora. Pero con una expresividad transida de auténtica poesía.*

6 de abril de 1961. *Teatro Infanta Beatriz, de Ma-*

drid. Milord, la corista y el servicio doméstico, *de Jerome K. Jerome. Traducción y adaptación de Jaime Vigo. Escenografía de Emilio Burgos y dirección de Cayetano Luca de Tena. Desorbitada caricatura de ciertos personajes y temas muy reales... en la vida inglesa.*

4 de mayo de 1961. *Teatro Recoletos, de Madrid.* La embustera, *de Diego Fabri, traducida, adaptada y dirigida excelentemente por Diego Hurtado. Escenografía de Emilio Burgos.*

Durante el mes de marzo de 1961, en el teatro Español, de Madrid, actuó el "Theatre Guild American Repertory Company", en funciones patrocinadas por la Embajada norteamericana en España y bajo los auspicios del Departamento de Estado de U. S. A. Compañía integrada por notabilísimos actrices y actores. Interpretaron: La piel de nuestro diente, *de Thornton Wilder;* La que hizo el milagro, *de William Gibson;* y El Zoo de cristal, *de Tennessee Williams.*

Durante el mes de abril, en el teatro de la Zarzuela, se desarrolló un ciclo de teatro francés, organizado por las Producciones Georges Herbert. Sus mayores éxitos: Andromaque, *de Racine (17 de abril)* y Dominó, *de Marcel Achard (28 de abril).*

El 2 de junio, en el teatro Español, se presentó la Compañía Profesional de la Universidad Católica de Chile, con la obra La pérgola de las flores, *mosaico de teatro costumbrista, gracioso y emotivo, desarrollado en cuadros breves y con música popular.*

IV

TEATRO DE CAMARA

Muchas—y casi siempre felices—fueron las representaciones dadas en Madrid, por los ya incontables Teatros de Cámara, durante la temporada 1960-1961. Gracias a estas heroicas y casi siempre efímeras organizaciones, le es posible al culto aficionado al arte escénico el conocimiento de obras magistrales de las calificadas—yo creo que erróneamente—para minorías. *El teatro, como todos los restantes géneros literarios, solo puede dividirse en bueno y en malo. Y el bueno debe ser para todos. Y el malo, para nadie.*

7 de noviembre de 1960. *Teatro de la Comedia, de Madrid. El Teatro de Cámara* La Luneta Azul *representó la famosa y deliciosa comedia de Lope* Dineros son calidad, *en versión libre (¿por qué, si Lope no la necesita?) de José Franco.*

28 de noviembre de 1960. *En el Ateneo de Madrid, por el Teatro de Cámara* La Rábida *se representó* El poeta y los sueños, *de Eugene O'Neill, en versión absolutamente hispanoamericanizada de León Mirlas.*

13 de diciembre de 1960. *En el Ateneo de Madrid, por el Teatro de Cámara* La Rábida *fue estrenada la farsa de humor* Las señoras, primero, *de José Alonso Millán, disparate cómico que obtuvo singular éxito.*

4 de febrero de 1961. *En el teatro Goya, de Madrid, el "Teatro de Juventudes" representó la deliciosa comedia de Lope* El acero de Madrid.

13 de febrero de 1961. *En el teatro Español, de Madrid, el Teatro de Cámara guipuzcoano representó* Tres Juanes Pérez, *de José Luis Villarejo, una de las cuatro obras seleccionadas para optar al "Premio Tirso de Molina", establecido por el Instituto de Cultura Hispánica.*

20 de febrero de 1961. *En el teatro María Guerrero, de Madrid,* Gris, Pequeño Teatro de la Ciudad de Cádiz, *puso en escena* Dom Duardos, *deliciosa farsa de Gil Vicente, con ilustraciones musicales de Antonio Castañeda y acotaciones literarias de José María Pemán.*

1 de marzo de 1961. *En el teatro Goya, de Madrid, el Teatro de Cámara* Dido, *representó* Epitafio para Jorge Dillon, *de John Osborne y Anthony Creigthon, en versión de Antonio Gobernado.*

4 de abril de 1961. *En el teatro Goya, de Madrid, el Teatro de Cámara* Dido *puso en escena, en versión de*

Olga Linder, el famoso y angustioso drama de Strindberg La señorita Julia.

10 de abril de 1961. *El Teatro de Cámara* Yorik *dio a conocer* Un hábito para Sara, *de José Niño León.*

11 de abril de 1961. *En el teatro Goya, de Madrid, el Teatro de Cámara* Las Máscaras *representó la comedia burlesca y deliciosa de sor Juana Inés de la Cruz* Los empeños de una casa.

25 de abril de 1961. *En el teatro Goya, de Madrid, el Teatro de Cámara* Las Máscaras *representó la encantadora e ingeniosísima farsa de Goldoni* Arlequín, servidor de dos amos.

2 de mayo de 1961. *En el teatro Goya, de Madrid, el Teatro de Cámara* Pigmalión *dio a conocer la obra* Historia de Vasco, *de Georges Schénadé.*

¿4 de junio de 1961? *En el Colegio Mayor Santa María de la Almudena, el grupo teatral* La Fragata, *de la Institución Janer, representó el hermosísimo drama del holandés Jan de Hartog* Capitán después de Dios.

V

¡Y... LOPE DE VEGA!

Durante la temporada 1960-1961 fueron repuestas, solemnemente, en los principales teatros de Madrid cuatro comedias excepcionales del genio de nuestro teatro: Lope de Vega. ¡Nadie! Las cuatro alcanzaron éxitos sensacionales. Las cuatro hicieron las delicias de esos públicos a los cuales los exquisitos *dividen entre buscadores de* astracanadas *y de esperpentos folklóricos y buscadores* delicuescentes *de las nuevas tendencias del teatro de evasión, de angustia, de* mensaje *un tanto abstracto. ¡Gran chasco el de los* exquisitos! *Porque Lope de Vega resulta hoy el más joven, el más original, el más sugestivo, el más artista de los autores escénicos y hasta uno de los más* taquilleros. *¡Prodigio de las obras ungidas para la* *perennidad inmarcesible! A esta imprescindible revisión del teatro de Lope—en vísperas de cumplirse el cuatricentenario de su nacimiento—solo tengo que ponerle un reparo: el afán de que sus obras sean refundidas o adaptadas por cualquier autorcito de la actual hornada, y casi siempre con poco respeto y escasísimo acierto. ¿Es que Lope necesita de refundiciones o adaptaciones, en las más de sus obras, entre las que se cuentan todas las repuestas? En modo alguno. Pues... ¿por qué se le somete a tales profanaciones? Y uno acaba por creer que solo para que los derechos de autor, que no cobra Lope, los cobre Pérez o Sánchez, buenísimos amigos, este y aquel, del director de escena. Si a esto no se le llama* chulear *a Lope, ¿cómo lo llamaremos? Claro está que lo mismo se chulea a Shakespeare, a Molière, a Goldoni...*

De las cuatro obras de Lope, ya he mencionado dos —Dineros son calidad *y* El acero de Madrid—*al referirme a los Teatros de Cámara.*

21 de noviembre de 1960. *Teatro María Guerrero, de Madrid.* La viuda valenciana, *representada por la compañía de* Dido. Pequeño Teatro.

3 de marzo de 1961. *Teatro María Guerrero, de Madrid.* El anzuelo de Fenisa, *en refundición de Juan Germán Schröeder, por la compañía titular de dicho teatro, bajo la acertada dirección de José Luis Alonso y con decorados y figurines muy bellos de Rafael Richart.*

20 de julio de 1961. *Teatro Reina Victoria, de Madrid. Otra vez* La viuda valenciana. *Y repetición del éxito obtenido ocho meses antes.*

Y la crítica señalando con unanimidad: ningún autor más original, más nuevo, *más renovador—e innovador— que Lope.*

VI

LOS PREMIOS LITERARIOS

En el Boletín Oficial del Estado, *correspondiente al día 30 de noviembre de 1961, se publicó la concesión de los premios nacionales de teatro. La orden dice así:*

Orden de 21 de noviembre de 1961 por la que se adjudican los Premios Nacionales de Teatro correspondientes a la temporada 1960-61.

Ilmos. Sres.: Vista la propuesta que con sujeción a las órdenes ministeriales dictadas por este Departamento en fecha 11 de enero de 1956 y 20 de diciembre de 1957 eleva la Dirección General de Cinematografía y Teatro, de conformidad con los acuerdos ultimados por el Consejo Superior del Teatro en relación con los Premios Nacionales instituidos y reglamentados por las citadas disposiciones,

Este Ministerio ha resuelto:

1.° Adjudicar los Premios Nacionales de Teatro correspondientes a la temporada 1960-61, en la siguiente forma:

Premio Nacional de 10.000 pesetas, para la mejor obra dramática estrenada en el curso de la temporada, a la comedia original de don Alfonso Paso titulada *Aurelia y sus hombres*.

Dos Premios Nacionales de interpretación dramática, dotados con 10.000 pesetas cada uno para la actriz doña Mari Carrillo y el actor don José Bódalo.

Dos Premios Nacionales de interpretación lírica, dotados con 10.000 pesetas cada uno, para los cantantes señorita Amparo Azcón y don Tomás Alvarez.

Dos Premios Nacionales de interpretación coreográfica, dotados con 10.000 pesetas cada uno, para los artistas de esta especialidad, doña Pilar López y don José de la Vega.

Tres Premios Nacionales de interpretación circense, dotados con 10.000 pesetas cada uno, para el equilibrista sobre rulo don Máximo Rodríguez Viejo, de nombre artístico *Monroe*, y su compañera asistente, doña Francisca Oliver Pérez, y a las Agrupaciones "Hermanos Martini", payasos musicales, integrada por don Ramón Planet Luján, don Ramón Vallés

Puyalto y don Juan Pérez del Castillo; y "Los Domini", barristas cómicos, integrada por don Domingo Cuéllar Cortés, don Julio Luis Hernández y don José Mollíns Coll.

Premio Nacional de dirección escénica, dotado con 10.000 pesetas, a don Angel Fernández Montesinos.

Premio Nacional de 10.000 pesetas, para la mejor labor editorial sobre teatro, a don Francisco Alvarez, por su libro *El espectador y la crítica.*

Premio Nacional de 10.000 pesetas, para la mejor labor periodística sobre el teatro, a don Manuel Díaz Crespo.

Premio Nacional de libre adjudicación, dotado con 20.000 pesetas, a "Los Títeres", Teatro de Juventudes, que regenta y dirige la Delegación Nacional de la Sección Femenina F. E. T. y de las J. O. N. S.

2.° Declarar desiertos los siguientes Premios Nacionales de Teatro:

Premio Nacional de 20.000 pesetas, instituido para la mejor obra lírica estrenada durante el año teatral.

Dos Premios Nacionales de 20.000 pesetas cada uno, creados para distinguir las dos mejores obras teatrales de género infantil estrenadas en el curso de la temporada.

Lo digo a VV. II. para su conocimiento.

Dios guarde a VV. II. muchos años.

Madrid, 21 de noviembre de 1961.—*Arias Salgado.*

Ilmos. Sres. Subsecretario de este Departamento y Director general de Cinematografía y Teatro.

PREMIO CALDERÓN DE LA BARCA: *a don Gerardo Diego, por su retablo escénico* El cerezo y la palmera.

PREMIO "TIRSO DE MOLINA": *a don Fernando Martín Iniesta, por su comedia* Final de horizonte.

PREMIO CIUDAD DE BARCELONA: *a don Francisco Bergadá Subirats, por su obra* La espuma y la nada.

PREMIO CIUDAD DE PALMA: *a don Juan Bonet, por su obra* Quasi una dona moderna.

PREMIO ISAAC FRAGA:

Reunido el Jurado, compuesto por don Nicolás González Ruiz, don Alfonso Paso, don Alfredo Marqueríe, don Cayetano Luca de Tena, don Juan José Menéndez, don Emilio Burgos y don Ricardo Puente, acuerda conceder el premio Isaac Fraga, de Comedia, dotado con 25.000 pesetas, a la obra titulada *Alrededor de siempre,* original de don Santiago Moncada Mercadal, obra que será representada en el teatro

Infanta Beatriz durante el año 1962 por su compañía titular.

El Jurado acuerda declarar desierto el segundo premio, pero decide conceder tres accésits de 5.000 pesetas cada uno a las comedias tituladas *Una casa y un amor*, de don José Ferré Royo; *...Y con los ojos grises*, de don Francisco Cruz Avalos, y *Crónica de sociedad*, de don Ricardo Rodríguez Buded.

PREMIO RAMIRO DE MAEZTU:

El Jurado calificador de los originales presentados al premio de teatro Ramiro de Maeztu ha acordado conceder el primer premio a don Ignacio Rubio-Just, por su obra *El hombre y la sombra.* El segundo premio se otorgó a don Ramón Castelltort Miralda, por *La farsa transfigurada*, y el tercero, a don José Angel Juanes, por su comedia *La voz.*

Componían el Jurado don Horacio Ruiz de la Fuente, don José López Rubio, don Fernando Fernández de Córdoba, don Miguel Sáenz de Pipaón y don Luis Ignacio Parada.

PREMIO LOPE DE VEGA: *a Agustín Gómez Arcos, por su obra* Diálogos de herejías.

VII

NECROLOGIA

Durante la temporada teatral a que me he referido, hubo que lamentar la muerte de varias ilustres personalidades de nuestro teatro: autores, músicos y actores.

Autores: José María de Sagarra, Fernando de Lapi, Francisco Lucientes...

Compositores: Jesús Guridi, Guillermo Cases, Fernando Díaz-Giles, Angel Mingote Lorente, Pedro Pich Santasusana, José María Martín Domingo, José Freixá...

Actores: Rafael Sepúlveda...

Y no cito sino a los más conocidos.

FEDERICO CARLOS SAINZ DE ROBLES.

RICARDO RODRIGUEZ BUDED

LA MADRIGUERA

COMEDIA EN TRES ACTOS

ESTRENADA EN EL TEATRO MARIA GUERRERO, DE MADRID, POR EL TEATRO NACIONAL DE CAMARA, EN LA NOCHE DEL 5 DE DICIEMBRE DE 1960

PREMIO DE LA REVISTA "ACENTO"

RICARDO RODRIGUEZ BUDED

ESCENOGRAFIA DE "LA MADRIGUERA"

AUTOCRITICA

Con *La madriguera* he intentado llevar al escenario la realidad, reproduciendo, de forma objetiva, la crítica situación en que se desenvuelve la vida de un cierto grupo de seres. Una exigencia que me planteó el propio tema de la obra, al desarrollarlo dentro de los límites de una pieza de teatro, fue la de no dar dimensión de protagonista a ninguno de los personajes que intervienen en su argumento. Así, la existencia de estos personajes discurre equilibradamente, sin que cualquiera de ellos ocupe en ningún momento un plano de superioridad sobre los demás. Pudiera pensarse que el único cometido de las gentes que pueblan *La madriguera* consiste en aceptar, con humildad y disciplina, las particulares circunstancias que condicionan y hasta llegan a determinar sus vidas. Mi pretensión ha sido que tales circunstancias desempeñaran el papel de protagonista. De una obra en la que solo he buscado ser fiel a la realidad, este era el único punto que me interesaba subrayar. Lo demás está todo a la vista, espero que sincera y diáfanamente expuesto.

La madriguera obtuvo, en la temporada anterior, el premio de Teatro de la revista *Acento Cultural.* Expreso desde aquí mi agradecimiento al Jurado.

Modesto Higueras, al frente del Teatro Nacional de Cámara y ayudado por Vila Selma, ha afrontado la ardua tarea de poner en pie y armonizar una obra de complicado montaje y largo reparto. Creo que va a demostrar una vez más su reconocida agudeza, precisión y sentido teatral. Bajo su dirección, han colaborado inteligentemente Víctor María Cortezo y Redondela con el diseño y la realización del decorado. Por último, quiero hacer constar mi honda gratitud y admiración para los intérpretes, por la calidad de su trabajo y la generosidad que supone el esfuerzo de los ensayos para una sola representación.

El autor, con seguir aprendiendo, aunque nada más sea la lección de una noche, ya tiene bastante.

RICARDO RODRÍGUEZ BUDED.

(De *A B C,* de Madrid.)

CRITICAS

En el Teatro Nacional de Cámara, y sobre el escenario del María Guerrero, se estrenó anoche, con un buen decorado de Cortezo y una excelente dirección de Modesto Higueras—que mantuvo en todo tiempo el tiempo vivo que requería la comedia—*La madriguera,* de Ricardo Rodríguez Buded. Obtuvo la obra un franco y rotundo éxito. El autor y el director salieron a saludar al fin del segundo y tercer acto entre grandes ovaciones y reiterados alzamientos de telón. Montserrat Blanch, que fue justamente aplaudida en un mutis; Margarita Calahorra, cada día mejor actriz; Carmen González, María Alvarez, Isabel Ortega, Josefina Jartín, Pilar Arenas, Lola Gálvez, Lola Cárdena y José María Escuer—en un papel violento y difícil, que interpretó admirablemente—, Del Río, Campoy, Sepúlveda, Zaragoza, Marti y el siempre seguro y eficaz Agustín González, trabajaron con tanta firmeza y entusiasmo como buen arte.

Ya con *Un hombre duerme* —estrenada también en función experimental—, Rodríguez Buded se reveló como un estupendo autor, al que ya es hora de que se le abran—como a otros comediógrafos jóvenes cuyos nombres hemos repetido varias veces en estas columnas—los escenarios mayoritarios.

Ahora con *La madriguera* confirma y ratifica Rodríguez Buded—¡no olviden este apellido, señores empresarios, por favor!—los valores que en la ocasión citada reconocimos de consuno el público y la crítica: recia construcción, ceñido y apretado diálogo, interés en la trama, ironía, humor, sobrio sentido dramático, clave sarcástica y definición de tipos realizada con tanta soltura como destreza.

Pero a todos esos méritos innegables del joven autor se suma otro todavía más importante: la temática de su producción, que enfoca e ilumina una zona social, un estamento humilde que es fuente inagotable de teatralidad: la sufrida y abnegada *clase media.*

Este género tragicómico nace —lo hemos dicho otras veces— con obras como *La losa de los sueños,* de Benavente, y *La señorita de Trevélez,* de Arniches. Le continúan y le dan más intención autores actuales tales como Buero Vallejo, en *Historia de una escalera* y *Hoy es fiesta,* o Alfonso Paso, en *Los pobrecitos* y *La boda de la chi-*

ca. Está lleno de invitaciones y de sugestiones y no hay que confundirlo con el sainete fácil o con el melodrama efectista, porque cualquier parecido con esas variantes escénicas es impura coincidencia.

Entre la risa y la lágrima, en un ambiente de miseria disimulada y de refrenada angustia—por ejemplo, la casa de huéspedes o el piso de realquilados—, se mueven los personajes cocidos y recocidos en su propia salsa, con sus vanidades y sus pasiones, con sus dolores y sus ansias, sus tristezas y sus alegrías.

Es un microcosmos donde el escalpelo del dramaturgo prepara y disecciona sus piezas humanas con impecable—e implacable—limpieza.

Cada una de las criaturas escénicas de *La madriguera* lleva dentro una tragedia minimizada con sus represiones y sus complejos, pero de una hondura psicológica muy superior a lo que antes se llamaba *tipos* o *caracteres*. El afán de "guardar las apariencias", la hipocresía, la falta de auténtica caridad encubierta con una ostentación de beneficencia limosnera, la contradicción entre el egoísmo y la pretendida autoridad; el instinto de dominio, más o menos sádico, y la humillación masoquista, la exaltación juvenil y la senilidad vergonzante, la "mala cuña de la misma madera"; la fantasía delirante, la pobretería y la cursilería, todo un repertorio inacabable de conflictos y de *nudos* teatrales se nos da en esta obra, compendiado y encapsulado, sin concesiones al relleno o a lo episódico, en acción vigorosa y trepidante desde que se levanta hasta que cae el telón.

En los Estados Unidos un Elmer Rice, un Saroyan, un Miller, siguieron la misma línea y conquistaron popularidad y fama. A esto se llama impropiamente *teatro social.* ¿Qué buen teatro no lo es? *La madriguera,* por su ambición y su textura, por su buen juego y movimiento, por su diálogo penetrante y sarcástico—sencillo en la apariencia, pero de mucho fondo—, merece un elogio y un aplauso sin restricciones ni reservas. Rodríguez Buded es un autor auténtico.

ALFREDO MARQUERÍE.

(De *A B C,* de Madrid.)

*

Si, en realidad, existiera un empresario—o un director teatral—seguro de su misión, ya hubiera reclamado, sin dilaciones, *La madriguera,* de Rodríguez Buded, que el Teatro Nacional de Cámara ha dado a conocer, en representación única, en el María Guerrero, un lunes, precisamente, cuando la compañía titular del teatro se entrega al descanso establecido. ¿Y por qué no ha pasado *La madriguera* a formar parte del repertorio del María Guerrero, cuya tarea consiste, en uno de sus cometidos, en abrir las puertas a los autores noveles de nuestro sufrido solar?

Confiábamos en que, al cesar en el cartel la obra de Chejov *El jardín de los cerezos*, se hubieran apresurado a montar la de nuestro compatriota, sobre todo, porque ya está probado como autor y sus triunfos iniciales les garantizaban la continuidad y el beneficio de la aventura. Aunque no fuera así. Primero y principal, porque estamos ante un autor español; segundo, porque se trata de un novel, y, tercero, porque posee, como decimos, méritos más que sobrados para saltar, sin estorbos, de un teatro oficial, esporádico, a otro oficial permanente.

Cuando Rodríguez Buded nos ofreció, también en función única, su drama *Un hombre duerme*, y, asimismo, con éxito tajante y claro, señalamos que, por lo pronto, nos encontrábamos ante un creador puntual, de su hora, sincero y dotado de viva capacidad expresiva. Más que nada, de un autor sincero. Es decir: que no deserta de su deber, que se enfrenta con los problemas de su torno y los expone abierta y limpiamente, como es de razón. Ahora vuelve Rodríguez Buded con su tragicomedia *La madriguera*, y lo hace no solo para ratificar aquellos méritos, sino para brindarnos una demostración más sólida, ajustada y perfecta de los mismos. ¿Teatro social? Desde luego; pero ¿qué teatro no lo es, si se propone reflejar las costumbres de su momento? Teatro, en suma, de la sociedad, testimonio directo de la vida de una determinada clase social, la más zarandeada y preterida, la más indefensa y heroica: la clase media, de la que Galdós, Benavente, Arniches, los Quintero y, hoy por hoy, Buero Vallejo y Alfonso Sastre han extraído, gallardamente, sus invenciones cimeras.

Lo que seduce de Rodríguez Buded es la autenticidad de sus elementos dramáticos. No hay en ellos recursos capciosos y convencionales. Al contrario, comparecen ante nosotros con la carga patética de sus conflictos, la cordialidad de sus pasiones y la variedad, en muchos casos antagónica, de sus reacciones y disimulos, no como socorrido ardid del autor, sino como signo cabal del humanismo que los informa. Para la diversidad de estos estados de ánimo, de alma, Rodríguez Buded utiliza la veste retórica más conveniente y ponderada, a través de un realismo artístico de la mejor ley. Todo sobrio, dentro de un clima que procede del juego sentimental y sin que en ningún pasaje lo estorbe esa frecuente y generalizada utilización de conceptos altisonantes y anacrónicos en que ha decaído nuestro teatro popular. En *La madriguera* cada personaje, o personificación, habla su lenguaje, sin que sea posible el trueque, y sin que se advierta esa titánica lucha íntima del escritor, interesado honradamente en no descubrir, como quiere Julien Green, que el pensamiento vuela, mientras las palabras caminan a pie. Esta árida operación es, en este caso, prodigio de sencillez y de naturalidad, sin menoscabo de la belleza. Si hemos de ser justos, esa misma sencilla naturalidad la torna más viable y penetra con mayor eficacia en la emoción del espectador.

He aquí, pues, lector, un dramaturgo que merece vía libre y acogida ilusionada. Si estamos faltos de autores, no nos explicamos esa nociva indiferencia ante la presencia de uno que, conviene insistir, viene dotado de excepcional aptitud. Lo sorprendente es que Rodríguez Buded—y esto quizá le dificulte su paso hacia el teatro comercial—obtiene sus dos victorias resonantes sin recurrir al comodón y reproductivo juguete cómico, que es lo que priva. Se ve que pica más alto y esto, por desusado, tiene que hallar lógicamente menos resonancia. Pero todo se andará. Las viejas fórmulas de la insignificancia dramática tienen que desaparecer, pese al número abundoso de sus prosélitos.

La interpretación no tuvo un fallo, y fueron aplaudidos, con entusiasmo, los beneméritos Montserrat Blanch—reclamada además en un mutis—, Margarita Calahorra, Carmina González, María Alvarez, Isabel Ortega, Josefina Jartín, Lola Gálvez, Pilar Arenas, Lola Cárdena, José María Escuer, Agustín González y el resto del reparto. Al finalizar los actos segundo y tercero, el autor, con Modesto Higueras—que dio a la obra el pulso necesario—y principales corporizadores, recibió, insistente y calurosamente, el homenaje de la sala.

SERGIO NERVA.

(De *España*, de Tánger.)

*

Al terminar la representación, vulnerando uno de los principios de la crítica, subí al escenario para felicitar a Ricardo Rodríguez Buded. Coincidí allí con un primerísimo actor de la escena española. Me dijo: "¿Por qué los actores no hemos de ganarnos la vida haciendo obras como esta? Entonces la profesión valdría la pena."

Tenía razón. Entre *La madriguera* y cualquiera de las últimas obras de éxito montadas en los teatros comerciales hay una notable distancia a favor de la primera.

¿Por qué no será este el teatro que se abra camino? ¿Por qué no luchar para que nuestra colectividad se haga digna de un teatro así?

Pero, como decía el excelente actor con quien hablé, vivo aún el éxito de *La madriguera*, "el teatro comercial español es otra cosa".

Se guisa en otras circunstancias, de cara a esos millares de señoras y señores que, por diversas razones, vienen a ser los únicos destinatarios del mal teatro nuestro de cada día.

Rodríguez Buded pone en escena una serie de personajes próximos a nosotros. Toda su buena técnica de dramaturgo está sabiamente supeditada a unas necesidades éticas y limpias de gritar y protestar. A Rodríguez Buded—como a tantos—no le gusta la sociedad española actual. Y quiere, al hacer su drama, que nos veamos en ella y sintamos la necesidad de mejorarla. De mejorar todos un poco.

Dos personajes sobre todos resultan la clase de esta crítica, en la que a cada cual le toca su parte. Me refiero a Doña Soledad y a Alejo. Si la primera llega a confundirlo todo y a creer que con confesarse y oír misa el mundo debe estar contento, el segundo viene a representar la terrible y achulada insolidaridad de mucha gente modesta. Alejo y Doña Soledad son los dos únicos personajes seguros y firmes en la madriguera de realquilados. Los dos tienen su propia y siniestra moral, y los dos se las arreglarán para hacer polvo al prójimo con las mejores palabras.

Entre ellos, debatiéndose, toda una serie de tipos españoles tragicómicos, que vienen arrastrando su miseria desde muchos sainetes atrás. Si Rodríguez Buded, como todos los auténticos dramaturgos que se ocuparon de ellos, consigue que nos hagan reír, hemos de agradecerle que nunca se pierda el lado cordial, la pequeña tragedia de cada tipo... Y, sobre todo, y este es para mí el mérito primordial de *La madriguera,* que esta tragedia aparezca *colectivizada,* como evidenciando que o nos salvamos todos o, de verdad, de verdad, no se salva nadie.

Creo sinceramente que *La madriguera* es una de las más limpias y mejores obras del teatro español contemporáneo.

Dirección muy estimable de Modesto Higueras, que ha *resucitado* el Teatro Nacional de Cámara con notoria brillantez. Ha valido realmente la pena su esfuerzo.

El reparto se ajustó a las exigencias fundamentales de la obra. Era un reparto largo, nada fácil de cubrir, y que, sin embargo, se defendió muy bien, salvo alguna excepción. Como no es cosa de repetir aquí el reparto, me limitaré a señalar la labor de Agustín González, en una interpretación formidable, una de las más sinceras y vivas que le he visto nunca, y la de Lola Gálvez y Montserrat Blanch. Pero, ya digo, salvo una o dos excepciones, todo el mundo cumplió satisfactoriamente.

La representación—con un decorado oportuno de Cortezo—se llevó a buen ritmo, sin que la construcción un tanto compleja—varias acciones simultáneas—del drama se hiciera notar.

Se aplaudió muchísimo al final de cada acto y varios mutis, saludando Rodríguez Buded, con el director Modesto Higueras y toda la compañía.

Les confieso que yo aplaudí todo lo que prudentemente pude. ¡Este es el teatro que vale la pena!

José Monleón.

(De *Triunfo,* de Madrid.)

LA MADRIGUERA

REPARTO

(POR ORDEN DE INTERVENCION)

PERSONAJES	ACTORES
PETRA (45 años)	Charo Soriano.
SABINO (42 años)	Pedro del Río.
DOÑA TERESA (61 años).	María Alvarez.
MARGARITA (47 años) ...	Margarita Calahorra.
AGUSTÍN (47 años)	Anastasio Campoy.
DOÑA ROSA (72 años) ...	Isabel Ortega.
SAGRARIO (17 años)	María Massip.
RAMÓN (50 años)	José María Escuer.
NATI (37 años)	Josefina Jartin.
JULIO (22 años)	Rafael Sepúlveda.
MARÍA LUZ (25 años) ...	Pilar Arenas.
FRANCISCO (37 años) ...	Agustín González.
CLEMENTINA (41 años) ...	Lola Gálvez.
DOÑA SOLEDAD (55 años).	Montserrat Blanch.
CARMINA (26 años)	Lola Cardona.
ALEJO (27 años)	Federico Martí.

Epoca actual.

Decorados: Víctor María Cortezo.—*Dirección:* Modesto Higueras.

ACTO PRIMERO

El piso de Doña Teresa, en una casa de vecindad, se compone de comedor y cinco habitaciones, cuatro de las cuales están realquiladas, mientras la quinta es utilizada por la dueña. Por la noche se extiende una cama en el comedor, donde duerme FRANCISCO. Techos muy altos que fueron blancos. Como las paredes. Pero el tiempo los ha teñido de gris al cubrirlos con una capa de polvo. A la derecha está la habitación de PETRA y SABINO, un matrimonio. Hay en ella un armario viejo, la cama y una maleta sobre una silla. Del techo pende un flexible con bombilla. A la cabecera de la cama, la fotografía de novios y una estampa religiosa, ambas sujetas a la pared con alfileres. Un ventano alto y estrecho. A la izquierda hay otra habitación: el espacio estrictamente necesario para albergar dos camas pequeñas, separadas por un biombo. Aquí viven AGUSTÍN, MARGARITA, su mujer; SAGRARIO, hija del matrimonio, y DOÑA ROSA, madre de Margarita. Se aprecia a primera vista un esmero mayor en la ambientación. La ventana tiene visillos y cortinas, una cretona de colores vivos, utilizada también en las colchas de las camas. Una repisa con muñecos y otros adornos. El comedor se encuentra en el centro de la escena. Mesa ovalada, aparador, seis sillas, dos mecedoras, aparato de radio y la cama plegable de Francisco. Repartidas por los diversos huecos de pared, una gran cantidad de fotografías antiguas, en cuyos marcos hay supuerpuestas otras más pequeñas. La bombilla está protegida por una tulipa de cristal rizado. Al foro, una ventana, la puerta del cuarto ocupado por NATI y MARÍA LUZ y, ya en el ángulo derecho, un arranque de pasillo con la puerta de la calle al final. También al fondo y en el ángulo opuesto, o sea en el izquierdo, hay un nuevo arranque de pasillo, que conduce a la cocina, al cuarto de RAMÓN y su hijo JULIO y al de la dueña de la casa, DOÑA TERESA.

Al levantarse el telón, PETRA y SABINO están en su cuarto. En el de enfrente toda la familia: AGUSTÍN, leyendo el periódico bajo la lámpara; MARGARITA, haciendo punto; DOÑA ROSA, dormitando, y SAGRARIO, con la madeja de su madre entre las manos. Están encendidas todas las luces. Son las nueve de la noche.

PETRA.—¿Qué quieres? ¿Qué quieres?

SABINO.—Dame dos pesetas.

PETRA.—¿Para qué?

SABINO.—*(Sin impacientarse.)* Te lo he dicho cien veces. Tengo que comprar unos pliegos de papel de barba.

PETRA.—Está cerrado.

SABINO.—A mí me abren por el portal.

PETRA.—¡Cuándo acabarás! *(Le da el dinero.)* Anda, anda, déjame en paz.

SABINO.—Son ganas de discutir. Sabes que necesito comprar unos pliegos, pero tienes que echar tu cuarto a espadas. *(*SABINO *atraviesa el comedor y sale hacia la calle.* DOÑA TERESA *viene de la cocina, secándose las manos. Llama a la puerta de* PETRA. *Entra sin esperar contestación.)*

DOÑA TERESA.—He visto salir a su marido. Por eso me he atrevido a entrar.

PETRA.—*(Secamente.)* Pase.

DOÑA TERESA.—Aproveche usted para hacer la cena, ahora que no hay nadie en la cocina.

PETRA.—¡Cuánta amabilidad!

DOÑA TERESA.—Mujer...

PETRA.—¿Ha hablado con los de ahí enfrente? *(Señala a la habitación de* AGUSTÍN.*)*

DOÑA TERESA.—No veo momento, hija de mi vida. Son una gente tan estirada...

PETRA.—Es la segunda vez que lo hacen. Y a Nati lo mismo.

DOÑA TERESA.—Oiga usted, si además no me pagan. Siempre viene ella con excusas, pero te habla con una educación y unas buenas maneras, que es imposible contestarle.

PETRA.—¡Conmigo tenían que dar, conmigo! *(Baja la voz.)* Como si no supiéramos que están pasando hambre.

DOÑA TERESA.—*(En el mismo tono.)* Sí, señora, sí. Muchísimo.

PETRA.—¡Pues me van a oír! Salga usted, que voy a cerrar la puerta. *(Salen al comedor.* PETRA *lo cruza en dirección a la cocina.)* ¡Muy harta estoy! ¡Más de lo que se figuran ellos! (PETRA *sale.* DOÑA TERESA *se entretiene en el aparador.)*

MARGARITA.—¿Qué hora es?

AGUSTÍN.—Las nueve.

MARGARITA.—*(Deja la labor y se pone en pie rápidamente.)* ¡Madre mía, las nueve!

DOÑA ROSA.—*(Se despierta sobresaltada.)* ¡Margarita!... ¡Qué susto me has dado!

MARGARITA.—Aún no he empezado a preparar la cena.

DOÑA ROSA.—La cena... Pero ¿no es la hora de comer?

SAGRARIO.—Voy contigo, mamá.

MARGARITA.—¡Tú no sales!

SAGRARIO.—Déjame...

MARGARITA.—¡He dicho que no!

AGUSTÍN.—*(Parsimonioso.)* Estate aquí, niña... (MARGARITA *sale al comedor.* AGUSTÍN *vuelve al periódico,* DOÑA ROSA *continúa dormitando y* SAGRARIO *se aburre tremendamente.)*

DOÑA TERESA.—Espere, ¿va a la cocina?

MARGARITA.—Sí.

DOÑA TERESA.—Espere. Ahora está guisando ese animalucho.

MARGARITA.—¡Ay, muchas gracias! Es una persona tan desagradable...

DOÑA TERESA.—¿Verdad que sí?

MARGARITA.—De quien debía usted prescindir, doña Teresa, es de esas dos... señoritas. *(Señala al cuarto de* NATI *y* MARÍA LUZ.)

DOÑA TERESA.—Ya lo sé, ya; pero me da mucha pena. Después de todo, Nati y María Luz son muy discretas. Peor es esa tarasca de Petra.

MARGARITA.—Se hace muy cuesta arriba convivir con dos mujeres así. Hay hombres en la casa, doña Teresa. A mi hija, la pobrecita, no le dejamos ni asomar. *(Aparece* RAMÓN. *Viene de la calle.)*

DOÑA TERESA.—Buenas noches, don Ramón.

RAMÓN.—Buenas noches. (RAMÓN *desaparece por la izquierda, hacia su cuarto.)*

MARGARITA.—Este señor sí que tiene un problema con su hijo. La criatura está metida en casa todo el santo día.

DOÑA TERESA.—Bueno, ese ya es mayorcito.

MARGARITA.—Pues el padre me parece a mí que ronda mucho esa habitación. *(De nuevo señala al cuarto de* NATI *y* MARÍA LUZ.)

DOÑA TERESA.—Huy, ya le contaré. Figúrese usted, viudo... *(Aparece* PETRA. MARGARITA *la ve y cambia en seguida de conversación.)*

MARGARITA.—*(A* DOÑA TERESA.*)* Tenía usted razón. Echando el laurel antes de rehogar, toma mejor el gusto.

DOÑA TERESA.—*(Se ha dado cuenta.)* Claro, claro...

PETRA.—Se necesita desfachatez. Habitación con derecho a cocina. Menos mal que el alquiler es regalado. Sí, sí, hágase la sorda. Está la cocina como para entrar con pinzas.

MARGARITA.—Paciencia, Doña Teresa. Ofrézcaselo al Señor...

PETRA.—Vamos, es que me puede. Cuando se tienen deudas, no hace falta pasar la mano por el lomo. Con pagarlas está arreglado.

MARGARITA.—*(Serena, erguida.)* ¡Cuánto daría usted porque le contestara...!

PETRA.—¡Pues ya me ha oído! *(Entra en su habitación y saca del armario útiles para guisar.)*

MARGARITA.—*(A* DOÑA TERESA, *procurando salvar la*

violencia.) Mi marido siempre se da cuenta cuando me echa usted una mano para hacer la comida.

DOÑA TERESA.—Don Agustín sabe apreciar...

MARGARITA.—La niña, no. En eso no ha salido a nosotros.

PETRA.—*(Regresa al comedor.)* ¡Míralas, como dos malvas!

DOÑA TERESA.—¡Cállese!

PETRA.—¡Vaya, por fin se ha dignado dirigirme la palabra!

DOÑA TERESA.—Los voy a echar. Dormida debía de estar el día que los admití.

PETRA.—Encima, con groserías.

DOÑA TERESA.—Son ustedes una gentecilla de poco pelo para vivir en mi casa.

MARGARITA.—Por favor, no pierdan ustedes los modales.

PETRA.—Andá, bueno, modales en estos tiempos. Pasen, pasen, que quiero hablar con ustedes.

MARGARITA.—Como la cocina está libre, yo voy a aprovechar...

PETRA.—No, no; si, precisamente, más que nada es con usted. (DOÑA TERESA, MARGARITA *y* PETRA *entran en el cuarto de esta última.* NATI *viene de la calle. Trae una bolsa y algunos paquetes.)*

NATI.—*(Asomándose.)* Buenas noches. ¿Molesto?

PETRA.—¡Hola, Nati! Mire, me alegro que esté usted también.

NATI.—*(Entrando.)* Hay que ver lo que entretiene el mercado. No puede ser. Cenamos a las mil y, claro, salimos a la calle tardísimo.

DOÑA TERESA.—¿Y dónde van ustedes?

NATI.—*(Ríe estrepitosamente.)* ¡Ay, esta doña Teresa! ¡Dónde vamos a ir! ¡A pasear! *(Se vuelve a* MARGARITA.) ¿Qué le parece? ¿Que dónde vamos?... ¡A pasear!...

PETRA.—*(Pausa. No sabe cómo empezar.)* Mujer, es lo que yo digo: cuando hay necesidad, se pide; pero robarte las cosas a la espalda... Ayer me faltó una naranja. Hermosísima.

NATI.—Del aparador, seguro.

PETRA.—Se puso bueno mi marido, cuando le dije que no había postre.

DOÑA TERESA.—*(Pausa.)* Es la primera vez que en mi casa echamos algo en falta.

PETRA.—Pues no se extrañe. Aquí hay quien pasa hambre.

NATI.—Y si es así... Lo malo es cuando se hace por golosina.

PETRA.—Nada, nada. Hambre.

MARGARITA.—*(Sonríe.)* Debemos ponernos todas de acuerdo y no dejar comida en el aparador. A mí también me faltó...

PETRA.—¡Eh, cuidado! Que tiene usted muy bien enseñada a su hija para que se coma las cosas del vecino. *(Pausa.)* No quería decirlo... por discreción. (MARGARITA *baja la mirada.)*

DOÑA TERESA.—*(Pausa. Suspira.)* ¡Ay Virgen Santa!

NATI.—*(Pausa.)* Pues ya es mayorcita.

PETRA.—*(A* NATI.*)* ¿Y cuándo la vieja se te comió las empanadillas?

NATI.—*(Ríe.)* Sin cenar aquella noche. Menos mal que encontramos luego dos primos. *(Ríe.)*

PETRA.—No tiene gracia.

NATI.—Es un vicio.

PETRA.—¡Es una desvergüenza!

NATI.—También, si tiene apetito la muchacha...

MARGARITA.—*(Débilmente.)* Mi hija no es capaz...

PETRA.—¡No me lo niegue! ¡Cuando las empanadillas lo vi con mis ojos! Y de la niña, ¿para qué vamos a hablar? ¡Comprenderá usted que una naranja tan hermosa no se pierde así como así!

DOÑA TERESA.—*(Dando por terminado el asunto.)* Hay que organizarse, no queda otro remedio. Haremos turnos para guisar, y también he pensado poner llaves en las habitaciones. Vamos, en plan de hotel.

MARGARITA.—*(Pausa. Abatida.)* ¿Quieren ustedes algo más?...

PETRA.—Por mi parte, nada. Que se aplique usted el cuento. (MARGARITA *sale al comedor y se sienta junto a la mesa. Su mirada es de una gran tristeza.* SABINO *regresa de la calle.)* ¿Han visto? ¿Qué les ha parecido? Yo en seguida canto las cuarenta.

NATI.—Mujer, por una naranja... Ya se sabe lo que son los chicos...

DOÑA TERESA.—Nada, nada, ha hecho usted muy bien. Mi casa es muy seria y, ya que son tan estirados, pues que aprendan.

SABINO.—*(Entra en la habitación. Trae un rollito de papel. A* PETRA.) ¿Dónde has puesto el manguillero? Tenía una plumilla de pata de gallo.

PETRA.—¡Yo qué sé, hombre, yo qué sé! Busca en la maleta.

SABINO.—Doña Teresa, ¿hará usted el favor de prestarme el tintero?

DOÑA TERESA.—En el aparador lo tiene. Cójalo.

NATI.—En fin, voy a quitarme los zapatos. Avísenme cuando haya sitio en el fogón. (SABINO *se dedica a revolver en la maleta, mientras su mujer le observa cruzada de brazos.* NATI *y* DOÑA TERESA *salen al comedor. La primera va hacia su cuarto, y* DOÑA TERESA *cruza para ir a la cocina.)*

DOÑA TERESA.—*(Al pasar junto a* MARGARITA, *se inclina y le habla en voz baja.)* No le haga caso. Es un bicho. *(Sale.)*

SABINO.—*(Harto de revolver en la maleta.)* ¡Ya me has perdido la pluma!

PETRA.—*(Se decide a ayudar al marido.)* ¡A saber, para qué cosa importante la necesitarás!

NATI.—*(Abre la puerta de su cuarto. Va a entrar, pero se detiene.)* Venga, tú, ahueca. Vaya un moscón. *(Pausa.)* ¡Anda, anda, nos ha caído buena con el mozo este! *(Sale* JULIO *de la habitación.)* ¿No tienes nada que hacer, rico? Se lo voy a decir a tu padre. ¡Qué pesadez de criatura! (*Ahora aparece* MARÍA LUZ.) Y tú, también, pareces tonta. ¿Se dan cuenta? Sin arreglar todavía. Pues lo que es yo no te espero. *(Desaparece, cerrando la puerta.)*

JULIO.—Adiós.

MARÍA LUZ.—Espera, quédate...

JULIO.—No, mi padre vendrá en seguida. No quiero que me vea...

MARÍA LUZ.—Espera... Esa es que habla mucho, pero la habitación es de las dos.

SABINO.—¡Mírala, mírala!, ¡aquí está! ¡Toda despuntada! ¡A ver quién hace una letra decente con esta pluma!

PETRA.—¡Vaya por Dios! ¡Ya encontró la pluma el señor! Está despuntada... ¡Para las majaderías que escribes, basta y sobra!

SABINO.—¡Tengo que redactar una instancia! ¿O quieres que me pase toda la vida sin trabajar?

PETRA.—¡Bah, bah, bah!... *(Sale al comedor y lo atraviesa en dirección a la cocina.)* Una instancia, el señor tiene que redactar una instancia. ¡Vamos, qué...! *(Desaparece.* SABINO *recoge el rollito de papel, la pluma y el tintero del aparador. Se sienta a la mesa ovalada, disponiéndose a escribir con gran cuidado.)*

MARÍA LUZ.—¿Cuándo vuelves a trabajar?

JULIO.—No sé; el médico lo dirá. Me tiene que dar el alta.

MARÍA LUZ.—Yo prefiero que estés aquí.

JULIO.—¿Vas a salir esta noche?...

MARÍA LUZ.—Sí, claro, ¿por qué?

JULIO.—*(Se encoge de hombros. Pausa.)* Anda, vete a arreglar, no vaya a venir mi padre.

MARÍA LUZ.—Como quieras. Hasta mañana, guapín.

JULIO.—Hasta mañana... (MARÍA LUZ *entra en su cuarto.* JULIO, *perezosamente, se sienta cerca de donde escribe* SABINO. MARGARITA *se levanta con lentitud y va a reunirse con los suyos.)*

SABINO.—*(A* JULIO.) Ya te llegará el día en que necesites hacer una instancia pidiendo colocación. ¿Escribes con buena letra? Es lo más importante. Esto, como todo, tiene sus trucos. Hay que conocerlos. (MARGARITA, *adoptando un aspecto marcadamente doloroso, entra en su habitación. Una vez dentro, estalla en un llanto nervioso.)*

SAGRARIO.—¡Mamá!

AGUSTÍN.—¿Qué pasa? (DOÑA ROSA *vuelve a despertarse sobresaltada.)* ¿Es que no vamos a poder vivir tranquilos?

MARGARITA.—*(Autoritaria.)* ¡No grites!

AGUSTÍN.—Bueno, pero es que...

MARGARITA.—*(En un susurro, con gran energía.)* ¡No grites! *(A* SAGRARIO, *enfática.)* Has cogido una naranja del aparador.

AGUSTÍN.—*(Balbucea.)* Te pones nerviosa en seguida, Margarita...

MARGARITA.—¿Sabes lo que me acaban de decir? ¡Que es una desvergüenza!

DOÑA ROSA.—¿Quién te manda creer esa tontería?

MARGARITA.—¡La han visto!

AGUSTÍN.—*(A su hija.)* ¡Vamos, dilo!

MARGARITA.—¡No grites...! *(Todo el resto de la conversación en un tono sordo, contenido.)*

AGUSTÍN.—¡Nos dejas en ridículo!...

MARGARITA.—¡Van a poner llaves en las habitaciones por nosotros!

AGUSTÍN.—¿Llaves?

MARGARITA.—Sí...

AGUSTÍN.—*(Pausa breve.)* Es humillante.

MARGARITA.—¡Aquí acabaremos!... ¡Ahora se ha enterado esta gentuza; luego lo sabrán los vecinos, en la tienda, todos!... ¡Estáis consumiendo mis pocas fuerzas! ¡No sé qué va a ser de nosotros!...

DOÑA ROSA.—Estás bien chiflada, hija mía.

MARGARITA.—¡Cállate tú! ¡Mi madre ha hecho lo mismo! ¡La otra noche dejó sin cenar a esas dos mujeres!

DOÑA ROSA.—¿Yo? ¿Yo?

MARGARITA.—¡Sí!

DOÑA ROSA.—¡Bueno!...

AGUSTÍN.—¡Qué falta de sentido! ¡Dar tres cuartos al pregonero delante de estas personas, con las que hemos de convivir a la fuerza!

MARGARITA.—Y terminarán por enterarse de que estás castigado, de que te han suspendido de empleo y sueldo.

AGUSTÍN.—*(Pausa.)* Cuando vienen mal las cosas, parece que se reúnen todas a un tiempo.

MARGARITA.—¡No digas estupideces! ¡A ti te da igual, ya lo sé! ¡Estoy sola!... Habéis escogido a propósito lo más deshonroso. No es lo malo que hayáis robado. Lo insoportable es que me habéis puesto en evidencia. *(Pausa.)* He perdido la esperanza de abandonar este ambiente algún día.

AGUSTÍN.—Claro que lo abandonaremos, mujer. Estamos pasando una época de mala suerte, un bache, algo natural en cualquier familia. ¡Hale, me llevo a la niña a tomar un poco el aire, mientras preparas la cena!

MARGARITA.—¿Con qué cara me presento ahora en la cocina?

DOÑA ROSA.—No te preocupes, yo iré. (DOÑA ROSA *se echa una toquilla sobre los hombros y sale hacia la cocina.* MARGARITA *coge de nuevo la labor y se sienta, mostrándose muy decaída. Padre e hija atraviesan el comedor, con dirección a la calle, en el momento que aparece* PETRA, *quien va a buscar algo al aparador.)*

PETRA.—*(A su marido.)* Ahí lo tienen. Como si estuviera haciendo algo. (SABINO *está embebido en su trabajo.)* A ti te digo, simple, que eres un simple.

SABINO.—¿Eh..., qué...? *(Aparece* RAMÓN *en el comedor.)*

PETRA.—Eso digo yo. ¿Qué pasa?

SABINO.—¡Ya me has hecho perder el hilo! ¡Así no hay manera!

PETRA.—Se le interrumpe al señor. *(Sale.)*

SABINO.—*(A* RAMÓN.) ¿Pero usted ha visto qué falta de consideración? *(Niega repetidamente con la cabeza y continúa escribiendo.)*

RAMÓN.—*(A* JULIO. *Secamente.)* ¿Por qué no has entrado en el cuarto?

JULIO.—Creí que no estabas.

RAMÓN.—¿Cómo te encuentras?

JULIO.—Bien.

RAMÓN.—¿Has salido?

JULIO.—Sí.

RAMÓN.—No conviene que andes por ahí sin ton ni son. Sobre todo, no vayas a locales cerrados. Haces vida normal y debes darte cuenta de que estás enfermo.

JULIO.—Ya lo sé.

RAMÓN.—Todo lo que te digo es por tu bien, Julio. *(Pausa.)* Este no es un buen sitio para ti, ya me doy cuenta. Aunque doña Teresa nos atiende y, de momento, no se puede pensar en nada mejor. Dos hombres solos... Mal asunto.

JULIO.—No sé dónde íbamos a vivir mejor que aquí.

RAMÓN.—Eso es cuenta mía.

JULIO.—¡Todo es cuenta tuya! ¡Yo no puedo ni abrir la boca!

RAMÓN.—No, hombre, no, no es eso. Mira, Julio, yo voy pensando poco a poco, dándole vueltas... ; procuro encontrar la manera de que nuestra vida sea más normal... Ya sabes que nunca me he precipitado, pero me preocupa el que estemos los dos solos...

JULIO.—*(Pausa.)* Quería hablar contigo.

RAMÓN.—¡Ah!, ¿sí?

JULIO.—Seguro que no vas a interpretar las cosas como yo.

RAMÓN.—No, hombre, ¿por qué?

JULIO.—Tengo novia.

RAMÓN.—¡Caramba!

JULIO.—Sí, verás...

RAMÓN.—Dime.

JULIO.—Siempre te han parecido absurdas mis cosas, y ahora no me atrevo a decirte nada.

RAMÓN.—¿Qué puedo hacer yo, hijo mío?

JULIO.—Bueno, pues nada más; que tengo novia.

RAMÓN.—En eso ya habíamos quedado.

JULIO.—Pues nada más.

RAMÓN.—Bueno, bueno, vamos a ver: ¿la conozco yo?, ¿quién es?

JULIO.—¡Qué más da! Una chica.

RAMÓN.—Pero, Julio..., ¿cómo se llama?

JULIO.—María Luz.

RAMÓN.—*(Pausa.)* ¿Qué María Luz?...

JULIO.—*(Señala a la habitación.)* Esta...

RAMÓN.—*(Pausa.)* ¿Te tratas con ella?...

JULIO.—Sí...

RAMÓN.—¡Tengo yo la culpa!

JULIO.—Ya sé todo lo que me vas a decir. No puedo contestarte. No me preguntes. La quiero... Somos amigos desde que vinimos a esta casa. Todos los días pensaba decírtelo, pero nunca me atrevía. Ella está enamorada de mí. Te doy mi palabra.

RAMÓN.—*(Sordamente.)* ¿Cómo puedes creer eso?

JULIO.—No, no, es verdad. Te lo aseguro.

RAMÓN.—Pero ¿es que eres idiota?

JULIO.—No te preocupes, si a mí no me importa nada. Estás equivocado si crees que no... *(Se pone en pie.)*

RAMÓN.—Ven aquí, hijo mío...

JULIO.—No, no, me voy.

RAMÓN.—Pero, hombre, ¿dónde vas ahora?

JULIO.—Me voy. Cena tú en la taberna. Yo no tengo gana.

RAMÓN.—¡Julio!

JULIO.—Adiós...

RAMÓN.—¡Aguarda, hombre!

JULIO.—Adiós, papá. *(Pausa. Se miran en silencio y* JULIO *sale, en un movimiento rápido.* RAMÓN *se dirige resueltamente a la puerta del fondo y llama.)*

NATI.—*(Dentro.)* ¿Quién?

RAMÓN.—Nati, soy Ramón. Haga el favor un momento.

NATI.—*(Dentro.)* Ahora va, ahora va. *(Entra* DOÑA TERESA *y, después,* NATI.*)* *(A* RAMÓN.*)* ¿Qué quieres? *(Reacciona.)* ¡Huy...! Usted dirá.

RAMÓN.—*(Confuso.)* Hola, Nati... *(Molesto por la presencia de* DOÑA TERESA, *que no se mueve.)* No es nada de importancia...

NATI.—Me habrá llamado para algo.

RAMÓN.—¿Cómo van sus cosas, Nati?

NATI.—¡Ah, muy bien!

RAMÓN.—*(Pausa.)* Verá, ya sabe que mi chico está todavía convaleciente.

DOÑA TERESA.—*(Muy en la conversación y muy alarmista.)* ¿Es que ha recaído?

RAMÓN.—No, no, va saliendo adelante. Pero el muchacho está obcecado, Nati. No consentiré que insista en esta locura.

NATI.—La verdad, no le entiendo. Hace casi una semana que no nos vemos, y ahora, de repente, se pone usted así conmigo.

RAMÓN.—No es con usted... Sabe de sobra que yo a usted...

DOÑA TERESA.—Sea buena, Nati.

NATI.—Si su hijo no anduviera todo el día vagueando por la casa...

RAMÓN.—He conseguido sacarlo de la enfermedad poco a poco, y ahora, al final...

NATI.—Bastante tiene una. Déjeme, déjeme.

RAMÓN.—Hable con su amiga. Yo le explicaré lo que ha de decirle.

Doña Teresa.—Eso es lo mejor, no cabe duda; que ella hable con María Luz.

Nati.—Pues sí que estamos buenos. *(A* Doña Teresa.*)* Ya ve, yo creí que me llamaba para tomar un café juntos, aunque nada más fuera.

Ramón.—Bueno, si eso es aparte, Nati. ¿Cuándo quiere que salgamos a dar una vueltecita?

Nati.—¡Ay, ni hablar! A la fuerza, no quiero nada.

Ramón.—Estoy solo... No se ría de mí.

Nati.—¡Huy, reírme...!

Doña Teresa.—No diga eso, don Ramón. ¿Para qué estamos todos aquí, sino para echarnos una mano cuando haga falta?

Ramón.—Pero ¡qué chico!..., qué cabeza!... Volveremos a salir con más frecuencia, ¿eh, Nati? Ayúdeme...

Nati.—No crea que va a ser fácil. *(Baja la voz.)* María Luz es joven, y aún se hace a la idea de empezar a vivir de otra manera.

Doña Teresa.—*(En el mismo tono.)* Claro, claro, ahí está.

Ramón.—*(Enérgico.)* ¡Eso es un disparate, y pienso impedirlo a costa de lo que sea!

Nati.—Bueno, bueno, a mí no me grite.

Ramón.—*(Reacciona nerviosamente.)* No se enfade... Comprenda que esto es un problema serio para mí... ¿Ve usted? Si se enfada, me llevo un disgusto. Una cosa es una cosa..., pero no tiene nada que ver con nuestra amistad.

Nati.—Vaya una amistad. *(A* Doña Teresa.*)* Semanas enteras sin preguntar por mí.

Doña Teresa.—Ande, ande, que bien se lo maneja.

Nati.—*(Inicia el mutis.)* Cualquiera los entiende.

Ramón.—*(Siguiéndola.)* No, no, Nati... De ningún modo quiero que se enfade... En cuanto se pone usted así es que me desarma... *(A* Doña Teresa.*)* No puedo verla enfadada... Nati, espéreme esta noche en el café, ¿eh?, ¿le parece?

Nati.—Por mí...

Ramón.—Aunque me retrase un poquito, usted me espera, ¿eh?

Nati.—*(Con desgana.)* Bueno, de acuerdo. *(Aparece* Petra.*)*

PETRA.—Ya puede pasar, ya estoy terminando.

NATI.—Gracias, ahora voy.

PETRA.—*(A* SABINO.*)* ¡Eh, tú! ¡La cena está preparada!

SABINO.—Aún no he acabado.

PETRA.—Pero ¿ustedes se dan cuenta de la paciencia que tengo con este hombre?

NATI.—*(A* RAMÓN.*)* ¿Algo más?

RAMÓN.—Nada... No se olvidará...

NATI.—*(Sonríe.)* Hasta luego... *(Sale hacia el pasillo.)*

RAMÓN.—*(Yendo hacia la puerta de la calle, acompañado por* DOÑA TERESA.*)* Nati es muy bondadosa. ¿Usted sabe qué principios tiene? ¡Lástima de vida!...

DOÑA TERESA.—Todos estamos a su lado, don Ramón. Los hijos solo dan disgustos... (RAMÓN *inclina varias veces la cabeza resignadamente y sale.)*

PETRA.—Se ha creído que esto es un hotel.

SABINO.—No me he creído nada. Estoy ocupado.

DOÑA TERESA.—Déjele, mujer. Da gusto verle tan aplicado.

PETRA.—¿Aplicado? ¡Se van a acabar muy pronto sus pamplinas!

SABINO.—¿Usted ve lo fácil que es perder la cabeza, doña Teresa? Hay quien no sabe cómo andan las cosas por ahí. Creen que lo saben todo y no saben nada. Si no presento una instancia, perderé el tiempo. Lo primero es presentar una instancia con sus pólizas.

DOÑA TERESA.—Verdaderamente.

PETRA.—Eso es. Déle alas encima. Mucha póliza y el señor se tira en la cama hasta las diez. Pues mañana, a las ocho en punto, te pongo en la calle.

SABINO.—¿Oye usted, doña Teresa? Yo no contesto, prefiero no contestar. Completamente de acuerdo. Mañana saldré.

PETRA.—¡Claro que saldrás!

SABINO.—*(A* DOÑA TERESA.) Estoy diciendo eso: que mañana me iré a la calle a buscar.

PETRA.—A buscar... Ya te conozco yo a ti. ¡A zanganear por ahí!

SABINO.—Bien, nada. Entonces no saldré.

PETRA.—Pero ¿usted lo ha visto? ¡Encima con guasa!

SABINO.—*(Se encara con ella.)* Bueno, ¿qué quieres?

PETRA.—¡Qué voy a querer! ¡Que no me enciendas la sangre!

DOÑA TERESA.—Madre de mi vida, ¡qué peleona es usted!

PETRA.—¡Si es que me pinchan! ¡Claro, me pinchan y estallo! ¿Sabes lo que te digo? ¡La cena está hecha! ¡Si está fría, como si está caliente! ¡Haz lo que te dé la gana! *(Sale.)* (DOÑA TERESA *entra en la habitación de la izquierda, donde* MARGARITA *continúa haciendo labor.)*

DOÑA TERESA.—¿Cómo va ese ánimo? Algunas personas debían vivir en el desierto; no conocen lo que es la educación. *(Llaman a la puerta de la calle.)* Esa Petra..., ¡qué mujer! ¿Querrá usted creer lo que estaba diciendo hace un momento? Que a don Agustín le han suspendido de empleo y sueldo y que por eso se han venido ustedes a vivir a Madrid. Por apartarse de sus amistades, ha dicho. ¡Yo ni siquiera he prestado atención *(Suena un nuevo timbrazo.)* ¡Ay, ya va, ya va! Vaya un impaciente. Algún pobre, seguro. (DOÑA TERESA *sale a abrir. Es* FRANCISCO.)

FRANCISCO.—*(Pletórico, abrazándose casi a ella.)* ¡El triunfo, doña Teresa!

DOÑA TERESA.—¡Oiga, oiga, más respeto! ¿Qué expansiones son estas?

FRANCISCO.—¡Tengo frase, doña Teresa!

DOÑA TERESA.—Si no bebiera...

FRANCISCO.—¡Que tengo frase!...

DOÑA TERESA.—Huele usted a vino. Se va a quedar sin voz y acabará por no poder cantar.

FRANCISCO.—Un contrato para hacer cine. Me he contratado.

DOÑA TERESA.—Usted es un buen corista de zarzuela y nada más. Si no bebiera, podría llegar a corista de ópera.

FRANCISCO.—¡No volveré a pisar un escenario!

DOÑA TERESA.—Bueno, bueno... Se acabó entonces nuestra delantera de principal para verle salir en "Doña Francisquita". ¡Qué pena!

FRANCISCO.—Soy amigo del director, un hombre de mucho talento. Director de películas, ahí es nada. Nada más verme, me ha dado un papel. Mi contrato..., en fin, todo en regla.

SABINO.—*(Pausa.)* Yo creo que se equivoca, Francisco. ¿Va usted a cambiar el arte tranquilo de un escenario por el peligro del cinematógrafo? En el cine tendrá usted que tirarse por precipicios, montar caballos desbocados y arrojarse de ellos a toda velocidad. En el cine hay incendios, derrumbamientos y batallas, donde, a veces, para conseguir mayor realismo, hay muertos de verdad. (MARÍA LUZ *sale de su cuarto. Se ha arreglado. Coge del aparador platos y cubiertos, para* NATI *y ella, y los coloca sobre la mesa.)*

DOÑA TERESA.—Claro, claro; sin embargo, ya ve, en una zarzuela, ¿qué peligro tiene? Pues ninguno. Tan ricamente.

FRANCISCO.—Pero ¿es que no se dan cuenta? Detrás de este papel, vendrá otro y otro... Allí hay trabajo para todos. Para usted también, Sabino.

SABINO.—Esa clase de trabajo no se ha hecho para mí, porque yo sé muy bien cuáles son mis derechos. ¡Conozco las leyes y exijo siempre mis derechos! Empiezo por solicitar en instancia reintegrada y siguiendo las fórmulas legales. Verán, verán ustedes; en seguida se lo leo.

DOÑA TERESA.—*(Suspira ruidosamente.)* ¡Ay Virgen Santa! *(Sale.)* (MARÍA LUZ, *una vez que ha terminado, se sienta a la mesa. Regresan* AGUSTÍN *y* SAGRARIO.)

FRANCISCO.—Agustín, mañana te quiero ver afeitado y con el traje azul marino.

AGUSTÍN.—*(Intimidado por la presencia de* MARÍA LUZ.*)* Un momento, hombre, un momento. ¿No ves que no puede estar aquí la niña? Espera que la deje con su madre. *(La empuja.)* Vamos, vamos, Sagrario. (SAGRARIO *entra en la habitación.)*

MARGARITA.—¿Dónde habéis estado?

SAGRARIO.—Por la calle.

MARGARITA.—¿Te ha comprado algo tu padre? ¿Tiene dinero?

SAGRARIO.—No me ha comprado nada.

MARGARITA.—¡Mentirosa! *(Mira fijamente a su hija, hasta retirar la mirada con gran lentitud.)*

AGUSTÍN.—*(A* FRANCISCO.) ¿Qué pasa?

FRANCISCO.—Mañana puedes ir. He hablado con mi amigo el director, pero tienes que empezar en seguida a gestionarte el "carnet".

AGUSTÍN.—No se lo digas a Margarita... He decidido seguir buscando alguna otra cosa. Para esto tuyo, yo no sirvo...

FRANCISCO.—Para el cine sirve todo el mundo. ¿Qué te has creído?

AGUSTÍN.—No, no, Francisco... Aunque me veas así, yo tengo una posición y muy buenas amistades...

FRANCISCO.—Pero ¿es que ahora me vas a dejar plantado?

AGUSTÍN.—*(Queriendo zafarse.)* No, hombre, no... Ya hablaremos... Delante de Margarita di que no has conseguido...

FRANCISCO.—Después de hacerte el favor, ahora resulta...

AGUSTÍN.—Si te lo agradezco... Tú estás acostumbrado, pero yo... Luego hablaremos, ¿eh? *(Entra rápido en su habitación.)*

FRANCISCO.—*(Tiene un momento de titubeo, pasado el cual entra violentamente en la habitación de* AGUSTÍN.*)* ¡Estoy harto de cantar en coros de zarzuela y de malvivir! He encontrado ocupación para su marido, señora. En el cine, sí, sí, en el cine. ¿Qué hace falta? Nada. Poner la cara, con eso es suficiente. *(El matrimonio y la hija están frente a él, arredrados.)* ¡Me cargan ustedes, eso es lo que pasa! ¡Miren sus vestidos! ¡Se caen de viejos! ¡El traje de Agustín tiene remiendos! ¡Enséñalo, hombre, enséñalo!

MARGARITA.—*(Pausa.)* Estamos con la ropa de casa, Francisco.

FRANCISCO.—¡Ah, claro, desde luego! ¡Pero su hija tiene que buscar la comida a escondidas, y esa pobre señora vive de rebañar el aparador!

MARGARITA.—¿Qué le hemos hecho nosotros?...

FRANCISCO.—Nada, no me han hecho nada. Es que me dan pena. ¡Me molesta verlos!

AGUSTÍN.—¡Vete de aquí!

MARGARITA.—Espere. (JULIO *viene de la calle. Se sienta al lado de* MARÍA LUZ *y cruzan sus miradas sin hablar.)*

AGUSTÍN.—¿Es demasiado pedir que nadie se ocupe de nosotros?...

MARGARITA.—*(Amablemente.)* Te ha encontrado trabajo, ¿no? Pero, Francisco, por Dios, es usted tan impulsivo... Está bien que aquí, en confianza, hablemos ciertas cosas... Lo que tiene usted que procurar es que el trabajo de Agustín sea en alguna película donde pueda salir disfrazado. En esas películas de antiguos, si te disfrazan bien, no hay forma de saber... Además, me he enterado yo de que son las que pagan mejor. ¿Eh, Agustín?

AGUSTÍN.—*(Pausa.)* Sí, eso sí...

SAGRARIO.—¡Yo no quiero!

MARGARITA.—¡Tú a callar!

AGUSTÍN.—*(Pausa.)* Mañana has dicho, ¿verdad?

FRANCISCO.—Sí, sí, mañana. ¡Siempre encuentran la manera de asquearle a uno! *(Entra* DOÑA TERESA *en el comedor.)*

DOÑA TERESA.—*(Al ver juntos a* MARÍA LUZ *y* JULIO.*)* Formalitos, ¿eh?

MARÍA LUZ.—¡Andá, bueno...!

AGUSTÍN.— *(Entre dientes, a* FRANCISCO.*)* No vuelvas a repetir lo que has dicho hace un momento. Te lo ruego.

MARGARITA.—*(Hundida, pero intentando mediar.)* Agustín...

FRANCISCO.—*(Despectivo.)* ¡Déjame en paz! (FRANCISCO *sale al comedor, cruzándose con* DOÑA TERESA, *que entra en la habitación.)*

DOÑA TERESA.—Volada vengo, doña Margarita. Petra, en la cocina, contándole a Nati, ce por be, todo el asunto de ustedes. Delante de su mamá, calladita la pobre, delante de mí... También han tenido ustedes mala suerte; porque los negocios son los negocios y un tropiezo lo tiene cualquira, pero, caramba, hasta ponerle a uno en la calle... Que le tendrían a usted envidia, don Agustín, otra cosa no puede ser. Pues, ce por be, todo, todo, todo.

DOÑA ROSA.—*(Entrando en la habitación.)* En cuanto se desocupe la mesa, podemos cenar.

DOÑA TERESA.—*(Suspira.)* ¡Ay...! (DOÑA TERESA *y* DOÑA ROSA *regresan al comedor.* SABINO *se pone en pie muy satisfecho, frotándose las manos.)*

SABINO.—Bueno, pues esto está concluido.

DOÑA ROSA.—¿Nos lo va usted a leer?

SABINO.—Sí, ahora mismo. El borrador, mañana lo pasaré a limpio.

DOÑA ROSA.—Entonces me siento. *(Lo hace.)*

DOÑA TERESA.—*(Se sienta también.)* Vamos a ver.

FRANCISCO.—Yo, con el permiso de ustedes, la voy a escuchar desde la cama. *(Abre el mueble y extiende la cama plegable.)*

DOÑA TERESA.—Eso no es lo convenido, Francisco. Cuando le admití, quedamos en que no se acostaría usted antes de las once, para que las mujeres podamos pasar por el comedor.

FRANCISCO.—Sí, señora. Hasta las once no me pondré el pijama, descuide.

DOÑA TERESA.—Es muy feo que esté ahí tumbado. *(Pausa.* SABINO, *en pie, ensaya la lectura en voz baja.)*

JULIO.—*(A* MARÍA LUZ.) Se lo he dicho...

MARÍA LUZ.—¿Y qué?

JULIO.—No quiere. (JULIO *pasa la mano por el hombro de* MARÍA LUZ, *juntando sus caras. Todos los demás están atentos a* SABINO.)

SABINO.—*(Lee.)* "Don Fulano de Tal y Tal..., con domicilio..." Esto nada. *(Lee.)* "A vuestra señoría con todo respeto expone: *(Sube la voz.)* que habiendo desempeñado durante quince años, con manifiesta honradez y probada competencia, trabajos denominados de auxiliaría...

PETRA.—*(Entrando.)* ¿Ya ha terminado el señor?

SABINO.—Siéntate y escucha.

PETRA.—¿Qué dices, idiota?

SABINO.—Que te sientes. Voy a empezar de nuevo.

PETRA.—¡No tengo otra cosa que hacer más que oír simplezas!

SABINO.—¡Respeta, al menos, lo que no entiendes!

PETRA.—¿Lo que no entiendo?

SABINO.—¡Jamás he visto mayor ignorancia!

PETRA.—¡Dame ese papel!

SABINO.—¡No se te ocurra...!

PETRA.—*(Le arrebata la instancia y la rompe en pedazos.)* ¡Esto es lo que hago con tus idioteces! ¡Para que aprendas! ¡Majadero! ¡Que eres un majadero! *(*JULIO *y* MARÍA LUZ *se están besando.)*

TELON

ACTO SEGUNDO

El mismo decorado del acto anterior. PETRA y SABINO ya no viven en casa de DOÑA TERESA. El cuarto libre ha sido alquilado por CLEMENTINA, quien se ha apresurado a colgar tres cuadritos y una cortina gruesa en la ventana, improvisando una especie de tocador, el cual ha llenado con innumerables tarros de cremas, polvos y productos de belleza. Su perrito, llamado "Chris", duerme con ella.

Al levantarse el telón, CLEMENTINA está retocándose el maquillaje, frente al espejo del tocador. Tiene a "Chris" en el regazo. El resto de la escena se encuentra vacío.

CLEMENTINA.—"Chris", queridito mío... Siempre he de salir hecha un adefesio por tu culpa... ¡Qué faldero eres, "Chris"!... ¿Me vas a obedecer? *(Llaman a la puerta. Por la izquierda, entra* DOÑA ROSA. *Hace una pausa y, cuando se ha cerciorado de que nadie la vigila, se encamina con paso ligero al aparador. Rebusca activamente por cajones y repisas. No encuentra nada. Va a abrir. Es* JULIO.)

DOÑA ROSA.—Buenas tardes, hijo; pasa, pasa.

JULIO.—*(Entra.)* Espere, no cierre. María Luz sube ahora.

DOÑA ROSA.—No queréis entrar juntos, ¿verdad? (JULIO *se encoge de hombros. Entra* DOÑA TERESA.)

DOÑA TERESA.—¡Ah, eres tú! ¿Buscas a tu padre?

JULIO.—Me ha dicho que iba a salir. ¿Está en casa?

DOÑA TERESA.—No, por eso.

CLEMENTINA.—*(Acariciando al perro.)* Eres un niño muy mal educado, "Chris" Te doy todos los gustos, tú lo sabes, y cada día te vuelves más caprichoso. (DOÑA TERESA *ordena silencio a* DOÑA ROSA *y a* JULIO. *Escuchan los tres.* CLEMENTINA *ha acabado de pintarse y coge el perro en brazos.)* Pobrecito "Chris", ¿quién iba a cuidar de ti, si no fuera por tu mamá? Estamos solitos en el mundo, pero nos queremos mucho, ¿verdad, cariño? No necesitamos a nadie... ¿Vas a ser bueno? ¿Sí? ¿Vas a ser obediente? ¿Sí? Cuando te reprendo es por tu bien. ¿Me quieres? ¿Cuánto me quieres? *(Lo acaricia y junta su cara a la cabeza del perro.)* Ahora mismo nos vamos a la calle. ¿Vas a ser formal?

JULIO.—¿Con quién habla?

DOÑA TERESA.—Con el perro. Es una señora finísima.

DOÑA ROSA.—La pobre debe de estar un poco mal...

DOÑA TERESA.—¡Calle usted! ¡Si vive de las rentas!

DOÑA ROSA.—No, digo de la cabeza.

DOÑA TERESA.—Bueno, eso... Pero una gran posición, doña Rosa. Hasta hace nada de tiempo mantenía tres perros.

DOÑA ROSA.—¡Ay, mire, pues no sabía...!

CLEMENTINA.—*(Sale al comedor con "Chris" en los brazos.)* Buenas tardes.

DOÑA TERESA.—Buenas tardes, doña Clementina.

CLEMENTINA.—No, doña, no. *(Sonríe.)* Clementina a secas. Es más juvenil.

DOÑA TERESA.—Como usted mande.

CLEMENTINA.—¡Qué disgusto, doña Teresa! *(Pausa. Mira recatadamente en derredor.)* He tenido que poner una cortina en la ventana.

DOÑA ROSA.—¿Por qué...?

CLEMENTINA.—*(Sofocada.)* Me miraban por las noches...

DOÑA ROSA.—¡Será posible!

CLEMENTINA.— Me han visto dormir.

DOÑA TERESA.—¡Qué asquerosos! *(Entra* MARÍA LUZ.*)*

MARÍA LUZ.—Buenas tardes.

CLEMENTINA.—Buenas tardes. *(Pausa.)* Pues lo que oyen. *(A* MARÍA LUZ.) Estábamos comentando lo peligrosas que son las ventanas en estos patios de vecindad.

MARÍA LUZ.—¿Por la altura? Hombre, no creo yo que desde un entresuelo...

CLEMENTINA.—¡Ay, no, hija mía! ¡Qué inocencia! Claro, los pocos años, porque una todavía es joven, pero con más experiencia.

MARÍA LUZ.—Bueno, ¿y qué?

CLEMENTINA.—Escuche, escuche. Desnudarme no me han podido ver, porque he tenido la precaución de apagar la luz, pero estas noches de luna...

MARÍA LUZ.—¡Ah, bueno...; sí, es una monserga!

DOÑA TERESA.—Después de todo, ellos son los que pecan.

CLEMENTINA.—Y nosotras, doña Teresa, despertando malos pensamientos.

MARÍA LUZ.—Yo, en eso, allá cada cual.

CLEMENTINA.—No hable usted así. Pueden tomarla por lo que no es. Porque está delante el muchacho; si no, les contaría... Las mujeres solteras vivimos rodeadas de peligros. Se acercan a una los hombres con muy malas intenciones.

DOÑA TERESA.—Hija, a mí ya no se me acerca nadie.

CLEMENTINA.—Pues hasta casados, ¿qué les parece?

MARÍA LUZ.—*(Burlona.)* Y usted, ¿qué?

CLEMENTINA.—*(Hondamente afectada.)* Es muy triste... Gracias a "Chris" y a mis geranios, me olvido de esas amarguras. ¿Han visto ustedes como se han puesto los geranios?

DOÑA ROSA.—Sí, señora. Están preciosos.

CLEMENTINA.—Voy a dar un paseíto a "Chris". Pobrecito mío, es su hora. En seguida vuelvo para regar las plantas, pero "Chris" es lo primero.

DOÑA TERESA.—¿Y quién podía mirarla a usted? Porque enfrente de esa ventana...

DOÑA ROSA.—Será el hijo de doña Milagros.

DOÑA TERESA.—Quite usted. Si está haciendo el Bachillerato.

CLEMENTINA.—¡Oh, menuda edad, menuda edad! *(Por* JULIO.*)* A los años del muchacho, ya se puede decir que son hombres y es distinto. Los hombres, es lo que yo digo, mire usted, son hombres. No hay que darle vueltas. Pero esas criaturitas que de repente se sienten hombres... ¡Un verdadero cargo de conciencia, créame! *(Pausa breve. Sonríe.)* Ea, hasta ahora mismo. *(Sale.)*

DOÑA ROSA.—No le vendría mal que la sacaran una noche Nati y María Luz a dar una vuelta por ahí. Para que aprendiera.

JULIO.—*(Molesto.)* ¿Qué iba a aprender?

DOÑA TERESA.—No quiero discusiones, ¿me oyen?

DOÑA ROSA.—Es un comentario...

DOÑA TERESA.—Para una vez que viene a mi casa una persona como es debido, a ver si tenemos compostura.

¡Qué barbaridad! No hay quien haga carrera de ustedes. *(Sale.)*

DOÑA ROSA.—Vaya por Dios. Habló ella y todos a callar.

JULIO.—*(Pausa.)* Oye, María Luz... ¿Tú has estado con alguno de los que van a la taberna donde comemos mi padre y yo?

MARÍA LUZ.—¡Y yo qué sé!

JULIO.—Fíjate, cuando pases, y me lo dices.

MARÍA LUZ.—¿Para qué quieres saberlo?

JULIO.—Nada..., cosas mías.

MARÍA LUZ.—Bueno, pues no preguntes. Te pasas el día preguntando.

JULIO.—*(Pausa. A* DOÑA ROSA.*)* Nos vamos a casar.

DOÑA ROSA.—¡Cuánto me alegro! De veras, me alegro muchísimo. ¿Pronto?

MARÍA LUZ.—Nunca se me había ocurrido que podía casarme...

DOÑA ROSA.—*(Entrañable.)* Pues no desperdicies la ocasión, hija mía.

MARÍA LUZ.—De esas cosas que no las piensas...

DOÑA ROSA.—¿Pronto, pronto?

JULIO.—Sí... Aunque mi padre diga que no, yo puedo hacer lo que quiera.

MARÍA LUZ.—¡Siempre a vueltas con tu padre! ¡Déjalo de una vez!

JULIO.—Debíamos irnos de aquí, sin decir nada...

MARÍA LUZ.—¡No eres capaz!

DOÑA ROSA.—Pero ¿por qué, si es una cosa tan natural...?

JULIO.—*(Pausa.)* Me da miedo de que te canses de mí...

MARÍA LUZ.—*(Bruscamente.)* Eso te lo ha dicho él, ¿verdad?

JULIO.—Sí...

DOÑA ROSA.—No siempre hay que hacer caso de los padres...

MARÍA LUZ.—¿Cuándo vas a decidir por tu cuenta?

JULIO.—*(Va al lado de ella.)* No te enfades, mujer.

MARÍA LUZ.—Yo sé lo que tú quieres. Estar a mi lado para tener de balde lo que les cuesta dinero a los demás.

DOÑA ROSA.—María Luz...

MARÍA LUZ.—Mira, lo mejor es que no nos veamos.

JULIO.—Pero ¿qué te he hecho? Dime: ¿te he hecho algo?

MARÍA LUZ.—Nada.

JULIO.—Entonces, ¿por qué te pones así?

MARÍA LUZ.—¿Sabes lo que te digo? Que, pegado a mis faldas todo el día, no te aguanto. Cuando aprendas a no hacer caso a tu padre, entonces vienes.

JULIO.—Tienes que ayudarme tú...

MARÍA LUZ.—¡Qué graciosos! Tu padre: ayúdame. Y tú: ayúdame. Como si no supiéramos lo que pedís los dos.

JULIO.—No te entiendo.

MARÍA LUZ.—Que te lo explique Nati. *(Se levanta y va hacia su cuarto.)*

JULIO.—*(La sigue.)* Escucha, no te vayas.

MARÍA LUZ.—Otro día hablaremos. Hay tiempo. *(Abre la puerta de su cuarto y se detiene, sorprendida.)* Podían haber avisado. (JULIO *ha visto que su padre está dentro de la habitación. Se retira lentamente. Aparece* NATI.)

NATI.—Ni te hemos oído. Estábamos hablando...

DOÑA TERESA.—*(Entrando.)* ¿Qué pasa? *(Aparece* RAMÓN. *Pausa.)* Vamos, son ustedes de lo que no hay. *(Sale.)*

NATI.—*(A* MARÍA LUZ.) Anda, niña, que eres de una oportunidad...

MARÍA LUZ.—La habitación la pago yo.

NATI.—¿Y qué?

RAMÓN.—Bueno, se acabó.

MARÍA LUZ.—*(A* NATI.) A ver si voy a tener que pedirte permiso.

NATI.—*(Saliendo hacia su habitación.)* Hombre, es lo menos, digo yo.

MARÍA LUZ.—*(Siguiendo a* NATI.) Mientras el dinero sea mío...

RAMÓN.—*(Sin autoridad.)* ¡He dicho que se acabó!...

MARÍA LUZ.—*(Cerrando la puerta.)* ¡Encima!

DOÑA ROSA.—*(Pausa.)* Esté usted tranquilo, don Ramón. Yo no he visto absolutamente nada.

RAMÓN.—*(Atraviesa el comedor en busca de* JULIO,

que está de espaldas a él.) Julio..., llevo muchos días preocupado con este problema nuestro... Lo que pasa es que no acabo de dar con la mejor solución. Ya sabes que este es un sitio barato y yo no puedo pagar más, Julio. Ahora que, despacio, sin precipitarnos, quizá encontremos otra habitación por ahí... *(Pausa.)* ¿Seguís siendo novios?

JULIO.—No lo sé.

RAMÓN.—¿Habéis regañado?

JULIO.—¡Cállate!

RAMÓN.—*(Pausa.)* ¿Sabes por qué estaba ahí dentro?

JULIO.—No.

RAMÓN.—¡Por ti!

JULIO.—Mira, ¡inventa otra cosa!

RAMÓN.—¡Eh, cuidado!

JULIO.—¡No hace falta que des explicaciones!

RAMÓN.—¡Desde luego que no!

DOÑA ROSA.—*(Pausa.)* ¿Quieren que me vaya?

RAMÓN.—*(Pausa.)* No sé si te he dicho que me van a subir el sueldo... Una cantidad pequeña... Asciendo de categoría por los años de servicio. En medio de todo, mira, es una suerte, porque nos permitirá buscar algo de más pretensiones. Lo que quiero evitar a toda costa es que nos precipitemos. Habrá que irse, sí, pero no mañana ni pasado... Esto es lo que quiero que comprendas.

JULIO.—Si ya te entiendo, hombre.

RAMÓN.—No, no, Julio, no. Tú eres joven y todo lo ves muy fácil. ¿Qué quieres? ¿Que cojamos la maleta y nos vayamos ahora mismo? Pues hale, hale; por mí estoy dispuesto.

JULIO.—*(Pausa. Mira a su padre.)* No lo estás...

RAMÓN.—¿Que no? Vas a verlo ahora mismo. *(Pausa. No se mueve del sitio.)* Por favor, Julio, no seamos chiquillos... Estas son ganas de andar jugando. Tú ya eres un hombre. Se trata de imponerse a una inclinación natural, de acuerdo. No dudo de que te hayas enamorado; sin embargo, creo que lo mejor es entrar y salir normalmente, sin dar una importancia excesiva a esta situación. "Buenos días, buenas tardes", como con cualquier otro vecino.

JULIO.—Estás haciendo esfuerzos para separarme de esa chica, y tú vas hundiéndote poco a poco.

RAMÓN.—¡Julio!

JULIO.—¡Niégalo!

RAMÓN.—No tienes fundamento. Hablas, hablas, sin saber siquiera lo que dices. Es algo que me puede. Deberías tener más sensatez a tu edad. Pero, bueno, vamos a ver, ¿qué clase de dignidad es la tuya? Cuando empiezas a vivir, y mientras otros están llenos de ilusiones, has ido a fijarte en esa perdida.

JULIO.—Sigo tu ejemplo.

RAMÓN.—*(Grita.)* ¿Qué crees que significa para mí esa mujer?

JULIO.—No lo sé... Estabas con ella.

RAMÓN.—¡Ya te he dicho por qué!

JULIO.—Sí..., pero no te creo.

RAMÓN.—Está bien. Ya veo que es imposible... En mi vida habré hecho un sacrificio más inútil... Solo quiero advertirte que te vas a meter en un lío tontamente.

JULIO.—No insistas, padre, no insistas. Ella está ahí, a dos pasos. Es muy fácil.

RAMÓN.—*(Pausa.)* Eso es inevitable.

JULIO.—¡Hay una forma de evitarlo: irnos a otro sitio!

RAMÓN.—Conforme. *(Pausa.)* Irnos de aquí, claro... Lo de mi ascenso no debe tardar mucho... Podemos empezar a buscar con calma... De todas formas, continuando nuestra vida como hasta ahora, responderemos como es debido a toda esta gente: ¿Qué creían ustedes? ¿Que esas dos desgraciadas iban a deshacer nuestra buena armonía? ¿O se habían pensado que nuestros principios eran un trapo sucio? ¿Nos creían con el cebo entre los dientes? ¡Pues aquí estamos, tan tranquilos, como si ellas no existieran!

JULIO.—Yo no sé... De verdad, no sé qué decir... Yo lo que quiero es casarme, porque esa chica me gusta y no me importa nada... Pero, a lo mejor, tienes tú razón... A lo mejor se cansa a los cuatro días y se va con el primero que llegue...

DOÑA ROSA.—Estas mujeres..., claro, ya se sabe.

RAMÓN.—No tienen el freno de una moral. Hay que desengañarse.

DOÑA ROSA.—Además, tú debes pensar en la salud. ¡Qué lástima!...

RAMÓN.—Anda, vete un rato a la calle, pero no vayas muy lejos, no te canses. Espérame en la taberna para cenar. *(Aparece* MARÍA LUZ *y cruza hacia la cocina. Padre e hijo permanecen con una seriedad muy forzada.* MARÍA LUZ *sale.)*

JULIO.—¿A qué hora irás?

RAMÓN.—Como siempre, a las diez. (JULIO *sale hacia la calle. A* DOÑA ROSA.) ¿Ha visto usted? Le trastornan a uno. Todavía no comprendo cómo he tenido este descuido.

DOÑA ROSA.—Verdaderamente.

RAMÓN.—Es que se vive sin independencia y no puede uno mover un dedo sin que se entere el vecino.

DOÑA ROSA.—Cuando nos echen a la calle para derribar la casa, todo arreglado. Oiga: ¿pero es cierto? Lo da por hecho todo el mundo.

RAMÓN.—Eso va para largo.

DOÑA ROSA.—Que se lo cree usted. Después de tirar la casa venderán el solar y, con el tiempo, veremos construido un edificio nuevo. El que lo vea... De nosotros no quedará ni el polvo.

DOÑA TERESA.—*(Entrando. A* RAMÓN.) Vamos, que a veces está usted en la higuera, ¿eh?

RAMÓN.—Un descuido, doña Teresa. Esto hay que acabarlo.

DOÑA TERESA.—*(Se sienta. Suspira.)* ¡Ay Virgen Santa!... Los que se retrasan hoy son los artistas.

DOÑA ROSA.—Oiga, que están ganando un dineral. Todos los días tienen trabajo.

DOÑA TERESA.—*(A* RAMÓN.) Como que usted debía irse con ellos y dejarse de oficinas. Si es una bendición.

RAMÓN.—Lo mío es uns sitio seguro. Muchos derechos adquiridos...

DOÑA TERESA.—Tonterías. ¿Saben lo que sacó mi pobre marido de cincuenta años de servicio? Un entierro hermosísimo. Lo único.

RAMÓN.—No es posible; usted tenía derecho...

DOÑA TERESA.—No, porque como no estábamos casados por la Iglesia, ni siquiera vinieron a darme el pésame. Oiga, y sin mala intención. Que lo fuimos dejando.

RAMÓN.—Las leyes son muy severas en estas cuestiones. Y es lo mejor. En este país hace falta mano dura. Yo, al menos, esa es la norma que sigo con mi hijo: ejemplo y mano dura. *(Entran* FRANCISCO *y* AGUSTÍN. *Ambos conservan el color rosado en la cara, producido por el maquillaje.* AGUSTÍN *trae el pelo completamente pintado de blanco.)*

FRANCISCO.—¡Aquí les traigo al triunfador! *(Pesaroso.)* ¡Anda, y que no tiene suerte!

AGUSTÍN.—*(Con fastidio.)* No alborotes, hombre, no alborotes.

DOÑA ROSA.—¡Jesús, María y José!

AGUSTÍN.—Nada, ha sido imposible. Una hora larga lavándome la cabeza y no he conseguido quitarme esta porquería.

DOÑA TERESA.—¡Don Agustín!

DOÑA ROSA.—Si parece de verdad.

AGUSTÍN.—*(A* DOÑA ROSA.) ¿Está... Margarita?

DOÑA ROSA.—Ha salido a comprar con la niña.

FRANCISCO.—Cuando una persona nace de pie... ¡Le han sacado en primer plano!

DOÑA TERESA.—¿Y eso qué es?

FRANCISCO.—Pues el primero, el amo.

NATI.—*(Entrando.)* ¿Qué pasa? ¡Vaya un jaleo!

AGUSTÍN.—Nada, nada, vuelvan a sus cosas. Es este escandaloso de Francisco.

FRANCISCO.—Dentro de poco, diciendo frases. Y no quería ir...

DOÑA TERESA.—*(Observa de cerca a* AGUSTÍN.) Igualito que si tuviera el pelo blanco.

DOÑA ROSA.—Es que, en el cine, son unos trucos...

NATI.—Para el cine hay que valer.

FRANCISCO.—Lo principal es que se fijen en uno. Y el muy ladrón, a los tres días de ir...

AGUSTÍN.—*(A* DOÑA ROSA.) Prepáreme agua caliente en seguida.

DOÑA ROSA.—Sí, hijo, ahora mismo. *(No se mueve.)*

RAMÓN.—*(Se acerca a* AGUSTÍN.) Bueno, pues me

alegro mucho. Que sea enhorabuena. Tiene usted el pelo exactamente igual que el señor González, el jefe de contabilidad de mi oficina.

FRANCISCO.—Ahora el cine es de una realidad asombrosa.

NATI.—Y que en eso de primer plano, no sacan más que a los guapos.

FRANCISCO.—¿Cómo a los guapos? Ha sido una escena dramática. La protagonista de la película le canta un cuplé a Agustín. El es un mendigo. Y la mira con gesto de tristeza. ¡Eh!, ¿qué les parece?

DOÑA TERESA.—¡Precioso!

AGUSTÍN.—Sí, eso era...

FRANCISCO.—El no habla, claro, pero la mira.

DOÑA ROSA.—¡Qué bonito!

NATI.—Es emocionante. Una persona a la que se está viendo todos los días, con la que se tiene confianza, y de repente...

DOÑA TERESA.—Se hace famoso, ¿verdad?

RAMÓN.—*(A* AGUSTÍN.) ¿Y qué sentía en esos momentos?

AGUSTÍN.—*(Pausa.)* No sé... El director es un hombre que lo explica todo con las manos... Me ha dicho que la mirara tristemente..., pero, en el fondo, con rabia..., con indignación. *(Pausa.)* He tenido la impresión de que lo estaba haciendo muy bien.

RAMÓN.—*(Elocuente.)* Enhorabuena otra vez.

NATI.—Pues, hijo mío, se lo digo yo: con el cine tiene usted para hincharse.

AGUSTÍN.—*(A* DOÑA ROSA.) ¿Qué hace usted que no prepara el agua caliente?

DOÑA ROSA.—Ahora mismo. Estoy fuera de mis casillas. *(Sale.* MARÍA LUZ *regresa a su cuarto.)*

NATI.—*(A* MARÍA LUZ.) Felicita a don Agustín, que tenemos un artista en la casa.

MARÍA LUZ.—¡Ah!, ¿sí? Cuánto me alegro. A ver si me buscan a mí un papelito.

FRANCISCO.—¿Usted? Eso está hecho.

MARÍA LUZ.—Ya será menos. *(Sale.)*

DOÑA TERESA.—*(A* FRANCISCO.) Bueno, ¿y usted no tomaba parte?

FRANCISCO.—En esa escena, no. Yo es que tengo frase.

DOÑA TERESA.—Lo suyo es la zarzuela, y déjese. Donde esté una buena zarzuela, con perdón, que se quite el cine. *(Llaman a la puerta de la calle.* DOÑA TERESA *va a abrir.)*

AGUSTÍN.—Espere, espere un momento. A ver si es mi mujer...

FRANCISCO.—Nada, hombre, nada. Tu mujer se va a poner así de ancha cuando se entere.

AGUSTÍN.—No sé, ya la conoces... Me voy para dentro. (AGUSTÍN *inicia el mutis, en el momento que aparecen* MARGARITA, SAGRARIO y DOÑA TERESA.)

MARGARITA.—*(Clavada en el sitio, al ver a* AGUSTÍN, *lanza un grito.)* ¡Oh!

SAGRARIO.—Papá...

AGUSTÍN.—No os asustéis... Esto no es nada... Pintura, nada...

MARGARITA.—¿Has venido así por la calle?

AGUSTÍN.—No, en un coche, mujer. Si esto me lo quito en cuanto quiera. Precisamente he esperado para que me vierais.

MARGARITA.—*(Extiende el brazo y señala su cuarto.)* ¡Entra en esa habitación!

SAGRARIO.—¿Te encuentras bien, papá?

MARGARITA.—¡Qué disgustazo! *(A los demás.)* Ustedes perdonen. Buenas tardes. *(Madre e hija siguen a* AGUSTÍN. *Se cierra la puerta de la habitación. En el comedor han quedado todos paralizados.)*

DOÑA TERESA.—¡Pobre señora, no se resigna!... *(Suspira.)* ¡Ay Virgen Santa!... *(Sale.)*

NATI.—*(A* RAMÓN.) ¿Qué ha pasado?

RAMÓN.—Aquí no me hables. De hoy en adelante, todas las precauciones son pocas. Dejaremos de vernos unos días. No sé cuántos. *(Sale rápidamente.)*

NATI.—¡Vaya, mira por dónde voy a pagarlo yo! *(Desaparece hacia su cuarto.)*

MARGARITA.—Dime, si quieres, lo que te han dado en la cabeza.

AGUSTÍN.—Pero, mujer... Lo que dan siempre...

FRANCISCO.—*(No puede contenerse y entra también*

en la habitación.) Antes de lavarte, pídeme la vaselina. No te preocupes, con vaselina...

MARGARITA.—*(Muy entera.)* ¿Qué te han dado?

AGUSTÍN.—Vamos, también son ganas de insistir. Pasta blanca... de limpiar zapatos...

MARGARITA.—¡Qué salvajada!

FRANCISCO.—¿Les has contado la escena?

MARGARITA.—¡Ya tengo bastante escena!

SAGRARIO.—¿Se te verá bien? ¿Has hablado?

MARGARITA.—¿Crees que si habla le toman por un pelele?

FRANCISCO.—Pues él solito, señora. Y con su cara. Menuda oportunidad le han dado.

AGUSTÍN.—Bueno, basta. Esto es dinero, Margarita.

MARGARITA.—Un dinero bien amargo. *(A* FRANCISCO.) Usted nos prometió que saldría disfrazado.

AGUSTÍN.—¡Eso es lo único que te importa! ¡Ocultar a todo el mundo la verdad!

MARGARITA.—Si por ti fuera, aún estaríamos peor... ¡Yo soy quien mantiene la dignidad de esta casa! Cada cual vale lo que aparenta, ¿no lo has aprendido todavía? ¡Te verán en el cine y nos convertiremos en la familia del payaso! ¡No he podido meterte en la cabeza que esta miseria solo es tolerable cuando se sabe disfrazar!

AGUSTÍN.—No..., no...

FRANCISCO.—Viviendo así, como racimos, es inútil.

MARGARITA.—¿O quieres pregonarlo a los cuatro vientos? ¿Para qué? ¿Para que se rían? *(Pausa. Aparece* DOÑA ROSA *y entra en la habitación.)*

DOÑA ROSA.—El agua.

SAGRARIO.—*(A* AGUSTÍN.) Yo te ayudo.

MARGARITA.—¡Tú, aquí, a mi lado! (AGUSTÍN, FRANCISCO *y* DOÑA ROSA *salen al comedor. Llaman a la puerta de la calle.)*

FRANCISCO.—Verás qué bien con la vaselina...

AGUSTÍN.—*(Se detiene.)* El día menos pensado voy a hacer una barbaridad.

FRANCISCO.—Bueno, pero ahora lo primero es lavarte, Agustín. *(Salen los tres.* DOÑA TERESA *va a abrir. Es* DOÑA SOLEDAD. *Ambas comienzan a hablar con un cierto tono de misterio.)*

DOÑA TERESA.—Buenas tardes, doña Soledad.

DOÑA SOLEDAD.—Buenas tardes. ¿Están?

DOÑA TERESA.—Toda la familia.

DOÑA SOLEDAD.—Lo he dicho; a esta hora los cojo a todos. Cuidado que es casualidad.

DOÑA TERESA.—¡La sorpresa que se van a llevar!

DOÑA SOLEDAD.—Con lo tontamente que surgió, ¿eh, Teresa?

DOÑA TERESA.—Y tanto. Que tuve la ocurrencia de contarle a usted lo de la naranja. Por ahí salió todo.

DOÑA SOLEDAD.—Quiero conservar la serenidad, pero no sé... Siento una angustia aquí dentro...

DOÑA TERESA.—Siéntese antes un momentito.

DOÑA SOLEDAD.—No, si me ha mandado el coche mi marido. Abajo lo tengo. Es la ansiedad, Teresa. Figúrese, diez años sin verlos...

DOÑA TERESA.—¿Les paso recado?

DOÑA SOLEDAD.—Sí, vaya... (DOÑA TERESA *se dirige a la habitación de la familia, llama a la puerta y entra sin esperar.)*

DOÑA TERESA.—Aquí fuera hay una persona que quiere verlos a ustedes... Es una señora...

MARGARITA.—¿Quién? (DOÑA SOLEDAD *no puede contenerse y entra en la habitación.)*

DOÑA SOLEDAD.—*(Con un hilo de voz.)* Margarita... *(Madre e hija quedan paralizadas.)* No quiero escenas, ¿eh? Nada de emociones ni de lágrimas. *(A punto de llorar.)* Ya me conocéis; soy muy entera. Como si nos hubiéramos visto ayer..., igual..., igual... *(Rompe a llorar y abraza convulsivamente a* MARGARITA.) ¡Margarita...! *(Ahora a* SAGRARIO.) ¡Hija de mi vida...! *(Pausa. Se repone. Secamente.)* ¿Dónde está ese descastado que tengo por hermano? (MARGARITA *y* SAGRARIO *no pueden articular palabra.* DOÑA TERESA *regresa al comedor. Aparecen* FRANCISCO *y* AGUSTÍN.)

FRANCISCO.—Date más vaselina, hombre.

AGUSTÍN.—Quita, quita.

FRANCISCO.—Si lo sabré yo. Hay que untarse bien toda la cabeza.

AGUSTÍN.—¡Maldita sea!

DOÑA TERESA.—Tiene usted una visita. Debe de ser de la familia...

AGUSTÍN.—¿Eh? (DOÑA SOLEDAD *ha oído a su hermano. Sale al comedor.)*

DOÑA SOLEDAD.—¡Agustín! *(El, atónito, se limita a acercarse y al abrazo. Entran en la habitación.)* ¡Qué barbaridad! ¡Pero si tienes el pelo blanco!

AGUSTÍN.—¿Cómo has sabido...?

DOÑA SOLEDAD.—¡Por Teresa! ¡Diez años sin vernos!

MARGARITA.—Sí, diez años...

DOÑA SOLEDAD.—*(A* AGUSTÍN.) Lo que sí tienes es un color estupendo.

AGUSTÍN.—No, verás...

DOÑA SOLEDAD.—Pero si estabas en un empleo tan bueno. ¿Por qué os habéis trasladado?

MARGARITA.—No veíamos porvenir...

DOÑA SOLEDAD.—*(Resolutiva.)* Teresa, ¿quiere dejarnos un momento?

DOÑA TERESA.—¡Ay, sí, señora! *(Sale al comedor y se sienta en actitud de espera.)*

DOÑA SOLEDAD.—¿Qué os ha pasado?

AGUSTÍN.—Soledad...

DOÑA SOLEDAD.—Tendrá una explicación el vivir en esta covacha.

FRANCISCO.—*(Entra discretamente en la habitación.)* Perdonen... Como tardes mucho en darte la vaselina, vas a ver...

MARGARITA.—*(Empuja hacia afuera a* FRANCISCO.) Ahora sale. ¿No ve que está ocupado? (FRANCISCO, *un poco molesto, extiende su cama y se echa en ella.)*

DOÑA SOLEDAD.—Hija, ¡qué buen color tiene también este hombre! Da gusto. Bueno, vamos a ver. Me tenéis en vilo. Decidme...

AGUSTÍN.—Es mejor no remover las cosas, Soledad. Son desagradables.

MARGARITA.—Ya sabes lo formal que ha sido siempre Agustín.

AGUSTÍN.—No es nada de importancia...

DOÑA SOLEDAD.—¿Te han echado de la oficina?

AGUSTÍN.—Me fui yo.

MARGARITA.—Que hiciste mal.

AGUSTÍN.—Lo hice para evitar peores consecuencias.

DOÑA SOLEDAD.—¡Querían meterte en la cárcel! ¡Seguro!

MARGARITA.—¡Soledad!

AGUSTÍN.—*(Pausa.)* Sí..., estuve dos días en la cárcel.

MARGARITA.—¡Por una denuncia falsa!

DOÑA SOLEDAD.—¡Ea, se acabó! Esto se arregla muy pronto. Mañana, a las ocho en punto, estoy aquí con el coche y todos a confesar.

AGUSTÍN.—Déjanos, Soledad...

DOÑA SOLEDAD.—¿Cómo déjanos? ¿Para qué están vuestros hermanos? ¿De manera que yo dando a manos llenas y vosotros en esta situación? Ni pensarlo, hijitos. *(Abre la puerta.)* Teresa.

MARGARITA.—No llames...

DOÑA TERESA.—Señora.

DOÑA SOLEDAD.—Tenga cien pesetas. Baje usted misma, haga el favor. Del bar más próximo se sube usted cinco cafés con leche y una docena de ensaimadas. En seguidita, ¿eh?

DOÑA TERESA.—Sí, señora. *(Sale hacia la calle.)*

AGUSTÍN.—Bueno, ¿ y tu marido? Ni te hemos preguntado... ¿Qué ha sido de vosotros?

DOÑA SOLEDAD.—¿De nosotros? ¡Oh!... Pues, mira, de salud y todo eso, bien. Nicasio hace mucho tiempo que dejó aquella oficinilla de mala muerte. Se metió en negocios. Ya sabéis lo desenvuelto que es y lo inteligente, porque hay que decirlo, lo inteligente. Pues, mujer, Margarita, negocios de hierro. Ya ves qué tontería; hierro... Hija mía, empezó a dársele bien y a ganar dinero... Tontamente, ¿sabes? Bueno, nos mudamos de piso, el coche, una casita en la Sierra... Ya os podéis figurar... Ahora que, Agustín, no te lo aconsejo; la vida de negocios es de mucha intranquilidad. A Nicasio, el pobre, con lo simpático que ha sido siempre..., se le puso un carácter inaguantable. Unos sobresaltos..., unas llamadas de teléfono urgentísimas..., las noches enteras sin dormir... Ya sabes cómo son los hombres, Margarita. Pero el dinero lo compensa todo. Es muy listo Nicasio. Hierro, una tontería..., ¿quién lo iba a decir? Y, mientras tanto, tú en la cárcel, Agustín. Me dan escalofríos solo de pensarlo. (FRANCISCO, *remoloneando, entra de nuevo en la habitación.)*

FRANCISCO.—Con permiso. Mira que, cuanto antes, es mejor. Si no, luego no vas a poder...

MARGARITA.—¡Le hemos dicho que espere! *(Le cierra la puerta.)*

FRANCISCO.—¡Ah, bien, bien! Si por mí... *(Vuelve al comedor.)* Estos acabarán teniendo suerte. Empiezan por café y ensaimada y al final como príncipes; si no, el tiempo... (DOÑA SOLEDAD *ha sacado un billete, lo hace dobleces muy pequeños y, escondido en la mano, lo alarga a* AGUSTÍN.)

DOÑA SOLEDAD.—Me vais a aceptar estas veinticinco pesetas para la niña.

AGUSTÍN.—Ni hablar.

MARGARITA.—No te lo cogerá.

DOÑA SOLEDAD.—Haced el favor.

MARGARITA.—La hemos acostumbrado a no manejar dinero.

AGUSTÍN.—Que lo diga ella. Anda, responde a la tía.

SAGRARIO.—No, gracias, tía.

DOÑA SOLEDAD.—Basta. *(No hay remedio.* AGUSTÍN *acepta.* DOÑA ROSA *aparece en el comedor y se dirige a la habitación.)*

MARGARITA.—Vamos, da las gracias.

SAGRARIO.—Gracias, tía.

DOÑA SOLEDAD.—Oye, Margarita, ¿y tu madre? Ni me he acordado. ¿Murió?

DOÑA ROSA.—*(Entra. Pausa.)* ¡Soledad!...

DOÑA SOLEDAD.—*(La ve.)* ¡Ay, qué susto! *(Pausa.)* Pero si está usted tan bien. *(Se abrazan.)*

DOÑA ROSA.—¡Ay, mujer, tú sí que tienes buen aspecto!

DOÑA SOLEDAD.—Bueno, estoy enterada de todo, y esto se va a solucionar muy pronto. Nicasio buscará en seguida una buena ocupación para Agustín. Aquí, con Teresa, tampoco estáis mal atendidos. Es una mujer muy caritativa. Cuando se quedó viuda era una descreída. Pero la cogí por mi cuenta y la he ido formando. Ahora, en cuanto suba el café con leche, os lo tomáis calentito y os acostáis. Y mañana, muy temprano, ya sabéis: la conciencia es lo primero.

Doña Rosa.—Y que lo digas, hija.

Doña Soledad.—Naturalmente. ¿Veis qué pronto se solucionan las cosas? Hale, no puedo entretenerme más. El chófer de Nicasio es un hombre muy impaciente. En cuanto tardo un poco, me regaña. Hasta mañana. No salgáis. (Doña Soledad *besa a toda la familia.)*

Margarita.—Agustín te acompaña.

Doña Soledad.—Adiós, adiós a todos. *(Sale al comedor, seguida de* Agustín. *Tropieza con la cama de* Francisco.) ¡Ay, un hombre acostado!

Francisco.—¡Buenas noches!

Doña Soledad.—¡Ah, si es usted! Buenas noches.

Agustín.—Está esto tan estrecho...

Doña Soledad.—¡Qué cuadro el de tu familia, Agustín, qué cuadro! *(Cuando va a atravesar la puerta, aparece* Clementina *con "Chris" en los brazos.)* ¡Ay, un perro! Perdone, señora.

Clementina.—Nada, nada.

Doña Soledad.—Levanta ese ánimo, Agustín. Tú lo que necesitas es que te dé Nicasio cuatro consejos. Y te los va a dar.

Doña Teresa.—*(Entrando. Trae una bandeja con los cafés y las ensaimadas.)* Aquí estoy.

Doña Soledad.—¡Ah, muy bien! Así dejo esto arreglado también. Primero, a ustedes. *(Reparte una ensaimada a* Francisco, Clementina *y* Doña Teresa, *quienes ni siquiera dan las gracias, sumidos en una gran perplejidad.)* Tengan, tengan... Si no es nada... Ya ven, una pequeñez. *(Ahora, llevando la bandeja, entra en la habitación y hace un nuevo reparto. Esta vez de café y ensaimada.)* Vamos, vamos, aquí tenéis. Tomadlo en seguida, antes que se enfríe. ¿Tenéis las camas preparadas? Os acostáis inmediatamente, ¿eh? Con el calorcito del café, hale, a la cama. Adiós, hijos míos, me gustaría pasar la noche con vosotros, pero una tiene obligaciones. Adiós, adiós. *(Sale al comedor.)*

Doña Teresa.—Las vueltas, doña Soledad.

Doña Soledad.—Traiga, traiga, adiós.

Doña Teresa.—Adiós, doña Soledad. (Doña Soledad *sale.* Doña Rosa *toma en seguida su café y su ensaimada. Los padres y la hija permanecen con ello en la mano.)*

FRANCISCO.—Ya han visto. Me han echado de la habitación y ahora, encima, convidando.

DOÑA TERESA.—Cállese usted, hereje.

CLEMENTINA.—*(Pausa.)* Vengo horrorizada.

FRANCISCO.—¿Qué pasa?

CLEMETINA.—De pronto "Chris" ha echado a correr calle abajo. Y yo detrás: "¡Chris!" "¡Chris!" Nada, no ha habido manera; me ha hecho ir hasta los descampados... ¡Madre mía, qué espectáculo! ¿Creerán ustedes que cada pocos metros había una parejita?

FRANCISCO.—A estas horas ya se sabe.

CLEMENTINA.—¡Todos besuqueándose en la oscuridad! ¡Qué asco! ¡Los jóvenes de hoy día no tienen decencia!

FRANCISCO.—¿Usted no ha sido joven?

CLEMENTINA.—Desde luego. Y sé mantenerme joven sin abandonar el pudor. Pobrecitos... Ya no podrán gozar nunca de la inocencia. Y son ellas, que buscan a los hombres. "Chris" lo ha visto. Era un insulto.

DOÑA TERESA.—El mundo está perdido...

CLEMENTINA.—Ayúdeme a sacar los tiestos, doña Teresa. Tengo unos nervios... *(Entran las dos en la habitación de* CLEMENTINA. *Recogen los geranios y salen hacia la izquierda. Aparece* RAMÓN. DOÑA ROSA *cruza el comedor hacia la cocina.)*

RAMÓN.—*(A* DOÑA ROSA.*)* Es absurdo. Llevo un buen rato pensando que me martirizo sin motivo. ¿No le parece? ¿Quién me lo va a agradecer? No vayas, no vayas, véncete... Luego, los hijos le abandonan a uno y solo se preocupan de vivir ellos.

DOÑA ROSA.—Verdaderamente.

RAMÓN.—El caso es que al chico le hablo sinceramente. Lo malo es luego, cuando me quedo solo...

NATI.—*(Entra y se queda mirando a* RAMÓN *burlonamente.)* ¿Me llevas al cine?

RAMÓN.—*(Serio.)* No pierdas el control, Nati.

NATI.—¿Me llevas o no?

RAMÓN.—Bueno, iremos, si puedo salir... *(A* DOÑA ROSA *y* FRANCISCO.*)* Alguna tontada de película.

NATI.—Tampoco hay por qué ocultar las cosas.

RAMÓN.—*(A los otros.)* Hombre, siendo formal, como es lo nuestro... *(Llaman a la puerta de la calle.)*

RAMÓN.—*(Nervioso.)* Vamos, vamos...

NATI.—Vaya por Dios, el niño... (RAMÓN *y* DOÑA ROSA *salen por la izquierda.* NATI *sale de nuevo hacia su habitación. Aparecen* CLEMENTINA *y* DOÑA TERESA. *Esta va a abrir; es* JULIO.)

CLEMENTINA.—Pues ¿y en el cine? ¡Juntos, juntos, que debe de ser hasta insano! Es la corrupción que va minando las costumbres. Me producen naúseas esas parejitas. (CLEMENTINA *entra en su habitación.* DOÑA TERESA *desaparece.* MARÍA LUZ, *con el mismo vestido que al final del acto anterior, se dirige hacia la calle.)*

MARÍA LUZ.—Buenas noches.

FRANCISCO.—Buenas noches.

JULIO.—*(Debilmente.)* María Luz... Oye, espera... *(En este momento, ella desaparece, cerrando la puerta.)*

FRANCISCO.—¡Llámala!

JULIO.—No..., no... ¿Para qué?

CLEMENTINA.—*(Entra en el comedor con un nuevo tiesto.)* ¡Yo les diría a todos esos puercos de los descampados: Sed puros, la pureza es una gracia divina! *(Tropieza y se le cae el tiesto, haciéndose pedazos. Grita.)* ¡Ay! ¡Mis geranios...! *(Dominada por la histeria, llora desconsoladamente.)* ¡"Chris", amor mío...! (AGUSTÍN, MARGARITA, SAGRARIO, *han permanecido inmóviles, cruzando tan solo sus miradas y ajenos a todo lo que no fueran ellos mismos. Ahora se deciden a mojar la ensaimada en el café y empiezan a comer. Lentamente, va cayendo el*

TELON

ACTO TERCERO

El mismo decorado del acto anterior. El cuarto de CLEMENTINA ha sido ocupado por ALEJO y CARMINA, un matrimonio recién casado. Ambos se encuentran en escena. Ella ha acabado de arreglarse y ahora se pinta las uñas. ALEJO observa atentamente la ocupación de su mujer. DOÑA TERESA está cosiendo, junto a la mesa del comedor. AGUSTÍN, tumbado en una cama de su habitación, permanece con la vista fija en el techo. MARGARITA acompaña a SAGRARIO hasta la puerta de la calle.

MARGARITA.—En la merienda, muy comedida, ¿eh? Ya estará el coche esperándote abajo, anda.

SAGRARIO.—Sí, mamá.

MARGARITA.—Y ya sabes; si te preguntan, di a todo que sí. Que estamos muy contentos; que papá está muy contento; que la fotografía de hoy es la que ha salido mejor...

SAGRARIO.—Sí, mamá.

MARGARITA.—Si te dan dinero, dices que no; pero si insisten mucho..., lo coges. Nada de guardártelo, porque te pienso registrar cuando vengas.

SAGRARIO.—Sí, mamá.

MARGARITA.—En cuanto llegues, das un beso a los tíos, ¿entendido? Pues, hale.

SAGRARIO.—Adiós, mamá.

MARGARITA.—Adiós hija. (SAGRARIO *sale.* MARGARITA *regresa al comedor.)* ¿Cosiendo en domingo, doña Teresa?

DOÑA TERESA.—Tengo dispensa, ¿qué cree usted?

MARGARITA.—Será por las obligaciones, que la agobian.

DOÑA TERESA.—Estoy llena de obligaciones, aunque no lo parezca. (MARGARITA *coge un periódico que hay sobre la mesa, lo extiende y queda contemplándolo durante una pausa.)*

MARGARITA.—*(Intimamente entristecida.)* ¿Verdad que ha salido muy bien?

DOÑA TERESA.—*(Abandona la labor y observa tam-*

bién el periódico.) Es cierto. Con mucha clase, sí, señor. Como es él. Yo lo he dicho siempre.

MARGARITA.—Es que, además, este traje le sienta tan bien... Los trajes oscuros siempre le han sentado mejor. Desde novios...

DOÑA TERESA.—Mire usted, si es que es todo: la manera de tener el pitillo, la sonrisa..., ¡todo, todo! Cuando se tiene personalidad, se tiene. Y no hay más.

MARGARITA.—Llena la página, ¿verdad? A otro cualquiera ni se le vería, pero él la llena.

DOÑA TERESA.—A mí lo que me admira es la sonrisa. ¡Qué simpatía hay en esa sonrisa! Para estas cosas es lo principal, le advierto.

MARGARITA.—Sí, cuando él quiere...

DOÑA TERESA.—Mire usted, doña Margarita: nada más verlos entrar por esa puerta, me dije: "Son unos señores." Y otra cosa no sabré, pero eso lo aprecio a la legua, hija mía. ¿Me he equivocado? *(Señala el periódico.)* Aquí está la muestra.

MARGARITA.—Sí, señora, sí; pero ha sufrido una tanto... Tuvo que comprarse una corbata y unos zapatos nuevos, claro, fíjese... *(Aparece* FRANCISCO. MARGARITA *deja el periódico sobre la mesa.)* Bueno, me voy para dentro. No quiero entretenerla más.

DOÑA TERESA.—Por Dios, ya ve usted: matando el rato. (MARGARITA *entra en su habitación, cierra la puerta y, tras una breve pausa, rompe a llorar.* AGUSTÍN *no aparta la mirada del techo.* MARGARITA *se sienta en la cama, al lado de él, y llora silenciosamente.)*

CARMINA.—Hoy, cuando traía la comida, me he cruzado con ese don Agustín y me ha dicho: "Que aproveche, señora". Fíjate: señora. Me ha dado una risa...

ALEJO.—Señora. Muy bien dicho. ¿Qué querías que dijera?

CARMINA.—Hombre, si ya lo sé. Es que no me acostumbro. Por eso me ha dado risa.

ALEJO.—Es gente fina. Tienen una hija y la abuela vive con ellos.

CARMINA.—Sí, es una familia que está muy bien.

ALEJO.—El trabaja en el cine, ¿sabes?

CARMINA.—¿Sí? Será técnico, porque artista no creo... Debíamos hacer amistad con ellos.

ALEJO.—Mujer, ya vendrá por sus pasos.

CARMINA.—Estoy muy contenta de haber encontrado este sitio.

ALEJO.—Sí, no cabe duda. Hemos empezado bien.

FRANCISCO.—*(Ha cogido el periódico, lo ha observado una vez más y ahora se dirige a* DOÑA TERESA, *yendo en aumento su indignación.)* No me canso, doña Teresa. Me pasaría horas enteras mirando esta paginita del periódico. ¿Usted se ha fijado bien? Usted es testigo de que han comido gracias a mí. Porque yo me he volcado con ellos, y *(Golpea el periódico.)* en cuanto le ha salido algo decente, dos patadas y, si te he visto, no me acuerdo. Que esto es dinero, doña Teresa. A Agustín le ha caído la lotería con esto, que lo sé yo. Míralo, tan sonriente... Una página entera del periódico... Lo que no tiene ninguna gracia es el anuncio. *(Lee.)* "Soy feliz porque he comprado un piso en las viviendas construidas por Nicasio Menéndez." A esto le podían haber echado más gracia.

DOÑA TERESA.—Es usted un envidioso.

FRANCISCO.—No, señora, no. Lo que pasa es que estas oportunidades no se las dan a un profesional como yo, con veinte años de pisar escenarios. Y comprenderá usted que la naturalidad, el gesto, la sonrisa, quien lo sabe dar es un profesional. Porque yo me visto de oscuro y ni Agustín ni nadie. Pero, claro, cuando no se tiene un cuñado que empuje, a morir por Dios.

DOÑA TERESA.—Pues yo me alegro mucho, la verdad. Se lo merecen.

FRANCISCO.—*(Tira el periódico sobre la mesa, se levanta y pasea.)* ¡Claro, claro, si las injusticias no solo las cometen los de arriba!

DOÑA ROSA.—*(Entrando.)* Voy a ver un rato a mis hijos. ¡Qué alegría, doña Teresa! ¿Verdad que ha salido muy guapo? *(Entra en la habitación.)* Ya he acabado de planchar. *(Se sienta.)* Tenía muchas ganas de venirme con vosotros...

MARGARITA.—No sé lo que me pasa... De repente me dan ganas de llorar... ¡Qué hombre, Nicasio! ¡Cómo ha sabido surgir... de la nada!

DOÑA ROSA.—La última vez que vino Soledad, estuvimos las dos solas y me contó... Una verdadera fortuna, os lo digo.

MARGARITA.—Tenemos que enterarnos de si ese anuncio sale también en los periódicos de provincias.

DOÑA ROSA.—Para que lo vean las primas de Zamora, ¿verdad?

MARGARITA.—Claro. Puesto que de allí salimos como salimos..., así creerán que efectivamente nos hemos comprado un piso en Madrid.

AGUSTÍN.—Naturalmente, mujer. Sale en todos los periódicos. Nicasio tiene una organización publicitaria que es de volumen nacional.

DOÑA ROSA.—Me alegro.

MARGARITA.—Todo el mundo, todo el mundo. Que se enteren bien.

DOÑA ROSA.—¿Y dónde te hiciste la fotografía?

AGUSTÍN.—En casa de Nicasio. Escogimos un buen sillón, de esos que tienen en la sala. Lo único que se discutió fue lo del cigarro. El fotógrafo se empeñó en que me retratara con un puro; pero Nicasio, con una gran visión, dijo que, como se trataba de viviendas económicas, podía parecer ostentoso lo del puro.

MARGARITA.—¡Eh, hasta esos detalles! ¡Nicasio es un hombre de los pies a la cabeza!

DOÑA ROSA.—Sí que lo es. *(A* AGUSTÍN.) Tú, pegadito a él...

AGUSTÍN.—Ya me dijo que esto era para empezar..., y que cosas de este tipo... podrá darme más...

MARGARITA.—Pues eso es lo que hace falta. Porque, mira, Agustín, lo primero es que son unas pesetas que nos resuelven, y lo segundo, y muy importante, es que la gente te ve bien vestido, en una buena casa... La gente no sabe si es un anuncio o te has prestado a ello porque sí, sin recibir un céntimo.

AGUSTÍN.—*(Pausa.)* Verás, Margarita... No te enfades, ¿eh? Déjame hablar, sin enfadarte. No sé cómo explicártelo... Ha sido una suerte, de acuerdo, una gran suerte...; pero yo, en el fondo, tengo una sensación, no sé...

MARGARITA.—No, si todavía...

AGUSTÍN.—¡Ya te he pedido que no te enfadaras!

MARGARITA.—Bueno, bueno, una sensación, ¿de qué?

AGUSTÍN.—Mujer, no sé... Yo, ahí solo, en una fotografía tan grande... Acaba conociéndote todo el mundo... Desde que han empezado a salir los anuncios, me da vergüenza andar por la calle. Reconozco que es una tontería y estoy contento, pero noto una sensación de ridículo...

MARGARITA.—El colmo, ¡el colmo!

DOÑA ROSA.—No empieces, Margarita.

MARGARITA.—No, no, si no pienso excitarme. No lo merece la cosa. Esos anuncios, como tú los llamas, sirven para tragarnos nosotros solos todas nuestras pobreterías. Aquí, solos, sin que a nadie le importe cómo vivimos ni lo que hacemos, ¿te enteras? ¡Eso es lo que tengo que meterte en la cabeza! ¡La miseria hay que taparla, hay que esconderla, si se quiere salir de ella algún día!

DOÑA ROSA.—Bueno, ya está; ea, ya está.

AGUSTÍN.—Pero ¡siempre a mi costa, Margarita! Tienes razón... Pero ¡siempre cargando sobre mis espaldas! ¡Yo estoy dispuesto a trabajar, Margarita, a trabajar, pero esto es humillante!

MARGARITA.—¡Te echaron! ¡No lo olvides! ¡Te echaron!

AGUSTÍN.—¡Sí, ya sabes por qué! ¡Nicasio, sin embargo, ha tenido más suerte!

MARGARITA.—¡Es más listo que tú!

AGUSTÍN.—¡Sí, sí, sí!... (AGUSTÍN *sale airadamente al comedor.* DOÑA ROSA *le sigue y atraviesa el comedor hacia la cocina, desapareciendo.* MARGARITA *queda abatida, en una actitud ya conocida de ella.* AGUSTÍN *se sienta cerca de* FRANCISCO, *que acaba de encender un cigarro.)*

FRANCISCO.—En cuanto termine este cigarro, me voy a bailar.

DOÑA TERESA.—¡Vamos, vaya una seriedad!

FRANCISCO.—¡Qué domingos!

AGUSTÍN.—Pero ¿hay quien baile contigo?

FRANCISCO.—Hombre, claro.

DOÑA TERESA.—Ganas de tontear y de gastar el dinero.

FRANCISCO.—El primer día que vas no bailas ni una pieza; pero, repitiéndose unos cuantos domingos, el amo. Lo peor es que tengo que cambiarme de ropa, porque, claro, no voy a ir así. *(Aparece* RAMÓN.)

RAMÓN.—Buenas tardes a todos. *(A* AGUSTÍN.*)* Enhorabuena, ya le he visto a usted. Gran cosa eso de la publicidad, y, para el cine, puede servirle a usted de mucho. Nada, nada, que me alegro de veras.

FRANCISCO.—*(Molesto.)* El hombre del día.

RAMÓN.—Venía en su busca, doña Teresa.

DOÑA TERESA.—*(Dejando la labor.)* ¡Ay, ahora mismo, don Ramón!

RAMÓN.—No, aquí, aquí. Somos todos de confianza. Quiero concretar lo de las habitaciones, doña Teresa.

DOÑA TERESA.—Lo que usted disponga, don Ramón.

FRANCISCO.—¿Ya se ha terminado el permiso?

RAMÓN.—Sí, desde mañana vuelvo a la oficina y todo se normaliza.

DOÑA TERESA.—Pues usted dirá.

RAMÓN.—Verá: he decidido alquilarle las dos. Claro, ya comprenderán: mi esposa y yo necesitamos una. Y la otra para mi hijo.

AGUSTÍN.—De quien no ha vuelto a haber noticias es de María Luz.

DOÑA TERESA.—*(Pausa.)* Sí que las ha habido. Yo he tenido una carta. Pero, la verdad, he preferido no hablar de ello.

RAMÓN.—Se lo agradezco.

DOÑA TERESA.—Bueno, ya saben ustedes que se casó con un extranjero.

FRANCISCO.—Sí, eso ya...

DOÑA TERESA.—Pues sí, una carta. Guardada la tengo. ¿De dónde creerán? ¡Qué criatura!... Me escribe desde California. Dice que es muy feliz y que come todo de lata.

RAMÓN.—*(Grave.)* Menos mal.

DOÑA TERESA.—En fin, no hay más que hablar, don Ramón. Si usted necesita el cuarto, ¿para quien mejor?

RAMÓN.—Convendría ponernos de acuerdo en cuanto al precio.

DOÑA TERESA.—Por Dios, no vamos a discutir.

RAMÓN.—O quizá sea mejor que se entienda usted con mi esposa.

DOÑA TERESA.—Como usted guste.

RAMÓN.—Ella quiere adornarlo un poco... Es una mujer muy de su casa. *(A* AGUSTÍN *y* FRANCISCO.*)* Estoy satisfecho, créame. Por otra parte, entre mi esposa y yo ya no puede haber deseo ni malas formas... Solo comprensión. Eso sí, he de tener mucho cuidado, porque una mujer que ha vivido tan intensamente...

FRANCISCO.—Bueno, le advierto a usted que, después de todo..., hoy en día...

AGUSTÍN.—Hombre, desde luego, todo es cuestión de vigilar...

DOÑA TERESA.—Eso digo yo. A vivir felices, sí; pero usted... a vigilar, que las mujeres somos muy malas.

RAMÓN.—*(Seco.)* ¿Por qué?

DOÑA TERESA.—Conviene evitar, don Ramón.

RAMÓN.—*(Pausa.)* Evitar, ¿qué?

NATI.—*(Dentro.)* ¡Ramón!

RAMÓN.—¡Voy! *(A* DOÑA TERESA.*)* ¡Vamos, dígame!

DOÑA TERESA.—*(Nerviosa.)* No me refería a nada...

RAMÓN.—¡No, como ha dicho...!

FRANCISCO.—Hombre, en general...

NATI.—*(Entra con un retrato en la mano.)* ¿Esta es tu mujer de antes?

RAMÓN.—¡Ya estás revolviendo en mis papeles! *(Le arrebata la fotografía y sale.)*

NATI.—*(Saliendo tras él.)* También, vaya un secreto.

DOÑA TERESA.—¡Qué barbaridad! ¡He estado a punto de meter la pata! Pero, miren, mejor habérselo dicho; que esté alerta.

FRANCISCO.—*(Sin moverse.)* Bueno, decidido; me largo.

CARMINA.—Ya estoy. Cuando quieras.

ALEJO.—Hale, vamos.

CARMINA.—Pero no vamos a salir los dos juntos, Alejo.

ALEJO.—¡Qué más da!

CARMINA.—Es más natural que salgas tú solo primero. A lo mejor hay gente en el comedor; llegas tú, saludas y luego, al ratito, salgo yo.

ALEJO.—Sí, mira, tienes razón. Yo primero... Voy bien, ¿no?

CARMINA.—*(Frotándole el traje.)* Esta manchita no se va con nada. Procura estar simpático, ¿eh? En seguida salgo yo. ¿Te parece que saque bolsillo, o solo así? Mejor sin bolsillo. Como, realmente, es estar en casa...

ALEJO.—Bueno, hasta ahora. *(Se besan y sale Alejo al comedor.)*

DOÑA TERESA.—Buenas tardes.

ALEJO.—Buenas tardes. *(Ofrece.)* ¿Un cigarrito?

FRANCISCO.—Acabo de tirarlo.

AGUSTÍN.—No fumo, gracias.

ALEJO.—Estas tardes de domingo se hacen muy largas.

FRANCISCO.—Sí.

ALEJO.—Yo siempre he dicho que estas tardes son para pasarlas en casa, en familia.

AGUSTÍN.—Sí...

ALEJO.—¿Son ustedes aficionados a jugar a las cartas?

FRANCISCO.—No mucho.

ALEJO.—De todos los juegos de cartas, yo prefiero el que menos necesite pensar. ¿Para qué pensar? Lo que hay que hacer es distraerse.

DOÑA TERESA.—Cartas no tengo. Si quieren las damas...

ALEJO.—Tampoco se me dan mal, pero donde esté la baraja... Cuando mi esposa y yo éramos novios, nos reuníamos con dos matrimonios amigos y pasábamos las tardes de domingo enteras. Sin jugarnos nada. Solamente por el placer.

FRANCISCO.—No, si es muy divertido. Bueno, yo me voy.

ALEJO.—¿Se va?

FRANCISCO.—Tengo costumbre de ir a algún baile.

ALEJO.—No me hable. Mi esposa y yo, de solteros, éramos dos puntos.

FRANCISCO.—Me voy así, sin cambiarme de ropa.

DOÑA TERESA.—Vamos, póngase decente.

FRANCISCO.—Me da pereza. Hasta luego. *(Sale.)*

ALEJO.—Adiós, buenas tardes. *(A AGUSTÍN.)* Es simpático este señor.

AGUSTÍN.—Sí...

ALEJO.—*(Pausa.)* ¿Mucho trabajo?

AGUSTÍN.—Como siempre...

ALEJO.—*(Pausa.)* Estaba fijándome... Su cara no me

es desconocida. Yo le conozco a usted y no puedo precisar de dónde...

AGUSTÍN.—Sí, es fácil...

ALEJO.—*(Pausa.)* ¿Por qué no merendamos juntos? Los dos matrimonios. *(Aparece* CARMINA.) Estaba diciéndole a don Agustín que hiciéramos una merienda en compañía.

CARMINA.—*(Contrariada.)* Bueno, espera que salude.

DOÑA TERESA.—Buenas tardes.

AGUSTÍN.—Buenas tardes.

CARMINA.—*(Pausa. Sonríe.)* ¿Qué tal? Buenas tardes.

ALEJO.—¿Eh, qué les parece? Un platito de algo caliente...

CARMINA.—Hijo, no seas atolondrado, déjame sentarme. *(Se sienta.)* ¿Cómo se encuentra, doña Teresa?

DOÑA TERESA.—Bien, hija, bien...

CARMINA.—¿Y su esposa, don Agustín?

AGUSTÍN.—Bien... Está ahí dentro.

CARMINA.—¿No salen ustedes a dar un paseíto?

AGUSTÍN.—No...

CARMINA.—*(Pausa. A* AGUSTÍN.*)* Perdone usted que no haga más que mirarle..., pero es que yo a usted le he visto antes de vivir aquí... ¿Usted no ha veraneado en Navalperal?

AGUSTÍN.—No...

ALEJO.—Lo mismo estaba diciendo yo.

CARMINA.—Es que mi papá estuvo de factor en Navalperal.

ALEJO.—Bueno, no nos preocupemos. ¿Preparamos esa meriendita?

CARMINA.—Lo que diga don Agustín. (DOÑA ROSA *entra y se sienta al fondo.)*

AGUSTÍN.—Es una molestia...

CARMINA.—Nada de molestia. Su esposa puede colaborar también, si es su gusto. Estas meriendas improvisadas siempre salen bien.

AGUSTÍN.—De verdad, se lo agradezco.

ALEJO.—No hay más que hablar.

CARMINA.—No quería decirlo, pero lo que pensábamos mi marido y yo era invitarlos. Estamos obligados.

AGUSTÍN.—De ninguna forma.

ALEJO.—Nada, nada, ya tendrán ustedes tiempo de corresponder.

CARMINA.—Va a ser algo muy sencillo. Cualquier cosa calentita para entonar y un poco de fiambre que nos ha mandado los papás. Si acaso, doña Teresa puede echarme una mano. Aquí, la señora, y doña Teresa merendarán con nosotros.

DOÑA TERESA.—De mil amores, hija mía.

DOÑA ROSA.—*(Se pone en pie y se dirige a la cocina.)* Muchas gracias.

CARMINA.—Si con tanto ayudante, va a ser visto y no visto. *(Salen las tres.)*

ALEJO.—Carmina sola se hubiera bastado, pero está en todo. Se lo ha dicho a doña Teresa por cumplido.

AGUSTÍN.—Son ustedes muy animados...

ALEJO.—Verá qué tarde tan buena vamos a pasar, don Agustín.

AGUSTÍN.—No quisiera que por nuestra culpa...

ALEJO.—El vivir de esta forma tiene sus compensaciones; hay más familiaridad.

AGUSTÍN.—Sí.

ALEJO.—Claro que se hace por obligación. Nosotros, como llevamos poco tiempo casados, hasta que no reunamos un poquito de dinero... Yo soy dependiente de tejidos, ¿sabe usted?, y tengo tres hermanos más: uno es mecánico, otro trabaja en ultramarinos y la chica, que le ha dado por estudiar; se está haciendo mecanógrafa. Son solteros los tres. Yo he sido el primero que he roto el fuego. Claro, hay que casarse; bueno, qué le voy a decir... Carmina y yo hemos sido novios tres años, ya sabe usted. Nada, nada, hay que casarse, caiga quien caiga. Mi padre está enfermo; el reuma, bueno, y qué sé yo... Mi madre es de Valladolid; buena tierra, ¿eh? Allí es propietaria de una casa con tres inquilinos que pagan cincuenta pesetas al mes. Una ruina. ¡Ya sé! ¿Usted no iba a comer a Casa Patricio? ¡Seguro que sí!

AGUSTÍN.—No... ¿Casa Patricio...? No, no.

ALEJO.—¿De qué puede ser entonces, madre mía? Oiga, Patricio, muy buen sitio para comer. Económico y muy limpio. Bueno, le advierto que yo puedo tener un brillante porvenir en la tienda. Es una empresa fuerte, de muchos años, cosa que le da a uno seguridad.

A medida que se vaya ampliando el negocio, alcanzaré un puesto de encargado y tendré a mis órdenes una dependencia de quince o veinte personas. Así de derechos los pienso tener, porque dotes de mando no me faltan. Ya pueden pedir mis compañeros que no me hagan encargado, porque el día que eso ocurra se les ha caído el pelo. Bueno, y ese cine, ¿qué tal?

AGUSTÍN.—*(Pausa.)* Tirandillo...

ALEJO.—*(Baja la voz.)* Cualquier rato que estemos los dos solos le diré a usted una poesía, a ver qué le parece.

AGUSTÍN.—*(Pausa.)* Cuando quiera.

ALEJO.—Yo tengo mucho temperamento, ¿sabe? Recito en festivales, el día de la Patrona del ramo de tejidos y alguna otra fecha así señalada. En la tienda se formó un cuadro artístico y me nombraron director de escena, claro. Pero no podía ser. Y eso que lo advertí: disciplina de cuartel. Pues una tarde me llegó Gregorio sin estudiar, porque, según él, había pasado la noche con un ataque de hígado. Nada, excusas; me fui hacia él, lo cogí de las solapas, lo zarandeé... Si no me lo quitan, no sé. Menos mal que intervinieron los compañeros.

CARMINA.—*(Entrando.)* Vayan preparándose. Eso va a estar en seguidita. *(Coge unos platos del aparador.)* Yo creo que los hombres debían encargarse de subir algo de bebida.

ALEJO.—Ahora bajamos, nena.

CARMINA.—Eso es. De la bebida son ustedes los encargados. *(Sale.)*

ALEJO.—Estoy satisfecho. Ya ve usted: Carmina es de un entusiasmo y una jovialidad... Y es curioso: desde el primer momento hemos sentido inclinación hacia ustedes. Una familia como la suya, ya hecha, es tarea de muchos años. Usted ha alcanzado mi meta. La mujer, los hijos..., ¿qué más puede uno pedir?

AGUSTÍN.—Sí..., desde luego.

ALEJO.—Me gustaría tener muchos hijos. Y mi esposa también lo quiere. Una familia grande, unida...

AGUSTÍN.—¿Cuánto tiempo hace que se han casado?

ALEJO.—Un mes y dos días.

AGUSTÍN.—*(Sonríe.)* ¡Ah!... La familia es un consuelo.

ALEJO.—¿Verdad que sí? En la tienda hay algunos tipos, bueno, los descontentos de siempre. Protestan del sueldo, de la empresa, de su familia... Y de política, para qué hablar. Ha habido veces que me han dado ganas de dar un puñetazo a más de uno. ¿Qué más queréis, desgraciados?

AGUSTÍN.—*(Pausa. Le mira.)* Sí, tiene usted razón.

ALEJO.—¿No coméis todos los días? ¿No vais al cine y tenéis un traje nuevo? ¿Qué más queréis?

AGUSTÍN.—*(Pausa larga.)* Claro... También son ganas de amargarse la vida el andar pidiendo más cosas. Me enorgullece saber que mi familia le ha llamado la atención. Y le aseguro que no se ha equivocado. Ha sido tarea de muchos años, como usted dice; pero se acaba siendo una familia digna, que causa admiración.

ALEJO.—Mire, don Agustín: yo otra cosa no, pero golpe de vista...

AGUSTÍN.—Ahora que prepárese a luchar, amigo, porque la recompensa de una familia es tan grande, que se necesita luchar mucho para alcanzarla.

ALEJO.—Soy joven.

AGUSTÍN.—¡Animo entonces!

CARMINA.—*(Entra y extiende un mantel sobre la mesa.)* No crean que les vamos a ofrecer nada del otro mundo. Es solo por el gusto de la compañía.

AGUSTÍN.—¡Ah, todavía no he avisado a mi mujer!

CARMINA.—Cuando quieran pueden bajar por la bebida. No es que haya ninguna prisa. Lo tomaremos cuando le apetezca a su esposa.

AGUSTÍN.—Voy a decírselo.

ALEJO.—¿Le acompaño?

AGUSTÍN.—No se moleste.

ALEJO.—Le espero aquí para bajar. (AGUSTÍN *entra en su habitación.)*

CARMINA.—¿Lo he hecho bien?

ALEJO.—Sí... Es un hombre de mucho talento, ¿sabes? ¿De dónde lo conoceré yo?

CARMINA.—De algún sitio donde hayamos ido los dos juntos, porque a mí me pasa igual. Ahora, cuando salga la señora, le besas la mano.

ALEJO.—Bueno, nena, tampoco hay que pasarse.

CARMINA.—No seas ordinario, Alejo. *(Sale.)*

AGUSTÍN.—Margarita, el matrimonio ese nuevo nos ha invitado a merendar.

MARGARITA.—¿Quién te manda salir de tu habitación?

AGUSTÍN.—Ya es imposible decir que no.

MARGARITA.—¡Para meriendas estoy yo! ¡Me veo tan rodeada de felicidad que no hago más que pensar en meriendas! ¡Anda, anda, que menuda la tengo encima! ¡Yo no salgo de estas cuatro paredes! ¡Aquí sola, tragándome sola lo mío y lo de los demás! Y lo de los demás... *(Llora.)* Y lo tuyo, Agustín... ¡Todo lo tuyo! *(Entra* DOÑA ROSA.)

DOÑA ROSA.—*(A* ALEJO.) ¡Vaya, vaya, cómo se desenvuelve la jovencita! Ya puede usted ponerse orgulloso.

ALEJO.—*(Grave.)* Sí, es cierto. Carmina vale mucho. No tengo más remedio que reconocerlo.

DOÑA ROSA.—Y, además, riquísimo todo. Se van a portar ustedes, sí, señor. (DOÑA ROSA *se reúne con* AGUSTÍN *y* MARGARITA.)

AGUSTÍN.—*(Desolado.)* Dice que no quiere.

DOÑA ROSA.—¡Tendrás valor! Una bandeja de fiambre, de este tamaño más o menos, repleta de todo lo mejor... ¡Serás capaz!

MARGARITA.—Mi madre tiene hambre, Agustín. ¿No te das cuenta? A los setenta y dos años cumplidos, aún no ha conseguido matar el hambre. ¿Cómo quieres que esté yo? Pues aquí, sola, sin hablar, sin ver a nadie... ¡Dejadme en paz!

AGUSTÍN.—¡No seas absurda!

MARGARITA.—*(Erguida.)* ¡Cuidado con lo que dices!

AGUSTÍN.—Margarita...

MARGARITA.—¡No se te ocurra insultarme!

DOÑA ROSA.—*(A* AGUSTÍN.*)* Bueno, vamos nosotros.

AGUSTÍN.—No, quédese. Les diré que no. (CARMINA *aparece con platos y cubiertos, que empieza a extender sobre la mesa.* AGUSTÍN *regresa al comedor.)*

ALEJO.—*(A* AGUSTÍN.) ¿Bajamos? Danos las botellas, Carmina.

AGUSTÍN.—Espere. No..., es que mi mujer se ha puesto enferma.

CARMINA.—¿Qué le ocurre?

AGUSTÍN.—La cabeza... Se ha mareado.

CARMINA.—¿Quiere que le entre alguna cosa?

AGUSTÍN.—Gracias, está su madre con ella. Lo siento... Otro día. *(Inicia la salida hacia su habitación.)* Voy a hacerle compañía. *(Sale. Llaman a la puerta de la calle. Aparece* DOÑA TERESA. *Va a abrir directamente.)*

CARMINA.—Nos han dejado plantados, doña Teresa. No estará tan mala como para hacer este desprecio.

ALEJO.—Carmina, mujer, reconoce que nos lo ha dicho con toda educación.

CARMINA.—*(Recoge lo que ha puesto sobre la mesa.)* Sí, sí; pero, por lo visto, es que no somos de su clase, hijo mío. *(Vuelve* DOÑA TERESA.)

DOÑA TERESA.—¡No me digan! ¿Enferma? Ni por lo más remoto. Lo que pasa es que como les ha caído el gordo, gracias a doña Soledad y a su marido, tienen que darse importancia de alguna manera. *(Entran* FRANCISCO *y* JULIO. DOÑA TERESA *ayuda a* CARMINA.*)*

ALEJO.—¿Otra vez aquí?

FRANCISCO.—A ver si me llevo a este. Venga, hombre, vente.

JULIO.—Pero si no sé bailar.

DOÑA TERESA.—Deje al muchacho. No le busque malas compañías.

FRANCISCO.—Oiga, que es un baile decente. Es por no ir solo.

CARMINA.—¿A que todavía le acompañamos mi marido y yo? ¿Eh, Alejo? (CARMINA *y* DOÑA TERESA *salen.)*

ALEJO.—Pero, hombre, por Dios. Es una chiquilla, ¿han visto ustedes? Los bailes están bien para gente soltera como ustedes; pero un matrimonio, ya, es distinto.

FRANCISCO.—*(A* JULIO.) Con las dos copas que tienes encima, lo ibas a pasar estupendo.

JULIO.—No he bebido... Déjame, no me des la lata. *(Muy arreglados, dispuestos para salir, aparecen* NATI *y* RAMÓN. *Ella le hace detenerse.)*

NATI.—¿Tú crees que eso es un nudo de corbata? ¡No tienes gracia para vestirte! *(Le arregla el nudo. El ha visto a su hijo y trata de volver la cabeza.)* Estírate. Vas torcido como una alcayata.

CARMINA.—*(Entra con una botella en la mano.)* Anda, vamos, Alejo. Te acompaño por la bebida y así me invitas a un vermut. A mí el vermut en seguida se me sube y me pongo..., ¡huy, cómo me pongo!

ALEJO.—No le hagan caso. Para algo estoy yo aquí. *(Salen ambos.)*

FRANCISCO.—*(A* RAMÓN*)* Le digo a su hijo que se venga a bailar y no le da la gana. Te invito, hombre.

RAMÓN.—Hola, hijo... Vete con Francisco, no seas aburrido.

JULIO.—*(Pausa.)* Antes no me dejabas.

RAMÓN.—Bueno, pero debes ir normalizándote poco a poco. Ya estás prácticamente bien.

JULIO.—*(Pausa.)* María Luz se ha marchado... No la he vuelto a ver.

RAMÓN.—Olvídate de esa chica.

FRANCISCO.—Poco significarías para ella cuando se ha ido sin más ni más.

JULIO.—No..., quería casarse conmigo...

FRANCISCO.—Venga, hombre, no seas pesado y vámonos.

JULIO.—¡No quiero!

RAMÓN.—Nos estás entreteniendo, Julio.

JULIO.—Te he hecho caso. Tú me has repetido muchas veces que era una porquería casarse con una mujer así.

RAMÓN.—¡Julio!

JULIO.—¡Sí, me lo has dicho! ¡Que luego no se vivía tranquilo! ¡Que la gente se reía de uno!

RAMÓN.—No es momento para hablar de estas cosas...

NATI.—Deja al chico que se expansione. (DOÑA TERESA *entra. En la habitación de* AGUSTÍN *han mostrado inquietud por cuanto ocurre en el comedor.)*

JULIO.—¿Te das cuenta de lo que has hecho?

RAMÓN.—Julio, sé comprensivo...

JULIO.—¡Pero si lo has dicho tú! ¡Que no se puede vivir en paz!...

RAMÓN.—Estaba equivocado, Julio...

JULIO.—Entonces, ¿por qué hablas sin saber?

RAMÓN.—Nati, vete a nuestro cuarto.

NATI.—Ya soy mayorcita para oír lo que haga falta.

DOÑA TERESA.—En mi casa no quiero broncas, ¿eh?

RAMÓN.—*(A* NATI.*)* Vamos. *(Dan unos pasos.)*

JULIO.—¡Qué pareja!...

NATI.—Oye, mocoso... Nos ha salido respondón el niño este.

RAMÓN.—¡Tú calla! ¡No le hables así!

JULIO.—Ten cuidado...

RAMÓN.—¡Se acabó!

JULIO.—Ten cuidado, porque a estas no se les quita el vicio así como así.

NATI.—*(Se abalanza sobre* JULIO.*)* ¿Quieres que te abra la cabeza?

FRANCISCO.—*(Contiene a* NATI.) Venga, hombre, venga.

DOÑA TERESA.—¡Hagan el favor de no perder las buenas formas!

RAMÓN.—*(A* NATI.) Cálmate; hazme caso tú por lo menos.

NATI.—¡Estos críos son de mala entraña!

RAMÓN.—¡Eso no, Nati!

NATI.—Gracias a Dios que duran poco.

RAMÓN.—*(Impotente.)* Nati... (MARGARITA, AGUSTÍN *y* DOÑA ROSA *han salido al comedor. Presencian la escena con un cierto distanciamiento.)*

JULIO.—*(A* RAMÓN.*)* Nos vamos a ir muy pronto, ¿ya no te acuerdas? Me decías que este no era sitio para nosotros... ¡Estamos cogidos, padre! ¡Hemos mordido el anzuelo! ¡Lo has mordido tú!

NATI.—*(A los que acaban de entrar.)* ¡Vaya, tenemos espectadores! *(Pausa larga. El matrimonio y la vieja son observados por todos.)*

AGUSTÍN.—*(Afable.)* ¿Qué les pasa? Nos han asustado...

MARGARITA.—Hemos oído que discutían, y por eso ha sido el salir...

DOÑA TERESA.—Nada, nada, cosas de familia.

DOÑA ROSA.—Bueno, pues ya saben dónde nos tienen. Si necesitan algo...

NATI.—¡Lo que necesitamos es que no escuchen desde su cuarto!

RAMÓN.—No pierdas los estribos, Nati.

MARGARITA.—*(A* AGUSTÍN.*)* Pero ¿no vas a contestar?

AGUSTÍN.—*(Pausa.)* Se oye todo, sin escuchar... Tenemos bastante con lo nuestro para ocuparnos de lo que les pasa a los demás...

MARGARITA.—¡Claro que tenemos! ¡Como todo el mundo! ¡Pero siempre con decencia, que es lo principal!

NATI.—Bueno, ¿y qué? Con decencia, ¿qué? ¡Nos ha fastidiado!

MARGARITA.—Nada, ya está dicho. Y con la frente muy alta. Eso, siempre.

FRANCISCO.—Cuando le mantienen a uno los parientes, no creo que tenga nada de particular.

DOÑA TERESA.—Usted cállese y no encizañe.

MARGARITA.—*(A* AGUSTÍN.*)* ¿Qué haces que no contestas?

AGUSTÍN.—*(Estalla.)* ¡A mí no me mantiene nadie! ¡Yo trabajo en lo que puedo!

FRANCISCO.—¡Eh, un momento! En un principio, gracias a mí.

MARGARITA.—Sus miserias no son dignas de mi marido.

NATI.—¡Vaya por Dios, ya descansó!

FRANCISCO.—Tiene gracia, hombre... ¿De manera que tú trabajas? Y tu cuñado, ¿qué? La paginita en el periódico, estas quinientas pesetas para la niña, estas mil para que os arregléis este mes..., ¡que se sabe, hombre, que se sabe! *(Coge el periódico de la mesa.)* ¡Esto es robar trabajo a un profesional! *(Lee.)* "Soy feliz porque he comprado un piso..." Pero ¿ustedes creen que con esa cara se puede ser feliz? ¡Esto es de un profesional, y lo demás son ganas de hacer el ridículo!

AGUSTÍN.—*(Le arrebata el periódico.)* ¡Trae eso aquí! ¡Eres un canalla!

FRANCISCO.—*(Avanzando hacia* AGUSTÍN.*)* ¡Oye, oye, menos insultar, porque yo en seguida me caliento...!

AGUSTÍN.—*(Haciéndole cara.)* Te calientas, ¿y qué? ¿Qué pasa?

MARGARITA.—*(Cogiéndola del brazo.)* Agustín, no, por favor...

DOÑA TERESA.—*(Interponiéndose entre los dos.)* Ustedes me dirán cuándo piensan dejarlo.

DOÑA ROSA.—¡Madre mía, madre mía...!

MARGARITA.—Vamos al cuarto, Agustín, no te excites.

FRANCISCO.—Ya han visto: mucho hablar y luego nada.

MARGARITA.—*(Llevándose a su marido.)* Pues claro, ¿qué creía usted? En algo se tiene que notar la educación.

NATI.—La educación... Lo que hace falta es ser un hombre.

RAMÓN.—¡Nati!

MARGARITA.—Hija, no lo puede usted remediar. Al menor descuido, le sale el oficio.

RAMÓN.—¡Señora!

MARGARITA.—A pesar de la boda, hija mía. ¡Casarse...! Y le llaman matrimonio a lo que han hecho.

NATI.—¡Pero bueno!

RAMÓN.—*(A* MARGARITA.) ¡Está usted hablando con mi esposa!

FRANCISCO.—Don Ramón, tampoco hay que... Más vale ser prudente.

NATI.—¡Pero bueno!

RAMÓN.—¡Lo repito, y bien alto!

JULIO.—Cállate... ¡Cállate!

DOÑA TERESA.—*(Suspira profundamente.)* ¡Ay Virgen Santa!

MARGARITA.—Usted tiene la culpa por admitir semejantes personas, doña Teresa.

JULIO.—¡Me están hartando ya con tanta dignidad! ¿Qué son ustedes? ¿Qué son? ¡Unos muertos de hambre!

FRANCISCO.—Justo, ahora lo has dicho.

DOÑA TERESA.—Julito, hijo...

AGUSTÍN.—¡Sinvergüenza!

RAMÓN.—¡Oiga usted!

MARGARITA.—Bastante te ha caído encima, hijo mío, con la mamá que te han buscado.

JULIO.—¿Qué le pasa a mi madre? ¡Vamos, diga qué le pasa!

RAMÓN.—¡Julio, haz el favor de obedecerme!

JULIO.—¡No se diferencia tanto de usted!

MARGARITA.—¡Madre mía!

AGUSTÍN.—*(Avanza hacia* JULIO.) ¡Te vas a tragar esas palabras!

FRANCISCO.—*(Se interpone.)* Pero, hombre, si no lo ha dicho...

NATI.—*(A* RAMÓN.*)* Dile al chico que no se meta a abogado defensor. Si no hace falta. *(A* MARGARITA.*)* Es usted una infeliz, señora. Que ahora todos estamos de visita, pero pregúntele a su marido lo bien que lo ha pasado gracias a mí. Pregúnteselo, ande.

RAMÓN.—¡Nati!

NATI.—Sí, sí, que, claro, ahora nada, pero antes era distinto.

AGUSTÍN.—*(Pausa.)* ¿Qué dice usted?...

NATI.—¿Me lo va a negar? Porque en seguida le refresco la memoria.

RAMÓN.—¡Basta!

MARGARITA.—*(A su marido.)* ¿Has tenido el cinismo...?

RAMÓN.—*(A* NATI.*)* ¡Qué poco sentido! ¡Qué falta de respeto a tu marido!

AGUSTÍN.—*(Débilmente.)* Eso es mentira...

MARGARITA.—¡Lo último que me quedaba por oír! ¡También tú eres repugnante como ellos!

FRANCISCO.—¡Oiga, oiga!

AGUSTÍN.—*(Falto de toda autoridad.)* Esa mujer está mintiendo...

RAMÓN.—*(Implorante.)* Sí..., todo son mentiras... Hemos perdido la calma unos y otros, y, cuando se pierde la tranquilidad se dicen cosas que luego... ¡Hijo mío, te portas mal conmigo!... (AGUSTÍN *trata de llevar a su mujer hacia la habitación.)*

MARGARITA.—*(Vencida por la excitación.)* No entres en esa habitación. No te atrevas a pisar en la misma habitación que tu hija, por favor. Vete donde quieras.

AGUSTÍN.—Sí...

MARGARITA.—Has dejado que nos hundiéramos, y aún te han quedado ganas de buscarte diversiones.

AGUSTÍN.—He luchado, Margarita... No he tenido suerte.

DOÑA ROSA.—*(A* MARGARITA.*)* Hija, es tu marido... Los hombres...

MARGARITA.—¡Tú qué sabes! Cállate... *(Entra, despacio y solitaria, en su habitación.)*

RAMÓN.—Julio... Ven aquí, ven a mi lado... (JULIO *no se mueve.)* Nati es una mujer que empieza a vivir ahora... Ninguno de los dos debemos regatearle nuestro cariño...

NATI.—*(Humilde, entre lágrimas.)* Perdónenme...

FRANCISCO.—¡Bah, bah, perdones!... No hay que perdonar nada. Ni hay que hablar tanto. Palabras, palabras, ¿para qué sirven? ¡Para amargarnos más! ¿Quién tiene la culpa? Nadie. ¡Lo único cierto es que vivimos juntos, juntos, apretados, echándonos el aliento unos a otros! (RAMÓN *se acerca y coge la cara de su hijo entre las manos.)*

JULIO.—*(Pausa.)* No la querré nunca.

RAMÓN.—*(Con un hilo de voz.)* Hijo...

JULIO.—No...

RAMÓN.—Por caridad, hijo mío...

JULIO.—No... *(Casi no pronuncia. Niega solo con la cabeza. Padre e hijo se separan.* RAMÓN *va al lado de* NATI.*)*

FRANCISCO.—Si me hubiera ido a bailar... Un domingo por la tarde metido en casa. A quien se le diga... *(Llaman a la puerta de la calle.)*

DOÑA TERESA.—*(Aturdida.)* Hagan el favor. A ver si es una visita. Les ruego que tengan formalidad. Lo mejor es que se vayan ustedes cada uno a su cuarto. Vamos, vamos, no ha pasado nada. No ha pasado nada. *(Casi los empuja en las direcciones respectivas.* NATI *y* RAMÓN *salen por la izquierda.* AGUSTÍN *se detiene en la puerta de su habitación, sin atreverse a entrar.)* Francisco, ponga la radio. Les ruego que tengan juicio y no vuelvan a formarla, si es alguna visita. *(A* JULIO.*)* Tú quédate con Francisco. Hale, no ha pasado nada. (DOÑA TERESA *abre. Son* ALEJO *y* CARMINA, *que vuelven con su botella de vino.)*

ALEJO.—Ya estamos aquí.

CARMINA.—¡Huy, vengo...! Bueno, a mí es que el vermut en seguida se me sube.

ALEJO.—Carmina, formalidad.

DOÑA TERESA.—Déjela, para eso es joven...

CARMINA.—Chico, si esto es alegría... Ya sabes que el vermut me pone..., bueno, es que me pone... *(En la radio ha comenzado a oírse un pasodoble.)*

DOÑA TERESA.—¿Les gusta la música? Sienta muy

bien un poquito de música en estas tardes caseras, ¿verdad?

CARMINA.—¡Alejo, si es un pasodoble!

ALEJO.—¡Ya estoy!

DOÑA TERESA.—¡Así me gusta! (CARMINA *y* ALEJO *se enlazan y bailan.* NATI *y* RAMÓN *pasan hacia la calle.)*

ALEJO.—*(Eufórico.)* ¡Buenas noches!

RAMÓN.—*(Serio.)* Buenas noches. *(Salen* NATI *y* RAMÓN. AGUSTÍN *se decide a entrar en su cuarto. Pausa breve.* MARGARITA *y él se unen en un abrazo seco, nervioso. La música tiene ya un tono brillante.)*

ALEJO.—*(A* FRANCISCO.) ¿Qué tal? Vamos, dé una opinión.

FRANCISCO.—*(Escéptico.)* Se ve cierta práctica.

DOÑA ROSA.—No le hagan caso. ¡Muy bien!

DOÑA TERESA.—¡Ya lo creo! ¡Menudo!

ALEJO.—Y eso que el pasodoble no se presta al lucimiento. Verán ustedes como toquen un bolero... (JULIO *llora silenciosamente, apartado de todos. Lentamente va cayendo el telón.)*

FIN DE
"LA MADRIGUERA"

ANTONIO BUERO VALLEJO

LAS MENINAS

FANTASIA VELAZQUEÑA EN DOS PARTES

ESTRENADA EN EL TEATRO ESPAÑOL, DE MADRID, EN LA NOCHE DEL 9 DE DICIEMBRE DE 1960

PREMIO MARIA ROLLAND DE 1960

Foto Iñurrieta

ANTONIO BUERO VALLEJO

LAS MENINAS
1.ª PARTE

Foto Gyenes

AS MENINAS.—2.ª PARTE — *Foto Gyenes*

AS MENINAS.—FINAL — *Foto Gyenes*

CRITICAS

Anoche se estrenó en el Español, con extraordinarios decorados y figurines de Burgos y una dirección estupenda de José Tamayo, que supo resolver ágil e inteligentemente todas las dificultades que presentaba la obra y sus constantes cambios de acción, y dar a tipos y ambiente la más fiel reconstrucción histórica, *Las Meninas*, de Antonio Buero Vallejo. La obra obtuvo un éxito extraordinario, se interrumpieron frases y frases con encendidas ovaciones, y al terminar la representación, mientras el telón se alzaba incontables veces, saludaron el director y el autor, y este pronunció unas palabras de gratitud y explicó brevemente el proceso de su creación con acento de sincera y simpática modestia. A lo que sucedió una nueva oleada de aplausos y de bravos.

La interpretación fue realmente ejemplar, y todos cuantos intervinieron en ella merecen cumplido elogio, desde Carlos Lemos, que dio vida heroica al protagonista, a Victoria Rodríguez, que hizo una Infanta conmovedora y humana; Javier Loyola, Felipe IV, impresionante de caracterización, acento, gesto, ademán y matiz; Anastasio Alemán, magnífico Juan de Pareja; Bruguera y Sepúlveda, en sendos tipos del mayor relieve; Luisa Sala y María Rus, en dos incorporaciones definitivas, y todos los demás: Avelino Cánovas, Mari Carmen Andrés, Asunción Pascual, Ceinos, Ballesteros, Fernando Guillén —atormentado Nieto—; Arbó, en su expresivo Nardi, o Llopart, en un Marqués impecable; Rico, Lina de Hebia, Carrasco, Cabido, Pepita Amaya, San Juan, Guerrero, Guijarro y Aurora Peña.

La calificación de "fantasía velazqueña" y las palabras de Martín, que inician la obra salen al paso de cualquier objeción de inverosimilitud biográfica que pudiera hacerse a *Las Meninas*. Buero, sobre el hilo de la historia como simple paisaje de fondo, ha inventado un Velázquez rebelde y ha puesto en sus labios frases y parlamentos de censura acerba contra los excesos de poder, la arbitrariedad, la injusticia, el abuso y la opresión. De la misma manera el resto de los personajes arrancados de los cuadros del inmortal pintor o del círculo familiar o cortesano en que se movió son también entes imaginarios en cuanto a sus sentimientos y sus palabras. Consignada esta salvedad, y también la que afecta a ciertas expresiones que no por malintencionadas, sino por exceso de ardor, hasta parecen demagógicas, lo que conviene decir de *Las Meninas* es que es una gran obra de teatro, quizá la más completa y ambiciosa salida de la pluma de este autor.

La sucesión y el enclave diverso de las acciones con juego armonioso y sabiamente interferido de balcón y calle, de casa y palacio; el lenguaje y la definición de los tipos, la densidad trabajada y apretada del diálogo, la vivacidad ingeniosa y sarcástica de muchas réplicas, corren parejas con la sobria, medida y robusta arquitectura de los cuadros, de las escenas y de las situaciones.

El primer a c t o—admirablemente expositivo—nos sitúa y coloca en ambiente y nos hace conocer de un modo sutil y gradual a los personajes. El segundo, centrado en el juicio a que es sometido Velázquez por el Santo Oficio y que está dedicado gran parte a combatir la moral hipócrita u ocultativa y a defender determinadas libertades, tiene una profunda entraña dramática. Todo lo que allí se plantea, se debate, lucha y discute, los temas y los problemas —adscritos a un determinado momento histórico, pero no por eso menos simbólicos y alusivos a cualquier circunstancia semejante—llegan al público, le intrigan y le apasionan no como un reflejo más o menos poético, literario o social del pasado, sino como una anécdota que se sigue con auténtico interés porque el dramaturgo—y este es su mérito principal—ha sabido mostrar al protagonista y a los que a su lado están con perfiles simpáticos y atractivos, cargando, en cambio, la mano para todos los que forman parte de la conjura que pretende derribarle. Es cierto que al final el monarca reacciona noble y sabiamente para que el pintor—y su obra—sean salvados. Pero lo hace con amargura y hasta con cierto reconocimiento de fracaso por lo que estima debilidad de carácter. O lo que es igual, Buero no ha pretendido sentar su tesis de un modo objetivo o imparcial, sino subjetivamente, apasionadamente, combinando los hechos y las figuras con arreglo a su personal postura y criterio. ¿Ha conseguido todo lo que se proponía? Creemos que sobradamente. *Las Meninas* es una soberbia obra de teatro por su estudio y su desarrollo, por su onda expansiva y por sus innegables y firmes valores escénicos.

ALFREDO MARQUERÍE.

(De *A B C,* de Madrid.)

*

La costumbre ha declarado ilícito el aplauso del crítico. Confieso haber faltado a la costumbre. Y confieso también que me veo precisado a hacer un cierto esfuerzo para escribir con serenidad, porque, contra lo que la gente suele pensar, el triunfo de un escritor es algo que alegra el corazón. Con lo cual queda dicho que lo fue el estreno de

Las Meninas. Emilio Burgos resolvió difíciles problemas de escenografía; el murmullo de asombro con que el público recibió la aparición del obrador de Velázquez da medida de su éxito. Las caracterizaciones de los personajes, todas ellas muy buenas, llegan a lo sorprendente en los papeles de Felipe IV (Javier Loyola) y Juan Pareja (Anastasio Alemán). La interpretación fue excelente, y en excelencia sobresalieron Victoria Rodríguez, Luisa Sala, María Rus, Carlos Lemos, Anastasio Alemán, Javier Loyola, Gabriel Llopart, Fernando Guillén, Manuel Arbó... Merecen también ser citados Lina de Hevia y Luis Rico Sáez, en los difíciles papeles de Mari Bárbola y Nicolasillo Pertusato; fueron aplaudidos en una escena. José Bruguera y José Sepúlveda, también admirablemete caracterizados de Esopo y Menipo, fueron acreedores de elogios. En cuanto a la dirección, quizá haya sido lo más perfecto de cuanto hizo José Tamayo. El público interrumpió dos veces con aplausos la primera parte, y muchas, hasta la inconveniencia, la segunda. Aplaudió a los actores y al texto de la obra. Al final, tras una enorme ovación, Buero Vallejo fue obligado a dirigir la palabra al público.

¿Qué es esta "fantasía velazqueña" llamada *Las Meninas*"? Yo la llamaría "hipótesis dramática", por cuanto nada de lo que en ella sucede ha sucedido verdaderamente, pero pudo suceder. Sabemos que Velázquez, fue hombre combatido (¿cómo no, si era español de genio?), y que el rey Felipe IV le protegió y defendió. Buero Vallejo ha imaginado una trama en la que Velázquez aparece combatido y acusado, y en que el Rey, quizá a pesar suyo, le defiende y protege. La trama tiene su origen en *La Venus del espejo,* y de su solución depende que *Las Meninas* se pinten o no. Pero en esta trama, que pudo limitarse a mero episodio cortesano, Buero Vallejo ha implicado muchas cosas. Ante todo, un "ambiente" espiritual y una "situación" histórica. La indudable lentitud de la primera parte obedece a que, por ser expositiva, necesita de un gran espacio teatral para informarnos de dónde estamos y de cómo son aquellas gentes, y de cómo viven. Pintura nada halagüeña, puesto que se trata del período de mayor decadencia moral de España, este tristísimo siglo en que el Destino, con su habitual sentido del humor, quiso que coexistieran los más grandes imbéciles y los mayores malvados con esa docena de genios del arte y de la poesía que constituyen, hoy por hoy, nuestro tesoro más seguro.

En este ambiente, en esta situación, Velázquez inventa el impresionismo. Pero la pintura de Velázquez, amén de hazaña estética, parece suponer un juicio, o quizá una idea, de España, y esta parece ser la pista que siguió Buero Vallejo para la reconstrucción de su ser moral, para su concepción de Velázquez como pintor revolucionario y hombre esencialmente rebelde. No es imposible que Buero se haya inspirado en Quevedo, de quien muchas de las palabras que hace decir a Velázquez tienen remota resonancia. También a Quevedo le obsesiona la verdad, simplemente porque ya en su tiempo España se había convertido en una enorme mentira en la que la verdad era delito; en una inmensa farsa en la cual lo único cierto era el dolor. Velázquez pintaba verdaderamente y Buero supone que también pensaba así, y que era hombre de coraje capaz de defender la verdad. Es legítimo suponerlo, porque no sabemos nada que lo contradiga. La segunda parte de *Las Meninas* contiene una larga, casi única escena, que el público interrumpió constantemente con sus aplausos. Hay en ella graves juicios, graves afirmaciones, sobre la vida española, que nuestro orgullo nacional nos lleva a olvidar y a dar por falsas. Cuando, hace casi dos años, elogiaba el sentido que Buero Vallejo daba a su teatro histórico con ocasión de un estreno semejante a este, aunque no tan triunfal, señalé lo que había de original en tomar por materia dramática un período tan desacreditado como la época de la Ilustración; tan injustamente desacreditado. *Las Meninas* continúa esa línea de sinceridad y de verdad. A los españoles se nos van las memorias por las glorias, y conviene de vez en cuando hacernos recordar.

Esto es algo de lo mucho que, como teatro histórico, puede decirse de *Las Meninas.* Pero todo esto sería inoperante si lo que Buero llama "fantasía velazqueña" no fuese al mismo tiempo una obra de arte. Antes mencioné la lentitud inevitable de la primera parte; tengo ahora que referirme al garbo escénico, a la sobriedad, al pulso y al talento con que está llevada la segunda, que es, como unidad teatral, quizá lo mejor que ha escrito Buero. Quiero también señalar que *Las Meninas* está mejor escrita que otras obras del mismo autor, que el diálogo es dúctil, blando y fácil, sembrado de aciertos expresivos y de pensamientos agudos y teatralmente eficaces. Que si la figura de Velázquez es también una hipótesis bien labrada, la del Rey es un gran retrato dramático. Concedámosle, naturalmente, el derecho a inventar y alegrémonos de la invención romántica de ese *Pedro Briones* oculto por los andrajos de un viejo filósofo tomado a broma. Y de que nos haya inventado una infanta María Teresa que quizá no sea muy histórica, pero que es eminentemente simpática y atractiva. Parece ocioso añadir que toda la obra está construida con el cuidado milimétrico que es costumbre en Buero Vallejo.

Quizá haya que hacer algunas leves objeciones, pero es esta una ocasión en que sería feo hacerlas, por leves que fuesen. No recuerdo el estreno de *Historia de una escalera.* No creo que haya sido más franco y entusiasta que este. La excepcional conjunción de elementos plásticos, escénicos, interpretativos, ha hecho posible que un texto igualmente excepcional fuese "puesto de pie", como dicen los cómicos. Para todos fue buena noche. Vayan todos unidos en la misma felicitación, y muy especialmente Buero Vallejo, José Tamayo, Emilio Burgos, Victoria Rodríguez, Carlos Lemos y Javier Loyola.

TORRENTE.

(De *Arriba*, de Madrid.)

*

¡Qué pocas ocasiones tenemos de exclamar ante una obra literaria de cualquier género: "¡Está bien!", y quedarnos tan tranquilos, sin temor de haber dicho tal cosa por inercia, acomodación, comodidad o cualquier otra de esas causas que nos hacen decir lo que decimos sin convicción verdadera. Y cuántas menos ocasiones de hablar así, si nos restringimos a nuestro teatro actual, donde lo frecuente, lo cordial e íntimo es un "¡Está mal!", sin apenas atenuantes. Claro que cuando al fin llega una obra que rompe con la regla al uso de la mediocridad, la alegría es grande y el espectador la agradece y estima con más intensidad que si se hubiese producido en medio de un nivel artístico más alto. No hay mal que por bien no venga.

Desde hace unos años, las contadas alegrías que nos proporcionan las temporadas teatrales madrileñas se las debemos, casi con exclusividad, al señor Buero Vallejo. No nos extrañe, por ello, la expectación que cunde ante cada uno de sus estrenos, así como el entusiasmo, el agradecimiento e incluso hasta el perdón por parte del público de las limitaciones que este escritor tiene, como cada hijo de vecino. El hecho es que, hoy, Buero Vallejo está abocado a convertirse en el símbolo de la pugna que nuestra escena libra consigo misma para hacerse digna de su afamada tradición, y a mi juicio con justicia, pues de los varios, y seguramente buenos, autores que se esfuerzan por trabajar en pro del teatro español sin restringirse a vivir simplemente de él, es este el único del que podemos decir que ha logrado el favor de amplios medios sociales de nuestro país e influir positivamente en ellos. Naturalmente, esto no se debe a la casualidad. Si Buero Vallejo va ganando popularidad tras cada obra que estrena, es porque estas se están haciendo cada vez más accesibles a la mentalidad popular. Su teatro es, evidentemente, cada día más sencillo, pero sin que esta sencillez menoscabe—al contrario, aumentándola—su veracidad y hondura. Muestra de ello es esta su última obra, *Las Meninas*, verdadero modelo de teatro popular culto. Empieza por ser un drama delicioso, una literatura fácil de seguir, sin esoterismos, apta para la sensibilidad estética de todo hombre que reúna el mínimo de luces y educación. En suma, sencillo, limpio, de una belleza elemental, pero jamás fácil. Es un drama que hace pasar el rato, pero también conmueve; divierte, pero también preocupa; hace olvidar, pero también pensar; halaga, pero inquieta. Es una comedia histórica, pero no siempre evocadora. Va más lejos de la memoria de unos sucesos; es creación dramática partiendo de esos sucesos. Buero no los narra como lo haría un evocador o un historiador, ateniéndose a *cómo* ocurrieron, sino que más bien los interpreta, desentrañando en ellos aquello que nos afecta como hombres de tres siglos después. Y piénsese que una interpretación dramática de este tipo es imposible sin que se dé sentido, dirección o proyección a lo interpretado conforme a la mentalidad y, de rechazo, a la sociedad y al tiempo en que el intérprete vive, lo que es difícil que se logre sin una auténtica carga ideológica como guía y llave maestra. Así, *Las Meninas* es literatura con ideas y enseñanzas verdaderas. Buero, no sé si consciente o no de ello, va tras las huellas de un teatro nacional popular auténtico, y, juzgando por lo que ha conseguido hasta ahora, no dudo que por camino seguro. Es, sin duda, una ingenuidad por mi parte traer a colación un ejemplo como el que sigue; pero, sinceramente, es que me resultó chocante, y revelador al tiempo, oír decir a cierta señora de probada y ancestral mojigatería que "*Las Meninas*" *le había parecido una obra preciosa.* Por descontado, pienso que *Las Meninas* no es, ni mucho menos, una obra mojigata, acorde con la mentalidad cotidiana de la susodicha señora. Buero, por el contrario, ha expuesto en su obra una verdad. Y nada más convincente que una verdad bellamente expuesta, aun en el caso de que esa verdad no nos convenga. Buero acierta en la medida que expone sus ideas, siempre en función dramática y no solo lógica. Una entidad dramática convence no porque diga frases más o menos felices. Las verdades explicitadas lógicamente en una obra de teatro carecen de eficacia si no emanan de acciones humanas implícitas en ellas; el teatro es un arte burdo si no contiene ideas, pero ideas como actos; de nada sirven en él las abstracciones si no es que de algún modo se encuentran ejercidas y vividas y no simplemente dichas. Buero, en realidad, plantea en *Las Meninas* una auténtica tesis, un producto meramente especulativo sobre el significado de la figura de Velázquez en su tiempo y, lo que es más importante, en el nuestro; y, sin embargo, este puro elemento ideológico no está expresado mediante escuetas palabras, sino mediante una dialéctica más básica: la de la vida y las situaciones que la vida produce. La vida es materia dramática indispensable. En el teatro, las ideas han de expresarse desde y mediante ella. Siendo inefable, de suyo, la vida, ¿cómo conseguirlo? Ahí entra la maga cualidad del dramaturgo, del poeta. En *Las Meninas* demuestra Buero Vallejo que posee tan misteriosa alquimia. Su obra es sólida desde la base misma; o sea desde el carácter de las personas que la pueblan. De ahí que sea ejemplar, convincente.

El personaje que lleva el nombre de Velázquez es una de las figuras más acabadas de toda la producción dramática del autor. Algunos puritanos de la Historia se han quejado de que este señor nada tenía que ver con el verdadero Velázquez, quizá con toda la razón; lo ignoro. Pero ¿quién fue el verdadero Velázquez? Quiero decir como persona, como señor de carne y hueso. Me temo que esta pregunta no tenga verdadera contestación. Es una triste ley esa que acaba con la vida y la hace irrepetible. Pero esta es una cuestión secundaria aquí. Lo importante, lo que da solidez al personaje de Buero, es que muy bien pudiera no llamarse Velázquez y no por ello perdería su carácter de auténtica creación dramática. Hasta ese punto un hombre vivo es independiente de su nombre.

¡Un hombre vivo! No resulta fácil decir por qué un personaje dramático tiene vida. Es posible que la pregunta sea una fantasmagoría de nuestro instinto lógico. Las cosas más evidentes son las que, precisamente, no tienen explicación. Y desde el punto de vista del espectador, la vida es eso: pura evidencia; se nota, y basta. Cabe, vagamente, indagar cómo se las arregla un escritor para producirnos esa sensación, lo que tampoco es fácil, ya que la creación poética tiene, bajo sus reglas y su lógica, un trasfondo irracional difícilmente aprehensible. Sin embargo, he observado que algunas veces hay una estrecha ligazón entre la autenticidad vital—el carácter de ser vivo—de un personaje y las relaciones que este mantiene con *algo o alguien concreto* de lo que le rodea en escena. La vida de aquel se manifiesta tanto más intensa cuanto más veraz es esa relación y concreto el *algo* o *alguien*. Es curioso, por ejemplo, que Hamlet sea más hombre, más íntimo y vivo que nunca frente a la calavera de Yorick; y lo mismo puede decirse del Didi de *Esperando a Godot* con respecto a sus botas; o del Hamm de *Fin de partida,* con su sillón de ruedas; o de *Hedda Gabler,* con las pistolas del General. Parece que la vida resplandece en las relaciones íntimas y menudas y se nubla cuando el personaje declama y teoriza al aire, desprendiéndose de los objetos y seres concretos que le rodean. Todo esto, naturalmente, sin ánimo de generalizar; puede haber, y de hecho hay, otras fórmulas; pero es esta la que mejor se adapta al caso de *Las Meninas.* El personaje Velázquez tiene, dentro del marco de su escenario, ese *algo* y ese *alguien* vitalizadores a los que antes aludí. El algo son los cuadros—la Venus y las Meninas—que aparecen en la obra. Buero retrata a un Velázquez ocupado en un quehacer manual que, al tiempo, es quehacer psicológico continuo: sus pinturas. Alrededor de una de ellas—la Venus—se urde casi toda la trama argumental. Es, pues, un objeto casi con categoría de protagonista. Pero hay más. Dicho cuadro le sirve a Buero para plantear en el personaje Velázquez un conflicto humano concretísimo en el que este adquiere una gran dosis de vida; me refiero a los *celos* de Doña Juana Pacheco; su esposa, personaje escueto, esquemático, duro, de una veracidad psicológica emocionante, y ante el que Velázquez se nos muestra con todo su vigor de hombre. Es la Pacheco el *alguien* vitalizador. Las relaciones que Velázquez mantiene con ella producen una sensación de intimidad personal perfecta; constituyen un viejo matrimonio, apenas si hablan ya entre sí, y cuando lo hacen es escueta y secamente; se les adivina el rencor, la incomprensión, la frialdad. Doña Juana, mujer sombría y atormentada, es un ser real y verdadero, una hembra celosa, menopáusica y triste, de carne y hueso y ante la que su marido se manifiesta como eso: como marido, de carne y hueso también. De esta relación matrimonial sale un Velázquez vigoroso, una entidad dramática fuerte y maciza que es el verdadero cimiento de la obra entera.

Los restantes personajes carecen de autonomía dramática propiamente dicha; son, en realidad, pretextos, ocasiones de los que el personaje central se sirve para mostrarse en variadas facetas. Algunos conservan para sí cierta significación propia, pero más simbólica que vital. La infanta Doña María Teresa expresa una juventud lozana y rebelde que nunca ha carecido de representación en la producción de Buero Vallejo. El monje dominico, juez fantasmal, mudo y lúgubre, es un objeto más, otro decorado simbólico. El Marqués ya se sabe: la pequeña de alma, Grandeza de España que ya expresó Buero en *Un soñador para un pueblo.* El rey Felipe IV, hombre confuso, inseguro, mitad bueno, mitad inepto. José Nieto, el pariente envidioso, el siniestro, el burdo y atormentado puritano católico. En fin, gente muy nuestra. Como muy nuestros son también Martín, el mendigo pícaro y sentencioso y Pedro Briones, personaje lleno de un vago estoicismo y cuya significación en la obra es de singular importancia. Ante este extraño y bellísimo personaje, tratado por Buero con evidente ternura, símbolo de un pueblo que, *sometido* secularmente, libra aún su batalla por la libertad, Velázquez se manifiesta como un intelectual rebelde, que ha entendido y hermanado consigo la tragedia de su país y se ha incorporado a lo que en él hay de más auténtico: el pueblo. Así, este Velázquez de Buero Vallejo es un intelectual de vieja estirpe española, la que va del Arcipreste de Hita a Antonio Machado. Hombres marcados por el sello de una hombría soberana y... amarga. Aquel "¡Pedro! ¡Pedro!", con que la obra de Buero se cierra, es, en el fondo, la más sintética lección de Historia que he oído nunca.

ÁNGEL FERNÁNDEZ-SANTOS.

(De *Indice,* de Madrid.)

NOTA DEL AUTOR
A LA PUBLICACION DE LA OBRA

Al publicar la presente obra me ha parecido oportuno devolver al texto, encerrándolos entre corchetes, algunos de los cortes que hubo de sufrir a efectos de su representación. Con ello no pretendo sugerir que el drama gane conservándolos; es incluso seguro que algunas de esas supresiones lo mejoren si se trata de representarlo. Pero creo hace tiempo en la necesidad de dar a nuestras obras mayor duración que la muy escueta a que el régimen de doble representación diaria las fuerza, y que viene a ser hoy ya, en el mundo, una deplorable anomalía. Los cortes restituidos representan un paso en el acercamiento a la duración del espectáculo en los teatros del mundo, que añado al que, premeditadamente, doy ya prolongando un tanto la medida habitual del texto representado. Ambas licencias expresan la necesidad, por mí sentida en esta y otras obras, de un mayor desarrollo del relato escénico; y, al restablecer pasajes suprimidos pretendo afirmar de otro modo mi posición ante la cuestión candente de las dos sesiones y abogar por un teatro que, entre otras trabas, logre desprenderse un día asimismo entre nosotros de las trabas horarias que empobrecen sus contenidos y frenan su desenvolvimiento.

A. B. V.

LAS MENINAS

REPARTO

(POR ORDEN DE INTERVENCION)

PERSONAJES	ACTORES
MARTÍN	José Bruguera.
PEDRO BRIONES	José Sepúlveda.
Un DOMINICO	Avelino Cánovas.
DOÑA MARÍA AGUSTINA SARMIENTO	Mari Carmen Andrés.
DOÑA ISABEL DE VELASCO.	Asunción Pascual.
DOÑA MARCELA DE ULLOA.	María Rus.
DON DIEGO RUIZ DE AZCONA	Manuel Ceinos.
Un GUARDIA BORGOÑÓN...	Rafael Guerrero.
JUANA PACHECO	Luisa Sala.
JUAN BAUTISTA DEL MAZO.	Carlos Ballesteros.
JUAN DE PAREJA	Anastasio Alemán.
DIEGO VELÁZQUEZ	Carlos Lemos.
INFANTA MARÍA TERESA ...	Victoria Rodríguez.
JOSÉ NIETO VELÁZQUEZ ...	Fernando Guillén.
ANGELO NARDI	Manuel Arbó.
El MARQUÉS	Gabriel Llopart.
NICOLASILLO PERTUSATO...	Luis Rico Sáez.
MARI BÁRBOLA	Lina de Hebia.
El REY FELIPE IV	Javier Loyola.
Un UJIER	José Guijarro.
UN ALCALDE DE CORTE ...	Francisco Carrasco.
ALGUACIL 1.º	Simón Cabido.
ALGUACIL 2.º	José Luis de San Juan.
INFANTA MARGARITA	Pepita Amaya.

En Madrid, durante el otoño de 1656.

Derecha e izquierda, las del espectador.

Decorado y figurines: Emilio Burgos.— *Dirección:* José Tamayo.

EL DECORADO

Velázquez gozó de aposento desde 1655 en la llamada Casa del Tesoro, prolongación oriental del viejo Alcázar madrileño. Acaso desde sus balcones podrían divisarse algunos de los que en Palacio correspondieran a las infantas españolas. En la presente disposición escénica veremos por ello en los dos laterales dos estrechas zonas de las fachadas de la Casa del Tesoro y del Alcázar flanqueando una zona central donde el interior de Palacio y el de la casa del pintor serán fingidos alternativamente. Ante la totalidad de estas estructuras, una faja con salida por ambos laterales representa—salvo en algún momento—un sector de la plazuela de Palacio.

Las dos fachadas laterales se encuentran en disposición inversa a la que tuvieron realmente y levemente oblicuas al proscenio. La de la izquierda pertenece a la Casa del Tesoro y corresponde a una parte de la vivienda del pintor del rey: éntrase a ella por el portal que vemos en su planta baja, sobre el que descansa un balcón de hierro, abierto al buen tiempo. La fachada de la derecha pertenece al Alcázar, y en su planta baja muestra una amplia ventana enrejada. Sobre ella, un balcón monumental de doble hoja con montante de maderas. Aunque las dos fachadas coinciden en el común estilo arquitectónico del hoy desaparecido conjunto palatino, no son simétricas, y la de la izquierda es un poco más baja y angosta que la otra, como edificio subordinado que fue. Dos chapiteles de pizarra coronan las fachadas.

El espacio central que las separa avanza algo sobre la calle y tiene unos seis metros y medio de ancho; se eleva sobre el piso de la escena mediante dos peldaños que mueren por sus extremos en las fachadas. Ligeramente abocinado por conveniencia escénica, puede tener de fondo hasta once metros, que deberán fingirse en lo posible con la perspectiva del decorado según las posibilidades del escenario. Salvo la ausencia de techo, reproduce fielmente la galería del llamado Cuarto del Príncipe, que, fallecido Baltasar Carlos, se destinó a obrador de pintores. Sus paredes tienen 4,42 metros de alto. Vemos en la de la derecha cinco balcones de doble hoja y montantes, del primero de los cuales basta una mitad, con la madera de su batiente y su montante. Del que le sigue, se abren alguna vez las maderas, aunque nunca las del montante; los dos siguientes siempre están cerrados, y, del último de la hilera, se abren a veces batientes y montantes. En los paneles de separación, confusas copias en marcos negros que Mazo sacó de Rubens y Jordaens: "Heráclito", "Demócrito", "Saturno", "Diana". Sobre ellas, otros lienzos más pequeños de animales y países apenas se distinguen al contraluz. En la pared del fondo, las dos puertas de cuarterones, de dos metros o poco menos de luz que flanquean el gran espejo de marco negro, y a las que flanquean a su vez las lisas portezuelas de dos alacenillas. Bajo el espejo, una consola y, en la parte alta, las dos copias sabidas—"Palas y Aracne", a la izquierda; "Apolo y Pan", a la derecha—, que miden 1,81 metros por 2,23 metros, y se distinguen bien cuando los balcones se abren e iluminan su mediocre colorido de copista sin nervio. La puerta de la izquierda del foro da a otro cuarto poco iluminado, donde los pintores guardan sus trebejos y que tiene salida a otras dependencias del Alcázar. La puerta de la derecha da a un descansillo del que arrancan seis escalones frontales que conducen a otro rellano, para pasar al cual precisa abrirse otra puerta de madera lisa dispuesta al terminar los escalones, que gira sobre ellos hacia la izquierda y que permite ver, cuando se abre, una breve cortina recogida.

El muro de la izquierda, que el cuadro velazqueño no nos revela, carece de huecos salvo en su primer término, donde otra puerta de cuarterones similar a las del fondo da a una amplia sala que también utilizan los pintores. Algunas copias más de los flamencos completan allí el adorno pictórico de la galería. Vemos también diversos lienzos sin enmarcar vueltos contra la pared, propios del trabajo del obrador. En el primer término, y a continuación de la puerta, un bufetillo con servicio de agua y búcaros de Extremoz de diversos colores: rojo, violeta, pardo. La salvadera de plata con peana que vemos en "Las Meninas", al lado. Otro bufete mayor, donde descansan los pinceles, la paleta, el tiento, las vejigas y tarros del oficio, más lejos.

A la distancia aproximada del segundo panel, un caballete de tres patas, de algo más de dos metros de alto, situado en el centro de la escena y hacia la izquierda, sostiene de espaldas al espectador un lienzo de tamaño mediano. Alguna silla y dos asientos de tijera con cojín, en las paredes. A la distancia de la esquina más lejana del segundo balcón, en los momentos en que la acción lo requiere, el decorado se transforma para sugerir un aposento de la casa de Velázquez, y entonces la puerta de la izquierda finge dar al resto de sus habitaciones. Dos simples cortinas que se corren desde ambos lados bastan para ello. Otra doble cortina permanece descorrida en las dos aristas que la estancia forma con ambas fachadas y compone la separación de las tres zonas. Un sillón y una silla en el primer término de la derecha sirven indistintamente en la acción del Alcázar y de la casa de Velázquez.

Al fondo se divisa una alta galería abierta, flanqueada por dos torres con chapiteles, que sugiere los patios del Alcázar. Sobre ella, el azul de Madrid.

PARTE PRIMERA

Se oye el lejano doblar de una campana, que cesa poco después de alzarse el telón. La escena se encuentra en borrosa penumbra, donde solo se distinguen dos figuras vigorosamente iluminadas, de pie e inmóviles en el primer término de ambos laterales. Son los dos mendigos que, unos dieciséis años antes, sirvieron de modelos a Velázquez para sus irónicas versiones de Menipo y Esopo. La semejanza es completa, mas el tiempo no ha pasado en balde. MARTÍN, que así se llama en esta historia el truhán que prestó su gesto a Menipo, tiene ahora los cabellos mucho más grises. Embozado en su capa raída y tocado con mugriento sombrero, mantiene a la izquierda la postura en que un día fuera pintado. Lo mismo hace a la derecha PEDRO, que fue pintado como Esopo, y el sayo que le malcubre, aunque no sea el mismo y tal vez tenga otro color, recuerda inconfundiblemente al que vistió cuando lo retrataron. No lleva ahora libro alguno bajo su brazo derecho, pero sostiene en su lugar un rollo de soga. Era ya viejo cuando conoció a Velázquez: dieciséis años más han hecho de él un anciano casi ochentón, de cabellos totalmente blancos, aunque apenas hayan modificado su poderosa y repelente cara. Vencido por la edad y casi ciego, se ha recostado contra el lateral y aguarda entre suspiros de cansancio a que su compañero quiera ocuparse de él nuevamente.

MARTÍN.—*(Al público.)* No, no somos pinturas. Escupimos, hablamos o callamos según va el viento. Todavía estamos vivos. *(Mira a* PEDRO.) Bueno: yo más que él, porque se me está muriendo sin remedio. Lo que sucede es que "el sevillano" nos pintó a nuestro aire natural y ya se sabe: genio y figura...

PEDRO.—¿A quién hablas, loco?

MARTÍN.—*(Ríe. Confidencial.)* Está casi ciego, pero sabe que no hablo a nadie. [Me dice loco por mi manía de hablar a los cantos de la calle... Bueno, ¿y qué? Cada cual lo pasa como puede y él ha dado en mayor locura que yo, ya lo verán.]

PEDRO.—¡Me hartas!

MARTÍN.—*(Guiña el ojo. Da unos paseítos y gesticula como un charlatán de feria, hablando para un imaginario auditorio, que ya no es el público.)* Esto de hablar al aire es una manera de ayudarse. Se cuentan las cosas como si ya hubieran pasado y así se soportan mejor. *(Al público.)* Conque me vuelvo a vuesas mercedes y digo: Aquel año del Señor de 1656 doblaban en San Juan cuando mi compadre y yo llegamos ante la casa del "sevillano". *(La luz crece. Es día claro. En la zona central, corridas las cortinas del primer término.)* ¿No conocen la historia? *(Ríe.)* Yo finjo muchas, pero esta pudo ser verdadera. ¿Quién dice que no? ¿Usarcé?... ¿Usarcé?... Nadie abre la boca, claro. *(Mira hacia la izquierda y baja la voz.)* Y yo cierro la mía también. *(Se pone un dedo en los labios.)* ¡Chis! *(Por la izquierda entra un dominico y cruza.* MARTÍN *lo aborda con humildes zalemas, mientras* PEDRO *intenta distinguir a quién habla.)* ¡Nuestro Señor dé larga vida a su paternidad reverendísima! *(El dominico le ofrece el rosario, que* MARTÍN *besa mientras el fraile lo bendice. Después, y tras una rápida mirada a* PEDRO, *que no se ha movido, sale por la derecha.)* [¡Nuestro Señor premie su gran caridad y le siente a su diestra en la eterna gloria!...] (MARTÍN *se vuelve al público.)* A quien da bendiciones no hay que pedirle maravedís. Es dominico: podría pertenecer al Santo Tribunal. Y ya se sabe:

Con la Inquisición, chitón.

Por eso cerré la boca cuando lo vi. Quedamos en que traje a mi compadre a casa del "sevillano". Nos habíamos amistado cuando él nos pintó fingiendo dos filósofos antiguos. Yo le preguntaba: "Señor don Diego, ¿también eran pobres aquellos dos filósofos?" Y él me decía que sí. Y yo le decía: "Pero sus andrajos no serían como los nuestros". Y él respondía: "Los andrajos siempre se parecen." Y le daba risa, y el tunante de mi compadre también reía. El diablo que los entendiese; pero ellos, bien se entendían. Y después mi compadre se fue de Madrid y no lo volví a ver en muchos años. Tres meses llevábamos juntos de nuevo y no nos iba mal. [Ayudábamos en las puertas a los mercaderes a burlar el fielato; y yo... *(Abre su capa y muestra, guiñando un ojo, un zurrón del que entresaca unos chapines.)* solía encontrarme bujerías que sabía vender. Otras veces] ganábamos el condumio llevando bultos o de mozos de silla. [Y aunque el tiempo era bueno, yo siempre llevaba mi capa, que todo lo tapa, y que nos servía para abrigarnos cuando dormíamos en cualquier rincón.] Pero él ya estaba viejo y le tomaban calenturas, y dio en la manía de venir a ver al "sevillano"... *(Calla al ver que* PEDRO *se encamina a los peldaños y se sienta en ellos.)* ¿Qué tienes?

PEDRO.—Estoy cansado. (MARTÍN *se sienta junto a él.)*

MARTÍN.—*(Triste.)* Y yo.

PEDRO.—Puedes irte. Sé dónde estoy. [*(Señala a la derecha.)* Esta es la Casa del Tesoro.

MARTÍN.—No puedes valerte sin mí; ese es el Alcázar.

PEDRO.—No.

MARTÍN.—¡Terco! La Casa del Tesoro es la de allá. Aquel es el portal de don Diego.

PEDRO.—Déjame en él.]

MARTÍN.—Hay tiempo... Oye: [¿por qué la llamarán la Casa del Tesoro?

PEDRO.—Guardará los caudales del rey.

MARTÍN.—Ya no le quedan.

PEDRO.—Queda el nombre. *(Ríen. Una pausa.)*

MARTÍN.—] ¿Por qué te empeñas en ver al "sevillano"? Por la comida no es: te conozco.

PEDRO.—Eso es cuenta mía.

MARTÍN.—Ni siquiera sabes si te acogerá.

PEDRO.—*(Lo empuja con violencia.)* ¡Vete! (MARTÍN *se levanta y retrocede.)*

[MARTÍN.—Ni te recordará. (PEDRO *baja la cabeza.* MARTÍN *se dirige a su auditorio imaginario.)* Ilustre senado: En aquel día del Señor el muy terco se empeñó en abandonarme. Pero el "sevillano" ni le recordó siquiera y se tuvo que volver con Martín, todo corrido...

PEDRO.—¿Acabarás tus bufonerías?

MARTÍN.—*(Corre a su lado y se apoya en los escalones.)* Las mías se las lleva el viento de la calle. Tú acabarás haciéndolas en Palacio.

PEDRO.—¿Yo?

MARTÍN.—Pide al cielo que Velázquez te eche de mal modo. Si te protege será peor: te hará otro criado como él. Saltarás como un perrillo y dirás simplezas para ganar tu pan.

PEDRO.—¡Eso no sucederá!

MARTÍN.—*(Se sienta a su lado y baja la voz.)* Pues sucederá algo peor.

PEDRO.—*(Lo mira.)* No te entiendo.]

MARTÍN.—[Sí que me entiendes...] Tú viniste hace tres meses de la Rioja y traías barba. Y otro nombre: no el que yo te conocí hace dieciséis años, cuando te las rapabas. Para ti no es bueno el aire de Palacio.

PEDRO.—¡Cállate! *(Se levanta y da unos pasos hacia la izquierda.* MARTÍN *va tras él y le toma de un brazo.)*

MARTÍN.—Aguarda... [Si te toman de bufón será lo menos malo que pueda sucederte. Mira: aquel balcón pertenece a los aposentos de la infantita. Por veces he visto yo a Nicolasillo, o a la cabezota alemana esa, asomados con ella. Tú estarías muy galán con ropas nuevas, presumiendo de oidor en la cámara de su majestad para sacarle una sonrisa...] Creo que salen los enanos. Hay alguien tras los vidrios. *(No son los enanos quienes salen al balcón de la derecha, sino dos de las meninas de la* INFANTA MARGARITA.) No; son las meninas de la infanta. Algún real de a ocho me tienen dado. Puede que hoy caiga otro. *(Abandona a* PEDRO, *que se vuelve a mirar con gesto desdeñoso, y se acerca al balcón.* DOÑA MARÍA AGUSTINA SARMIENTO *y* DOÑA ISABEL DE VELASCO *lo han abierto y salieron a él con cierto sigilo. Son dos damiselas muy jóvenes:* DOÑA AGUSTINA *tal vez no pase de los dieciséis años, y* DOÑA ISABEL, *de los diecinueve. Visten los trajes con que serán retratadas en el cuadro famoso.)* ¡Que la Santa Virgen premie la gran caridad de tan nobles damas!

DOÑA AGUSTINA.—¡Chis! ¡Alejaos presto!

MARTÍN.—*(Se acerca más.)* Puedo también ofrecer alguna linda bujería digna de tan altas señoras... *(Introduce la mano en el zurrón que lleva bajo la capa.)*

DOÑA ISABEL.—¡Otra vez será! ¡Idos!

[MARTÍN.—¡Miren que lindeza!]

DOÑA AGUSTINA.—*(Se busca en el corpiño.)* Si no le damos, no se irá. ¿No tendríais vos algún maravedí? (DOÑA ISABEL *deniega y se registra a su vez. Ambas miran hacia el interior con sobresalto.)*

MARTÍN.—Vean qué chapines de cuatro pisos. No los hay más lucidos...

[DOÑA AGUSTINA.—¡Id enhoramala, seor pícaro!

DOÑA ISABEL.—¡Y no traigáis chapines a meninas!

MARTÍN.—No se enojen vuesas mercedes. Para cuando sean damas de la reina los podrían mercar...]

DOÑA AGUSTINA.—¡Doña Marcela! (DOÑA MARCELA DE ULLOA *aparece tras ellas en el balcón. Es una dueña, viuda a juzgar por el monjil negro y las blancas tocas que enmarcan su rostro fresco y lleno, atractivo aún pese a los cuarenta años largos que cuenta. Guarda-mujer al servicio de las infantas, tiene a su cargo rigurosas vigilancias.)*

DOÑA MARCELA.—*(Con voz clara y fría.)* Mi señor don Diego Ruiz de Azcona, hágame la merced de asistirme con estas señoras. *(A las meninas.)* Sepamos quién les dio licencia para salir al balcón. (DON DIEGO RUIZ DE AZCONA, *guarda-damas de las infantas, aparece tras ella. Usa golilla blanca y viste jubón negro con largas mangas bobas. Pasa de los cincuenta años y su marchito rostro ofrece siempre una expresión distante y aburrida.)*

DOÑA AGUSTINA.—Vimos a este hombre, que suele vender randas y vueltas...

DOÑA MARCELA.—Otras veces es porque cruza un perro... o un galán. [Vos, doña Isabel, que sois mayor en juicio y en años, debierais dar mejor ejemplo.]

RUIZ DE AZCONA.—*(Con una voz blanda e indiferente.)* Se comportarán mejor en adelante... Háganme la merced de entrar, señoras. Dentro de Palacio es donde mejor se pasa... Cuando lleguen a mi edad lo comprenderán. *(Se aparta, y las dos meninas pasan al interior.)*

MARTÍN.—*(Exhibe los chapines.)* Noble señora: mirad estos lindos chapines con virillas de oro...

DOÑA MARCELA.—*(Alza la voz.)* ¿Es que ya no hay guardia en Palacio?

MARTÍN.—Pero, señora...

DOÑA MARCELA.—*(A* DON DIEGO.) ¡No se puede dar un paso en los patios o la plazuela sin toparse esta lepra de pedigüeños! (DON DIEGO *asiente con gesto cansado.)* ¡Aquí esa guardia! (MARTÍN *retrocede, alarmado.* PEDRO *vuelve la cabeza, expectante. Por la derecha entra un Guardia borgoñón con pica.)* ¡Alejad a esos fulleros!

PEDRO.—*(Yergue soberbiamente su crespa cabeza.)* ¿Cómo ha dicho?

MARTÍN.—*(Retrocede y lo toma de un brazo.)* No es menester, señora. Ya nos vamos, seor soldado. *(Camina unos pasos hacia la izquierda bajo la mirada del soldado, que se paró y descansa la pica en el suelo.)*

PEDRO.—*(Se resiste.)* ¡Déjame en el portal de don Diego!

MARTÍN.—Luego, hermano. Ahora no conviene. *(Lo conduce al lateral. Entre tanto, las cortinas del centro se descorren y dejan ver un aposento de la casa de* VELÁZQUEZ, *que se va iluminando por el balcón de la derecha.* MARTÍN *y* PEDRO *salen por la izquierda. Apoyada en el sillón y mirando a la puerta de la izquierda, que está abierta,* DOÑA JUANA PACHECO, *con la cabeza alta y expectante, escucha. Su vestido es discreto, sin guardainfante; lo mismo el peinado de sus cabellos na-*

turales, que son morenos aunque pasa con creces de los cincuenta años. Embarnecida por la edad, su rostro conserva el agrado de una mujer que, sin ser bella, fue encantadora. A su lado, su yerno JUAN BAUTISTA DEL MAZO *la mira en silencio. Es hombre magro, de unos cuarenta y cuatro años, y viste de negro con golilla. El Guardia borgoñón alza su pica y prosigue su ronda hasta salir a su vez por la izquierda.)*

[RUIZ DE AZCONA.—La señora infanta podría echarnos de menos...]

DOÑA MARCELA.—*(Con una furtiva ojeada a la Casa del Tesoro.)* [Id vos, mi señor don Diego. Y] hacedme la merced de mandarme acá a doña Isabel de Velasco.

RUIZ DE AZCONA.—Sed benigna con ella. No son más que unas niñas...

DOÑA MARCELA.—*(Le sonríe.)* Confiad en mí. (RUIZ DE AZCONA *pasa al interior.* DOÑA MARCELA *mira hacia la Casa del Tesoro.)*

DOÑA JUANA.—*(Con ligero acento sevillano.)* ¿Oís? Ha dejado el tiento y los pinceles.

MAZO.—¿Creéis que me permitirá verlo?

DOÑA JUANA.—¿Tanto os importa esa pintura?

MAZO.—*(Sorprendido.)* ¿A vos no, señora?

DOÑA JUANA.—*(Con un mohín equívoco.)* He visto ya muchas de sus manos. *(Sigue escuchando.* DOÑA ISABEL *reaparece en el balcón.)*

DOÑA MARCELA.—Venid acá, doña Isabel. [Tranquilizaos: quiero justamente haceros ver que no soy tan severa como pensáis...] No está prohibido asomarse al balcón si se sale a él con persona de respeto... Disfrutad de él conmigo un ratico.

DOÑA ISABEL.—Gracias, señora.

DOÑA MARCELA.—*(Mira a la derecha.)* ¿No es aquel el esclavo moro del "sevillano"?

DOÑA ISABEL.—Sí, señora. Pero ya no es esclavo.

DOÑA MARCELA.—Cierto, que lo ha libertado el rey. (DOÑA JUANA *se pone a pasear de improviso.)*

DOÑA JUANA.—Estáis vos en extremo pendiente de las pinturas... A mí me importan más mis nietos.

MAZO.—Si es un reproche, señora...

DOÑA JUANA.—Cuidad del pequeñito... Ayer se lo dije a la dueña: no engorda.

MAZO.—Así lo hacemos, señora.

DOÑA JUANA.—¡Callad! Ahora sale al balcón. *(Se detiene y escucha. En el balcón de la izquierda aparece* DIEGO VELÁZQUEZ *y se apoya con un suspiro de descanso en los hierros. Viste el traje negro, de abiertas mangas de raso y breve golilla, con que se retratará en el cuadro famoso. En el cinto, la negra llave de furriera. Sus cincuenta y siete años han respetado la conjunción única de arrogancia y sencillez que adornó siempre a su figura. El rostro se conserva terso; el mostacho, negro. La gran melena le grisea un tanto. Abstraído, mira al frente.)*

DOÑA MARCELA.—Mirad: don Diego sale al balcón. (JUAN DE PAREJA *entra por la derecha, cruza y se detiene bajo el balcón de su señor.* PAREJA *frisa en los cuarenta y seis años. Es hombre de rasgos negroides y cutis oliváceo, con el cabello, el bigote y la barba negrísimos. Usa traje oscuro y valona.* VELÁZQUEZ *no repara en él; le ha puesto pantalla a los ojos con la mano y mira ahora hacia la izquierda.)*

PAREJA.—Amo...

VELÁZQUEZ.—*(Lo mira y sonríe con sorna.)* ¿Amo? No olvides que el rey te ha libertado. *(Su dicción es cálida y suave. Apenas pronuncia las eses finales de las palabras, mas ha perdido casi del todo su acento de origen.)*

PAREJA.—Perdonad, señor. He de hablaros.

VELÁZQUEZ.—Luego. *(Vuelve a mirar a la izquierda, con la mano de visera.* PAREJA *va a entrar en el portal.)* Aguarda... Mira hacia los Caños del Peral. ¿No ves algo nuevo?

[PAREJA.—No veo nada.]

DOÑA MARCELA.—*(Con sigilo.)* ¿Qué mirarán?

[DOÑA ISABEL.—Dicen que estos días se han visto en el cielo de Madrid dos ejércitos en lucha... Que es señal cierta de alguna victoria contra el francés. ¿Si sabrá él ver esos prodigios?

DOÑA MARCELA.—Es hombre extraño.]

VELÁZQUEZ.—¿No ves una sombra nueva?

PAREJA.—¿A la derecha?

VELÁZQUEZ.—Sí. ¿Qué es?

PAREJA.—Oí decir que cavaban en los Caños para edificar.

DOÑA JUANA.—¿Qué hará?

MAZO.—Me ha parecido oír su voz. (DOÑA JUANA *se sienta, impaciente, en el sillón.)*

VELÁZQUEZ.—*(Mirando.)* Es curioso lo poco que nos dicen de las cosas sus tintas... Se llega a pensar si no nos estarán diciendo algo más verdadero de ellas.

PAREJA.—¿Qué, señor?

VELÁZQUEZ.—*(Lo mira y sonríe.)* Que no son cosas, aunque nos lo parezcan.

[PAREJA.—No entiendo, señor.

VELÁZQUEZ.—*(Con una breve sonrisa.)*] ¿Querrías ver lo que he terminado?

PAREJA.—*(Con exaltación.)* ¿Me dará licencia?

VELÁZQUEZ.—A mi yerno y a ti, sí. Subid los dos. (PAREJA *se apresura a entrar en el portal.* VELÁZQUEZ *deja de mirar y va a salir del balcón; intrigado, vuelve a observar la lejanía.)*

DOÑA MARCELA.—*(Que no lo pierde de vista.)* Finge no vernos.

DOÑA ISABEL.—¿Creéis?

DOÑA MARCELA.—Es orgulloso. [¿Habéis vuelto a servirle de modelo para el bosquejo del cuadro que prepara?

DOÑA ISABEL.—No. ¿Y vos, señora?

DOÑA MARCELA.—Tampoco. La señora infanta doña María Teresa sí frecuenta ahora el obrador.

DOÑA ISABEL.—¿La pinta al fin en mi lugar?

DOÑA MARCELA.—Eso es lo curioso... Que no la pinta.

DOÑA ISABEL.—Pues ¿qué hacen?

DOÑA MARCELA.—Hablan. Ya sabéis que a la señora infanta le place hablar... y pensar... No parece que tenga vuestra edad. Su majestad no sabe si alegrarse o sentirlo.

DOÑA ISABEL.—¿Es eso cierto?

DOÑA MARCELA.—¿Qué diríais vos en su lugar? Una hija que no gusta de las fiestas palatinas, que va y viene sin séquito, que se complace en raros caprichos... Y eso que podría ser un día reina de España... Es para cavilar si no sufrirá alguna pasión de ánimo. Mas esto no es censura, doña Isabel: una infanta puede hacer cosas que le están vedadas a una menina... Don Diego no se mueve.

DOÑA ISABEL.—No... Me holgaría de que don Diego hubiese terminado ya su pintura.

DOÑA MARCELA.—¿Por qué?

DOÑA ISABEL.—Cuando la termine volverán a poner el estrado para nosotras. Se pasaban muy lindos ratos en el obrador.]

DOÑA JUANA.—¿No han llamado?

MAZO.—Sí, señora. (DON DIEGO RUIZ DE AZCONA *reaparece tras* DOÑA MARCELA.)

RUIZ DE AZCONA.—La señora infanta doña María Teresa viene a ver a su augusta hermana. [La vi llegar por el pasadizo.]

DOÑA MARCELA.—¡Jesús nos valga! Y nosotras cometiendo un feísimo pecado.

DOÑA ISABEL.—¿Qué pecado?

DOÑA MARCELA.—El de mirar a un hombre tan de continuo. Ya veis el peligro de los balcones. Tomad vuestra vihuela, doña Isabel; sabéis que ella gusta de oíros. Vamos. *(Salen las dos del balcón y desaparecen, seguidas del guardadamas, al tiempo que entra* PAREJA *por el centro de las cortinas y llega a besar la mano de* DOÑA JUANA.)

PAREJA.—Dios guarde a mi señora. ¡Mi señor don Diego nos da licencia a don Juan Bautista y a este humilde criado para ver su pintura!

MAZO.—¿La terminó ya?

PAREJA.—*(Asiente con alegría.)* Me lo ha dicho desde el balcón. (MAZO *se dirige presuroso a la puerta de la izquierda.)*

MAZO.—Maestro, ¿podemos subir? (VELÁZQUEZ *oye algo y se mete para escuchar desde el batiente.)*

VELÁZQUEZ.—*(Sonríe.)* ¿No estás hoy de semana en Palacio?

MAZO.—Quería ver el cuadro.

VELÁZQUEZ.—Subid. *(Se retira del balcón y ya no se le ve.* MAZO *sale por la puerta.)*

PAREJA.—Con vuestra licencia, señora. *(Sale tras él.* DOÑA JUANA *los ve partir con gesto frío; poco después se levanta y se acerca a la puerta para escuchar.)*

VELÁZQUEZ.—*(Voz de.)* Ahora hay buena luz. *(Se le ve cruzar tras el balcón hacia la izquierda. Aparecen siguiéndole* MAZO *y* PAREJA, *que se detienen asombrados. La vihuela de* DOÑA ISABEL *modula dentro la se-*

gunda Pavana de Milán. PAREJA *va a adelantar a* MAZO, *pero se da cuenta a tiempo y retrocede.)*

PAREJA.—Perdonad.

MAZO.—No, no... Podéis acercaros. *(Y lo hace él, desapareciendo.* PAREJA *da también unos pasos y desaparece a su vez. Una larga pausa. Retrocediendo,* MAZO *reaparece y se apoya contra el batiente del balcón.)* Es... increíble.

PAREJA.—*(Voz de.)* Ni el Ticiano habría acertado a pintar algo semejante.

VELÁZQUEZ.—*(Voz de.)* ¿No será que te quita el juicio la belleza del modelo? (DOÑA JUANA, *con un mal gesto, se aparta bruscamente y sale por el centro de las cortinas.)*

MAZO.—[*(Grave.)* Los del Ticiano no eran menos bellos, don Diego.] *(Sale al balcón y se reclina sobre los hierros pensativo.* VELÁZQUEZ *reaparece, sonriente.)* Gustaría de copiarlo algún día.

VELÁZQUEZ.—Sería peligroso. Ea, Juan, ¿qué haces ahí como un papamoscas? Tiempo tendrás de verlo. Bajemos. *(Desaparece por la derecha del balcón.* MAZO *se entra y mira de nuevo al cuadro invisible.* PAREJA *reaparece andando de espaldas. Se oye la voz de* DON DIEGO.) ¿Vamos, hijos míos? *(Tras una última ojeada al cuadro, ambos desaparecen. Se siguen oyendo sus voces por la escalera. El Soldado borgoñón vuelve a entrar por la izquierda y cruza, lento, para salir por la derecha.)* ¿Qué venías tú a decirme, Juan?

PAREJA.—*(Voz de.)* Excusadme, señor. Vuestra pintura me lo hizo olvidar. El barrendero mayor os buscaba porque los mozos no querían limpiar la Galería del Cierzo. *(La vihuela calla.* VELÁZQUEZ *entra por la puerta de la izquierda seguido de* MAZO, *que, abstraído, va a apoyarse en la silla.* PAREJA *entra después y sigue hablando con* DON DIEGO.)

VELÁZQUEZ.—¿Y eso? (DOÑA JUANA *vuelve a entrar por el fondo.)*

PAREJA.—Piden sus atrasos. Querían acudir al señor marqués. Conviene que os adelantéis.

VELÁZQUEZ.—Ni pensarlo. [Deja] que [se irriten y] protesten ante el marqués. [A ver si así...

DOÑA JUANA.—¿Sucede algo?

VELÁZQUEZ.—]Toma asiento, Juana. Platicaremos un rato. [Estoy cansado.] *(La conduce al sillón.)* [¿Dispusiste mi paleta en el obrador, Juan?

PAREJA.—También quería hablaros de eso, señor.

VELÁZQUEZ.—¡Cuánta novedad!

PAREJA.—El señor marqués ha preguntado que quién había dispuesto mantenerlo cerrado, no estando vos. Dije que vos... Y se rió de un modo... que no me agradó nada.

VELÁZQUEZ.—No suena a música, no, cuando se ríe.

PAREJA.—Luego se puso a mirar el bosquejo que pintáis...

VELÁZQUEZ.—*(Atento.)* Hola...

PAREJA.—Se sonreía, y gruñó: "¿Creéis que ese cuadro llegará a pintarse?"

JUANA.—¿No te sucederá nada malo?

VELÁZQUEZ.—Claro que no, Juana.] *(Se sienta junto a ella.)*

[JUANA.—Quizá no debiste cerrar el obrador. A todos les ha sentado mal.

VELÁZQUEZ.—Me fastidia el pintar rodeado de mirones... Y más una pintura como esa.

JUANA.—¿Qué intentas con esa pintura?

VELÁZQUEZ.—*(Sonríe.)* Díselo tú, Bautista. (MAZO, *ensimismado, no responde.)*] Bautista, hijo, ¿en qué piensas?

MAZO.—*(Con media sonrisa, señalando hacia arriba.)* ¿Os percatáis de que es la primera vez que un pintor español se atreve a hacerlo? (DOÑA JUANA *baja los ojos.)*

VELÁZQUEZ.—Esperemos que no sea la última.

DOÑA JUANA.—¡Ojalá sea la última!

VELÁZQUEZ.—¿Otra vez, Juana?

DOÑA JUANA.—Perdona.

VELÁZQUEZ.—Toma la llave. *(Se la da.)* Ya no es menester que limpies tú; dentro de unos días lo guardaré y podrás volver a dejar abierto. *(Se levanta.)* Cuento con vuestro silencio.

MAZO.—Por supuesto, don Diego.

VELÁZQUEZ.—*(A su yerno.)* Vete ya a Palacio. Y tú, Juan, espérame fuera; saldremos juntos. (PAREJA *se inclina y sale por el fondo.)*

MAZO.—Dios os guarde. *(Sale por el fondo bajo la mirada de* DON DIEGO.)

DOÑA JUANA.—Id con Dios, Bautista.

VELÁZQUEZ.—En ti puedo fiar. ¿Y en ellos?

DOÑA JUANA.—¿Cómo puedes decir eso?

VELÁZQUEZ.—Son pintores.

DOÑA JUANA.—Te son adictos...

VELÁZQUEZ.—Es triste no saberse pasar sin enseñar lo que uno pinta. No es vanidad; es que siempre se pinta para alguien... a quien no se encuentra. *(Se toma lentamente la mano izquierda con la derecha y se la oprime, en un gesto que* DOÑA JUANA *no deja de captar. Solícita, se levanta y acude a su lado.)*

DOÑA JUANA.—*(Tomándole con afecto por un brazo.)* No estás solo, Diego.

VELÁZQUEZ.—Ya lo sé, Juana. *(Se desprende y va al sillón.)* Te tengo a ti, tengo a nuestros nietos, la casa se llena todos los días de discípulos que me respetan y el rey me honra con su amistad. *(Sonríe.)* ¡Soy el hombre más acompañado de la tierra! *(Se sienta.)*

[DOÑA JUANA.—Entonces, ¿por qué te sientes solo?

VELÁZQUEZ.—*(Ríe.)* Es mi pintura la que se siente sola.

DOÑA JUANA.—El rey la admira.

VELÁZQUEZ.—No la entiende.

DOÑA JUANA.—*(Va a su lado.)* Tampoco yo la entiendo... y la amo, Diego. Porque te amo a ti.

VELÁZQUEZ.—No quise ofenderte, Juana.]

DOÑA JUANA.—*(Deniega, triste.)* Sé que a tus ojos no soy más que una pobre mujer que no entiende de pintura. Ni a ti: porque tú eres tu pintura. *(Está tras el sillón; le acaricia suavemente la melena.)*

VELÁZQUEZ.—¿Qué ideas son esas?

DOÑA JUANA.—¡Déjame hablar! A tu espalda, para que no veas... lo vieja que soy ya.

VELÁZQUEZ.—Contamos casi los mismos años...

DOÑA JUANA.—Por eso soy más vieja. Las damas aún te miran en la Corte; me consta. Y yo soy... una abuela pendiente de sus nietos.

VELÁZQUEZ.—No para mí, Juana. *(Oprime de nuevo su izquierda con su derecha.)*

DOÑA JUANA.—Entonces, ¿por qué te sientes solo... conmigo?

[VELÁZQUEZ.—Eso no es cierto.

DOÑA JUANA.—*(Se enfrenta con él.)* [¡Sí lo es! ¡Y desde hace años!]

VELÁZQUEZ.—¿Lo dices porque hablamos poco? Yo siempre he sido parco en palabras.

DOÑA JUANA.—Nunca como desde entonces. Antes, me confiabas tus alegrías, tus tristezas. Después...

VELÁZQUEZ.—¿Después de qué?

DOÑA JUANA.—De tu segundo viaje a Italia. *(Se aparta, dolida.)* Tardaste mucho en volver. Y viniste... muy distinto. [Era como si te hubieras olvidado de nosotros.]

VELÁZQUEZ.—*(Después de un momento.)* Cuando respiras el aire y la luz de Italia, Juana, comprendes que hasta entonces eras un prisionero... Los italianos tienen fama de sinuosos; pero no son, como nosotros, unos tristes hipócritas. Volver a España es una idea insoportable, y el tiempo pasa... Al segundo viaje ya no podía resistirla: llegué a pensar en quedarme.

DOÑA JUANA.—¿Lo ves?

VELÁZQUEZ.—Y en llevaros a vosotros después. Mas eso hubiera traído dificultades... Y a España se vuelve siempre, pese a todo. No es tan fácil librarse de ella. *(Se vuelve a oprimir las manos.)*

DOÑA JUANA.—Pero antes, Diego, yo era tu confidente. Me sentaba a tu lado como ahora *(Lo hace.)* y tú buscabas mi mano con la tuya... Míralas. Desde tu vuelta, se buscan solas...

VELÁZQUEZ.—*(Se sobresalta y separa sus manos.)* ¿Qué dices?

DOÑA JUANA.—¿A quién busca esa mano [desde entonces], Diego? *(Desliza su brazo y se la toma.)* ¿A... otra mujer?

VELÁZQUEZ.—*(Después de un momento.)* No hubo otra mujer, Juana.

[DOÑA JUANA.—Y... ¿la hay aquí?

VELÁZQUEZ.—No.] *(Se levanta bruscamente y da unos pasos.)*

DOÑA JUANA.—*(Con súbito desgarro.)* ¿Qué ha ocurrido ahí arriba estos días?

VELÁZQUEZ.—He pintado. *(Ella rompe a llorar.)* ¡He

pintado, Juana! ¡Quítate de la cabeza esos fantasmas!

DOÑA JUANA.—¡Pues habrá otra en Palacio!

VELÁZQUEZ.—*(Oprimiéndose con furia las manos.)* ¡Estás enloqueciendo!

DOÑA JUANA.—*(Las señala, llorando.)* ¡Esas manos!...

VELÁZQUEZ.—*(Las separa bruscamente, disgustado.)* Acaso busquen a alguien sin yo saberlo. No a otra, como tú piensas. A alguien que me ayude a soportar el tormento de ver claro en este país de ciegos y de locos. Tienes razón: estoy solo. Y, sin embargo... Conocí hace años a alguien que hubiese podido ser como un hermano. *(Con una amarga sonrisa.)* El sí sabía lo que era la vida. Por eso le fue mal. Era un mendigo.

DOÑA JUANA.—¿De quién hablas?

VELÁZQUEZ.—Ni recuerdo su nombre. Ya habrá muerto. *(Sonríe.)* Perdóname, Juana. Estoy solo, pero te tengo a ti. [¿No hemos quedado en que el cariño es lo principal?] *(Ha ido a su lado y le levanta la barbilla.)* No debí levantarte la voz. Es que estoy inquieto por el cuadro que quiero pintar. El rey ha de autorizarlo, y no sé si lo hará.

DOÑA JUANA.—¿Tú me juras por la Santa Cruz que no hay... otra mujer?

VELÁZQUEZ.—No te empeñes en esas niñerías. *(Se aleja.)*

DOÑA JUANA.—¡No has jurado!

VELÁZQUEZ.—Calla. ¿No llaman? *(Por el fondo aparece* JUAN DE PAREJA. *Trae la espada, la capa y el sombrero de* DON DIEGO.)

PAREJA.—Vuestro primo don José Nieto Velázquez ruega ser recibido por mi señora.

[VELÁZQUEZ.—¿Sabe que estoy aquí?

PAREJA.—Yo no se lo he dicho.

VELÁZQUEZ.—Sigue callándotelo y pásalo al estrado.

PAREJA.—]Os traje vuestras prendas por si no queríais...

VELÁZQUEZ.—*(Sonríe.)* Bien pensado. Aguárdame tú en la puerta: saldré por el corredor.

PAREJA.—Sí, mi señor. (DOÑA JUANA *le recoge las cosas y las deja en la silla.* PAREJA *sale por el fondo.* DOÑA JUANA *ayuda en silencio a su marido a ceñirse la espada y el ferreruelo. Entre tanto,* DOÑA MARCELA *sale al balcón de la derecha y otea la calle, mirando con disimulo a la Casa del Tesoro.* DON DIEGO RUIZ DE AZCONA *asoma poco después.)*

DOÑA MARCELA.—El día está templado. La señora infanta puede dar su paseo.

RUIZ DE AZCONA.—¿Vamos, pues?

DOÑA MARCELA.—Hacedme la merced de salir sin mí, don Diego. He de dar un recado en la Casa del Tesoro sin demora...

RUIZ DE AZCONA.—Si preferís que nos acompañe otra dueña...

DOÑA MARCELA.—Es cosa de poco. Yo iré luego: descuidad.

RUIZ DE AZCONA.—En el Jardín de la Priora estaremos. *(Se retiran ambos del balcón.)*

DOÑA JUANA.—¿Por qué huyes de tu primo?

VELÁZQUEZ.—No dice más que niñerías.

DOÑA JUANA.—Para ti todos somos niños...

VELÁZQUEZ.—Puede ser.

DOÑA JUANA.—Es el mejor amigo que tienes en Palacio, Diego.

VELÁZQUEZ.—¿Por qué solicitó el puesto de aposentador mayor cuando yo lo pedí?

DOÑA JUANA.—Lo ha aclarado muchas veces: se presentaban otros y era preferible que lo alcanzase él si a ti no te lo daban... Te quiere bien, Diego.

VELÁZQUEZ.—Y a ti más que a mí. No me opongo, pues que gustas de su plática. Yo, con tu licencia, me escabullo. *(Le besa la frente.)* Deséame suerte, Juana. Puede que el rey decida hoy.

DOÑA JUANA.—¡Que Dios te ayude! *(Le estrecha las manos. El toma su sombrero y sale por la izquierda.* DOÑA JUANA *lo ve partir, suspira y sale luego por el fondo. Entre tanto, la infanta* MARÍA TERESA *asoma al balcón de la derecha y mira con ternura hacia ese lado. Solo cuenta dieciocho años, pero hay algo en sus rasgos que la hace parecer mayor. Ha heredado de su padre el rubio ceniciento de los cabellos, el grueso labio inferior, la mandíbula un tanto pesada; pero su mirada es dulce y penetrante, vivos sus ademanes. Viste un lujoso jubón de verdugado y lleva guardainfante. El pe-*

sado peinado de corte resulta airoso en su graciosa cabeza. Está mirando a su hermanita, que va al paseo, y le dedica cariñosos adioses con la mano. Luego se retira. VELÁZQUEZ *y* PAREJA *salen del portal.* DOÑA MARCELA *entra por la derecha y se enfrenta con ellos, que avanzan. Reverencias.)*

VELÁZQUEZ.—*(Se descubre.)* Señora...

DOÑA MARCELA.—Dios os guarde, señor don Diego. He de daros un recado.

VELÁZQUEZ.—¿Aquí?

DOÑA MARCELA.—Es cosa de poco.

VELÁZQUEZ.—Prosigue, Juan. (PAREJA *saluda y sale por la derecha. Un corto silencio.)* Vos diréis.

DOÑA MARCELA.—*(Que no acierta a hablar.)* No así, don Diego. No me lo hagáis más difícil.

VELÁZQUEZ.—No os entiendo.

DOÑA MARCELA.—Sí que me entendéis. Y aunque solo fuese por eso, no debierais hablarme con tanta frialdad... Nos conocemos desde que os protegía el señor conde-duque y yo servía en su casa. Entonces era casi una niña... Una niña requerida por muchos galanes, pero que solo quería encontrar... una verdadera amistad.

VELÁZQUEZ.—¿Os referís a cuando aún vivía vuestro señor esposo?

DOÑA MARCELA.—¡No lo nombréis! Sabéis bien [que me casaron contra mi voluntad y] que mi matrimonio fue una cruz. *(La infanta* MARÍA TERESA *reaparece en el balcón, y sin salir a los hierros los observa con recato desde el batiente.)*

VELÁZQUEZ.—Recuerdo en efecto que me honrasteis con esa confidencia.

DOÑA MARCELA.—Llegué a creer que la habíais olvidado. Parecíais tan ocupado a la sazón en amar a vuestra esposa...

VELÁZQUEZ.—Así era.

DOÑA MARCELA.—*(Se le enternece la mirada.)* Pero lo recordáis.

VELÁZQUEZ.—*(Suspira.)* Recordar viejas historias es lo que nos queda a los viejos, señora.

DOÑA MARCELA.—Un hombre como vos nunca es viejo, don Diego.

VELÁZQUEZ.—*(Sonríe.)* Ni mozo.

DOÑA MARCELA.—La madurez sabe guardar secretos deleitosos que la mocedad no sospecha.

VELÁZQUEZ.—¿Lo decís por mí, señora?

DOÑA MARCELA.—*(Baja los ojos.)* Lo digo por los dos.

VELÁZQUEZ.—Disculpadme; me aguardan en Palacio. A vuestros pies, doña Marcela. *(Saluda y da unos pasos hacia la derecha.)*

DOÑA MARCELA.—¡No os vayáis aún!

VELÁZQUEZ.—Señora...

DOÑA MARCELA.—Chis. *(El centinela cruza de derecha a izquierda.* DOÑA MARCELA *se acerca.)* ¿Por qué no queréis entender? ¿Es que el sufrimiento de una mujer no os causa, por lo menos, un poco de piedad? ¿Sois de hielo o de carne?

VELÁZQUEZ.—Señora: vuestra severidad moral es proverbial en Palacio. [De todas las dueñas de la reina nuestra señora, la más intransigente con las conciencias ajenas sois vos.] ¿Cómo podríais vos, tan impecable, abandonaros al mayor de los pecados? No puedo creerlo.

DOÑA MARCELA.—*(Sin voz.)* Es el más humano de todos.

VELÁZQUEZ.—Hablo, señora, del pecado de la doblez. Sin duda, os queréis chancear a mi costa. [Id a vigilar a vuestras meninas, y no me sometáis a la dura prueba de vuestras burlas.]

DOÑA MARCELA.—*(Con los ojos bajos.)* No hagáis que me desprecie a mí misma.

VELÁZQUEZ.—Quiero advertiros de que nos están mirando. (DOÑA MARCELA *mira hacia la izquierda.)* No es el centinela, señora. Es la infanta doña María Teresa.

DOÑA MARCELA.—¡Ah!... *(Compone su fisonomía.)* Se dice que frecuenta vuestro obrador. ¿La retratáis?

VELÁZQUEZ.—Aún no. *(Reverencia.)* A vuestros pies, doña Marcela.

DOÑA MARCELA.—*(Sonríe y le devuelve la reverencia.)* Guardaos de una mujer despechada, don Diego. *(Sale por la izquierda.* VELÁZQUEZ *se cala el sombrero y sale por la derecha. Ninguno de los dos miró al balcón, donde asoma ahora la infanta para verlos partir y de donde desaparece poco después. Entre tanto,* DOÑA

JUANA *reaparece por el fondo seguida de* DON JOSÉ NIETO VELÁZQUEZ. *Es este un hombre de cuarenta y cinco años largos, bajito y seco, de gran nariz y ojos huidizos, que sufre prematura calvicie atemperada por un mechón central. Viene vestido de negro de pies a cabeza, con golilla y capa, tal como lo vemos en el cuadro de "Las Meninas".)*

DOÑA JUANA.—Aquí estaremos más tranquilos.

[NIETO.—Es una bendición de Dios cómo se crían vuestros nietecitos.

DOÑA JUANA.—¿Por qué no os casasteis, primo? Habríais sido buen esposo.

NIETO.—Eran otras mis inclinaciones...

DOÑA JUANA.—¿Y por qué no las seguisteis?

NIETO.—Azares... Pero Dios Nuestro Señor sabe que no las olvido. ¡Que El me ilumine siempre para encontrar sus caminos!

DOÑA JUANA.—*(Se santigua.)* Amén.]

NIETO.—[No quiero entreteneros...] Es con mi señor don Diego con quien debiera hablar; mas vos me escucháis siempre con más bondad que él...

DOÑA JUANA.—Es que él siempre está pensando en sus obras. Pero os quiere bien... ¿Es cosa grave? *(Se sienta e indica la silla al visitante.)*

NIETO.—No creo... Aunque no conviene descuidarse. Los pintores de su majestad andan murmurando. No me sorprendería que intentasen indisponer a don Diego con el rey.

DOÑA JUANA.—Siempre le digo a mi esposo que sois nuestro mejor amigo.

NIETO.—Lo intento humildemente. *(Se sienta a su lado.)*

DOÑA JUANA.—*(Con repentino desgarro en la voz.)* ¡Ayudadle cuanto podáis, primo! Lo ha menester.

NIETO.—¿Lo decís por algo determinado?

DOÑA JUANA.—No, no...

NIETO.—Por vuestro tono, me pareció... (DOÑA JUANA *deniega con una triste sonrisa y se levanta, turbada. El va a hacerlo también.)*

DOÑA JUANA.—Permaneced sentado... *(Pasea.)* No me sucede nada... Ea, contadme novedades... ¿Qué se sabe de Balchín del Hoyo?

NIETO.—El señor canónigo Barrionuevo me decía ayer después de la novena que han descubierto un castillo enterrado y han llegado a unas puertas de hierro tras las que podría estar el tesoro.

DOÑA JUANA.—¿Y cómo se sabe que hay un tesoro?

NIETO.—*(Alegre.)* Un labrador soñó con él durante quince días y señaló el lugar. *(Triste.)* Pero, al tiempo, tocaron las campanas de Velilla a muchas leguas de distancia. Por eso no conviene confiarse. Satanás sabe que España es predilecta de Nuestra Señora y urde cuanto puede contra nosotros...

DOÑA JUANA.—¡Que Nuestro Señor nos libre siempre de su poder! *(Se santigua.)*

NIETO.—Cierto que necesitamos de toda su gracia para no caer en las tretas del Enemigo... (DOÑA JUANA *vuelve a asomarse.)* El sabe siempre el modo de atacar. Un pensamiento soberbio, la codicia de los bienes ajenos, una mujer lozana...

DOÑA JUANA.—*(Se sobresalta.)* ¿Una mujer?

NIETO.—Sabéis bien que es uno de sus más viejos ardides. Y más funesto de lo que se piensa, porque por veces la tal mujer no es sino el diablo mismo, que toma su apariencia para embrujar al hombre y destruir su hogar.

DOÑA JUANA.—¿Y... cómo se sabe si es el diablo o una simple mujer?

NIETO.—Hay procedimientos, exorcismos... Se aplican según los indicios.

DOÑA JUANA.—Sí, claro. *(Una pausa. De improviso, rompe a llorar.)*

NIETO.—¡Señora! (DOÑA JUANA *trata de enjugar sus lágrimas.* NIETO *se levanta.)*

DOÑA JUANA.—Dispensadme. No me encuentro bien.

NIETO.—Ya no dudo de que algo os sucede... Sabéis que podéis confiar en mí.

DOÑA JUANA.—Lo sé, pero...

NIETO.—¿Qué os detiene? Os consta que estoy lleno de buena voluntad hacia vos...

DOÑA JUANA.—*(Después de un momento, sin mirarle.)* Juradme que a nadie diréis lo que os voy a confiar.

NIETO.—¿Tan grave es?

DOÑA JUANA.—*(Asiente.)* Jurádmelo.

NIETO.—En todo lo que no vaya contra mi conciencia, juro callar.

DOÑA JUANA.—Ni sé cómo empezar...

NIETO.—¿Es cosa que atañe a don Diego? (DOÑA JUANA *asiente.)* ¿Y a vos? *(Ella vuelve a asentir.)* ¿Acaso... una mujer?

DOÑA JUANA.—*(Se levanta.)* ¿Sabéis vos algo? ¿Alguna dama de Palacio?

NIETO.—No creo...

DOÑA JUANA.—¡Entonces es la que viene aquí!

NIETO.—¿Qué decís?

DOÑA JUANA.—El me ha prometido que no vuelve. Pero hace años que no le importo nada, lo sé... Se encerraban ahí arriba. El dice que a pintar solamente...

NIETO.—¿Una mujer... de la calle?

DOÑA JUANA.—Sí. *(Por la izquierda entran* MARTÍN *y* PEDRO, *que van a sentarse a los peldaños.* MARTÍN *saca del zurrón un mendrugo de pan, lo parte y le da a* PEDRO. *Comen.)*

[NIETO.—¿Y teméis... alguna influencia diabólica?

DOÑA JUANA.—No sé lo que temo.]

NIETO.—[En principio no debéis pensar eso... Mas también cuesta creer que os haya ofendido en vuestra propia casa.] ¿Podría ver yo esa pintura?

DOÑA JUANA.—¡No! No... puedo enseñárosla. Está cerrado.

NIETO.—¿Cerrado? ¿La habéis visto vos?

DOÑA JUANA.—¡No puedo enseñarla! ¡Me lo ha prohibido! *(Se derrumba en el sillón con un gemido.* NIETO *titubea. Se enfrenta con ella y le toma una mano.)*

NIETO.—Mal podré ayudaros si no veo la pintura...

DOÑA JUANA.—No debo desobedecerle... No debo traicionarle.

NIETO.—Describídmela.

DOÑA JUANA.—*(Después de un momento, con tremendo pudor y repugnancia.)* No me atrevo. *(Un silencio.* NIETO *frunce el ceño: sospecha la verdad. Se incorpora y va al fondo.)*

NIETO.—Pensaré en el caso, señora. Permitid que me retire. Dios os guarde. *(Va a salir.)*

DOÑA JUANA.—*(Asustada ante tan repentino abandono.)* ¡No os vayáis!... (NIETO *aguarda. En medio de una gran lucha interior,* DOÑA JUANA *se levanta y va a la izquierda. Con la mano en el pomo de la puerta, dice sin mirarle.)* Subid conmigo.

NIETO.—*(Se acerca.)* Yo os fío que no os arrepentiréis.

DOÑA JUANA.—¡Habéis prometido ayudarle!

NIETO.—Y lo mantengo. (DOÑA JUANA *abre la puerta y sale por ella seguida de* NIETO.)

MARTÍN.—¡Vete de aquí, perro! Tiene malas pulgas y te las va a pegar.

PEDRO.—¡No ha pasado ningún perro!

MARTÍN.—¿Lo ven, damas y soldados? Loco y burriciego. (PEDRO *se va a levantar.* MARTÍN *lo detiene y le habla con afecto.)* ¿Te has comido ya el pan?

PEDRO.—No.

MARTÍN.—En el zurrón no queda nada. Puedes registrarlo.

PEDRO.—No es menester. [Ven todos los días cuando toquen en San Juan a misa mayor. Y por la tarde, al Angelus. Acaso pueda darte algo.]

MARTÍN.—¿No quieres que te aguarde?

PEDRO.—*(Se levanta.)* No. Llévame. (MARTÍN *se levanta y lo lleva al portal.)*

MARTÍN.—Piénsalo. Estás a tiempo...

PEDRO.—*(Lo abraza.)* Buena suerte, Martín.

MARTÍN.—Buena suerte. (PEDRO *entra en el portal,* MARTÍN *lo mira marchar y luego, suspirando, sale por la izquierda. Tras el balcón de la izquierda aparece* DOÑA JUANA, *que se hace a un lado para dejar pasar a* NIETO. *Este se detiene, mirando al cuadro invisible.)*

NIETO.—¡Dios santo! *(Desaparece para acercarse al cuadro.* DOÑA JUANA, *atribulada, lo sigue y desaparece asimismo. Al tiempo, la luz general decrece y aumenta en la zona central, donde desaparecen las cortinas para mostrarnos el obrador del cuarto del príncipe. A la derecha del fondo, la puerta abierta.* PAREJA *abre las maderas del último balcón y luego viene al primer término y abre las del segundo. El aposento se llena de luz. Entre tanto, el maestro* ANGELO NARDI *entra por la puerta entornada de la izquierda y mira a* PAREJA. *Es un anciano de setenta y dos años, calvo y de perilla plateada, que causa extraña impresión por sus galas juveniles, de brillantes y desusados colores y bordados. Tal vez se advierte en sus palabras, muy atemperado, un resto de su natal acento florentino.)*

NARDI.—¿Os estorbo?

PAREJA.—De ningún modo, maestro Nardi.

NARDI.—Como estaba abierto, vine a estirar un poco las piernas. ¡Je! Aquello es más chico.

PAREJA.—*(Mientras va al bufete y empieza a elegir pinceles.)* Vuesa merced me manda, maestro. (NARDI *se dirige al caballete.* PAREJA *no lo pierde de vista.)*

NARDI.—¿Habéis visto ya el San Jerónimo que pinto para Alcalá?

PAREJA.—Aún no tuve ocasión...

NARDI.—Me importa vuestra opinión porque soy viejo. Yo creo que se debe aprender de los pintores mozos... [Ayer se lo decía a Francisco de Herrera, el mozo, que ha heredado las grandísimas dotes de su padre y que me honró con un elogio muy encendido de mi San Jerónimo...]

PAREJA.—Yo no soy más que un aprendiz, maestro.

NARDI.—¿Cómo? Yo os digo que pintáis muy bien, hijo mío... Y si mi venerado amigo y maestro Carducho viviera, os diría lo mismo. ¡Ah, qué grandísimo y docto pintor perdió en él su majestad! Ninguno de nosotros puede comparársele. *(Mira al boceto.)*

PAREJA.—¿Me permite vuesa merced? *(Va a poner ante el lienzo un asiento de tijera.)*

NARDI.—*(Retrocede aprisa.)* Claro, hijo mío. (PAREJA *dispone otro asiento al lado, donde coloca la paleta con los pinceles y el tiento, además de un paño.* NARDI *señala al lienzo.)* Extraño capricho, ¿eh?

PAREJA.—Así es, maestro.

NARDI.—Nadie pensaría en trasladar cosa tan trivial a un tamaño tan grande. Pero él... lo ha pensado. Habrá que aceptárselo, como se le aceptan otras cosas... ¡Es tan bondadoso!

PAREJA.—El mejor hombre del mundo, maestro.

NARDI.—Sí que lo es. Los envidiosos dicen que su bondad no es más que falsía, pero nosotros conocemos su gran corazón y todo se lo toleramos. ¿Que quiere quedarse solo en esta galería? Pues los pintores nos vamos al aposento contiguo muy satisfechos de darle ese gusto...

PAREJA.—Esto me recuerda que debo cerrar ya... Vuesa merced sabrá dispensarme... (NARDI *decide no oír y da unos paseítos para husmear en el bufete de los colores.)*

[NARDI.—Mucho debe de hacerse querer don Diego cuando no le tenéis en cuenta los años enteros en que habéis aprendido a escondidas para que él no se enfureciera... Eso prueba lo bueno que es.

PAREJA.—*(Impaciente.)* Así es, maestro.] Cerraré entre tanto las otras puertas. *(Va al fondo para echar la llave a la puerta de la derecha.)*

NARDI.—Hacedlo, hijo. Yo me retiro ya. *(Cuando* PAREJA *va a cerrar, aparece en la puerta el* MARQUÉS. *Es un caballero cincuentón, con los cabellos cortos a la moda del reinado anterior y grandes mostachos. Lleva al cinto la llave dorada de gentilhombre y al pecho la espadilla de Santiago. Su gesto es arrogante; su voz, la de un hombre con mando.)*

PAREJA.—*(Se inclina.)* Beso a vuecelencia las manos.

MARQUÉS.—¿Otra vez vais a cerrar?

PAREJA.—Si vuecelencia no dispone otra cosa...

MARQUÉS.—¿Vais a impedir el paso al mayodormo mayor de su majestad? ¿Se os ha subido la libertad a la cabeza ?

PAREJA.—*(Se aparta.)* Pido perdón a vuecelencia.

MARQUÉS.—Retiraos. (PAREJA *vacila.)* ¡Sin cerrar! (PAREJA *se inclina y sale. El* MARQUÉS *avanza.)* Tan soberbio como su señor. Dios os guarde, maestro. (NARDI *se inclina.)* ¿Habéis burlado la contraseña?

NARDI.—*(Cerrando prudentemente la puerta de la izquierda.)* Cierran lo menos que pueden, señor marqués.

MARQUÉS.—Pero cierran. Por lo visto ya nadie manda en los aposentos sino el señor aposentador mayor. (NARDI *se acerca.)* Todavía no sabe quién soy yo, y por Dios que lo va a aprender.

NARDI.—*(Con sigilo.)* ¿Antes, o después de que pinte el cuadro?

MARQUÉS.—Aún no lo sé, maestro. Hay que esperar la ocasión de hablar al rey.

NARDI.—Preguntaba porque, con todo respeto, no sé

si vuecelencia se ha percatado de lo que don Diego quiere pintar.

MARQUÉS.—*(Ante el caballete.)* ¿Esto?

NARDI.—Entiendo yo en mi pobre criterio que esa pintura va a ser espantosamente escandalosa. Y, en bien del propio Velázquez..., sería mejor, tal vez, que no se llegara a pintar.

[MARQUÉS.—¿Sabéis que el rey vendrá esta tarde a dar su aprobación?

NARDI.—Entonces la cosa apremia.]

MARQUÉS.—Aclarad eso.

NARDI.—No ahora, excelencia... Es para hablar despacio. *(Le indica que son observados. En efecto,* VELÁZQUEZ *ha aparecido en la puerta del fondo y se detiene. Deja su sombrero, su capa y su espada sobre la consola, avanza y llega junto a ellos.* PAREJA *aparece a su vez en el fondo y se desliza en el aposento.)*

VELÁZQUEZ.—*(Se inclina.)* Dios guarde a vuesas mercedes. *(Dos breves inclinaciones le responden.)*

NARDI.—Guárdeos Dios, señor aposentador.

VELÁZQUEZ.—¿Podrá vuecelencia concederme su atención ahora?

MARQUÉS.—Estoy de prisa.

VELÁZQUEZ.—El caso la requiere también. Los barrenderos de Palacio están descontentos. He procurado convencerlos, mas no lo consigo.

MARQUÉS.—Convencerlos, ¿de qué?

VELÁZQUEZ.—De que barran.

MARQUÉS.—¿Cómo?

VELÁZQUEZ.—La Galería del Cierzo aún no se ha barrido a estas horas.

MARQUÉS.—¿Esos galopines son o no son barrenderos?

VELÁZQUEZ.—Lo son, excelencia.

MARQUÉS.—¡Pues que barran!

VELÁZQUEZ.—Se les debe el salario de tres meses. Y hace cinco días que no se les da ración. *(El dominico aparece en la puerta del fondo y se detiene, mirándolos.)*

MARQUÉS.—¿Y qué?

VELÁZQUEZ.—Es natural que vuecelencia no comprenda la extrema necesidad en que se hallan, dadas las crecientes riquezas de vuecelencia.

MARQUÉS.—*(Se adelanta, rojo.)* ¿A qué os referís?

VELÁZQUEZ.—*(Tranquilo.)* A las crecientes riquezas de vuecelencia.

NARDI.—*(Repara en el dominico.)* Excúsenme vuesas mercedes. *(Cruza rápidamente entre ellos y va al fondo.)* Vuestra reverencia puede pasar por aquí; está abierto. *(El dominico avanza sonriente.)* Espero que mi San Jerónimo sea de su agrado. *(Van al primer término. Todos se han inclinado y el fraile les dispensa, sin detenerse, leves bendiciones.)* Pasad, padre, pasad. *(Le sostiene la puerta. El dominico sale por la izquierda.)* Bésoos las manos, señores míos. *(*EL MARQUÉS *se inclina y* NARDI *sale a su vez, cerrando.)*

VELÁZQUEZ.—¿Qué decide vuecelencia?

MARQUÉS.—Aprended, don Diego, que tal descontento no puede existir en Palacio; luego no existe.

VELÁZQUEZ.—*(Tranquilo.)* Pero existe.

MARQUÉS.—Esos bergantes barrerán en cuanto vos ejerzáis la autoridad que parece faltaros. ¡Resolved vos! *(Va a irse.)*

VELÁZQUEZ.—Ya está resuelto, señor marqués.

MARQUÉS.—¿Os burláis?

VELÁZQUEZ.—¡No! Mas no hay que apurarse. Esos mozos figuran como barrenderos en la nómina de Palacio. Luego barren.

MARQUÉS.—¡Voto a Dios, señor aposentador, que yo os enseñaré a hablar como debéis a un noble que lleva en su pecho la cruz de Santiago!

VELÁZQUEZ.—*(Herido, mira su jubón, donde no hay cruz alguna.)* Solo puedo responder una cosa: hay pechos que se honran llevando esa cruz y pechos que la honran si la llevan. *(El* MARQUÉS *da un paso hacia él con torva mirada, pero* VELÁZQUEZ *se la aguanta. Bruscamente el* MARQUÉS *le vuelve la espalda y se encamina al fondo. A los pocos pasos se detiene y se vuelve.)*

MARQUÉS.—Su majestad ordena que le esperéis aquí durante la tarde. Vendrá a ver vuestro bosquejo. *(Sale por el fondo sin dignarse responder a la apresurada reverencia de* PAREJA. VELÁZQUEZ *suspira y, de cara al proscenio, se oprime las manos.)*

PAREJA.—*(Se acerca.)* La paleta está dispuesta, maestro.

VELÁZQUEZ.—Hay días en que me admiro de lo necio que puedo llegar a ser. *(Separa sus manos y va al caballete, pensativo.)*

PAREJA.—¿Cierro?

VELÁZQUEZ.—Pero no eches la llave. (PAREJA *va al fondo y cierra la puerta.)* El cuadro grande no puede ser tan duro. Quizá al rey no le plazca este borrón... Da grima verlo. ¡Oh! *(Con un suspiro de disgusto se sienta, empuña la paleta y ataca con decisión el lienzo.* PAREJA *va a abrir maderas.)* ¿Estuviste en el mentidero de San Felipe? (PAREJA *se vuelve, sorprendido.)* Cuéntame.

PAREJA.—Maestro... ¡Si nunca queréis que os cuente!

VELÁZQUEZ.—Porque siempre estamos en peligro y es preferible no llegar a saberlo... Salvo algunas veces. Como esta. Ahora peligra este cuadro, y eso sí me importa. Cuenta y no te calles lo peor.

PAREJA.—*(Carraspea.)* Herrera el mozo apostaba diez ducados a los demás pintores a que el rey os prohibiría pintarlo. (VELÁZQUEZ *lo mira.)* [Lo describió muy bien, para no haberlo visto. Y dijo... que era el disparate mayor que la soberbia humana podía concebir.] Se reían a gusto...

VELÁZQUEZ.—Todo viene del viejo Nardi y de ese avispero. *(Señala a la puerta de la izquierda.)* [Los más mozos se unen a los más viejos contra mí. He de tener cuidado.] Sigue. *(Pinta.)*

PAREJA.—Me vieron, y Herrera dijo que si alguien os venía a decir lo soberbio que erais para lo mal que pintabais, haría un favor a vuestra alma.

VELÁZQUEZ.—¡Qué pena de muchacho! Como si tuviera noventa años: dice lo mismo que el viejo Carducho.

PAREJA.—Alguien terció para afirmar que yo no diría nada, dado lo mal que me habíais tratado hasta que el rey me libertó. [Me compadecieron por sufrir amo tan duro] y me dieron la razón por seguir a vuestro lado. Así podría medrar, decían.

VELÁZQUEZ.—Vamos, que te ofendieron con la mayor piedad. ¿Cómo contaron la historia?

PAREJA.—Como todos. Que aprendí a escondidas durante años, porque vos nunca consentiríais que un esclavo pintase, que dejé un lienzo mío para que su majestad lo volviese y que su majestad os forzó a libertarme después de verlo. *(Ríen los dos.)*

VELÁZQUEZ.—*(Riendo.)* Creo que la gente seguirá diciendo esa necedad aunque pasen siglos. Es muy claro que no habrías podido aprender tanto viviendo toda tu vida en mi casa sin que yo lo supiera; pero con tal de achacarte alguna mezquindad, los hombres creerán a gusto la mayor sandez.

PAREJA.—*(Baja la voz.)* Hasta su majestad lo creyó, señor.

VELÁZQUEZ.—*(Baja la voz.)* La argucia salió bien. Juan, hijo mío: un hombre no debe ser esclavo de otro hombre.

PAREJA.—Nunca me tratasteis como tal, señor.

VELÁZQUEZ.—Porque así lo creía desde que te recibí de mi suegro. Pero si te liberto yo, el marqués y todos los que se le parecen no me lo habrían perdonado. ¿Dijeron algo más?

PAREJA.—Yo no podía defenderos bien... Ellos eran hidalgos y cristianos viejos, y yo no. De modo que resolví alejarme... (VELÁZQUEZ *se levanta para comprobar algo, de espaldas en el primer término.)*

VALÁZQUEZ.—Juan, creo que voy a poder pintar ese cuadro.

PAREJA.—No lo dudéis, señor.

VELÁZQUEZ.—Si el rey da su venia, claro. Toma la paleta. (PAREJA *se la recoge con los pinceles y la deja en la silla.)*

PAREJA.—No sé si deciros, señor...

VELÁZQUEZ.—¿Aún queda algo?

[PAREJA.—No ha sido en San Felipe, sino en vuestra casa.

VELÁZQUEZ.—*(Lo mira fijamente.)* Dime.]

PAREJA.—*(Sin mirarlo.)* Doña Juana me preguntó ayer si había alguna mujer que... os agradase. Y si hubo alguna otra mujer... en Italia. Yo dije que no. *(Un silencio.)*

VELÁZQUEZ.—Está bien, Juan. Recoge todo. (PAREJA *lo hace. La puerta de la derecha del fondo se abre y entra la infanta* MARÍA TERESA, *que cierra en seguida.*

VELÁZQUEZ *y* PAREJA *se inclinan profundamente.)* Alteza...

MARÍA TERESA.—*(Sonríe, con un dedo en los labios.)* ¡Chis! Me he vuelto a escapar de la etiqueta. *(Avanza.)*

VELÁZQUEZ.—Vuestra alteza es muy bondadosa prefiriendo platicar con un pobre pintor. *(Mira a* PAREJA, *que se inclina en silencio y va a salir por el fondo. La infanta, ante el caballete, mira a* VELÁZQUEZ *con sorna.)*

MARÍA TERESA.—Sois muy modesto. No salgáis, Pareja. ¿Cuándo empezáis el cuadro grande, don Diego?

VELÁZQUEZ.—Cuando su majestad dé su venia.

[MARÍA TERESA.—¿Sabéis que ya se habla mucho de él?

VELÁZQUEZ.—Lo presumía, alteza.]

MARÍA TERESA.—*(Señala al boceto.)* ¿Decíais que esta seré yo?

VELÁZQUEZ.—Su majestad indicó que, de pintarse el cuadro, vuestra alteza debiera figurar en lugar de doña Isabel de Velasco.

MARÍA TERESA.—¿Y lo haréis?

VELÁZQUEZ.—Si a vuestra alteza le place...

MARÍA TERESA.—*(Va al primer balcón. Un silencio.)* Me place. Decidme, Pareja: ¿cómo habéis logrado pintar durante años sin que don Diego lo supiese? *(Los dos hombres se miran alarmados a sus espaldas. Ella se vuelve.)* Lo juzgo imposible.

PAREJA.—Yo... le quitaba horas al sueño, alteza.

MARÍA TERESA.—*(Los mira a los dos.)* Ya. *(Va al caballete y toma la paleta y los pinceles. Ríe.)* ¿Me dejáis?

VELÁZQUEZ.—Por supuesto, alteza.

MARÍA TERESA.—*(Da una pincelada.)* [¿Se hace así?

VELÁZQUEZ.—Puede hacerse así.]

MARÍA TERESA.—Ahora sí me haréis la merced de dejarnos, Pareja. (PAREJA *se inclina y sale por el fondo, cerrando.* MARÍA TERESA *mira a* VELÁZQUEZ *y deja la paleta.)* ¿Sois vos mi amigo, don Diego?

VELÁZQUEZ.—Soy vuestro más leal servidor.

MARÍA TERESA.—*(Seca.)* Dejaos de cumplidos. Estamos solos. *(Pasea.)*

VELÁZQUEZ.—Aun así, yo no puedo...

MARÍA TERESA.—Ya lo creo que podéis. ¿O no os acordáis?

VELÁZQUEZ.—¿Acordarme?

MARÍA TERESA.—Yo sí me acuerdo. Creo que tendría unos seis años. ¿Lo recordáis vos?

VELÁZQUEZ.—*(Asombrado.)* Alteza...

MARÍA TERESA.—Me dejaron un momento sola con vos. Y me tomasteis en brazos.

VELÁZQUEZ.—*(Confundido.)* Nunca pensé que pudierais recordarlo.

MARÍA TERESA.—*(Sin perderlo de vista.)* Cometisteis con una persona real la más grave falta. Sabéis que no se nos puede ni tocar... He pensado a veces si no lo haríais como una protesta de hombre que no se tiene por inferior de nadie.

VELÁZQUEZ.—Lo hice porque amo a los niños.

MARÍA TERESA.—*(Con dulzura.)* Olvidad también ahora quién soy: sigo siendo una niña que no sabe de nada. A los niños se les miente siempre en Palacio. Pero yo quiero saber. ¡Yo quiero saber! Y recurro a vos.

VELÁZQUEZ.—Vuestra alteza me ha honrado a menudo con sus preguntas...

MARÍA TERESA.—Hoy le haré otra a mi amigo de entonces. Porque sé que es el hombre más discreto de Palacio. Y estoy por decir que el más bueno también. Pareja podría jurarlo.

VELÁZQUEZ.—Vuestra penetración, alteza, sorprende en vuestra edad.

MARÍA TERESA.—*(Suspira.)* No soy muy feliz con ella, creedme. ¿Contestaríais sin mentir a lo que os pregunte?

VELÁZQUEZ.—*(Titubea.)* Ignoro si podré hacerlo...

MARÍA TERESA.—*(Agitada.)* ¡Sin mentir, don Diego! ¡Ya hay bastantes mentiras en la Corte!... Tratad de comprenderme.

VELÁZQUEZ.—*(Turbado.)* Creo comprender... Responderé sin mentir.

MARÍA TERESA.—Sabéis que ando sola a menudo por Palacio. Mi padre me riñe, pero algo me dice que debo hacerlo... [La verdad de la vida no puede estar en el protocolo... A veces, creo entreverla en la ternura sencilla de una lavandera, o en el aire cansado de un centinela... Sorprendo unas palabras que hablan de que el niño está con calentura, o de que este año la cosecha vendrá buena, y se me abre un mundo... que no es el mío. Pero me ven, y callan.] Ayer... escuché a dos veteranos de la guardia. Yo ya sospechaba algo, mas no sé si serán infundios que corren... Vos no me engañaréis.

VELÁZQUEZ.—Decid.

MARÍA TERESA.—*(Turbada.)* ¿Es cierto que mi padre ha tenido más de treinta hijos naturales?

VELÁZQUEZ.—Todo esto puede ser muy peligroso... para los dos.

[MARÍA TERESA.—Yo soy valiente. ¿Y vos?

VELÁZQUEZ.—No siempre.] *(Recoge la paleta y el tiento y va a dejarlos al bufete.)*

MARÍA TERESA.—*(Con ansiedad.)* ¿Os negáis a responder?

VELÁZQUEZ.—*(Se vuelve.)* [¿Cómo hablarle de estas cosas a una niña?

MARÍA TERESA.—Voy a ser la reina de Francia.

VELÁZQUEZ.—]Tenéis dieciocho años. Yo, cincuenta y siete. Si se supiese que os decía la verdad, nadie comprendería... [La verdad es una carga terrible: cuesta quedarse solo. Y en la Corte, nadie, ¿lo oís?, nadie, pregunta para que le digan la verdad.]

MARÍA TERESA.—Yo quiero la verdad.

VELÁZQUEZ.—[Quizá elegís lo peor.] Vuestro linaje no os permitirá encontrarla casi nunca [aunque tengáis los ojos abiertos. Os los volverán a cerrar...] Terminaréis por adormeceros de nuevo, fatigada de buscar... Acaso entonces me maldigáis, si tenéis el valor de recordarme.

MARÍA TERESA.—¡Ayudadme, don Diego! ¡Me ahogo en la Corte y solo confío en vos! Mi padre siempre me dice: id con vuestras meninas, id con la reina... Por veces pienso si estoy enferma... Soy tan moza o más que ellas y me parecen niñas... Y mi padre... un niño también. Solo vos me parecéis... un hombre. ¿No me hablaréis con verdad?

VELÁZQUEZ.—*(Después de un momento.)* Lo que me preguntáis es cierto. *(La infanta respira hondamente. Luego se sienta en un sillón. Un silencio.)*

MARÍA TERESA.—¿No es posible la fidelidad?

VELÁZQUEZ.—Pocas veces.

MARÍA TERESA.—¿Tan despreciable es el hombre?

VELÁZQUEZ.—Es... imperfecto.

MARÍA TERESA.—Vos sois fiel.

VELÁZQUEZ.—¿Eso creeis?

MARÍA TERESA.—Se sabe. Estoy segura.

VELÁZQUEZ.—*(Se acerca.)* Hay que aprender a perdonar flaquezas... Todos las tenemos.

MARÍA TERESA.—Sé que vivo en un mundo de pecadores. ¡Es la mentira lo que me cuesta perdonar! Cuando paso ante el retrato del rey Luis, suelo chancearme. "Saludo a mi prometido", digo, y mis damas ríen... Pero yo pienso: "¿Qué me espera? Dicen que es un gran monarca. Quizá sea otro saco repleto de engaños y de infidelidad". Acercaos más. También yo quiero romper la etiqueta, ahora que estamos solos. *(Le toma una mano.* VELÁZQUEZ *se estremece.)* Os doy las gracias. *(Retira su mano y habla muy quedo.)* Ojalá el rey Luis... se os parezca. *(Golpes en la puerta del fondo, que se repiten.)*

NICOLASILLO.—*(Voz de.)* Don Diego, ¿estáis ahí?

MARI BÁRBOLA.—*(Voz de.)* ¿Podemos entrar, don Diego?

VELÁZQUEZ.—Son los enanos.

MARÍA TERESA.—*(Que sufre.)* ¡Abrid! ¡Abrid! (VELÁZQUEZ *se encamina al fondo.)*

NICOLASILLO.—*(Voz de.)* ¡Quieto, León! ¡Don Diego, mirad cómo me obedece! ¡Echate, León! ¡Yo te lo mando! (VELÁZQUEZ *abre.* MARI BÁRBOLA *le hace una reverencia y entra sobre el balanceo de sus pernezuelas.* NICOLASILLO, *en la puerta, sigue atento al perro invisible. A la mital de la galería, la enana se inclina ante la infanta.)*

VELÁZQUEZ.—¿No saludas a su alteza, Nicolasillo?

NICOLASILLO.—¿Eh? *(Ve a la infanta y entra, haciendo una gran reverencia, tras la que corre de nuevo a la puerta y dice.)* ¡León, vete! *(Un temible ladrido le contesta y él, asustado, se refugia en las piernas de* VELÁZQUEZ. *Desde allí repite.)* ¡Vete!... ¿Lo veis? Me obedece. *(Y avanza muy ufano.* MARI BÁRBOLA *es una enana de edad indefinida, rubia, de disforme cabeza y hablar gangoso, donde tal vez se rastrea un leve acento alemán.* NICOLASILLO PERTUSATO *nació en Italia, pero habla como un español. Es enano, más también es un niño: no cuenta más de catorce años, ni aparenta más de doce. Son muy diferentes. Ella padece lo que la medicina llama hoy una acondroplastia, según denuncian los grandes huesos de su cara, sus dedos achatados y el andar renqueante de sus piernas sin desarrollo. Su compañero propende al tipo mixedematoso y, por su corta edad, se le confundiría, a veces, con un niño. Sus miembros son finos y proporcionados; su cabeza, graciosa y redonda, aunque en ella se perciba ya excesivo tamaño y cierta indefinible desarmonía de rasgos. Vienen lindamente vestidos, tal como los vemos en el Prado.* NICOLASILLO *continúa su vanidosa perorata, mientras* VELÁZQUEZ *lo toma por los hombros y lo conduce hacia la infanta.)* ...Y es que comprende que seré gentilhombre. ¿Verdad, señora infanta? *(La infanta, abstraída, le dedica una sonrisa ausente.)*

MARI BÁRBOLA.—No se debe interrogar a las infantas, Nicolasillo.

NICOLASILLO.—*(Irritado.)* ¡A mí se me permite! *(Corre al caballete.)* ¿Cuándo nos pintáis?

MARI BÁRBOLA.—No se deben hacer tantas preguntas. No está bien en criados.

NICOLASILLO.—¡Somos más que criados! Don Diego nos va a pintar junto a la señora infanta Margarita porque somos muy importantes. *(Ríe.)* Mira, Mari Bárbola: ¡mira qué fea te ha pintado! Igual que eres.

VELÁZQUEZ.—¡Nicolasito! *(La infanta atiende.)*

MARI BÁRBOLA.—No importa. Estoy acostumbrada. *(Pero se muerde los labios y se retira hacia los balcones.)*

VELÁZQUEZ.—Pide perdón a Mari Bárbola.

NICOLASILLO.—No quiero.

VELÁZQUEZ.—Entonces te diré una cosa: también voy a pintar al perro y es menos que un criado.

NICOLASILLO.—*(Después de pensarlo.)* ¡Malo! ¡Los dos malos! *(Corre hacia el fondo.)*

VELÁZQUEZ.—Ven aquí.

NICOLASILLO.—¡No quiero! Y cuando crezca, el rey os obligará a que me pintéis de gentilhombre, con unos bigotes muy grandes. *(Vuelve hacia él, indignado.)* Y, además, el perro se llama León, ¡y a mí me llamarán Sansón, porque me obedece!

VELÁZQUEZ.—*(Sonríe.)* ¿Eso más? ¿Pues no te llaman ya "Vista de Lince"?

NICOLASILLO.—¡Porque la tengo! Mejor que la vuestra, señor pintor. ¿Qué veis en el larguero de aquella puerta?

VELÁZQUEZ.—Colores.

NICOLASILLO.—¡Bah! Colores. Hay una mosca.

VELÁZQUEZ.—*(Sonríe.)* Te nombraremos entonces pintor de moscas. (MARI BÁRBOLA *ríe.* NICOLASILLO *la mira iracundo y se vuelve a* VELÁZQUEZ.)

NICOLASILLO.—No queréis reconocer que tenéis cansados los ojos. Por eso sois un pintor de nubecitas.

VELÁZQUEZ. ¿Quién dice eso?

NICOLASILLO.—Yo no lo sé. Lo he oído. *(Pero mira a la puerta de la izquierda y* VELÁZQUEZ *lo advierte. La infanta se levanta.* NICOLASILLO *corre a enredar en el bufete de los colores, y* MARI BÁRBOLA *se le reúne para amonestarle en voz baja.)*

MARÍA TERESA.—¿Y esto, don Diego? Hay más de cincuenta como ellos en Palacio.

VELÁZQUEZ.—*(Suave.)* Les dejan ganar su vida...

MARÍA TERESA.—Mas no por caridad. ¿Verdad? *(Un silencio.)* ¿Verdad?

VELÁZQUEZ.—¿La verdad otra vez?

MARÍA TERESA.—Siempre.

VELÁZQUEZ.—No creo que sea por caridad. (MARI BÁRBOLA *ha oído. Los mira, turbada.)*

MARÍA TERESA.—Gracias, don Diego. Perdonad mis caprichos...

VELÁZQUEZ.—Perdonadme vos mi tristeza. *(La infanta se encamina al fondo.* VELÁZQUEZ *y los enanos le hacen la reverencia. Sale.)*

NICOLASILLO.—*(Intrigado, vuelve junto a* DON DIEGO.) ¿De qué hablabais?

MARI BÁRBOLA.—¡Nicolasillo!

VELÁZQUEZ.—*(Le pone con afecto una mano en la cabeza.)* De ti. De que eres un niño y como un niño te pintaré.

NICOLASILLO.—¿Verdad que sí?

VELÁZQUEZ.—Sí. Para que cuando seas gentilhombre

y yo haya muerto ya, digas: [don Diego me pintó muy lindamente.] Yo era entonces un niño muy hermoso. (MARI BÁRBOLA *se aparta hacia el balcón, afectada.)*

NICOLASILLO.—También me podéis pintar escuchando. Yo sé escuchar de lejos. Ahora mismo viene alguien por aquella puerta. *(Señala a la derecha del fondo.* PAREJA *entra.)* ¿Lo veis? *(Y salta de alegría.)*

PAREJA.—Perdonad, señor. Doña Juana reclamaba vuestra presencia.

VELÁZQUEZ.—¿Qué sucede?

PAREJA.— Está muy asustada con un mendigo que os busca y que no quiere irse. La he dicho que esperabais a su majestad y que tardaríais.

VELÁZQUEZ.—¿No han socorrido a ese mendigo?

PAREJA.—Sí, pero se ha desmayado. *(Sonríe.)* Yo diría que es un antiguo conocido, señor.

VELÁZQUEZ.—¿Quién?

PAREJA.—Aquel truhán que os sirvió de modelo para el "Esopo".

VELÁZQUEZ.—*(Grita.)* ¿Qué?

PAREJA.—Juraría que es él.

VELÁZQUEZ.—*(Para sí.)* ¡Dios bendito! *(Camina presuroso hacia la puerta y toma aprisa su sombrero, capa y espada.)*

PAREJA.—¡Su majestad va a venir, señor! *(Pero* VELÁZQUEZ *lo mira sin detenerse y sale, seguido de su criado.)*

NICOLASILLO.—¡Ni que fuera el Preste Juan de las Indias!

MARI BÁRBOLA.—Has sido muy descortés con don Diego.

NICOLASILLO.—Me ha llamado perro.

MARI BÁRBOLA.—Pero es el único que no nos trata como a perros.

[NICOLASILLO.—No te quejes. Tú, de no estar aquí, irías por las ferias.

MARI BÁRBOLA.—También aquí somos gente de feria.]

NICOLASILLO.—¡Yo no soy de tu raza! ¡Y ya soy casi un hombre! ¿Qué te crees? *(Se golpea el pecho.)* "Vista de Lince" ha intervenido ya en cosas de mucha discreción porque ve y oye de lejos. [Si yo te dijera...

MARI BÁRBOLA.—¡Mal oficio!

NICOLASILLO.—¡Oficio de hombres, boba! Y yo lo desempeño como pocos porque aún soy menudo y me escondo en cualquier sitio.] *(Ríe.)* Me oculto tras las maderas de un balcón, o me acurruco debajo de una mesa o bajo la escalera, y escucho cosas muy sabrosas. Cuando me haga tan alto como don Diego y me case con la menina más linda de la Corte, tú verás quién soy yo.

MARI BÁRBOLA.—*(Tras él, con ternura.)* Tú nunca serás tan alto como don Diego, Nicolasillo.

NICOLASILLO.—¡Mala, embustera!

MARI BÁRBOLA.—Tú nunca te casarás.

NICOLASILLO.—*(Iracundo.)* Eso tú, tú... Con esa cara...

MARI BÁRBOLA.—Es cierto. Tampoco tendré yo nunca un hijo a quien besar. Tú no comprendes lo que es eso. Tienes pocos años y aún no sabes que nosotros... solo podemos besar a los perros del rey.

NICOLASILLO.—*(Casi gritando.)* ¡Yo beso cuando quiero a doña Isabel, y a doña Agustina! [Y una vez... ¡a la misma reina besé! ¡Sí! Y dijo que... que nunca había visto a un niño más lindo y que... y que...]

MARI BÁRBOLA.—Solo a los perros del rey, hijo mío. Porque tú no eres un niño...

NICOLASILLO.—¡Yo soy un niño, un niño! *(Estalla en sollozos.)*

MARI BÁRBOLA.—*(Muy turbada.)* Nicolasillo, hijo, perdóname... Tú eres un lindo niño que se hará un mancebo gallardo...

NICOLASILLO.—¡Mala!...

MARI BÁRBOLA.—Sí, soy mala... Pero a ti te quiero bien. [Eres pequeño y necesitas que te guarden de ti mismo...] Yo te cuidaré, yo velaré. Tú no debes esconderte para espiar a nadie... Sigue siendo un niño sin mañas toda tu vida... aunque crezcas. *(Lo abraza con ternura por la espalda.)* Serás como un hijo mío, si tú quieres..., mientras yo viva. *(Va a besarlo en la mejilla.* NICOLASILLO *se aparta y se revuelve.)* ¡Hijo!...

NICOLASILLO.—¡Vete a besar a los perros del rey! (MARI BÁRBOLA *se encoge en un sollozo mudo. Una pausa.)* ¡Y no llores! *(Baja la voz.)* No llores... (MARI BÁRBOLA *ahoga un sollozo.)* No llores... *(Las cortinas se corren lentamente ante ellos y nos presentan de nuevo la casa de* Velázquez. DON DIEGO *entra por el fondo y, casi al tiempo,* DOÑA JUANA *por la izquierda.)*

DOÑA JUANA.—¿Viste ya al rey?

VELÁZQUEZ.—Deja eso ahora. ¿Dónde está ese hombre?

DOÑA JUANA.—En la cocina.

VELÁZQUEZ.—¿Puede andar?

DOÑA JUANA.—Ahora está de pie. ¿Quién es, Diego?

VELÁZQUEZ.—Tráelo acá.

DOÑA JUANA.—*(Va a la puerta y se vuelve.)* Huele mal, está sucio. Parece loco... ¡Que se vaya cuanto antes, Diego! Los niños...

VELÁZQUEZ.—Tráelo. (DOÑA JUANA *sale.* VELÁZQUEZ *se oprime las manos con tensa expectación.* DOÑA JUANA *vuelve con* PEDRO *y se retira al fondo.* PEDRO *mira con dificultad al hombre que tiene delante.* VELÁZQUEZ *le mira fijamente.)* Dios os guarde, amigo mío.

PEDRO.—¿Sois vos don Diego? No veo bien.

VELÁZQUEZ.—El mismo.

PEDRO.—¿Me recordáis?

VELÁZQUEZ.—Es claro. [¿No te acuerdas, Juana? Me sirvió de modelo para un "Esopo".

DOÑA JUANA.—¿Es... aquel?

PEDRO.—Más de quince años hará que lo pintasteis.

VELÁZQUEZ.—] ¿Qué edad contáis ahora?

PEDRO.—Ya no me acuerdo.

DOÑA JUANA.—*(Musita.)* ¡Jesús!...

VELÁZQUEZ.—Sentaos. *(Lo conduce.)*

DOÑA JUANA.— *(Deniega con la cabeza.)* Diego...

VELÁZQUEZ.—Déjanos, Juana. *(Sienta a* PEDRO *en el sillón.)*

PEDRO.—Gracias, don Diego. (DOÑA JUANA *va a hablar;* VELÁZQUEZ *la mira y ella sale por la izquierda, desconcertada.)*

VELÁZQUEZ.—*(Cierra la puerta y se vuelve.)* Al fin recuerdo cómo os llamáis: Pedro.

PEDRO.—*(Después de un momento.)* Os falla la memoria... Mi nombre es Pablo.

VELÁZQUEZ.—*(Su fisonomía se apaga súbitamente.)* ¿Pablo?

PEDRO.—Pablo, sí.

VELÁZQUEZ.—*(No duda que ha mentido; desconfía.)*

Quizá os recuerdo a vos tan mal como a vuestro nombre...

[PEDRO.—¿Recordáis nuestras pláticas?

VELÁZQUEZ.—*(Frío.)* A menudo. Mas no sé ya si los recuerdos son verdaderos.] Decidme qué deseáis.

PEDRO.—Ni lo sé... Durante estos años pensé con frecuencia en vos. Quizá no debí venir.

VELÁZQUEZ.—¿Qué ha sido de vos?

PEDRO.—Vida andariega. ¿Y de vos?

VELÁZQUEZ.—Me ascendieron a aposentador del rey. Y he pintado.

PEDRO.—*(Suspira.)* Habéis pintado... *(Un corto silencio.)* Debo irme ya. *(Se levanta. Los dos intentan disimular su turbación.)*

VELÁZQUEZ.—¿Me admitiréis un socorro?

PEDRO.—Vuestra esposa me dio ya vianda. Gracias. *(Una pausa.* VELÁZQUEZ *se oprime las manos.)* Una curiosidad me queda antes de partir... Me la satisfacéis si os place y os dejo.

VELÁZQUEZ.—Decid.

PEDRO.—¿Recordáis que me hablábais de vuestra pintura?

VELÁZQUEZ.—*(Sorprendido.)* Sí.

PEDRO.—Un día dijisteis: "Las cosas cambian... Quizá su verdad esté en su apariencia, que también cambia".

VELÁZQUEZ.—*(Cuyo asombro crece.)* ¿Os acordáis de eso?

PEDRO.—Creo que dijisteis: "Si acertáramos a mirarlas de otro modo que los antiguos, podríamos pintar hasta la sensación del hueco..."

VELÁZQUEZ.—¿Será posible que lo hayáis retenido?

PEDRO.—Dijisteis también que los colores se armonizan con arreglo a leyes que aún no comprendíais bien. ¿Sabéis ya algo de esas leyes?

VELÁZQUEZ.—Creo que sí, mas... ¡me confunde vuestra memoria! ¿Cómo os importa tanto la pintura sin ser pintor? *(Un silencio.)*

PEDRO.—*(Con una triste sonrisa.)* Es que yo, don Diego..., quise pintar.

VELÁZQUEZ.—*(En el colmo del asombro.)* ¿Qué?

PEDRO.—Nada os dije entonces porque quería olvidarme de la pintura. No me ha sido posible. Ahora, ya veis... Vuelvo a ella..., cuando sé que ya nunca pintaré.

VELÁZQUEZ.—¡Qué poco sé de vos! ¿Por qué no habéis pintado?

PEDRO.—Ya os lo diré.

VELÁZQUEZ.—Sentaos. *(Lo empuja suavemente y se sienta a su lado.)* Sabed que me dispongo justamente a pintar un cuadro donde se resume cuanto sé. Nada de lo que pinté podrá parecérsele. Ahora sé que los colores dialogan entre sí; ese es el comienzo del secreto.

PEDRO.—¿Dialogan?

VELÁZQUEZ.—En Palacio tengo ya un bosquejo de ese cuadro. ¿Querríais verlo?

PEDRO.—Apenas veo, don Diego.

VELÁZQUEZ.—Perdonad.

PEDRO.—Pero querría verlo, si me lo permitís, antes de dejaros.

VELÁZQUEZ.—*(Le toca un brazo.)* Pedro...

PEDRO.—¿Cómo?

VELÁZQUEZ.—Entonces me ocultabais muchas cosas; pero no me mentíais. Vuestro nombre es Pedro.

PEDRO.—*(Contento.)* ¡Veo que sois el mismo! Disculpadme. La vida nos obliga a cosas muy extrañas. Yo os lo aclararé.

VELÁZQUEZ.—Durante estos años creí pintar para mí solo. Ahora sé que pintaba para vos.

PEDRO.—Soy viejo, don Diego. Me queda poca vida y me pregunto qué certeza me ha dado el mundo... Ya solo sé que soy un poco de carne enferma, llena de miedo y en espera de la muerte. Un hombre fatigado en busca de un poco de cordura que le haga descansar de la locura ajena antes de morir.

VELÁZQUEZ.—Viviréis aquí.

PEDRO.—*(Después de un momento.)* No lo decidáis todavía.

VELÁZQUEZ.—¿Por qué?

PEDRO.—Hemos de hablar.

VELÁZQUEZ.—¡Hablaremos, mas ya está decidido! Ahora os dejo porque el rey ha de ver mi borrón. *(Ríe.)* Quizá le hice esperar y eso sería gravísimo... De él depende que pueda o no pintar el cuadro. Pero me importa más lo que vos me digáis de él. ¿Queréis verlo esta tarde? Si no estáis muy cansado...

PEDRO.—Puedo caminar.

VELÁZQUEZ.—Pues mi criado Pareja os conducirá dentro de media hora.

PEDRO.—¿Aquel esclavo vuestro?

VELÁZQUEZ.—El rey le ha dado la libertad porque también pinta. Mas a vos no quiero mentiros: lo logramos Pareja y yo mediante una treta.

PEDRO.—¿Y eso?

VELÁZQUEZ.—¿Habéis olvidado vuestras propias palabras?

PEDRO.—¿Cuáles?

VELÁZQUEZ.—Ningún hombre debe ser esclavo de otro hombre.

PEDRO.—Me remozáis, don Diego.

VELÁZQUEZ.—Tampoco habéis vos olvidado mi pintura..., Pedro.

PEDRO.—¡Chis! Seguid llamándome Pablo ante los demás.

VELÁZQUEZ.—Como queráis. *(Se acerca a la izquierda y abre la puerta.)* ¡Juana!... ¡Juana! *(Entra* DOÑA JUANA. PEDRO *va a levantarse trabajosamente.)* No os levantéis: estáis enfermo. (DOÑA JUANA *frunce el ceño ante esa inesperada deferencia.)* Vuelvo a Palacio. Este hombre quedará aquí ahora. Dile a Pareja que lo lleve al obrador dentro de media hora.

DOÑA JUANA.—¿Le socorro cuando se vaya?

VELÁZQUEZ.—No es menester, Juana. Queda con Dios. Os aguardo en Palacio..., Pablo. *(Sale por el fondo.* DOÑA JUANA *se acerca a* PEDRO *y lo mira fijamente en silencio.* PEDRO *la mira con sus cansados ojos, vacila y al fin se levanta con trabajo y queda de pie ante ella con la cabeza baja. Las cortinas del primer término se corren lentamente ante las dos figuras inmóviles mientras la sombra las envuelve y crece una luz alta y fría que deja las estructuras palatinas en la penumbra e ilumina las cortinas centrales. El maestro* ANGELO NARDI *entra por el primer término de la izquierda y aguarda. Por las cortinas del centro aparece el* MARQUÉS *y se aposta en los peldaños.)*

MARQUÉS.—El Consejo Real ha terminado. Su majestad se acerca.

NARDI.—¿No sería preferible que le hablaseis vos solo?

MARQUÉS.—Maestro Nardi, vos entendéis de pintura más que yo. ¡Chis! *(Señala a las cortinas. Manos invisibles las apartan para dar paso al rey* FELIPE IV *y las dejan caer luego. El* REY *fue siempre hombre de salud precaria, aunque sus ejercicios cinegéticos fueron conservándole, a lo largo de su vida, la apariencia de una magra robustez. Pese a ellos, su sangre débil y la continua actividad erótica a que le arrastran su innata propensión y sus deberes matrimoniales, le han hecho llegar a los cincuenta y un años que ahora cuenta fatigado y marchito. El tupé cuidadosamente peinado, el bigote de largas guías elevadas a fuerza de cosmético, muestran que se obstina en conservar su galana compostura; pero contrastan con su rostro demacrado, de cansada mirada y blando belfo, bajo el que se aplasta la leve perilla. Quizá tiñe sus cabellos, que conservan un rubio ceniciento. Hay algo inexpresivo que repele en su blanda fisonomía y en su muerta mirada. Sobriamente vestido de negra seda, lleva golilla y la cadena con el dorado vellocino al pecho. Trae ferreruelo, espada y sombrero. Cuando aparece, el* MARQUÉS *y* NARDI *se arrodillan.)*

REY.—Alzaos. *(Lo hacen.)*

MARQUÉS.—¡Ujier! ¡Disponed asiento para su majestad! *(Entra un ujier por el primer término de la derecha llevando un sillón que deposita en el primer término, cerca del lateral. Luego se inclina y vuelve a salir por donde entró, retrocediendo entre reverencias.)*

REY.—*(Sorprendido.)* ¿No íbamos al obrador de Velázquez?

MARQUÉS.—Me atreví a pensar que vuestra majestad desearía reposar antes un momento.

REY.—*(Desciende los peldaños y va a sentarse.)* Cierto que estoy fatigado.

MARQUÉS.—*(Se acerca.)* El grande y sereno ánimo de vuestra majestad no debe sufrir por las malas nuevas del Consejo. [Otras veces las hubo peores y Dios no dejó de ayudarnos.]

REY.—[En El confío. Mas] sabéis que pocas veces

nos fue tan necesario el dinero... Esperé durante mucho tiempo que llegara la saca de la plata: esos seis galeones cargados de riqueza son nuestra sangre desde hace años... ¡Seis galeones, marqués! Y el inglés los ha hundido. Entre tanto, nuestros tercios carecen de alimentos. *(Se descubre.)*

MARQUÉS.—Vivirán sobre el terreno, señor, [como siempre hicieron.]

REY.—Puede ser. Mas su marcialidad decrece... Hemos perdido Portugal y casi hemos perdido Cataluña. La paz sería preferible.

MARQUÉS.—La plata no se ha terminado en las Indias, señor.

REY.—No. Mas ¿cómo hacer frente a nuestros gastos hasta una nueva saca? [Admito que los tercios vivan... como puedan. ¿Y España?

MARQUÉS.—También vive de sí misma, señor.

REY.—No muy bien ya. Mas ¿y el sostenimiento del trono y de la nobleza?

MARQUÉS.—La palabra real vale oro. Extended libramientos y el dinero llegará después. Así se viene haciendo.

REY.—*(Menea la cabeza.)*] Los mercaderes son gente baja y soez. Mi palabra ya no les vale.

MARQUÉS.—Subid los impuestos.

REY.—¿Más?

MARQUÉS.—¡Cuanto fuere menester, señor! ¿Qué mayor obligación para el país que ayudar a su rey a seguir siendo el más grande monarca de la tierra? Debo daros además, señor, nuevas que no he querido exponer en el Consejo [por no estar aún confirmadas,] pero que sin duda satisfarán a vuestra majestad.

REY.—¿Qué nuevas son esas?

MARQUÉS.—En Balchín del Hoyo, señor, se han descubierto dos poternas llenas de cerrojos y candados, que aún no se han abierto... Vuestra majestad verá cómo también allí nos asiste la Providencia.

REY.—Dios lo haga. Mas si, entre tanto, volvemos a subir los impuestos, quizá promoveríamos más disturbios...

MARQUÉS.—Los revoltosos nunca pueden tener razón frente a su rey. El descontento es un humor pernicioso, una mala hierba que hay que arrancar sin piedad. [Y en eso sí que necesitamos ojos de Argos y ejemplar severidad.] Por fortuna, vuestra majestad tiene vasallos capaces de advertir el aliento pestilente de la rebeldía..., aunque sople en el mismo Palacio.

REY.—¿Qué queréis decir?

MARQUÉS.—No es la primera vez que mi lealtad me fuerza a insistir acerca de ello ante vuestra majestad. Nunca es más peligrosa la rebeldía que cuando se disfraza con un rostro sumiso.

REY.—*(Se levanta.)* ¿Habláis de Velázquez?

MARQUÉS.—Así es, señor. *(El* REY *pasea. Una pausa.)*

REY.—Velázquez no es un rebelde.

MARQUÉS.—Ante vos, no, señor: no es tan necio. Ante mí, de quien recibe justas órdenes, solo muestra desdén y desobediencia.

REY.—Es un excelente pintor.

MARQUÉS.—*(Señala a* NARDI, *que permaneció apartado.)* Si vuestra majestad da su venia al maestro Nardi para que hable en mi lugar, él podrá señalar, como excelente pintor que también es, algunas condiciones extrañas que nos parece advertir en el cuadro que "el sevillano" pretende pintar.

REY.—*(Después de un momento.)* Acercaos, maestro Nardi.

NARDI.—*(Se acerca y se inclina.)* Señor...

REY.—Ya en otra ocasión Carducho y vos me hablasteis injustamente de Velázquez. ¿Qué tenéis que decirme ahora de la pintura que se dispone a ejecutar? [Medid vuestras palabras.

NARDI.—Señor, si volviera a errar, a vuestra benignidad me acojo. Solo me mueve el deseo de servir lealmente a vuestra majestad.

REY.—Hablad.

NARDI.—Si no me constara el amor que don Diego profesa al trono, diría que se mofaba con esa pintura de su misión de pintor de cámara.

REY.—] Es una pintura de las infantas.

NARDI.—Pero... nada respetuosa... La falta de solemnidad en sus actitudes las hace parecer simples damas de la Corte; los servidores, los enanos y hasta el mismo perro parecen no menos importantes que ellas... *(El*

REY *vuelve a sentarse.* NARDI *titubea, mas sigue hablando.)* Tampoco se escoge el adecuado país para el fondo, o [al menos] el lugar palatino que corresponda a la grandeza de vuestras reales hijas, sino un destartalado obrador de pintura con un gran bastidor bien visible porque..., porque...

REY.—Continuad.

MARQUÉS.—Con la venia de vuestra majestad lo haré yo, pues sé lo que la prudencia del maestro vacila en decir. [Un gran bastidor en el que el propio "sevillano" pinta.] Lo más intolerable de esa pintura es que representa la glorificación de Velázquez pintada por el propio Velázquez. Y sus altezas, y todos los demás, están de visita en el obrador de ese fátuo.

[NARDI.—Más bien resulta por ello un cuadro de criados insolentes que de personas reales, señor.

MARQUÉS.—Justo. Y donde el más soberbio de ellos, con los pinceles en la mano, confirma la desmesurada idea que de sí mismo tiene.]

NARDI.—Confío en que don Diego no llegará a pintarlo en tamaño tan solemne; pues sería, si vuestra majestad me consiente un símil literario, como si don Pedro Calderón hubiese escrito una de sus grandes comedias... en prosa.

MARQUÉS.—No confío yo tanto en la cordura de un hombre que acaso ha osado en su fuero interno creerse no inferior ni a la suprema grandeza de vuestra majestad.

REY.—*(Airado.)* ¿Qué?

MARQUÉS.—Parece que él mismo ha dicho, señor, que sus majestades se reflejarían en el espejo. No ha encontrado lugar más mezquino para vuestras majestades en el cuadro, mientras él mismo se retrata en gran tamaño. No me sorprende: yo nunca oí a Velázquez, y dudo que vuestra majestad los haya oído, aquellos justos elogios que el amor del vasallo debe a tan excelso monarca y que le han prodigado ingenios en nada inferiores a Velázquez. *(El* REY *los mira a los dos, pensativo. La infanta* MARÍA TERESA *entra por las cortinas del centro.)* Su alteza real, señor. *(El* REY *se levanta. El* MARQUÉS *y* NARDI *se inclinan y se separan con respeto.*

La infanta baja los peldaños, se acerca y besa la mano de su padre.)

REY.—¿Y vuestro séquito?

MARÍA TERESA.—Preferí buscaros sola, señor.

REY.—Hija mía, ¿no podríais mostrar más cordura?

MARÍA TERESA.—¿Puedo recordaros que me habíais prometido dejarme asistir a vuestro real Consejo? Mis deseos de cordura son grandes, señor; justamente por ello osé pedíroslo.

[REY.—*(Con un suspiro de impaciencia.)* Los tristes negocios del que hoy he celebrado hubieran causado pesadumbre a una niña como vos.

MARÍA TERESA.—Nunca dejaré así de ser niña, padre mío.]

REY.—Apartaos, señores. *(El* MARQUÉS *y* NARDI *se sitúan más lejos.)* [La reina y vos sois mis dos niñas, por cuya dicha debo yo soportar la carga del Estado... Volved con ella y disfrutad de vuestra bendita ignorancia. No me disgustéis.]

MARÍA TERESA.—Erráis, señor, si me creéis moza para saber tristezas que, de todos modos, llego a saber. En Palacio todo se sabe: que hemos perdido la saca de la plata, que no hay dinero, que el país tiene hambre, que la guerra va mal...

REY.—¿En esas cosas pensáis? Vuestros deberes son el rezo y las honestas diversiones de vuestra alcurnia. ¡No lo olvidéis!

MARÍA TERESA.—¡Padre mío, solo quiero ayudaros! [¡En Palacio se saben cosas que tal vez nadie ose deciros!

REY.—*(Frío.)* ¿Cuáles?

MARÍA TERESA.—] ¿Sabéis que hace tres días nadie comió en Palacio salvo nuestra familia?

REY.—¿Qué decís?

MARÍA TERESA.—[No había manjares porque a los mercaderes ya no se les paga.] Y ayer mismo, a la señora reina no pudieron servirle su confitura cuando la pidió. Hubieron de ir por ella con unos reales que ofreció entre risas un bufón: Manolillo de Gante. *(Un silencio.)*

REY.—¡Marqués!

MARQUÉS.—Señor... *(Se acerca.)*

REY.—¿Cómo faltó ayer la confitura en la mesa de la señora reina?

MARQUÉS.—Perdonad, señor. Fue una negligencia del sumiller. Ya ha sido castigado.

REY.—¿Es cierto que hace tres días no hubo de comer en Palacio?

[MARQUÉS.—Nada faltó al servicio de vuestra majestad, que yo sepa.

REY.—¿Y a los demás?]

MARQUÉS.—Hablábamos antes de la sordidez de los mercaderes, señor. Pero yo me tendría en muy poco si no supiese arbitrar los debidos recursos. El abastecimiento está ya asegurado.

REY.—¿De qué modo?

MARQUÉS.—Medidas de excepción, señor, contra... los mercaderes. *(El* REY *baja la cabeza.)*

REY.—Retiraos. *(El* MARQUÉS *se inclina y vuelve con* NARDI.) Ya veis que las cosas no van tan mal... Dejad que vuestro padre vaya afrontando dificultades que siempre hubo...

MARÍA TERESA.—¡Padre mío, atreveos! ¡Elegid a otros consejeros!

REY.—¡No intentéis enseñarme cómo se elige a los servidores! Si no corregís vuestras rarezas, será mejor que entréis en religión.

MARÍA TERESA.—*(Se yergue.)* Señor : la paz con Francia puede depender de mi enlace con el rey Luis.

REY.—Pero acaso no haya paz con Francia.

MARÍA TERESA.—Si Dios no os concede hijo varón, soy yo la heredera de vuestra corona.

REY.—*(Iracundo.)* De ahí viene todo, ¿no? ¿Preparáis ya a mis espaldas vuestra pequeña Corte? ¡El convento será con vos si volvéis a incurrir en mi cólera!

MARÍA TERESA.—Quizá desee el convento más de lo que pensáis. Quizá desde él podría deciros con más autoridad que os guardéis de los malos servidores, padre mío..., y de todos los placeres que no os dejen atender los negocios del reino.

REY.—*(Colérico.)* ¿Qué?... ¡Fuera de mi presencia! *(La infanta, llorosa, hace su genuflexión y sale por la derecha. El* REY, *turbado, va al centro de la escena, donde permanece pensativo. Al cabo de un momento, dice.)* ¿Dónde teníamos que ir, marqués?

MARQUÉS.—*(Se acerca.)* Al obrador de los pintores, señor.

REY.—*(Débil.)* Ah, sí. Velázquez. Pues vamos. *(Pero no se mueve.)*

MARQUÉS.—*(A media voz.)* Ujier... *(El* UJIER *reaparece y, ante una seña del* MARQUÉS, *recoge el sillón y sale.)* Cuando vuestra majestad disponga.

REY.—*(Mira hacia donde salió su hija.)* Si volviese a tener hijo varón, otro sería mi ánimo, marqués. La reina ha vuelto a sospechar.

MARQUÉS.—La Corte entera lo celebra, señor.

REY.—Pero tal vez se malogre, como sucedió con tantos otros...

[MARQUÉS.—*(Con maliciosa sonrisa.)* ¿Debo recordar a vuestra majestad los hijos de su sangre que... no se han malogrado?

REY.—No me recordéis mis pecados, marqués. *(Pero sonríe, melancólico.)* Sin embargo, sí; debe de estar en ella la causa y no en mí. ¡Es tan niña aún!

MARQUÉS.—Vuestro tierno afecto la ha hecho florecer, señor. Tened por cierto que os dará un príncipe que será el asombro de los siglos.

REY.—] Mande traer de la capilla el báculo de Santo Domingo de Silos y la cinta de San Juan de Ortega, que afirman ser infalibles en estos casos.

MARQUÉS.—Añadid a esas veneradas reliquias todas las atenciones que la reina nuestra señora apetezca. Creo, señor, que es la hora de hacer en el Buen Retiro el jardín que os pidió: no se la debe contrariar en nada.

REY.—Sería hermoso para ella... Cinco fuentes, numerosas estatuas... ¡Pero cuesta cien mil ducados!

MARQUÉS.—El dinero llegará mientras se inician los trabajos. *(Las cortinas se descorren.)*

REY.—*(Lo piensa.)* Sí. Le debo esa alegría. Mañana le diré a don Luis de Haro que extienda los libramientos. Vamos a ver a Velázquez. *(Se vuelve y llega a los peldaños.)* Gracias, Nardi. Podéis retiraros. (NARDI *se inclina y sale por la izquierda. Descorridas las cortinas, apareció el obrador y en él* VELÁZQUEZ, *de espaldas al caballete y de cara al proscenio, aguardando inmóvil. Su sombrero, capa y espada descansan sobre la consola del fondo. El* REY *sube los peldaños, seguido del* MARQUÉS. VELÁZQUEZ *se arrodilla. El* MARQUÉS *se detiene junto al primer balcón. El* REY *llega junto a* VELÁZQUEZ, *que besa su mano.)*

REY.—Alzad. (VELÁZQUEZ *se levanta mirando de reojo al* MARQUÉS. *El* REY *mira el boceto. Un silencio.)*

VELÁZQUEZ.—¿Puedo pintar el cuadro, señor?

REY.—Aguardadme en el rellano, marqués. *(El* MARQUÉS *sale, entre reverencias, por la derecha del fondo, cerrando. Una pausa. El* REY *avanza mientras habla para sentarse en el sillón.)* Vuestra pintura me complace más que ninguna otra. Mas ese cuadro, en verdad, es extraño. [Yo mismo pinto, Don Diego.] ¿Creéis vos que entiendo de pintura?

VELÁZQUEZ.—Vuestra majestad ha sabido amar y proteger como pocos reyes a todas las artes.

REY.—¿Con discernimiento?

VELÁZQUEZ.—*(Lo piensa.)* Vuestra majestad gusta de mi pintura. Hay pintores que la aborrecen. Vuestra majestad entiende más que ellos.

REY.—Sentaos a mi lado.

VELÁZQUEZ.—Con la venia de vuestra majestad. *(Lo hace.)*

REY.—Si tuviese que aclarar al marqués la causa de mi afición a vos, apenas podría decirle otra cosa que esta: mi pintor de cámara me intriga. Hace... ¿cuántos años que estáis a mi lado?

VELÁZQUEZ.—Treinta y tres, señor.

REY.—Hace todos esos años que espero de él un elogio rendido. Todos dicen que soy el monarca más grande del orbe: él calla.

VELÁZQUEZ.—No soy hombre de bellas palabras y vuestra majestad tiene ya muchos que cantan sus alabanzas. ¿Por qué había de ser yo uno más en el coro?

REY.—Hemos envejecido juntos, don Diego. Os tengo verdadero afecto. [¿Qué intención encierra ese cuadro?

VELÁZQUEZ.—Representa... una de las verdades del Palacio, señor.

REY.—¿Cuál?

VELÁZQUEZ.—No sé cómo decir... Yo creo que la verdad... está en esos momentos sencillos más que en la etiqueta... Entonces, todo puede amarse... El perro, los enanos, la niña...

REY.—¿Os referís a la infanta Margarita?

VELÁZQUEZ.—Sí, majestad.

REY.—¿No es más que una niña para vos?

VELÁZQUEZ.—Es nada menos que una niña. Su alteza es una linda niña.

REY.—Siempre me contradecís suavemente.

VELÁZQUEZ.—No, majestad. Es que vuestra majestad me honra permitiéndome el diálogo.

REY.—*(Severo.)* Seguís contradiciéndome.

VELÁZQUEZ.—Perdón, señor. Creí que el diálogo continuaba.

REY.—] ¿Qué me diríais si os concediese un hábito militar? (VELÁZQUEZ *ríe.)* ¿Os reís? Yo esperaba al fin unas rendidas palabras.

VELÁZQUEZ.—Perdón, señor. Me reía de algunos que lo llevan.

REY.—Alguna vez me insinuasteis que deseabais entrar en una orden militar.

VELÁZQUEZ.—Cierto, señor. Puesto que la verdadera hidalguía no siempre se reconoce, y puesto que, para algunos, un pintor no es más que un criado, deseo una cruz para mi pecho.

REY.—¿Cuál?

VELÁZQUEZ.—Podría ser Santiago, señor. *(Ríe.)* Y me vería muy honrado si el señor marqués fuese mi padrino. *(El* REY *se levanta y* VELÁZQUEZ *también. El* REY *da unos paseos.)*

REY.—¿Habéis sido infiel alguna vez a vuestra esposa?

VELÁZQUEZ.—*(Perplejo.)* Creo que... no, señor.

REY.—¿No os inquietan las mujeres?

VELÁZQUEZ.—Yo... amo a mi esposa, señor.

REY.—¿Queréis decir que yo no amo a la mía? *(Un silencio.)* ¡Responded!

VELÁZQUEZ.—El cielo me libre de juzgar los sentimientos de vuestra majestad.

REY.—¿Entonces?

VELÁZQUEZ.—Las mujeres aún me atraen, señor. Pero... me parece tan grave tomar eso a juego... El hombre se satisface y acaso deja detrás una madre y un hijo que pueden padecer y llorar por ese momento de deleite... No. No podría.

REY.—Somos de barro. Mas si esos niños pueden ser alimentados y esas mujeres atendidas... Es un pecado, ya lo sé; pero al menos...

VELÁZQUEZ.—Es que no solo han menester de dinero, señor. Hay que darles afecto.

REY.—*(Lo mira con ojos sombríos y va luego al boceto, que contempla. Musita.)* Triste vida.

VELÁZQUEZ.—¿Puedo pintar el cuadro, señor?

REY.—*(Lo mira con resentida expresión.)* Aún no lo tengo decidido. *(Se acerca y se encamina, brusco, hacia el fondo.* VELÁZQUEZ *se arrodilla. El* REY *abre la puerta de la derecha y sale. El* MARQUÉS *lo esperaba en el rellano y se inclina. Desaparecen los dos. Se oye de inmediato un golpe de alabarda y el grito de un centinela: "¡El Rey!".* VELÁZQUEZ *se levanta, mirando a la puerta. Un Guardia más lejano repite: "¡El Rey!".* VELÁZQUEZ *coge de improviso el boceto y lo alza, en el iracundo ademán de estrellarlo contra el suelo. Un tercer grito, muy lejano ya, de otro centinela, se deja oír. Al tiempo, la puerta de la izquierda del fondo se abre y entra* NIETO.)

NIETO.—¿Qué os sucede, primo?

VELÁZQUEZ.—¿Eh?... Nada. Pensaba una postura. *(Deposita suavemente la tela sobre el caballete.* NIETO *avanza.)*

NIETO.—¿Cuándo comenzáis el cuadro grande?

VELÁZQUEZ.—No lo sé.

NIETO.—¿Lo aprobó ya su majestad?

VELÁZQUEZ.—No. *(Cruza para ordenar algunos tarros y pinceles en el bufete. Mirando a todos lados con precaución,* NIETO *avanza y baja la voz.)*

NIETO.—Poned cuidado, primo. Tenéis enemigos poderosos. No debo nombrarlos. Pero sé que traman algo contra vos.

VELÁZQUEZ.—*(Le oprime un brazo con afecto.)* Gracias. Sé quiénes son.

NIETO.—*(Suspira.)* Quizá no conocéis al peor de todos...

VELÁZQUEZ.—¿A quién os referís?

[NIETO.—*(Baja los ojos.)* Don Diego: a veces Nuestro Señor elige la más indigna de las voces para hacernos oír un aviso. Escuchad por una vez mis palabras con humildad. ¡Os lo ruego por la preciosa sangre de Jesús!

VELÁZQUEZ.—No os comprendo.

NIETO.—¿No habéis pensado que tal vez el más temible de los enemigos puede estar jugando con vos para perderos?

VELÁZQUEZ.—¿Quién?]

NIETO.—No me refiero a ninguno de carne y hueso, sino... al Enemigo.

VELÁZQUEZ.—¡Ah, ya! *(Sonríe.)* Siempre viendo diablejos por los rincones, mi buen primo.

NIETO.—*(Muy serio.)* No sé si reparáis en que él... nos escucha ahora.

VELÁZQUEZ.—*(Lo considera un momento.)* Pues claro, primo: el Señor nos valga contra él siempre. Mas no sé que esté yo en un peligro mayor que el habitual...

NIETO.—Veréis: yo no hallo nada reprobable en ese cuadro que tanto se comenta. Solo lo encuentro... ¿Cómo diré? Indiferente.

VELÁZQUEZ.—*(Va a sentarse al sillón.)* ¡Hola! ¡Eso es muy agudo! ¿Qué entendéis por una pintura que no sea indiferente?

NIETO.—Una de santos, pongo por caso. Vos habéis pintado algunas muy bellas.

VELÁZQUEZ.—Y pintaré algunas más, no lo dudéis.

NIETO.—*(Exaltado.)* ¡Me alegra eso que decís! ¡Elegid como pintor el buen camino! Pensad bien estos días antes de comenzar otras obras o arrepentíos, si por acaso... acariciasteis ya la idea de ejecutar alguna pintura irreverente, o alguna mitología sobrado profana.

VELÁZQUEZ.—*(Ríe.)* [Calmad vuestros escrúpulos, primo.] Olvidáis que, aunque quisiera, mal podría pintar mitologías sobrado profanas. Está prohibido.

NIETO.—*(Lo mira fijamente.)* En efecto: está prohibido.

VELÁZQUEZ.—Por consiguiente, no hay peligro. *(Ve a* PAREJA, *que, conduciendo a* PEDRO, *apareció en la derecha del fondo. Se levanta y marcha presuroso hacia los recién llegados.)* Gracias, Juan. *(A* PEDRO.) Venid vos acá. (PAREJA *saluda y vuelve a salir, cerrando.* VELÁZQUEZ *conduce a* PEDRO *al primer término.)* ¿Estáis cansado?

PEDRO.—Un poco.

VELÁZQUEZ.—Sentaos. *(Lo sienta en el sillón. A* NIETO.) Hará buen modelo. Tiene una cabeza valiente.

NIETO.—Os dejo.

VELÁZQUEZ.—*(Frío.)* No me estorbáis. *(Cruza y busca carbones en el bufete.)*

NIETO.—Yo solo quise haceros una advertencia... por vuestro bien. Confío en que la meditéis.

VELÁZQUEZ.—Por supuesto. Sabré guardarme de todo género de enemigos.

NIETO.—*(Vacila; no acierta a despedirse.)* Creo que nunca vi a este hombre... ¿Acaso es el bufón que iban a traer?

VELÁZQUEZ.—*(Ríe.)* ¿El bufón? Yo lo conozco poco... Preguntádselo a él.

NIETO.—*(Desconcertado, a* PEDRO.) ¿Sois vos el nuevo hombre de placer de Palacio?

PEDRO.—Temo no ser lo bastante deforme. (VELÁZQUEZ *reprime una sonrisa.)*

NIETO.—*(Perplejo.)* No, no es él... Dios os guarde, primo.

VELÁZQUEZ.—El sea con vos, primo. (NIETO *sale por la derecha del fondo y cierra la puerta.* VELÁZQUEZ *suelta en seguida el carboncillo.)* Ya estamos solos. ¿Queréis ver mi borrón?

PEDRO.—Llevadme. *(Se levanta. Apoyado en* VELÁZQUEZ, *llega al caballete.)*

VELÁZQUEZ.—Está oscureciendo... Abriré otro balcón.

PEDRO.—No lo hagáis... Mis ojos ven mejor así. *(Una larga pausa.* PEDRO *está contemplando el boceto con gran atención. Tras el balcón exterior de la derecha se sienta, oculta a medias por el batiente,* DONA ISABEL *con su vihuela y comienza a pulsar la "Fantasía" de Fuenllana.* DOÑA AGUSTINA, *con aire soñador, se recuesta en el otro lado.* PEDRO *se aleja para ver mejor.)* Pobre animal... Está cansado. Recuerda a un león, pero el león español ya no es más que un perro.

VELÁZQUEZ.—*(Asiente.)* Lo curioso es que le llaman León.

PEDRO.—No es curioso; es fatal. Nos conformamos ya con los nombres. *(Una pausa.)* Sí, creo que comprendo. *(*VELÁZQUEZ *emite un suspiro de gratitud.)* Un cuadro sereno, pero con toda la tristeza de España dentro. Quien vea a estos seres comprenderá lo irremediablemente condenados al dolor que están. Son fantasmas vivos de personas cuya verdad es la muerte. Quien los mire mañana, lo advertirá con espanto... Sí, con espanto, pues llegará un momento, como a mí me sucede ahora, en que ya no sabrá si es él el fantasma ante las miradas de estas figuras... Y querrá salvarse con ellas, embarcarse en el navío inmóvil de esta sala, puesto que ellas lo miran, puesto que él está ya en el cuadro cuando lo miran... Y tal vez, mientras busca su propia cara en el espejo del fondo, se salve por un momento de morir. *(Se oprime los ojos con los dedos.)* Perdonad... Debería hablaros de los colores, como un pintor, mas ya no puedo. Apenas veo... Habré dicho cosas muy torpes de vuestra pintura. He llegado tarde para gozar de ella.

VELÁZQUEZ.—*(Que le oyó con emoción profunda.)* No, Pedro. Esta tela os esperaba. Vuestros ojos funden la crudeza del bosquejo y ven ya el cuadro grande... tal como yo intentaré pintarlo. Un cuadro de pobres seres salvados por la luz... He llegado a sospechar que la forma misma de Dios, si alguna tiene, sería la luz... Ella me cura de todas las insanias del mundo. De pronto, veo... y me invade la paz.

PEDRO.—¿Veis?

VELÁZQUEZ.—Cualquier cosa: un rincón, el perfil coloreado de una cara... y me posee una emoción terrible y, al tiempo, una calma total. Luego, eso pasa... y no sé cómo he podido gozar de tanta belleza en medio de tanto dolor.

PEDRO.—Porque sois pintor.

VELÁZQUEZ.—¿Por qué no habéis pintado, Pedro? Vuestros ojos apagados sienten la pintura mejor que los míos. Me llenáis de humildad. *(La vihuela calla. Las dos meninas departen en voz baja.)*

PEDRO.—Estoy cansado. No veo... *(Mientras* VELÁZQUEZ *lo conduce al sillón.)* Yo fui de criado a Salamanca con un estudiante noble. Su padre pagaba mis estudios y yo le servía... Allí, siempre que podía, me iba al obrador del maestro Espinosa. Un pintor sin fama... ¿Sabéis de él?

VELÁZQUEZ.—No.

PEDRO.—*(Se sienta.)* Mis padres eran unos pobres labriegos... A los tres años de estudiar, el maestro Espinosa logró convencerlos de que me pusieran con él de aprendiz... Cuando íbamos a convenirlo, mi señor robó una noche cien ducados para sus caprichos a otro estudiante. Registraron y me los encontraron a mí.

VELÁZQUEZ.—¿A vos?

PEDRO.—Los puso él en mi valija para salvarse. Me dieron tormento: yo no podía acusar al hijo de quien me había favorecido... Solo podía negar y no me creyeron. Hube de remar seis años en galeras.

VELÁZQUEZ.—Dios santo...

PEDRO.—El mar es muy bello, don Diego: pero el remo no es un pincel. Al salir de galeras, quedan pocas ganas de pintar y hay que ganar el pan como se pueda. Volví a mi pueblo: allí sufrí once años. Hasta mis padres me creían un ladrón. Cuando empezó la guerra en Flandes, me alisté. Me dije: "Allí me haré otro hombre." Pero la guerra, de cerca... ¡Puaj!... ¿Nadie nos escucha? *(Las meninas desaparecen, hablando, del balcón.)*

VELÁZQUEZ.—No.

PEDRO.—*(Sonríe.)* Me pareció oír ruido.

VELÁZQUEZ.—*(Se sienta a su lado.)* Proseguid.

PEDRO.—¿Para qué? He vivido como he podido. No tuve tiempo de pintar.

VELÁZQUEZ.—Me siento en deuda con vos.

PEDRO.—Alguien tenía que pintar lo que vos habéis pintado, y yo no lo habría hecho mejor.

VELÁZQUEZ.—Si el pago de ello ha sido el dolor de toda vuestra vida..., ya no me place.

PEDRO.—¿Y quién os dice que lo toméis como un placer? También vos habéis pintado desde vuestro dolor y vuestra pintura muestra que aún en Palacio se puede abrir los ojos, si se quiere. Pintar es vuestro privilegio: no lo maldigáis. Solo quien ve la belleza del mundo puede comprender lo intolerable de su dolor.

VELÁZQUEZ.—Entonces... ¿me absolvéis?

PEDRO.—*(Sonríe.)* Sois más grande que yo, don Diego. *(De pronto se dobla sobre sí mismo; su cara se contrae.)*

VELÁZQUEZ.—¿Os sentís mal? *(Se levanta y corre al bufetillo, donde llena un búcaro.* PEDRO *gime.* VELÁZQUEZ *vuelve a su lado y le da de beber.)* Hoy llamaré al médico para que os vea. Nada os faltará mientras yo viva.

PEDRO.—*(Sonríe.)* ¿Vais a cobijar a un licenciado de galeras?

VELÁZQUEZ.—*(Vuelve al bufetillo con el búcaro.)* Esa cuenta ya está saldada.

PEDRO.—No decidáis tan presto. (VELÁZQUEZ *se vuelve y lo mira.)* Pero... ¿nadie nos escucha?

VELÁZQUEZ.—Desde aquellas puertas no pueden oír. Miraré en esta. *(Abre la puerta de la izquierda y mira. Cierra.)* Los pintores se han ido.

PEDRO.—Acercaos: he de deciros algo... Erais un mozo cuando sucedió. En Flandes... En una de las banderas españolas. No en la mía, no... En otra. El país aún no estaba agotado y se podía encontrar vianda. Pero los soldados pasaban hambre. Les había caído en suerte un mal capitán; se llamaba... *(Ríe.)* ¡Bah! Olvidé el nombre de aquel pobre diablo. No pagaba a los soldados y robaba en el abastecimiento. Si alguno se quejaba, lo mandaba apalear sin piedad. Se hablaba en la bandera de elevar una queja al maestre de campo, pero no se atrevían. Quejarse suele dar mal resultado... Un día dieron de palos a tres piqueros que merodeaban por la cocina y uno de ellos murió. Entonces el alférez de la bandera se apostó en el camino del capitán... y lo mató. (VELÁZQUEZ *retrocede, espantado.)* ¡Lo mató en duelo leal, don Diego! Era un mozo humilde que había ascendido por sus méritos. Un hombre sin cautela, que no podía sufrir la injusticia allí donde la hallaba. Pero mató a su jefe... y tuvo que huir. *(Una pausa.)* Si vive, presumo lo que habrá sido de él. En Lorca se han levantado más de mil hombres contra los impuestos. En la Rioja mataron a dos jueces en febrero por la imposición del vino. En Galicia los labriegos han quemado todo el papel sellado porque han vuelto a gravarles el aceite... En Palencia quemaron la cosecha antes que entregarla... El país entero muere de hambre, don Diego. Y, como en Flandes, le responden con palos, con ejecuciones... No, no creo que aquel alférez haya permacido lejos de esos dolores mientras sus fuerzas le hayan alcanzado. Porque debe de ser muy anciano. Estará ya cansado, deseoso de morir tranquilo como un perro en su yacija... Si alguien le amparase, sería su cómplice y correría grave riesgo. *(Un gran silencio.* VELÁZQUEZ *lo mira fijamente.)*

VELÁZQUEZ.—Vamos a casa. (PEDRO *llora.* VELÁZQUEZ *se acerca y lo levanta.)* Apoyaos en mí. *(Caminan hacia el fondo.)*

PEDRO.—*(Llorando.)* Estoy viejo. Disculpad... *(Llegan al fondo.* VELÁZQUEZ *recoge sus prendas y abre la puerta, por la que sale con* PEDRO, *dejándola abierta para seguir sosteniéndolo. Una breve pausa. Las maderas del segundo balcón crujen y se separan. Tras ellas aparece* NICOLASILLO PERTUSATO, *que espía hacia todos lados y al fin sale corriendo. Se detiene un segundo ante el caballete y, con un despectivo gruñido, le saca la lengua al boceto. Entonces oye voces. Es la plática confusa que tienen el* MARQUÉS *y* DOÑA MARCELA DE ULLOA *mientras bajan por las escaleras del fondo. Al ver abierta la puerta del obrador, se detienen.)*

DOÑA MARCELA.—¡Chis! Está abierto. *(El* MARQUÉS *se adelanta y echa una ojeada desde la puerta.* NICOLASILLO *se disimula tras el caballete.)*

MARQUÉS.—No hay nadie. Gracias por vuestra confidencia, doña Marcela. Confiad en mí. *(Van a irse.* NICOLASILLO *se adelanta.)*

NICOLASILLO.—Excelencia.

MARQUÉS.—*(Retrocede.)* ¿Qué haces tú aquí?

NICOLASILLO.—Deseo hablar con vuecelencia. Es importante. *(Se miran. Las cortinas se corren ante ellos y nos trasladan a la casa de Velázquez. Oscurece. En el balcón de la derecha se ve cruzar a* DOÑA ISABEL DE VELASCO *llevando un velón encendido. El interior queda iluminado.* DOÑA JUANA *entra por la puerta izquierda con un velón que deja sobre el bufetillo y habla hacia la puerta.)*

DOÑA JUANA.—Disponed la mesa. Don Diego no tardará. *(Al volverse se encuentra con su marido y con* PEDRO, *que entran por las cortinas.)*

VELÁZQUEZ.—Juana, tomo a este hombre para modelo. Vivirá en casa.

DOÑA JUANA.—¿Aquí?

VELÁZQUEZ.—Que dispongan para él la bovedilla y hazle plato de nuestra olla en la cocina.

DOÑA JUANA.—*(Estupefacta.)* La bovedilla, Diego, está llena de bultos...

VELÁZQUEZ.—*(Sonríe.)* Por eso es menester que lo hagas sin demora. *(Se miran.* DOÑA JUANA *quiere negarse y no acierta.)*

DOÑA JUANA.—*(Seca.)* Como tú mandes. *(Y sale por la izquierda.)*

PEDRO.—*(Menea la cabeza.)* Don Diego, yo nunca he tenido mujer, ni hijos. Tampoco pudo ser. No me perdonaría que riñeseis con vuestra mujer por mi culpa.

VELÁZQUEZ.—No habrá tal riña, y mi familia llegará a ser la vuestra. ¡Por Dios que lo será!

DOÑA JUANA.—*(Voz de.)* Ea, vosotras dos a la bovedilla. Sacáis todo y lo dejáis en el corredor. Mañana se verá dónde se pone... ¿Eh?... No es menester fregar el suelo. Metéis el catre pequeño. Las sábanas, morenas... No, tampoco... ¿Un candil? ¿Para que se caiga y nos quememos todos? ¡Ni pensarlo! ¡Ea, subid presto!... (VELÁZQUEZ *ha escuchado con gesto duro.* DOÑA JUANA *entra.)* Si queréis comer, ya tenéis plato en la cocina.

PEDRO.—Dios os pague la caridad, señora.

DOÑA JUANA.—Agradecedlo a mi esposo.

PEDRO.—No os mováis, señora, conozco el camino. *(Sale por la izquierda.* VELÁZQUEZ *se sienta.)*

VELÁZQUEZ.—Te ruego que trates a ese hombre con más agrado.

DOÑA JUANA.—¿No es mucho pedir?

VELÁZQUEZ.—Mañana fregarán la bovedilla y le pondrás candil. Quiero también que le des alguna ropa. Está desnudo.

DOÑA JUANA.—Si no es más que eso...

VELÁZQUEZ.—Siéntate aquí, Juana.

DOÑA JUANA.—Tengo que hacer. *(Va a salir.)*

VELÁZQUEZ.—¡Juana! (DOÑA JUANA *se detiene, temblándole la barbilla.* VELÁZQUEZ *se levanta y va a su lado.)* Tú siempre has sido compasiva... ¿No vas a apiadarte de un pobre viejo que no tiene adónde ir?

DOÑA JUANA.—Asustará a los niños...

VELÁZQUEZ.—Es a ti a quien asusta.

DOÑA JUANA.—Puede ser un ladrón, puede contagiarnos algún mal...

VELÁZQUEZ.—No tiene otro mal que sus años.

DOÑA JUANA.—¡Piénsalo, Diego! ¿Cómo sabes que no es el Enemigo mismo?

VELÁZQUEZ.—¡Juana, voy a prohibirte que hables con nuestro primo!

DOÑA JUANA.—¡Estás hechizado, estás embrujado y no lo sabes!

VELÁZQUEZ.—¡No digas locuras!

DOÑA JUANA.—*(Grita.)* ¡Despide a ese hombre!

VELÁZQUEZ.—¡No grites! Y escucha: tienes que aprender a estimar a ese hombre porque... porque... es la persona que más me importa hoy en el mundo.

DOÑA JUANA.—*(Grita.)* ¿Más que yo?

VELÁZQUEZ.—*(Se oprime con fuerza las manos.)* ¡De otro modo! ¡Yo te aclararé!

DOÑA JUANA.—*(Señala, llorosa.)* ¡Otra vez tus manos!...

VELÁZQUEZ.—*(Las separa con un gesto casi amenazante.)* ¡Basta! *(Y sale por la izquierda.)*

DOÑA JUANA.—¡Diego, ten piedad de mí! ¡Despídelo! ¡Te lo pido porque te quiero bien!... (VELÁZQUEZ *vuelve a entrar.)*

VELÁZQUEZ.—¿Dónde está?

DOÑA JUANA.—En la cocina.

VELÁZQUEZ.—No está allí. Te habrá oído. Habrá salido por el postigo. *(Va a salir.)*

DOÑA JUANA.—¡Dios lo ha hecho, Diego! (PEDRO *sale por el portal y da unos pasos vacilantes.)*

VELÁZQUEZ.—Si no lo encuentro, Juana, nunca te lo perdonaré.

DOÑA JUANA.—¡Diego!

VELÁZQUEZ.—Nunca. *(Sale por la izquierda.)*

DOÑA JUANA.—*(Toma el velón y sale tras él.)* ¡Diego!... (PEDRO *cruza la escena. Su inseguro caminar denota lo mal que ve.)*

PEDRO.—Martín... *(Busca sin esperanza.)* ¡Martín! *(Se detiene, jadeante. Tras los hierros del balcón de la derecha,* DOÑA ISABEL *y* DOÑA AGUSTINA *se reúnen.)*

DOÑA ISABEL.—La señora infanta se ha dormido. ¡Venid al balcón! *(Salen al balcón.)* Dicen que esta noche ha de verse un globo de fuego sobre Madrid. Lo supo en sueños una monja de San Plácido.

DOÑA AGUSTINA.—¿Sí?

DOÑA ISABEL.—Es señal cierta de que la señora reina tendrá un hijo varón que reinará en el mundo. *(Miran al cielo.)*

DOÑA AGUSTINA.—¡Si lo viéramos!...

PEDRO.—¡Martín!...

DOÑA ISABEL.—¿Quién es?

DOÑA AGUSTINA.—Será un borracho... *(Vuelven a mirar al cielo.* VELÁZQUEZ *sale de su portal y mira a todos lados. Despacio, se acerca a* PEDRO.) ¡Mirad!

DOÑA ISABEL.—¿Qué?

DOÑA AGUSTINA.—¿No es aquello? ¿No es aquello el globo de fuego? (DOÑA JUANA *sale al portal y, alzando el velón, trata de divisar a su marido.)*

DOÑA ISABEL.—¡Sí!... ¡Creo que lo veo!...

VELÁZQUEZ.—Volved a casa, Pedro.

PEDRO.—Dejadme, don Diego.

VELÁZQUEZ.—No. Yo no os puedo dejar. Venid. Dadme la mano. (PEDRO *se la tiende tímidamente. Ante la trastornada mirada de su esposa,* VELÁZQUEZ *la oprime, conmovido. Así permanecen un momento, mientras las dos meninas, arrobadas, tratan de ver algo en el cielo.)*

TELON

PARTE SEGUNDA

Antes de alzarse el telón, se oyen las dulces notas de la "Primera Pavana" de Milán. Es media tarde. La escena central presenta el obrador. La puerta del fondo está entornada. Sentada con su vihuela a la ventana enrejada de la derecha, DOÑA ISABEL se deleita con la música. PEDRO y MARTÍN están sentados en las gradas. PEDRO viste sencillas y limpias ropas de criado. Con la expresión ausente, mira al vacío.

MARTÍN.—¿La oyes? Parece un canario en su jaula. No las envidio, no: cuando no tocan, bostezan. Así es Palacio. ¿Qué piensas?

PEDRO.—En ese cuadro... No podrá pagarse con toda la luz del mundo.

MARTÍN.—*(Irritado.)* ¡No sé cuántas simplezas te tengo oídas ya de ese cuadro! ¿Qué sabes tú de él, si ves menos que un topo?

PEDRO.—Pero lo veo.

MARTÍN.—¡Ya me lo trastornaron ahí dentro, damas y caballeros! No hay como llenar la andorga para volverse imbécil. ¿Se te han ido al menos las calenturas?

PEDRO.—No se van. Me sangraron, pero no sirvió de nada. Y tú, ¿cómo vives?

MARTÍN.—*(Se encoge de hombros y muestra la soga.)* Trabajo en lo de siempre... Poco, porque han vuelto a subir las alcabalas y todo va mal... ¿Te acuerdas de aquella letrilla de los tiempos del conde-duque? Ahora vuelve a decirse.

PEDRO.—¿Cuál?

MARTÍN.—

Ya el pueblo doliente
llega a sospechar
no le echen gabelas
por el respirar.

(Ríen. DOÑA AGUSTINA *aparece en la ventana enrejada.)*

DOÑA AGUSTINA.—[¡Daos prisa!] ¡La infantita despertó de su siesta!

DOÑA ISABEL.—Vamos. *(Se levanta y desaparecen las dos.*

PEDRO.—¿Quieres que hable por ti a don Diego?

MARTÍN.—Más adelante... Todavía me defiendo. *(Se levanta.)*

PEDRO.—Vuelve después. Tendré algo para ti. *(Se levanta. Se encaminan los dos al portal.* DOÑA JUANA *asoma al balcón.)*

DOÑA JUANA.—¡Pablo!

PEDRO.—Voy, señora. (DOÑA JUANA *los mira suspicaz y se retira.)*

MARTÍN.—Ya te han puesto el pesebre, ¿eh? *(Se relame.)*

PEDRO.—No me quiere bien. Es buena..., pero tonta. Yo sí la quiero bien.

MARTÍN.—Ríete de lo demás si te ponen el pesebre.

PEDRO.—Lo demás... Martín, yo hubiera dado cualquier cosa por tener una mujer como ella.

MARTÍN.—*(Se lleva las manos a la cabeza.)* ¡Loco de atar! ¿A tus años piensas en casorios? ¡No se te puede oír con calma! ¡Le quitas la paciencia a un santo!... *(Se va por la izquierda rezongando.* PEDRO *entra en el portal. Poco antes, con aire sigiloso,* NICOLASILLO PERTUSATO *abrió la puerta de la izquierda y entró en el obrador. De puntillas, se dirige al fondo cuando baja la escalera corriendo* MARI BÁRBOLA *y se asoma.)*

MARI BÁRBOLA.—¿Dónde te has metido? La señora infantita nos llama.

NICOLASILLO.—¡Chis! *(Le hace señas de que se acerque.* MARI BÁRBOLA *llega a su lado.)* El señor marqués ha dado licencia a los pintores y ha puesto guardia en las dos salidas al corredor: la de acá *(Señala la puerta de la izquierda.)* y la de allá. *(Señala a la puerta del fondo.)*

MARI BÁRBOLA.—¿Y eso, qué? También la hay siempre en aquella puerta. *(Señala a la derecha del fondo.)*

NICOLASILLO.—En el corredor nunca la ponen.

MARI BÁRBOLA.—Habrá nuevas órdenes.

NICOLASILLO.—¡Alemana tenías que ser! ¡Si hay nuevos centinelas, es que hay nuevas órdenes!...

[MARI BÁRBOLA.—¡Ah, ya comprendo! Don Diego

va a empezar su cuadro y no quiere que le interrumpan.

NICOLASILLO.—Para eso no echarían a los pintores. Con cerrar esa puerta...

MARI BÁRBOLA.—¿Entonces?

NICOLASILLO.—] Aquí va a suceder algo... con don Diego. Quizá quieran prenderle.

MARI BÁRBOLA.—*(Después de un momento.)* ¡Tú sabes algo!

NICOLASILLO.—¡Calla! *(Se vuelve y señala a la puerta por donde salió. Esta se abre y entra el* REY, *acompañado del dominico.)*

REY.—¿Qué hacéis aquí? *(Un silencio.)* Fuera. No vengáis por acá en toda la tarde.

NICOLASILLO.—¡Uh!...

REY.—¿A qué viene eso?

NICOLASILLO.—¡Uh!... *(Los dos enanos saludan y salen corriendo. Se les ve subir las escaleras y desaparecer. El* REY *se les queda mirando.)*

REY.—Anoche tuve un mal sueño, reverendo padre... *(Gesto interrogante del fraile.)* Sí; me veía en un salón lleno de pinturas y espejos y... al fondo... estaba Velázquez tras una mesa. Tocó una campanilla y alguien me empujaba hacia él... Yo iba medio desnudo, pero me veía al pasar ante las lunas ataviado con el manto real y la corona... Cuando ya estaba cerca, vi que la altura de mi pintor de cámara era enorme... Semejaba un Goliat, y su gran cabeza me sonreía... Al fin, levantó una mano de coloso y dijo: "Nicolasillo y tú tenéis que crecer." Desperté entre sudores. *(Sonríe.)* ¡Añagazas de Satanás para turbar la serenidad de mi juicio!... Tranquilizaos, padre. Vuestras paternidades han sido muy generosas poniendo este caso en mis manos y lo examinaré con el rigor que nuestra Santa Religión pida... Tanto más cuanto que don Diego deberá responder hoy de alguna otra imputación no menos grave. ¡Sí! ¡Tal vez ha llegado su hora! *(El dominico y él se vuelven hacia el fondo al oír la voz del* MARQUÉS, *que aparece en la puerta.)*

MARQUÉS.—¿Sabéis la contraseña?

CENTINELA.—*(Voz de.)* Sí, excelencia.

MARQUÉS.—Decidla.

CENTINELA.—*(Voz de.)* Desde que vuecelencia lo disponga, nadie entrará por esta puerta sin licencia expresa de vuecelencia, salvo sus majestades y el pintor Velázquez.

MARQUÉS.—Cúmplase ya. *(Entra y hace la reverencia.)* Todo dispuesto, señor.

REY.—¿Habéis puesto guardias en las puertas?

MARQUÉS.—Creí cumplir así con la discreción que vuestra majestad me ha encarecido.

REY.—Pues parece que las hubiérais puesto para que se corriera la voz.

MARQUÉS.—Vuestra majestad eligió este aposento por creerlo más discreto...

REY.—Pero no hablé de guardia alguna. Habría bastado con cerrar las puertas. La guardia del corredor ha dado ya que sospechar. *(Señala a la izquierda.)* Por allí pasean ahora, o miran al patio, don José Nieto Velázquez, doña Marcela de Ulloa, Manuel de Gante y otros hombres de placer.

MARQUÉS.—[Como los separa de este aposento otro donde nada sucederá, nada podrán colegir. Pero] si vuestra majestad lo quiere, retiraré la guardia.

REY.—*(Lo mira fríamente.)* Dejadlo estar. No más movimientos.

MARQUÉS.—Bien, señor. El maestro Nardi aguardará en el obrador contiguo por si vuestra majestad requiere su presencia.

REY.—Si al final fuera menester, ireis vos a buscar también de orden mía a su alteza real.

MARQUÉS.—Sí, Majestad. [¿Puedo saber ya, señor, cuál es la principal acusación que ha dado ocasión a este examen? *(El* REY *y el dominico se miran. El* MARQUÉS *lo advierte.)*

REY.—Pues que estaréis presente, ya lo sabréis.

MARQUÉS.—Lo pregunto, señor, porque la ocasión podría ser excelente para aclarar al tiempo todos los errores y delitos del "sevillano".

REY.—Poned más caridad en vuestras palabras y no habléis aún de delitos, sino de errores.

MARQUÉS.—Con el mayor respeto, señor, mantengo mis palabras.] Y si vuestra majestad da su venia, el examen de esta tarde no se reducirá a la acusación principal, ni al otro peligro que me honré en señalar a vuestra majestad. Preveo que podré traer además una tercera y muy grave imputación.

REY.—Nada me habéis dicho...

MARQUÉS.—*(Con el brillo del triunfo en los ojos.)* Porque aún no debo afirmar nada, señor; pero aguardo informes. *(*VELÁZQUEZ *aparece en el fondo. El* REY *lo ve.)*

REY.—Acercaos, don Diego. *(*VELÁZQUEZ *se inclina, cierra y llega hasta el* REY, *ante quien se arrodilla. El* REY *lo alza.)*

VELÁZQUEZ.—Señor...

REY.—He de hablar con mi pintor de cámara. *(El dominico y el* MARQUÉS *se inclinan y salen por la izquierda, cerrando tras sí. El* REY *pasea.)* Don Diego, he sido vuestro amigo mas que vuestro rey. Pero se me han hecho contra vos cargos muy graves, y ahora es el rey quien os habla. Dentro de media hora compareceréis aquí para responder de ellos. *(Suave.)* Mucho me holgaré de que acertéis a desvanecerlos.

VELÁZQUEZ.—*(Intranquilo.)* Puedo responder ahora si vuestra majestad lo desea.

REY.—Han de estar presentes otras personas.

VELÁZQUEZ.—Empiezo a comprender, señor. Entre tanto, la guardia cubrirá las puertas.

REY.—¿Qué queréis decir?

VELÁZQUEZ.—Quiero decir, señor, que van pareciéndome las solemnidades de un proceso.

REY.—Es una plática privada.

VELÁZQUEZ.—Con testigos.

REY.—No es esa la palabra.

VELÁZQUEZ.—Con acusadores.

REY.—No, no...

VELÁZQUEZ.—Vaya. Con jueces.

REY.—¡Os he dicho que no es un proceso! Es...

VELÁZQUEZ.—¿Un examen, señor?

REY.—Así suele llamarse. *(Una pausa.)*

VELÁZQUEZ.—Vuestra majestad me amparó hasta hoy de las insidias de mis enemigos. Tal vez algún malvado ha logrado sorprender ahora la buena fe de vuestra majestad y...

REY.—*(Irritado.)* ¿Me creéis un necio? *(Va a sentarse al sillón.)*

VELÁZQUEZ.—*(Baja la cabeza.)* Perdón, señor. Ya veo que he perdido la confianza de vuestra majestad.

REY.—*(Baja la voz.)* Nunca la tuvisteis.

VELÁZQUEZ.—¡Señor!

REY.—No, porque... nunca he logrado entenderos. *(Un silencio.)* Nadie nos oye salvo Dios, don Diego. Interrogad a vuestra conciencia. ¿No tenéis nada de qué acusaros?

VELÁZQUEZ.—*(Después de un momento.)* Esperaré a saber los cargos, señor. ¿Debo permanecer aquí hasta entonces?

REY.—*(Con involuntario afecto.)* Quizá podáis ir antes a vuestra casa... si me prometéis volver a tiempo. Es el amigo quien os lo concede... *(Se irrita súbitamente.)* ¡Mas no! *(Se levanta.)* ¡Aún no sé si debo concederlo! ¡Cuando pienso que fingís ante vuestro soberano una pureza que... que...

VELÁZQUEZ.—¡Señor!

REY.—Dejadme pensar. *(Lo ha dicho yendo bruscamente al balcón, ante el que se aposta perplejo y agitado.* VELÁZQUEZ, *a sus espaldas, se pasa la temblorosa mano por la frente tratando de comprender. La infanta* MARÍA TERESA *salió al balcón de la derecha y llama a alguien que hay dentro.* MARI BÁRBOLA *sale a su vez.)*

MARÍA TERESA.—No quiero que nos oigan ahí dentro.

MARI BÁRBOLA.—Me lo ha dicho Nicolasillo. El cree que es algo contra "el sevillano". El señor marqués no disimula su gozo, y todos sabemos que no le quiere bien. Ha sido él quien ha dispuesto la guardia. *(La infanta mira al vacío, indecisa. La enana espera.)*

VELÁZQUEZ.—No alcanzo en qué he podido ofender a vuestra majestad.

REY.—¡Callad!

MARÍA TERESA.—¿Quién podría ayudarte, Mari Bárbola?

MARI BÁRBOLA.—¿Nicolasillo?

MARÍA TERESA.—No. Otra pequeñuela como tú... Catalina Rizo, que me es muy fiel. Dile que vigile en el corredor abierto. Tú irás a la escalera... Me iréis diciendo todos los que entran y salen. ¡Ve!

MARI BÁRBOLA.—Sí, alteza. *(Escapa corriendo. La infanta, turbada, mira al vacío.)*

REY.—*(Sin volverse.)* Os concedo media hora. Aprovechadla bien.

VELÁZQUEZ.—¿Vuestra majestad no me daría el menor indicio de la acusación que se me hace?

REY.—*(Se vuelve.)* Id a vuestra casa. *(La infanta se retira del balcón.* VELÁZQUEZ *se inclina y retrocede. A la segunda reverencia, el* REY, *sin mirarlo, le habla.)*

REY.—¿Os atreveríais a destruir alguna pintura vuestra, don Diego?

VELÁZQUEZ.—*(Se le dilatan los ojos y suspira. Empieza a entender.)* Mal podría hacerlo si ya no está en mi poder, señor...

REY.—Me refería al caso de que lo estuviese. Mas no respondáis. Id a vuestra casa.

VELÁZQUEZ.—*(Ha comprendido.)* ¡Gracias, señor! Con la venia de vuestra majestad. *(Vuelve a inclinarse y retrocede. Las cortinas se corren ante ellos y presentan la casa de Velázquez. El centinela borgoñón cruza despacio de izquierda a derecha.* DOÑA JUANA *sale por la puerta izquierda seguida de* MAZO. *Trae en las manos la bandeja con el servicio de agua y la deja en el bufetillo.)*

DOÑA JUANA.—No lo volváis a pedir.

MAZO.—Ayer me concedisteis subir a verla

DOÑA JUANA.—Hice mal. Esa pintura no deberá volverla a ver nadie.

MAZO.—Pero los que ya la hemos visto...

DOÑA JUANA.—¡Menos aún! *(Se acerca a la derecha y atisba por las maderas del balcón.)* Contra la pared hasta que todos nos muramos. Así debe estar. [*(*VELÁZQUEZ, *con espada, sombrero y ferreruelo, aparece por la derecha sombrío. En el centro de la escena se detiene un segundo y mira a su casa. La infanta* MARÍA TERESA *asoma junto a los vidrios del balcón y, sin salir a él, lo mira con recatada pero intensa atención. Junto a ella,* MARI BÁRBOLA. VELÁZQUEZ *prosigue su camino y entra en el portal. La infanta se asoma algo más para verlo ir con ojos angustiados.)*

MARÍA TERESA.—¡Vuelve a tu puesto!

MARI BÁRBOLA.—Sí, alteza. *(Se va. La infanta se retira tras ella.* DOÑA JUANA] *se vuelve hacia su yerno.)*

[Doña Juana.—] ¿Sabéis que también se la ha enseñado a ese hombre?

Mazo.—¿A Pablo?

Doña Juana.—Algo le sucede a mi esposo. (Pareja *entra por las cortinas.)*

Pareja.—¡Mi señor Don Diego ha vuelto, señora!

Doña Juana.—¿A estas horas? (Velázquez *entra por las cortinas y mira a todos.* Doña Juana *corre a su lado.)* ¿Te sientes mal? ¡Traes mala cara! (Pareja *va a retirarse.)*

Velázquez.—No te vayas. Juan. ¿Están los niños?

Mazo.—Salieron al Jardín de la Priora con la dueña.

Velázquez.—¿Y los criados?

Doña Juana.—Arriba. Pablo está en la cocina. ¿Qué te sucede? (Velázquez *se sirve un búcaro de agua y bebe.)*

Velázquez.—*(A* Pareja.*)* Empezaré por ti, Juan. ¿Has hablado con alguien del cuadro que he pintado arriba?

Pareja.—¿Yo, señor? (Doña Juana *se aparta, inquieta.)*

Velázquez.—Recuerda bien: alguna palabra imprudente que se te hubiese escapado...

Pareja.—Solo con vuestro yerno, señor.

Velázquez.—Júramelo.

Doña Juana.—¡Diego! ¿Tan grave es el caso?

Velázquez.—¿Lo juras?

Pareja.—¡Lo juro por mi eterna salvación, señor!

Velázquez.—*(A* Mazo.*)* ¿Tampoco tú has hablado, hijo mío?

Mazo.—Con nadie..., salvo con los aquí presentes.

Velázquez.—A ti no debiera preguntártelo, Juana.

Mazo.—*(Airado.)* ¡Don Diego!

Velázquez.—¡No admito ese tono! Solo vosotros tres sabíais de esa pintura. Uno de vosotros ha hablado.

Doña Juana.—También se la has enseñado a Pablo...

Velázquez.—No sabes lo que dices.

Mazo.—Con el mayor repeto, don Diego... Nos ofendéis desconfiando de nosotros y no de él.

Velázquez.—*(Con amarga sonrisa.)* Es justo. El oirá todo esto. ¡Pablo!...

Doña Juana.—¡Diego, no vas a traerlo aquí!... *(Pero*

VELÁZQUEZ *sale por la izquierda y se le oye llamar a* PABLO *de nuevo. Todos se miran.* DOÑA JUANA *va a sentarse al sillón.* VELÁZQUEZ *vuelve con* PEDRO.)

VELÁZQUEZ.—Pablo: ¿con quién habéis vos hablado del cuadro que os enseñé arriba?

PEDRO.—Con vos nada más.

VELÁZQUEZ.—Doña Juana preferiría que lo juraseis.

DOÑA JUANA.—¡Yo no he dicho eso!

PEDRO.—Doña Juana no daría crédito al juramento de un pobrete. Pero vos sabéis que yo no he hablado.

VELÁZQUEZ.—Cierto que lo sé. *(A los demás.)* Tengo poco tiempo y he de averiguar quién miente de vosotros antes de volver a Palacio. Quien haya sido, que nos ahorre a todos tanta vergüenza. *(Un silencio.)* ¿Nadie? *(Va junto a* JUANA, *que lo ve llegar trémula.)* ¿Tú no te has separado de la llave, Juana?

DOÑA JUANA.—No...

VELÁZQUEZ.—Nadie puede haberlo visto: ni los criados, ni los nietos...

DOÑA JUANA.—*(Con un hilo de voz.)* Nadie. *(Una pausa.)*

VELÁZQUEZ.—¿Por qué me aborrecías tú en Italia, Juan?

PAREJA.—¿Qué decís, señor?

VELÁZQUEZ.—Digo que me odiabas al final de nuestro viaje a Italia y te pregunto el porqué.

PAREJA.—¡Siempre os he amado como a mi bienhechor que sois!

VELÁZQUEZ.—Siempre, no. Estás mintiendo, luego puedes haber sido tú. *(Iracundo.)* ¿Has sido tú?

PAREJA.—¡He jurado, mi amo! (VELÁZQUEZ *llega a su lado entre la ansiedad de los demás.* DOÑA JUANA *se levanta.)*

[VELÁZQUEZ.—¿Cómo puedo creerte, si me mientes?

PAREJA.—No, mi amo...]

VELÁZQUEZ.—¡Ah, no olvidas la palabra! [¡Has sido esclavo demasiados años!] Tenías un amo generoso, pero era un amo. Y le odiaste.

PAREJA.—¡No, no!

VELÁZQUEZ.—¡Y acaso me has hecho pagar ahora un largo rencor que te devoraba! ¡Ahora que te había libertado, me apuñalas!

PAREJA.—*(Cae de rodillas ante él; intenta en vano besarle las manos.)* Perdón, señor. ¡He mentido, he mentido y nunca debí mentiros!... *(Las ahogadas exclamaciones de los demás subrayan sus palabras.)*

VELÁZQUEZ.—¡Confiesa ya!

PAREJA.—Sí, sí, mi señor... Cierto que os aborrecí... Pero no os he traicionado: ¡Por Jesucristo vivo que no!

VELÁZQUEZ.—¿Por qué me odiabas?

PAREJA.—Perdón, señor, perdón...

VELÁZQUEZ.—*(Lo zarandea rudamente.)* ¡Habla!

PAREJA.—Por... aquella moza de Roma.

VELÁZQUEZ.—*(Desconcertado.)* ¿Qué moza?

PAREJA.—Aquella que os sirvió de modelo... Era... lo más bello que había encontrado en mi vida... Yo hubiera dado por ella todo, todo... Y si ella me hubiese mandado apuñalaros, entonces sí..., entonces lo habría hecho... Pero se mofaba de mí. Era una ramera y me despreciaba. Me llamaba negro, monstruo..., mientras os daba a vos todos sus favores.

VELÁZQUEZ.—¿Qué dices?

PAREJA.—Vos le agradabais... Mucho... Ella misma me lo dijo... y yo... sufría. Vos erais el más grande de los pintores; yo era un aprendiz. Vos erais libre y apuesto; yo, feo y esclavo... Yo moría por ella y vos... Vos...

VELÁZQUEZ.—Yo, ¿qué?

PAREJA.—Vos la teníais sin esforzaros.

DOÑA JUANA.—¡Diego!...

VELÁZQUEZ.—*(A* PAREJA.) ¿Has creído eso?

PAREJA.—*(En un alarido de suprema sinceridad.)* ¡Y lo sigo creyendo!... *(Solloza, caído. Un corto silencio.)*

VELÁZQUEZ.—Y ahora te has vengado.

PAREJA.—¡Eso no! ¡Yo no he sido! ¡Yo moriría por vos! ¡Mi amo! ¡Mi amo!...

VELÁZQUEZ.—Levanta. ¡Ea, levanta! (PAREJA *se levanta y se aparta, sumido en su dolor.)*

PEDRO.—Mala cosa la esclavitud.

MAZO.—¿No puede callar este hombre?

VELÁZQUEZ.—¡Este hombre dirá cuanto le plazca, porque él no ha sido! ¿Puedes tú decir lo mismo?

MAZO.—¡Me ofendéis!

DOÑA JUANA.—¿Qué ha sucedido, Diego? *(Una pausa.)*

VELÁZQUEZ.—He sido denunciado al Santo Oficio.

DOÑA JUANA.—*(Grita.)* ¿Qué?

MAZO.—¿Por esa pintura?

VELÁZQUEZ.—Por esa pintura.

DOÑA JUANA.—¿Qué pueden hacerte?

VELÁZQUEZ.—Pronto lo sabré. Esta tarde voy a ser juzgado.

DOÑA JUANA.—*(Se retuerce las manos.)* ¿Esta tarde?

VELÁZQUEZ.—Quien me haya traicionado, que lo diga. Tendré en cuenta que soy yo el culpable: nunca se debe confiar en nadie. Juan, si has sido tú, te perdono. O tú, hijo mío. Quizá por una ligereza, por el deseo de contar algo que nos ha sorprendido...

MAZO.—Aunque me duela, no intentaré disipar vuestra sospecha. También yo sospecho lo que os obstináis en no admitir, *(Señala a* PEDRO.) mas ya no es tiempo de aclarar nada, sino de ayudaros. Os ofrezco mi humilde ayuda y os ruego que la aceptéis. Es lo menos que puedo hacer por vos, a quien todo lo debo. Si alguien debe salvarse, sois vos.

VELÁZQUEZ.—¿Cómo?

MAZO.—Consentid que yo me declare el autor de esa obra. *(A* VELÁZQUEZ *le cambia la expresión súbitamente.)*

VELÁZQUEZ.—*(Frío.)* ¿Qué es eso, hijo mío? ¿La prueba de que no has sido tú o el remordimiento de haber sido tú?

MAZO.—Pensad lo que gustéis y aceptadlo. *(Angustiadísima,* DOÑA JUANA *vuelve a sentarse.)*

VELÁZQUEZ.—Pienso otra cosa... Pienso que te dicen mi émulo y que te halagan afirmando que tus obras parecen mías...

MAZO.—He procurado aprender de vos.

VELÁZQUEZ.—*(Alza la voz.)* Y también has alardeado por los corredores de Palacio de que nada tenías que aprender ya de tu maestro. (MAZO *baja los ojos.)* En Palacio todo se sabe, hijo... Pero ¡aún no has aprendido lo necesario para pintar un cuadro como ese! ¡No, Bautista! ¡Ni aunque fueses a responder por mí! ¡Cuadros así nunca serán tuyos aunque lo quieras con toda tu alma!

MAZO.—*(Muy turbado.)* ¡Maestro!

VELÁZQUEZ.—*(Con asco.)* ¡Calla! *(Los mira a todos.)* Mala cosa es ser hombre, Pablo. Casi todos son esclavos de algo.

PEDRO.—Sí. Los hombres... y las mujeres. *(De improviso,* DOÑA JUANA *rompe a llorar.* VELÁZQUEZ *la mira y comprende súbitamente. Se acerca. Ella lo mira a los ojos y arrecia en sus sollozos.)*

VELÁZQUEZ.—*(A los hombres.)* Pasad al estrado. (MAZO *y* PAREJA *salen por el centro de las cortinas.)*

PEDRO.—Yo estaré mejor en la cocina, don Diego. *(Y sale por la izquierda.)*

VELÁZQUEZ.—Conque has sido tú.

DOÑA JUANA.—¡No puedo creer que él te haya denunciado!

VELÁZQUEZ.—¿El?... *(Se da una palmada en la frente.)* Si seré necio. Nuestro primo José, es claro.

DOÑA JUANA.—No puede haber hablado. Te debe tanto...

VELÁZQUEZ.—Por eso mismo. ¿Le enseñaste la pintura?

DOÑA JUANA.—*(En voz queda.)* Sí. ¡Pero lo hice para ayudarte, Diego!

VELÁZQUEZ.—¿Estás segura?

DOÑA JUANA.—¿Dudas de mí?

VELÁZQUEZ.—*(La mira fijamente.)* Eres tú quien duda.

DOÑA JUANA.—¿Yo?

VELÁZQUEZ.—Lo denuncia tu voz. No sabes si has desobedecido a tu esposo para ayudarle o para hacerle daño.

DOÑA JUANA.—¿Yo? ¿A ti?

VELÁZQUEZ.—Qué insoportable duda, ¿eh? Al enseñar el cuadro te lo repetías: "¡Estoy ayudando a mi Diego, lo estoy ayudando!" Querías ver si acallabas otra voz que te decía: "Hazle un poco de daño... [Sin excederte. Pero que sufra...] También tú sufres por él, que te ha ofendido con esa mujer y con otras..."

DOÑA JUANA.—*(Se tapa los oídos.)* ¡Calla, calla!

VELÁZQUEZ.—La verdad siempre duele. *(Suspira.)* No

te culpo, mujer. Has llegado a una edad propicia a esas locuras... Debí preverlo.

DOÑA JUANA.—Eres cruel... Olvidas lo poco que tú me has ayudado... Me humillabas encerrándote con esa ramera; desde Italia me vienes humillando... Solo piensas en tu pintura, sin querer ver que a tu lado penaba una mujer que envejecía... y que te ha sido fiel.

VELÁZQUEZ.—¿Y nunca has pensado en que tú podías ser la culpable?

DOÑA JUANA.—¿Yo?

VELÁZQUEZ.—Cuatro años llevábamos casados y éramos como dos niños felices... Te pedí algo que tú me negaste. No volví a pedírtelo.

DOÑA JUANA.—¿De qué hablas?

VELÁZQUEZ.—Te pedí que me sirvieras de modelo para pintar una Venus. Y te negaste... Sobresaltada, turbada, disgustada conmigo por primera vez...

DOÑA JUANA.—*(Cuya cara acusó el súbito recuerdo.)* Una mujer honrada no puede prestarse a eso. Mi propio padre lo decía y era pintor.

VELÁZQUEZ.—*(Con desprecio.)* Era un mal pintor.

DOÑA JUANA.—¡Atentabas contra mi honor, contra mi pudor!

VELÁZQUEZ.—Yo era tu esposo. [Mas de nada sirvió razonarte, aclararte... Tropecé con un muro.

DOÑA JUANA.—Nunca debiste pensar en tales pinturas.

VELÁZQUEZ.—*(Iracundo.)* ¡Yo era pintor!]

DOÑA JUANA.—¡Ningún pintor español ha hecho eso!

VELÁZQUEZ.—¡Lo he hecho yo! No te sorprendas si, al negarte tú, he debido buscar otros modelos. Si hubieses accedido, te habría pintado cuando aún eras joven y ahora serías una esposa alegre y tranquila, sin dudas ni penas.

DOÑA JUANA.—*(Después de un momento.)* Y desde entonces..., ¿ya no me amas?

VELÁZQUEZ.—*(Se acerca y le acaricia los cabellos.)* Te seguí queriendo, Juana. Tanto que... me era imposible ofenderte con ninguna otra mujer. Te he sido fiel: en Italia y aquí. Pero hube de resignarme a que no entendieras. (DOÑA JUANA *llora.)* No te guardo rencor, Juana... Has sido una compañera abnegada, a pesar de todo. Mas ya no pueda fiar en ti. *(Se aleja. Ella se levanta y corre a su lado.)*

DOÑA JUANA.—¡Sí, sí que puedes! Dame otra prueba de tu confianza y lo verás. *(Una pausa.)*

VELÁZQUEZ.—Voy a dártela. *(Baja la voz.)* En Italia pinté otras dos de esas peligrosas diablesas.

DOÑA JUANA.—¡Siempre Italia!...

VELÁZQUEZ.—Están en dos palacios de Madrid. Nadie lo sabe, salvo sus dueños. Eso ya no se lo dirás a Nieto...

DOÑA JUANA.— ¡No, no!...

VELÁZQUEZ.—Ya ves que... aún te quiero.

DOÑA JUANA.—Diego... *(Lo estrecha en un tímido intento de abrazo que él tolera.)*

VELÁZQUEZ.—Dame la llave.

DOÑA JUANA.—*(Presurosa saca la llave de su llavero.)* ¡Sí, sí! ¡Destrúyelo y yo lo quemaré! Podrás decir que ya no existe, que fue solo un estudio...

[VELÁZQUEZ.—*(Se guarda la llave.)* Ese cuadro no será destruido.

DOÑA JUANA.—Pero, Diego, ¿y si vienen?]

VELÁZQUEZ.—¡Ese cuadro no será destruido mientras yo pueda impedirlo! Te tomo la llave para que no lo hagas tú.

DOÑA JUANA.—*(Deshecha.)* ¿Qué va a ser de ti?

VELÁZQUEZ.—Entre nosotros nunca se sabe cuál será el castigo... Si una reprimenda o la coroza de embrujado. *(Se golpea con furia la palma de una mano con el puño de la otra.)*

DOÑA JUANA.—*(Tímida.)* Diego, estoy contigo... *(El se vuelve despacio a mirarla con una sonrisa de fatal superioridad que es su amarga fuerza. Durante un momento la mira en silencio. Su faz es absolutamente serena.)*

VELÁZQUEZ.—Cálmate. Ya no sufro.

DOÑA JUANA.—Sí sufres, sí...

VELÁZQUEZ.—No, porque miro. Y es maravilloso.

DOÑA JUANA.—¿El qué?

VELÁZQUEZ.—No te muevas...

DOÑA JUANA.—*(Se percata de que es ahora el pintor quien la mira y grita:)* ¡Ah!... ¡No te comprendo! ¡Nunca podré! *(Y sale, convulsa, por las cortinas.* VE-

LÁZQUEZ *alza las cejas en un gesto desdeñoso.* PEDRO *aparece por la izquierda.)*

VELÁZQUEZ.—[*(Ríe.)* Pedro, ¿es verdaderamente horrible el mundo? (PEDRO *no le contesta. A* VELÁZQUEZ *se le nubla el rostro.)* Perdonad. Me basta veros para saber que sí.] Temblé por vos en Palacio: creí un momento que os habían descubierto. Luego comprendí que el rey hablaba de mi pintura. *(Se acerca.)* Voy a intentar algo nuevo, Pedro: que me enfrenten con mis acusadores. Si lo consigo, quizá gane la partida. Si no..., quizá no nos volvamos a ver.

PEDRO.—Llevaos estas palabras mías por si fuesen las últimas que me oyeseis. *(Le estrecha la mano.)* Puesto que vais a enfrentaros con la falsía y la mentira, mentid si fuera menester en beneficio de vuestra obra, que es verdadera. Sed digno, pero sed hábil.

VELÁZQUEZ.—Gracias. *(Se suelta y sale, rápido, por las cortinas.)*

PEDRO.—Buena suerte... *(Alza los hombros en un gesto resignado. Una pausa. Por las cortinas entra* DOÑA JUANA *reprimiendo con dificultad las muecas que le pone en el rostro su mente sobreexcitada.)*

DOÑA JUANA.—Yo haré todo lo que él me diga; todo. Si él os quiere bien, yo también os quiero bien, Pablo: decídselo.

PEDRO.—Calmaos, señora.

DOÑA JUANA.—Cuando vuelva, vos me ayudaréis a recobrarlo. *(Humilde.)* Yo... os lo suplico.

PEDRO.—Lo procuraré, señora... Calmaos...

DOÑA JUANA.—Voy por vuestro pan. Os daré media hogaza; sé que lo compartís con un pobretico y no es justo que comáis menos... A Diego no le agradaría. *(Sale por la izquierda.* PEDRO *menea la cabeza, apiadado.* VELÁZQUEZ, *en atuendo de calle, sale del portal seguido de* MAZO *y* PAREJA. *Cruzan. Antes de salir por la derecha,* VELÁZQUEZ *se detiene un segundo y torna la mirada a su casa. En ese momento,* PEDRO *se toma una mano con la otra, en un gesto apenado.)*

VELÁZQUEZ.—Vamos. *(Salen. Por la izquierda entra* MARTÍN *y va a sentarse a los peldaños. Se rasca, bosteza; escudriña su zurrón en vano.* DOÑA JUANA *vuelve con media hogaza.)*

DOÑA JUANA.—Tomad.

PEDRO.—Gracias, señora. Saldré un ratico... Vos querréis estar sola.

DOÑA JUANA.—Sí, sí; salid y entrad siempre que os plazca.

PEDRO.—Con vuestra licencia, señora. *(Se inclina y sale por las cortinas.* DOÑA JUANA *se hinca súbitamente de rodillas y se santigua. Las cortinas del primer término se cierran ante ella. Por la derecha entran un* ALCALDE *de Corte y dos* ALGUACILES. MARTÍN *se sobresalta al verlos, pero decide no moverse.)*

ALGUACIL 1.º—*(Por* MARTÍN.) ¿No será este?

ALGUACIL 2.º—Este es Martín, un pícaro que frecuenta las covachuelas.

ALCALDE.—El otro no usa barba. Entremos. *(Se dirigen al portal. Antes de llegar, aparece en él* PEDRO. *Se detienen y lo miran; un gesto de asentimiento se cruza entre ellos.* MARTÍN *se ha levantado y no los pierde de vista. Los* ALGUACILES *se acercan por ambos lados a* PEDRO *y el* ALCALDE *le sale al paso.)*

PEDRO.—*(Que trata de distinguir los raros movimientos que percibe.)* ¿Eh? ¿Qué?...

ALCALDE.—¿Sois vos el llamado Pedro Briones?

PEDRO.—No sé de que me habláis. *(Intenta seguir, pero el* ALGUACIL 1.º *le toma de un brazo.)*

ALCALDE.—Pedro Briones, daos preso en nombre del rey. (DOÑA AGUSTINA *se asoma al balcón, curiosa, y hace señas hacia el interior. No tarda en acompañarla* DOÑA ISABEL. PEDRO *forcejea y se le escapa la media hogaza, que rueda por el suelo. Los dos* ALGUACILES *lo aferran.)*

PEDRO.—¡Soltadme!

ALGUACIL 2.º—¡Quieto!

ALCALDE.—¡No hagáis resistencia! Vamos. *(Se encamina hacia la derecha seguido de los dos* ALGUACILES, *que llevan con dificultad a* PEDRO. *En el centro de la escena,* PEDRO *consigue desasirse y retrocede unos pasos, jadeante.)*

PEDRO.—¡No! ¡No! *(Y huye por la izquierda. El* ALGUACIL 1.º *desenvaina rápidamente su espada y corre tras él seguido del* ALGUACIL 2.º)

ALCALDE.—¡Echadle mano, necios!

ALGUACIL 1.º—*(Voz de.)* ¡Teneos!

ALCALDE.—*(Va tras ellos.)* ¡No resistáis a la justicia! ¡A ese! ¡En nombre del rey!...

ALGUACIL 2.º—*(Voz de.)* ¡Alto!... *(Las voces de los alguaciles se alejan.* MARTÍN *recoge el pan y sigue mirando, despavorido, la huida de* PEDRO.)

DOÑA ISABEL.—¿Quién huye?

DOÑA AGUSTINA.—No sé. Salía de la Casa del Tesoro. *(A* MARTÍN, *que tiembla.)* ¡Chis! ¡Chis! (MARTÍN *las mira.)* ¿Quién era?

MARTÍN.—Yo no sé nada... *(Se oye un "alto" muy lejano. Titubeante,* MARTÍN *sale por la izquierda mirando la persecución.)*

[DOÑA ISABEL.—Algún ladrón.]

DOÑA AGUSTINA.—Está Madrid plagado de truhanes. Entremos. *(Se retiran del balcón. La luz general decrece y se concentra sobre las cortinas, dejando las fachadas en penumbra. Las cortinas se descorren despacio y dejan ver el obrador. El caballete y su lienzo se han retirado a la pared; todas las puertas están cerradas. A la altura del primer panel se ha dispuesto un sillón y dos sillas a sus lados. La impresión no llega a ser la de un tribunal: los tres asientos no están exactamente en línea recta. En el centro está sentado el* REY. *A su derecha, el dominico. A su izquierda, el* MARQUÉS. *Despojado de sus prendas de calle,* VELÁZQUEZ *entra por el primer término de la izquierda, se acerca y se arrodilla.)*

REY.—Alzaos, don Diego. (VELÁZQUEZ *se levanta.)* El Santo Oficio ha recibido una denuncia contra vos. En su gran caridad, y por la consideración que vuestros servicios a la corona merecen, ha puesto en mis manos el caso para que yo, en su nombre, proceda conforme se deba a la mayor gloria de nuestra Santa Religión. Estáis aquí para hablar ante Dios con toda verdad; sois cristiano viejo, sin mezcla de moro ni judío, y como aún no estáis sometido a causa alguna no se os tomará juramento. Mas no olvidéis que comparecéis ante vuestro rey cuando respondáis a nuestras preguntas. Y ahora, decid: ¿Es cierto que habéis pintado en vuestros aposentos de la Casa del Tesoro una pintura de mujer tendida de espaldas y sin vestido o cendal que cubra su carne?

VELÁZQUEZ.—Es cierto, señor.

REY.—¿Conocéis la prudente norma que el Santo Tribunal dictó contra tales pinturas?

VELÁZQUEZ.—Sí, majestad.

REY.—Decidla.

VELÁZQUEZ.—A quien haga y exponga imágenes lascivas se le castigará con la excomunión, el destierro y una multa de quinientos ducados.

REY.—¿Os reconocéis, pues, culpable?

VELÁZQUEZ.—No, majestad.

REY.—Justificaos.

VELÁZQUEZ.—Con la venia de vuestra majestad quisiera establecer antes algunos extremos del caso.

REY.—Hablad.

VELÁZQUEZ.—Una denuncia al Santo Tribunal no puede dar ocasión a examen si antes o después alguno de sus familiares no procede a comprobaciones que confirmen la sospecha. Y, que yo sepa, no he sido visitado.

REY.—Suponed que ya lo hubieseis sido.

VELÁZQUEZ.—Entonces, y ya que la caridad del Santo Tribunal tolera este examen privado, ruego a vuestra majestad que comparezca el familiar del Santo Oficio que me ha denunciado. *(El* REY *y el dominico hablan en voz baja.)*

REY.—No se os puede conceder.

VELÁZQUEZ.—Señor: ¿se me puede conceder para mi defensa la comparecencia de cualquier persona que yo nombre?

REY.—*(Tras una mirada al dominico.)* Se os concede.

VELÁZQUEZ.—¿Será obligada a responder cuantas preguntas yo le haga? *(Los tres examinadores se miran perplejos.)*

REY.—En nuestro deseo de favorecer vuestra justificación, así se os concede.

VELÁZQUEZ.—Ruego que comparezca ante vuestra majestad el señor aposentador de la reina y primo mío, don José Nieto Velázquez. *(Sorprendido, el* REY *mira al fraile, pero este, con la cabeza baja, no se mueve. Una pausa subraya la cavilación regia.)*

REY.—Marqués, traed acá a don José Nieto. *(El* MARQUÉS *se levanta, se inclina y sale por la puerta de la izquierda.* VELÁZQUEZ *respira, toma fuerzas. El* REY *consulta algo al dominico mientras* VELÁZQUEZ *cruza hacia la derecha para enfrentarse con la puerta.)* ¿Existe aún la pintura a que nos referimos, don Diego?

VELÁZQUEZ.—Mal podría destruirla, señor, no creyéndome culpable. *(El* MARQUÉS *vuelve seguido de* NIETO, *cierra la puerta y se sienta.* NIETO *se arrodilla ante el* REY.)

REY.—Alzaos, Nieto. (NIETO *lo hace.)* Vuestro primo don Diego tiene mi venia para preguntaros mientras yo lo consienta. Contestadle con toda verdad.

NIETO.—*(Se inclina.)* Así lo haré, señor.

VELÁZQUEZ.—Con la venia de vuestra majestad. Venid acá, primo. Y disculpad si alguna de mis preguntas fuera indiscreta...

NIETO.—*(Baja los peldaños y se enfrenta con él.)* Decid.

VELÁZQUEZ.—¿Cuánto tiempo hace que sois familiar del Santo Oficio?

NIETO.—*(Mira al* REY.) Esa pregunta, señor...

REY.—Responded.

NIETO.—Hace nueve días que gozo de esa inmerecida merced.

VELÁZQUEZ.—Mis parabienes. *(Leve inclinación de* NIETO.*)* Ahora empiezo a comprender: sois nuevo en la tarea. Mas nada nos habíais dicho... ¿Es que el Santo Tribunal pide el secreto?

NIETO.—Recomienda una prudente reserva.

VELÁZQUEZ.—¿También con vuestros parientes más allegados?

NIETO.—Resolví no decírselo a nadie. Así, nunca erraría.

VELÁZQUEZ.—Reserva prudentísima. Y decidme ahora, primo: ¿sois vos quien me ha denunciado al Santo Tribunal por cierta pintura que os enseñó mi mujer?

NIETO.—*(Lo piensa.)* No puedo responder a preguntas como esa.

VELÁZQUEZ.—¡Ni es menester! Nadie sino vos puede haber sido, y no vais a tener ante su majestad la cobardía de negar vuestros actos. Mas ahora solo os haré preguntas generales. Os ruego que me iluminéis: un pintor siempre puede errar... ¿Qué sabe él de materias tan vidriosas?

NIETO.—Sabéis muy bien que la ejecución y exposición de imágenes lascivas está prohibida. Recordarlo a tiempo hubiera debido bastaros para no tomar el pincel.

VELÁZQUEZ.—*(Suspira.)* Lo recordé a tiempo, primo, y tomé el pincel.

MARQUÉS.—Es una confesión en regla.

VELÁZQUEZ.—No, excelencia. El precepto habla de pintar y exponer. *(A su primo.)* Yo no he expuesto.

[NIETO.—Estamos ante personas mucho más autorizadas que yo para aclarar el sentido de esa orden, don Diego.

VELÁZQUEZ.—Cierto. Mas yo os ruego que la interpretéis vos.]

NIETO.—Si aquí se quiere escuchar mi opinión a pesar de ser la más indigna de todas, no he de ocultarla. Mi opinión es que la primera vez que un pintor español osa tal abominación, crea un precedente muy peligroso. Y entiendo que, por desgracia, una saludable severidad es necesaria ante él. Nada se pinta sin intención de ser enseñado. Y, antes o después, lo ven otras personas... Ejecutar es ya exponer.

VELÁZQUEZ.—[Bien razonado, primo. Decidme ahora:] Si se exponen pinturas escandalosas por persona diferente de quien las ejecutó, ¿la castigaríais con igual severidad?

NIETO.—Yo, en conciencia, así lo haría.

VELÁZQUEZ.—Debo de ser muy torpe. Después de oíros, comprendo peor esa orden.

NIETO.—Es muy clara y muy simple.

VELÁZQUEZ.—No tanto. Porque, o vos no la entendéis bien, o tendríais que haber denunciado antes a su majestad el rey.

MARQUÉS.—*(Salta.)* ¡Qué!...

REY.—*(Le pone una mano en el brazo para imponerle silencio y mira fijamente a* VELÁZQUEZ.*)* ¿Qué insinuáis?

VELÁZQUEZ.—Solo insinúo, señor, que mi pariente ha sido víctima de su propio celo y que es forzoso que no haya entendido la orden. De lo contrario, no veríamos en algunos aposentos de Palacio ciertas mitologías italianas y flamencas no más vestidas que la que yo he pintado. *(Todos se miran. El* REY *habla en voz baja con el dominico.)*

REY.—Represento aquí al Santo Tribunal y puedo aclararos que no hay inconsecuencia. Lo que decís demuestra justamente los criterios de prudencia con que ejerce su vigilancia. Ante el mérito de esas obras, el hecho de estar ya pintadas y los recatados lugares donde se encuentran, puede tenerse alguna benignidad. Sus autores, además, no son españoles, y mal podríamos imponerles normas que no les atañen.

VELÁZQUEZ.—Entonces, señor, pido para mí la misma benignidad. No es justo que aceptemos de mis colegas extranjeros lo que se castiga en los españoles.

NIETO.—No, don Diego. El pintor español ha de extremar el ejemplo y el rigor. Y por eso el santo precepto cuida de que no crezca ni prospere entre nuestros pintores tan perniciosa costumbre.

VELÁZQUEZ.—¿Qué entendéis vos, primo, por una pintura lasciva?

NIETO.—La que por su asunto o sus desnudeces pueda mover a impureza.

VELÁZQUEZ.—¿Prohibiríais, por consiguiente, toda desnudez pictórica o escultórica?

NIETO.—Sin vacilar.

VELÁZQUEZ.—Pues si antes me referí a Palacio, ahora no tengo más remedio que referirme a las iglesias.

NIETO.—*(Se sobresalta.)* ¿Qué queréis decir?

VELÁZQUEZ.—¿Olvidáis que la más grandiosa imagen de nuestra Santa Religión es la de un hombre desnudo?

NIETO.—*(Al* REY.) ¡Señor, por piedad! ¡No permita vuestra majestad que don Diego se burle de las cosas santas!

VELÁZQUEZ.—*(Grita.)* ¡No me burlo! *(Al* REY.*)* Solo digo lo que antes, señor. *(Señala a su primo.)* Su falta de prudencia es evidente. Se le habían olvidado las iglesias. *(Le vuelve la espalda a* NIETO *y se aleja.)*

NIETO.—¡No digáis más abominaciones!

VELÁZQUEZ.—*(Se vuelve.)* Todavía queda por dilucidar si quien ve abominación en los demás no estará viendo la que su propio corazón esconde.

NIETO.—¡Me ofendéis!

VELÁZQUEZ.—Solo quiero recordaros que el vestido

inquieta a veces más que el desnudo... Que el vestido no quitó la tentación carnal del mundo y que vino por ella.

NIETO.—¡Aunque así sea! ¡Siempre se debe evitar la más clara ocasión de pecado!

VELÁZQUEZ.—Todo es ocasión de pecado, primo: hasta las imágenes santas lo han sido. Y todo puede edificarnos, hasta la desnudez, si la miramos con ojos puros.

NIETO.—Nuestros ojos no son puros. Y hasta un niño os diría que unos juguetes le tientan más que otros.

VELÁZQUEZ.—El mismo niño os diría que el más tentador de los juguetes es el que más le prohiben.

NIETO.—*(Sonríe, maligno.)* ¿Vais a discutir una prohibición del Santo Tribunal?

VELÁZQUEZ.—No pretendáis amedrentarme con el Santo Tribunal: confío en que él me juzgará con más cordura que vos. Los preceptos generales son inevitables y él tiene que darlos; pero su aplicación es materia mucho más sutil de lo que vuestra rigidez sabrá entender nunca. Vos habéis visto lascivia en mi pintura. Mas yo os pregunto: ¿dónde está la lascivia?

NIETO.—Vos lo decís. En la pintura.

VELÁZQUEZ.—*(Se acerca.)* ¡En vuestra mente, Nieto! ¡Vuestro ojo es el que peca y no mi Venus! ¡Debierais arrancaros vuestro ojo si entendieseis la palabra divina antes que denunciar mi tela! Mi mirada está limpia; la vuestra todo lo ensucia. Mi carne está tranquila; la vuestra, turbada. ¡Antes de sospechar que vuestro primo había caído en las garras del demonio de la carne, debisteis preguntaros si no erais vos, y todos los que se os parecen, quienes estáis en sus garras y quienes, pensando en él a toda hora, mejor le servís en el mundo! ¡Porque no sois limpio, Nieto. ¡Sois de los que no se casan, pero tampoco entran en religión! ¡Sois de los que no eligen ninguno de los caminos de la santificación del hombre! ¡Atreveos a afirmar ante Dios que nos oye que la tentación carnal no es el más triste de vuestros secretos!... ¿Nada decís?

NIETO.—Somos pecado... Somos pecado.

VELÁZQUEZ.—¡No os escudéis en el plural, primo! Sois pecado. *(Al* REY.*)* Acato humildemente, señor, las prudentes normas que una inspirada sabiduría dispone;

mas yo me atrevería a sugerir otra norma que no fuese contra las pinturas lascivas, sino contra las mentes lascivas que en todo ven lascivia. *(Vuelve a la derecha.* EL REY *y el dominico hablan.)*

REY.—¿Por qué habéis pintado ese lienzo?

VELÁZQUEZ.—Porque soy pintor, señor. Un pintor es un ojo que ve la Creación en toda su gloria. La carne es pecadora, mas también es gloriosa. Y antes de que nos sea confirmada su gloria en el fin de los tiempos, la pintura lo percibe... La mujer que he pintado es muy bella, señor; pero también es bello el cuerpo del Crucificado que pinté hace años y que adoran todos los días las monjitas de San Plácido. *(El* REY *y el fraile hablan entre sí. Una pausa.)*

REY.—Tenéis algo más que preguntar a don José Nieto?

VELÁZQUEZ.—Sí, majestad.

REY.—Hacedlo.

VELÁZQUEZ.—Primo, sé que sois sinceramente religioso. Denunciar a quien lleva vuestra sangre y a quien debéis vuestro puesto en Palacio debió de ser duro para vos.

NIETO.—*(Ablandado.)* Sabéis, primo, que os declaré veladamente mis temores hace días... *(Suspira.)* Mas no me disteis el menor indicio de arrepentimiento...

VELÁZQUEZ.—Porque sé que lo habéis hecho con muchos escrúpulos de conciencia, os haré solo una pregunta más.

NIETO.—Suplico a vuestra majestad me dé su venia para retirarme... Esto es muy doloroso para mí.

REY.—Luego que respondáis.

VELÁZQUEZ.—Gracias, señor. Primo: cuando fui nombrado aposentador de su majestad dijisteis en mi casa que su excelencia, aquí presente, os había propuesto a vos. *(Se acerca.)*

NIETO.—En efecto...

VELÁZQUEZ.—¡A vuestra escrupulosa conciencia invoco! ¡No olvidéis que, si mentís, Dios os lo tendrá en cuenta! ¿Osaríais jurar ante El que no pensasteis en obtener mi puesto cuando me denunciasteis?

NIETO.—No estoy obligado a jurar...

VELÁZQUEZ.—¡Nadie os obliga! ¡Pregunto si osaríais!... *(Pausa.)* ¿No?

NIETO.—*(Con la voz velada.)* Lo juro ante Dios. *(Inmediatamente arrepentido.)* ¡Oh!... *(Y se aparta unos pasos, tapándose el rostro con las manos.)*

VELÁZQUEZ.—*(Sonríe.)* Gracias, primo. *(Al* REY.) Ruego humildemente al Santo Tribunal que, al juzgarme, tengan presentes los errores de criterio a que puede llegar un familiar impaciente en demasía por hacer sus primeros méritos aunque sea a costa de sus más allegados; quizá no limpio aún de ambiciones personales cuando denuncia y acaso, acaso... perjuro *(Una pausa.)*

MARQUÉS.—¿Queréis decir que, no obstante haber incumplido un precepto del Santo Oficio, vuestro acatamiento a su autoridad y a la del trono fue siempre el debido?

VELÁZQUEZ.—Vuecelencia lo ha dicho perfectamente.

MARQUÉS.—Si un examen de vuestras pinturas hiciese presumir lo contrario, habría buenas razones para dudarlo...

VELÁZQUEZ.—¿Es vuecelencia quien pretende juzgar mis pinturas?

MARQUÉS.—Ruego a vuestra majestad que dé su venia para que el maestro Angelo Nardi venga a deponer.

VELÁZQUEZ.—¿Será posible? ¡Vuecelencia me allana la tarea!

MARQUÉS.—No estéis tan cierto.

REY.—Traedlo. *(El* MARQUÉS *se levanta y sale por la puerta de la izquierda.* VELÁZQUEZ *vuelve a la derecha.)*

NIETO.—Ruego a vuestra majestad me dé su venia para retirarme.

REY.—Aún no. Pasad aquí. *(Le señala a sus espaldas.* NIETO, *con la cabeza baja, sube los peldaños y se sitúa junto al bufete. El* MARQUÉS *vuelve seguido de* NARDI, *a quien aquel indica que baje los peldaños.* NARDI *lo hace y se arrodilla ante el* REY. *El* MARQUÉS *vuelve a sentarse.)*

NARDI.—Señor...

REY.—Alzaos. (NARDI *se levanta.)*

MARQUÉS.—Maestro Nardi: se os ha llamado a presencia de su majestad para que, como excelente pintor que sois, enjuicieis las pinturas de don Diego sin que ninguna consideración de amistad o cortesía pese en vuestro ánimo. [Decidnos lealmente si la tarea que ha venido cumpliendo Velázquez como pintor de cámara es, a vuestro juicio, la debida.]

NARDI.—Señor: debo encarecer ante todo a mi admirado colega que mis pobres opiniones no pretenden poner en duda ni la reconocida excelencia de sus prendas personales ni la buena fe con que pintó sus obras...

VELÁZQUEZ.—Me conmovéis, maestro.

NARDI.—Mas debo responder en conciencia, pues que su majestad lo manda. Creo yo que el pintor Velázquez, cuya maestría es notoria, no es, sin embargo, un buen pintor de cámara.

MARQUÉS.—¿Por qué?

NARDI.—¿Cómo diría?... En su labor no guardó, creo, las proporciones debidas.

MARQUÉS.—¿Cómo se entiende?

NARDI.—Ha pintado un solo cuadro de batallas, cuando nuestras gloriosas batallas han sido y son tan abundantes. Y aún creo, como pintor, que "La rendición de Breda" es una tela demasiado pacífica; más parece una escena de Corte que una hazaña militar.

MARQUÉS.—*(Sonríe.)* Proseguid.

NARDI.—Aún más grave hallo que nos convide a reír del glorioso soldado de nuestros tercios en otra tela suya... *(Golpes enérgicos en la puerta del fondo, que se repiten. Todos vuelven la cabeza.)*

REY.—¿Quién se atreve?...

MARQUÉS.—*(Sorprendido.)* La guardia tiene órdenes terminantes.

REY.—¿Y osan llamar así? *(Nuevos golpes.)*

MARQUÉS.—¿Acaso alguna nueva grave?...

REY.— Id a ver. *(El* MARQUÉS *va al fondo y, ante la expectación de todos, abre la puerta. La infanta* MARÍA TERESA *entra.)*

MARQUÉS.—*(Se inclina, sorprendido.)* ¡Alteza!... *(El* REY *y el dominico se levantan asombrados. La infanta avanza con una ingenua sonrisa que encubre mal la intrigada emoción que la domina. El* MARQUÉS *cierra la puerta.)*

MARÍA TERESA.—Aceptad mis excusas, señor. Confié en que la contraseña del centinela no rezaría conmigo.

REY.—*(La mira fijamente.)* ¿Qué se os ofrece?

MARÍA TERESA.—Os he rogado en ocasiones que me

permitieseis asistir a vuestro Consejo... Si quisierais perdonar mi audacia...

REY.—No lo estoy celebrando.

MARÍA TERESA.—Por eso mismo me atreví a pensar que podría asistir a esta reunión.

REY.—¿Conocéis sus causas?

MARÍA TERESA.—*(Titubea.)* Sean cuales fueren..., os ruego que me deis licencia para quedarme. *(El* MARQUÉS *vuelve despacio.)*

REY.—*(Seco.)* Mucho valor habéis debido de reunir para dar este paso.

MARÍA TERESA.—¿Por qué, señor?

REY.—*(Lento.)* Porque veníais persuadida de que no os lo voy a conceder.

MARÍA TERESA.—*(Cree fracasar; se inclina.)* Perdonad mi atrevimiento...

REY.—*(Cambia una mirada con el* MARQUÉS.) Mi respuesta no es la que esperabais. Quedaos.

MARÍA TERESA.—*(Sorprendida.)* Os doy las gracias, señor.

REY.—Tal vez lo lamentéis. ¿Insistís?

MARÍA TERESA.—*(Débil.)* Insisto, señor.

REY.—Sentaos junto a mí.

MARÍA TERESA.—Con vuestra venia. *(El* REY *se sienta. La infanta y el dominico lo hacen a su vez. A* MARÍA TERESA *se le escapa una mirada hacia* VELÁZQUEZ *que su padre capta.)*

REY.—Proseguid, maestro Nardi. Ibais a decirnos que nuestros soldados habían llegado a ser cosa de burla para Velázquez. *(El* MARQUÉS *se aposta junto al dominico.)*

NARDI.—En su regocijante pintura del dios Marte, señor. Es claro que esa figura pretende representar a un soldado de Flandes. Y cuando no es burla, en la pintura de don Diego hallamos desdén o indiferencia, mas no respeto. Los mismos retratos de personas reales carecen de la majestad adecuada. Se diría que entre los perros o los bufones que él pinta y... sus majestades, no admite distancias. Otro tanto podría decir de sus pinturas religiosas: son muy pocas y no creo que muevan a devoción ninguna, pues también parece que solo busca en ellas lo que tiene de humano lo divino.

VELÁZQUEZ.—¿Habláis como pintor o como cortesano, maestro Nardi?

NARDI.—Hablo como lo que somos los dos, maestro Velázquez: como un pintor de la Corte.

VELÁZQUEZ.—Quizá no habéis citado mis pinturas más cortesanas...

NARDI.—Era vuestro deber pintarlas y quedaría por saber si había sido vuestro gusto. Es claro que lo que más os complace pintar es aquello que, por azar o por triste causa natural, viene a ser menos cortesano... Los bufones más feos o más bobos, pongo por caso.

VELÁZQUEZ.—Esos desdichados tienen un alma como la nuestra. ¿O creéis que son alacranes?

NARDI.—Estoy por decir que pintaríais con igual deleite a los alacranes.

VELÁZQUEZ.—¡Yo, sí! ¡Pero vos, no! ¿Qué diría la Corte? *(El fraile sonríe.)*

NARDI.—En mi opinión, señor, don Diego Velázquez se cree un leal servidor y procura serlo. Pero su natural caprichoso... le domina. Es como su famosa manera abreviada... *(Remeda despectivo, en el aire, unas flojas pinceladas.)* Casi todos los pintores la atribuyen a que ha perdido vista y ya no percibe los detalles... Yo sospecho que pinta así por capricho.

[VELÁZQUEZ.—Me hacéis un gran honor.

NARDI.—Sí, y sin mala intención...] Mas al pintar así desprecia al modelo sin darse cuenta..., aunque el modelo sea regio. Hablo siempre como pintor, claro. Aunque sea cortesano.

VELÁZQUEZ.—Respondedme como pintor a una pregunta, maestro. Cuando miráis a los ojos de una cabeza, ¿cómo veis los contornos de esa cabeza?

NARDI.—*(Lo piensa.)* Imprecisos.

VELÁZQUEZ.—Esa es la razón de la manera abreviada que a vos os parece un capricho.

NARDI.—Es que para pintar esos contornos, hay que dejar de mirar a los ojos de la cabeza y mirarlos a ellos.

VELÁZQUEZ.—Es vuestra opinión. Vos creéis que hay que pintar las cosas. Yo pinto el ver.

NARDI.—*(Alza las cejas.)* ¿El ver?

VELÁZQUEZ.—*(Le vuelve la espalda.)* Señor: no hablaré ya de las intenciones. Como él conmigo, estoy dispuesto a admitir que le mueve su amor al trono y no el bastardo deseo de obtener mi puesto de pintor de sus majestades. Ya que como pintor habla, me reduciré a considerar su competencia pictórica. Sé que es grande...

NARDI.—Sois muy cortés.

VELÁZQUEZ.—¡Nada de eso! Su majestad obra con prudencia recurriendo a vuestra sabiduría, como obraría con igual prudencia no dándoos crédito si se probase que vuestra sabiduría es ficticia.

NARDI.—No pretendo yo ser el más sabio de los pintores.

VELÁZQUEZ.—Señor: creed que su sabiduría me ha llegado a desconcertar. Sobre todo, el gran hallazgo de su San Jerónimo. *(El fraile escucha muy atento.)*

NARDI.—Es solo un cuadro devota y cuidadosamente pintado.

VELÁZQUEZ.—Es también un cuadro que prueba vuestra ciencia de las leyes del color.

NARDI.—*(Sonríe.)* No os burléis, don Diego. El color no tiene leyes...

VELÁZQUEZ.—No intentéis ocultarnos las que habéis descubierto, maestro.

REY.—*(Intrigado.)* ¿A qué os referís?

VELÁZQUEZ.—He advertido, señor, una tenue neblina verdosa que rodea el sayo verde de su San Jerónimo. El maestro sabe algo de los colores que yo ignoro; lo confieso.

NARDI.—Exageráis... Solo es un modo de dar blandura a las gradaciones...

VELÁZQUEZ.—¿Con una neblina verdosa alrededor del sayo?

NARDI.—Vos mismo recurrís a esas dulzuras...

VELÁZQUEZ.—¿Yo?

NARDI.—*(Ríe.)* ¿Tendré que recordaros cierta nubecilla verdosa que rodea las calzas de vuestro "Don Juan de Austria"?

VELÁZQUEZ.—¿Habéis pintado vuestra nubecilla por haber visto la mía? ¡Qué honor para mí!

NARDI.—*(Molesto.)* Es una coincidencia casual.

VELÁZQUEZ.—¿Coincidencia? Olvidáis que las calzas de mi bufón son carmesíes.

NARDI.—¿Y qué, con eso?

VELÁZQUEZ.—Yo pinté la nubecilla verdosa porque me ha parecido advertir que las tintas carmesíes suscitan a su alrededor un velo verdoso.

REY.—¡Hola! Eso es curioso.

VELÁZQUEZ.—Es algo que ocurre en nuestros ojos, señor, y que aún no comprendo bien. El maestro Nardi lo comprende mejor... Yo creía que un paño verdoso suscitaba una nubecilla carmesí..., y él la pinta verde. ¡No por haber visto la mía, no! Es una coincidencia casual. Y una distracción... Quizá no tardemos en ver las veladuras de su "San Jerónimo" volverse carmesíes. O el sayo, pero esto requeriría más trabajo: os recomiendo lo primero como más sencillo, maestro.

NARDI.—*(Con los ojos bajos.)* Nada sé de esas leyes que os place fingir ahora... Las gradaciones de los colores en la pintura solo buscan la belleza.

VELÁZQUEZ.—*(Vibrante.)* ¡Nada sabe, señor! El lo dice. [Yo sé aún muy poco de los grandes misterios de la luz; él, nada.] ¿Es este el hombre que puede juzgar mi pintura? (NARDI *está alterado, confundido; no acierta a contestar.)*

MARQUÉS.—Poco importan esas discusiones entre colegas. Si no queréis que la haya visto como pintor, no por eso el maestro Nardi ha dejado de ver una gran verdad: la censurable condición de vuestra pintura.

VELÁZQUEZ.—Excelencia, os ruego que no habléis así. Es impropio de vos.

MARQUÉS.—*(Ruge.)* ¿Por qué?

VELÁZQUEZ.—Es demasiado sutil. *(El fraile sonríe. La infanta sonríe francamente.)*

MARQUÉS.—Señor: ¿queréis más pruebas de su abominable rebeldía que esa insolencia?

MARÍA TERESA.—Yo no hallo insolencia alguna, marqués... Es una chanza digna del donoso sevillano que es Don Diego. *(Todos la miran con sorpresa.)* [Quizá debí callar...] Perdón, señor. *(Baja los ojos.)*

REY.—*(La mira fijamente. Luego, a* NARDI.) ¿Tenéis algo más que decir, maestro?

NARDI.—Solo una cosa, señor. Casi todos los pintores que conozco lamentan la benignidad de vuestra majestad con la pintura de don Diego.

VELÁZQUEZ.—Lo sabemos, maestro. Casi todos se empeñan en afirmar que su majestad carece de criterio.

REY.—*(Seco.)* Gracias, Nardi. Aguardad con Nieto. *(Señala a sus espaldas. Humillado,* NARDI *se inclina y sube los peldaños para situarse junto a* NIETO. *El* REY, *al* MARQUÉS*:)* ¿Tenéis vos algo que preguntar a don Diego?

MARQUÉS.—Sí, majestad. Me han llegado las noticias que esperaba. *(Con una mirada a la infanta.)* Si vuestra majestad desea antes inquirir del caso que sabe...

REY.—Hablad vos antes.

MARQUÉS.—Con la venia de vuestra majestad. Señor aposentador: medid bien ahora vuestras palabras... *(Se detiene ante una seña del* REY, *a quien el dominico empezó a hablar en voz baja. Todos guardan respetuoso silencio.)*

REY.—Aguardad, marqués. *(El* REY *y el dominico cambian secretas confidencias. Luego se levantan ambos, y la infanta los imita.)* Su reverencia nos deja ya, marqués. Servíos acompañarle hasta la puerta.

MARQUÉS.—*(Va rápidamente a su lado.)* ¿Vuestra reverencia se va? Yo tendría empeño en que oyese lo que voy a revelar... *(El fraile le detiene con un suave ademán y le habla en voz baja. Se advierte que el* MARQUÉS *insiste y que el fraile deniega, reafirmando algo. El* MARQUÉS *suspira, contrariado.)* Como vuestra paternidad disponga. *(El dominico se inclina ante el* REY *y la infanta. El* REY *le devuelve la reverencia y la infanta le besa el rosario. Luego da la vuelta por la izquierda y se dirige al fondo, acompañado del* MARQUÉS, *entre las reverencias de todos. Al pasar junto a* NIETO, *este se precipita a besarle el crucifijo; pero el dominico lo mira y, con un seco ademán de desagrado, retira rápidamente su rosario. Rojo de vergüenza,* NIETO *vuelve a su sitio y el dominico llega a la puerta del fondo, que se adelantó a abrir el* MARQUÉS. *El fraile lo bendice brevemente, sale y el* MARQUÉS *cierra, volviendo junto al* REY. *Entre tanto:)*

VELÁZQUEZ.—¿Debo entender, señor, que se ha decidido ya el caso de mi denuncia?

REY.—Su paternidad solo asistió como consultor. Quien decide en nombre del Santo Tribunal, soy yo.

Y aún no he decidido. Sentaos a mi diestra, hija mía. *(La infanta lo hace. El* MARQUÉS *se sienta al otro lado.)*

MARQUÉS.—Con vuestra venia, señor. Decidme vos, don Diego, qué entendéis por rebeldía.

VELÁZQUEZ.—La oposición a cualquier autoridad mediante actos o pensamientos.

MARQUÉS.—¿Afirmáis no ser un rebelde ante la autoridad real?

VELÁZQUEZ.—Lo afirmo.

MARQUÉS.—Ya que desconfiáis de mi sutileza, me reduciré a los hechos. ¿Conocéis a un llamado Pedro Briones?

VELÁZQUEZ.—*(Duda un segundo.)* No, excelencia.

MARQUÉS.—*(Con aviesa sonrisa.)* Sí que lo conocéis... Un viejo que os sirvió de modelo hace años.

VELÁZQUEZ.—*(Alerta.)* He usado de muchos modelos. No recuerdo.

MARQUÉS.—*(Con asombro.)* ¿Le dais amparo en vuestra casa y no sabéis su nombre?

VELÁZQUEZ.—¿A... quién os referís?

MARQUÉS.—A un viejo que habéis recogido.

VELÁZQUEZ.—*(Lo piensa.)* Con efecto... Un pobre viejo enfermo que perdió el sentido al pedir limosna en mi casa... Allí lo tengo unos días, hasta que se reponga... Me sirvió de modelo hace unos años, sí... Mas no sé quién es.

MARQUÉS.—*(Al* REY.*)* Es Pedro Briones, señor. La justicia lo buscaba desde hace muchos años. Licenciado de galeras, asesino de su capitán en Flandes y promovedor en la Rioja de las algaradas a causa de los impuestos, que han costado la vida a varios servidores de vuestra majestad.

REY.—¿Qué me decís?

MARQUÉS.—Lo que vuestra majestad oye.

REY.—*(Después de un momento, a* NIETO *y a* NARDI.*)* Aguardad ahí dentro, señores. *(Ellos se inclinan y salen por la puerta de la izquierda, que cierran.)* ¿Sabíais vos estas cosas, don Diego?

VELÁZQUEZ.—*(Pálido.)* No... las he sabido en todos estos años.

MARQUÉS.—*(Ríe.)* ¿Lo juraríais?

VELÁZQUEZ.—¿Es esto un proceso?

MARQUÉS.—Sin serlo, habéis pedido juramento a otra persona. Jurad vos ahora.

VELÁZQUEZ.—Esto no es un proceso y no juraré. Preguntad y responderé en conciencia.

MARQUÉS.—¿Afirmáis ignorar lo que he revelado?

VELÁZQUEZ.—Ahora ya lo sé.

MARQUÉS.—*(Riendo groseramente.)* ¿Lo ignorabais cuando le disteis asilo? *(Un silencio.)* Responded.

VELÁZQUEZ.—*(Al* REY.) Señor, no quiero saber lo que ese hombre haya hecho. Solo sé que su vida ha sido dura, que es digno y que merece piedad. Morirá pronto: está enfermo. Yo os pido piedad para él, señor.

MARQUÉS.—Una manera de pedirla para vos, ¿no? Porque cuando lo recogisteis, sabíais sus crímenes.

VELÁZQUEZ.—*(Frío.)* Eso, señor marqués, será menester probarlo.

MARQUÉS.—*(Airado.)* ¡Ese hombre os contó en esta misma sala su vida! Y después le disteis asilo. Ya veis que estoy bien informado.

VELÁZQUEZ.—¿Vuecelencia puede probarlo?

MARQUÉS.—Conmigo no valen argucias: no traeré aquí a mis espías. ¡Confesad, señor aposentador! No os queda otro remedio. (VELÁZQUEZ *esta desconcertado. Teme.)*

REY.—*(A media voz.)* ¿Quién los escuchó? *(El* MARQUÉS *se inclina y le susurra un nombre al oído.)*

MARÍA TERESA.—*(Que ha hecho lo posible por captarlo.)* Perdonad, padre mío...

REY.—*(Duro.)* ¿Qué queréis?

MARÍA TERESA.—He oído el nombre que os han dicho. No hay en Palacio persona más enredadora y mentirosa.

REY.—*(Amenazante.)* ¿Estáis intentando defender a Velázquez?

MARÍA TERESA.—*(Inmutada.)* Señor... Busco, como vos, la justicia...

REY.—*(La mira duramente.)* Tiempo tendréis de hablar.

VELÁZQUEZ.—Señor: si dan tormento a ese hombre acabarán con él...

REY.—¿Tanto os importa?

VELÁZQUEZ.—Es un anciano. Podrán quizá arrancarle confesiones falsas.

MARQUÉS.—No es menester que confiese, don Diego. Vuestra rebeldía está probada. Por lo demás, ese hombre ya no podrá decir nada. (VELÁZQUEZ *lo mira, amedrentado.)*

REY.—¿Por qué no?

MARQUÉS.—Se dio a la fuga cuando lo prendían y cayó por el desmonte de los Caños del Peral. Según parece, veía poco.

VELÁZQUEZ.—*(Ruge.)* ¿Qué?

MARQUÉS.—Ha muerto.

VELÁZQUEZ.—*(Descompuesto.)* ¿Muerto?

MARQUÉS.—Vuestra majestad juzgará a Velázquez según su alto criterio. Yo he dicho cuanto tenía que decir.

REY.—Todas las pruebas están contra vos, don Diego. [Por la pintura obscena que habéis hecho habríais de ser excomulgado y desterrado. Por lo que el marqués nos ha referido, el castigo tendría que ser mayor.] ¿Tenéis algo que alegar en vuestra defensa? (VELÁZQUEZ *no oye: desencajado y trémulo, mira al vacío con los ojos muy abiertos. Al fin, vacilante, va hacia los peldaños.)* ¿Reconocéis vuestros yerros? (VELÁZQUEZ *rompe a llorar.)* ¡Cómo! ¿Lloráis? ¿Vos lloráis?

MARQUÉS.—Esa es su confesión. *(La infanta lo mira y se levanta para acudir al lado de* VELÁZQUEZ. *Su mano, tímida, se alarga hacia él sin osar tocarlo.)*

MARÍA TERESA.—¡Don Diego! *(El* MARQUÉS *se levantó al hacerlo la infanta. El* REY, *sombrío, no la pierde de vista.)*

REY.—*(Al* MARQUÉS.) Dejadnos solos. *(El* MARQUÉS *se inclina y sale por la puerta de la izquierda, cerrando.)*

MARÍA TERESA.—¡Don Diego, no lloréis!...

REY.—*(Helado.)* Ponéis en vuestra voz un sentimiento impropio de vuestra alcurnia. *(La infanta, sin volverse, atiende.)* Me pregunto si mostraréis la misma pena cuando vuestro padre muera. *(La infanta se va incorporando despacio, sin volverse.* VELÁZQUEZ *escucha.)* Me pregunto si, en vez de estar ante un culpable, no estoy ante dos.

MARÍA TERESA.—*(Se vuelve, airada.)* ¿Qué queréis decir? (VELÁZQUEZ *los mira.)*

REY.—*(Se levanta.)* ¿Por qué habéis venido aquí? ¿Qué es él para vos?

MARÍA TERESA.—¡No es propio hablar así a una infanta de España no estando a solas!

REY.—*(Va a su lado.)* ¡Luego lo reconocéis!

MARÍA TERESA.—¡Nada reconozco!

REY.—*(Se aparta bruscamente y baja los peldaños para situarse a la derecha del primer término.)* Es vano que neguéis. Estoy informado de vuestras visitas a esta sala en los días en que el pintor cerraba con llave. De vuestras escapadas sin séquito para ver a este hombre.

MARÍA TERESA.—¿Qué cosa horrible y sucia estáis insinuando?

REY.—Hablo la lengua de la experiencia. Quizá no os disteis entera cuenta de lo que hacíais. Quizá la niña loca y díscola que sois se dejó... fascinar. *(A* VELÁZQUEZ.) Mas ¿y vos? *(Va hacia él.)* ¿Cómo osasteis poner vuestros impuros ojos de criado en mi hija? ¡Vos, el esposo fiel, el de la carne fuerte, el invulnerable a los galanteos de Palacio, os reservabais para el más criminal de ellos! ¡Mal servidor, valedor de rebeldes, orgulloso, desdeñoso de la autoridad real, falso! Ahora todo se aclara. Pintasteis con intención obscena, protegisteis a un malvado porque despreciáis mi corona y... habéis osado trastornar el corazón y los pensamientos de la más alta doncella de la Corte.

VELÁZQUEZ.—Señor, os han informado mal.

REY.—¡No me contradigáis! Sé lo que digo, y me ha bastado observaros a los dos aquí hoy para confirmarlo. Pagaréis por esto, don Diego.

MARÍA TERESA.—Padre mío...

REY.—¡Callad vos!

MARÍA TERESA.—No callaré, padre. Si vos habláis la lengua de la experiencia, yo soy ya una mujer y también sé lo que digo. Esta tarde no he visto aquí más que mezquinas envidias disfrazadas de acusaciones contra quien sufre la desgracia de ser el mejor pintor de la tierra y un hombre cabal. Si él no se defiende, yo lo defenderé; porque en esa infamia que nos imputáis veo también un rencor... ¡y sé de quién procede!

REY.—¡El calor de vuestras palabras me prueba lo que pretendéis negar! No pronunciéis ni una más.

MARÍA TERESA.—Si yo os dijese el nombre de quien delató, ¿nos escucharíais?

REY.—¡No podéis dar nombre alguno!

MARÍA TERESA.—¿No es doña Marcela de Ulloa?

REY.—*(Desconcertado.)* ¿Eh? Aunque así fuere...

MARÍA TERESA.—Ella es. ¡Traedla aquí si queréis, padre mío! ¡Si ella nos vigila, yo también sé vigilarla! No se atreverá a negar ante mí que solo piensa en Don Diego... Que lo persigue...

REY.—¡Hija!

MARÍA TERESA.—¡Sí, padre mío! Esa mujer que nos guarda no quiere guardarse. Esa depositaria del honor de las doncellas de la Corte entregaría sin vacilar su honor a don Diego... con solo que él dijese una palabra... que nunca ha querido decir.

REY.—*(A* VELÁZQUEZ.) ¿Es eso cierto?

VELÁZQUEZ.—No sé de qué me habla vuestra majestad.

MARÍA TERESA.—¿A él se lo preguntáis? ¡Dejad que yo se lo pregunte a ella! Yo la forzaré a reconocer que calumnió por celos, por rencor, por desesperación...

REY.—¡No ha mentido al denunciar vuestras visitas a este obrador!

MARÍA TERESA.—Pero habla de ellas en vuestra misma lengua, padre... En la lengua de la experiencia..., que es la de los turbios pensamientos... La del pecado. *(Un silencio. El* REY *está perplejo. Ella avanza.)* Padre, si castigáis a Velázquez cometeréis la más terrible de las injusticias. ¡Ha sido un servidor más leal que muchos de los que le atacan! *(Una pausa.)*

REY.—*(Sombrío, se acerca a* VELÁZQUEZ.) Siempre os tuve por un buen vasallo, don Diego. Desde hoy, ya no sé si merecíais mi amistad. Nunca acerté a leer en vuestros ojos, y ahora tampoco me dicen nada. Todavía quisiera, sin embargo, juzgaros como amigo más que como rey. ¡De vos depende que yo pueda entender de otro modo todo lo que aquí se ha dicho! Ya no quiero saber qué hay tras esa frente. Me bastará con vuestra palabra. ¿Puede negarse un vasallo a protestar de su lealtad y su amor al soberano? Vos habéis tenido el mío... Si me declaráis vuestro arrepentimiento y reconocéis vuestra sumisión a mi persona, olvidaré todas las acusaciones.

MARÍA TERESA.—¿No os bastan sus lágrimas? Ha llorado por la injusticia que le hacíais.

VELÁZQUEZ.—Lloro por ese hombre que ha muerto, alteza.

REY.—¿Por ese hombre?

VELÁZQUEZ.—Era mi único amigo verdadero.

REY.—*(Duro.)* Así, pues, ¿yo no lo era? ¿Es eso cuanto me tenéis que decir?

VELÁZQUEZ.—Algo más, señor. Comprendo lo que vuestra majestad me pide. Unas palabras de fidelidad nada cuestan... ¿Quién sabe nada de nuestros pensamientos? Si las pronuncio, podré pintar lo que debo pintar y vuestra majestad escuchará la mentira que desea oír para seguir tranquilo...

REY.—*(Airado.)* ¿Qué decís?

VELÁZQUEZ.—Es una elección, señor. De un lado, la mentira una vez más. Una mentira tentadora: solo puede traerme beneficios. Del otro, la verdad. Una verdad peligrosa que ya no remedia nada... Si viviera Pedro Briones me repetiría lo que me dijo antes de venir aquí: "Mentid si es menester. Vos debéis pintar." Pero él ha muerto... *(Se le quiebra la voz.)* El ha muerto. ¿Qué valen nuestras cautelas ante esa muerte? ¿Qué puedo dar yo para ser digno de él, si él ha dado su vida? Ya no podría mentir, aunque deba mentir. Ese pobre muerto me lo impide... Yo le ofrezco mi verdad estéril... *(Vibrante.)* ¡La verdad, señor, de mi profunda, de mi irremediable rebeldía!

REY.—¡No quiero oír esas palabras!

VELÁZQUEZ.—¡Yo debo decirlas! Si nunca os adulé, ahora hablaré. ¡Amordazadme, ponedme hierros en las manos, que vuestra jauría me persiga como a él por las calles! Caeré por un desmonte pensando en las tristezas y en las injusticias del reinado. Pedro Briones se opuso a vuestra autoridad; pero ¿quién le forzó a la rebeldía? Mató porque su capitán se lucraba con el hambre de los soldados. Se alzó contra los impuestos porque los impuestos están hundiendo al país. ¿Es que el poder solo sabe acallar con sangre lo que él mismo incuba? Pues si así lo hace, con sangre cubre sus propios errores.

REY.—*(Turbado, procura hablar con sequedad.)* He amado a mis vasallos. Procuré la fidelidad del país.

VELÁZQUEZ.—Acaso.

REY.—¡Medid vuestras palabras!

VELÁZQUEZ.—Ya no, señor. El hambre crece, el dolor crece, el aire se envenena y ya no tolera la verdad que tiene que esconderse como mi Venus, porque está desnuda. Mas yo he de decirla. Estamos viviendo de mentiras o de silencios. Yo he vivido de silencios, pero me niego a mentir.

REY.—Los errores pueden denunciarse. Pero ¡atacar a los fundamentos inconmovibles del poder no debe tolerarse! Os estáis perdiendo, don Diego.

VELÁZQUEZ.—¿Inconmovibles? Señor, dudo que haya nada inconmovible. Para morir nace todo: hombres, instituciones... Y el tiempo todo se lo lleva... También se llevará esta edad de dolor. Somos fantasmas en manos del tiempo.

REY.—*(Dolido, se aparta.)* Yo os he amado... Ahora veo que vos no me amasteis.

VELÁZQUEZ.—Gratitud, sí, majestad. Amor... Me pregunto si puede pedir amor quien nos amedrenta.

REY.—*(Se vuelve, casi humilde.)* También yo sé de dolores... De tristezas...

VELÁZQUEZ.—Pedro ha muerto.

REY.—*(Da un paso hacia él.)* Habéis podido pintar gracias a mí...

VELÁZQUEZ.—El quiso pintar de muchacho. Me avergüenzo de mi pintura. Castigadme. *(Un silencio. El* REY *está mirando a* VELÁZQUEZ *con obsesiva fijeza.)*

MARÍA TERESA.—El ha elegido. Elegid ahora vos. Pensadlo bien: es un hombre muy grande el que os mira. Os ha hablado como podría haberlo hecho vuestra conciencia: ¿desterraréis a vuestra conciencia de Palacio? Podéis optar por seguir engendrando hijos con mujerzuelas *(El* REY *la mira súbitamente.)* y castigar a quien tuvo la osadía de enseñaros que se puede ser fiel a la esposa; podéis seguir adormecido entre aduladores que le aborrecen porque es íntegro, mientras ellos, como el señor marqués, venden prebendas y se enriquecen a costa del hambre del país; podéis escandalizaros ante una pintura para ocultar los pecados de Palacio. Podéis castigar a Velázquez... y a vuestra hija por el delito de haberos hablado, quizá por primera y última vez, como verdaderos amigos. ¡Elegid ahora entre la verdad y la mentira!

REY.—*(Triste.)* El ha sabido hacerse amar de vos más que yo. Eso me ofende aún más.

MARÍA TERESA.—*(Entre ella y* VELÁZQUEZ *se cambia una profunda mirada.)* No le llaméis amor, padre mío... En esta Corte de galanteos y de pasiones desenfrenadas es un sentimiento... sin nombre.

REY.—*(Mirando a los dos.)* Yo debiera castigar... Vos entraríais en la Encarnación y vos iríais al destierro... Si Dios me hubiera hecho como mis abuelos, castigaría sin vacilar... No lo haré.

MARÍA TERESA.—Porque sois mejor de lo que creéis, padre mío...

REY.—No. También debiera castigar a otros y tampoco lo haré. *(Con los ojos bajos.)* Soy el hombre más miserable de la tierra. *(Se vuelve y sube los peldaños, cansado. Se acerca a la puerta de la izquierda.* VELÁZQUEZ *cruza.)*

VELÁZQUEZ.—¡Yo hablé, señor, yo hablé! ¡Recordadlo!

REY.—¡Callad! *(Se dispone a abrir la puerta. Con la mano en el pomo se vuelve hacia* VELÁZQUEZ.) ¿Destruiríais esa Venus?

VELÁZQUEZ.—Nunca, señor.

REY.—*(Sin mirarlo.)* Jamás la enseñaréis a nadie, ni saldrá de vuestra casa mientras viváis. (VELÁZQUEZ *inclina la cabeza. El* REY *abre bruscamente la puerta.)* ¡Señores! *(Se aparta hacia su sillón, en cuyo respaldo se apoya. El* MARQUÉS, NARDI *y* NIETO *entran y hacen la reverencia. El* REY *habla sin mirarlos.)* Respecto a cuanto se ha revelado aquí, tomaremos medidas reservadas. Entre tanto, es mi voluntad que se guarde secreto y que el trato de vuesas mercedes con el pintor Velázquez sea el mismo de siempre. ¿Entendido?

LOS TRES.—Sí, majestad. *(Con un brusco ademán, el* REY *recoge su sombrero y se lo cala, mientras camina, rápido, hacia el fondo. El* MARQUÉS *se precipita a abrirle la puerta y se arrodilla al salir el* REY. *Los demás hacen lo mismo.* VELÁZQUEZ *y la infanta suben luego los peldaños. Se oyen, en lejanía creciente, los tres gritos de los centinelas: "¡El Rey!")*

MARQUÉS.—*(Desde el fondo, con sequedad.)* No habrá otro remedio que ser vuestro amigo, don Diego. Me dejáis mandado. Alteza... *(Se inclina y sale, dejando la puerta abierta.* VELÁZQUEZ *lo ve salir sin hacer el menor movimiento.)*

NARDI.—*(Sonríe.)* Habréis visto, don Diego, que procuré hablar en lo posible a vuestro favor. Os ruego que paséis mañana a ver mi pintura. Quiero seguir vuestros sabios consejos acerca de las veladuras... *(Abrumado por el silencio de* VELÁZQUEZ.) Alteza... *(Sale rápidamente por la puerta de la izquierda, que cierra.* NIETO *mira a su primo. Luego se inclina hacia la infanta y se encamina al fondo. Al salir sube tres escalones y abre la otra puerta, que abate sobre el muro. Se vuelve y mira un segundo a* VELÁZQUEZ. *Entre tanto, la luz del día vuelve al primer término y* MARTÍN *entra por la izquierda mordiscando el trozo de pan que* PEDRO *dejó cuando lo prendían. Cansado y triste, va a sentarse a la izquierda de los peldaños, donde sigue comiendo.)*

VELÁZQUEZ.—*(Con una ironía desgarrada.)* ¡Tal como estáis, os pintaría en mi cuadro, primo! ¡Es justamente lo que buscaba! *(Ríe, y pasa sin transición al llanto, mientras* NIETO *sube los escalones y desaparece por el recodo.)* Os pintaría... *(Se vuelve con la cara bañada en lágrimas.)* si yo volviera a pintar. *(Desesperadamente se oprime las manos. Durante estas palabras la infanta se acerca al bufete con los ojos húmedos y toma la paleta.)*

MARÍA TERESA.—El dijo que vos debíais pintar. Pintaréis ese cuadro, don Diego..., sin mí. *(Se va acercando.)* Yo ya no debo figurar en él. Tomad. *(Le desenlaza suavemente las manos y le da la paleta.)*

VELÁZQUEZ.—*(Se arrodilla y le besa la mano.)* ¡Que Dios os bendiga!

MARÍA TERESA.—Sí... Que Dios nos bendiga a todos... y a mí me guarde de volverme a adormecer. *(Retira su mano y sale, rápida, por el fondo.* VELÁZQUEZ *se levanta y mira su paleta, que empuña.)*

MARTÍN.—La historia va a terminar... Yo la contaré por las plazuelas y los caminos como si ya la supiera...

Estoy solo y me volveré loco del todo: siempre es un remedio. *(Las cortinas del primer término se corrieron ante la inmóvil figura de* VELÁZQUEZ. *La luz vuelve a decrecer. La vihuela toca dentro la "Fantasía" de Fuenllana.)* Se reirán de mi simpleza y yo fingiré que he visto el cuadro. Pedro, casi ciego, decía de él cosas oscuras, que no entiendo, pero que repetiré como un papagayo. *(Mira el pan.)* Pedro... *(Las cortinas empiezan a descorrerse muy despacio.)* Decía: Será una pintura que no se podrá pagar con toda la luz del mundo... Una pintura que encerrará toda la tristeza de España. Si alguien me pintara un cartelón para las ferias, podría ganar mi pan fingiendo que los muñecos hablan... *(Las cortinas se han descorrido. La luz se fue del primer término.* MARTÍN *es ahora una sombra que habla. A la derecha de la galería, hombres y mujeres componen, inmóviles, las actitudes del cuadro inmortal bajo la luz del montante abierto. En el fondo,* NIETO *se detiene en la escalera tal como lo vimos poco antes. La niña mira, cándida; el perro dormita. Las efigies de los reyes se esbozan en la vaga luz del espejo. Sobre el pecho de* VELÁZQUEZ, *la cruz de Santiago. El gran bastidor se apoya en el primer término sobre el caballete.)* ¡Ilustre senado, aquel es don Diego Ruiz, que ni cara tiene de simple que es! Dice:

RUIZ DE AZCONA.—Hay quien se queja, doña Marcela... Pero nuestra bendita tierra es feliz, creedme... Como nosotros en Palacio...

MARTÍN.—Mientras doña Marcela piensa:

DOÑA MARCELA.—No sucedió nada... Estoy inquieta... Ahora, cuando lo miro, sé que lo he perdido para siempre.

MARTÍN.—Y los demás...

NICOLASILLO.—¡Despierta, León, despierta!

MARTÍN.—Pero tampoco sabe lo que dice, como yo.

DOÑA ISABEL.—Dicen que en Toledo una fuente mana piedras preciosas...

DOÑA AGUSTINA.—En Balchín del Hoyo han encontrado, al fin, barras de oro...

MARI BÁRBOLA.—Nada sucedió... Dios bendiga a don Diego.

MARTÍN.—Esa mosca negra del fondo nada dice. Pero "Vista de Lince" la mira y piensa...

NICOLASILLO.—El señor Nieto está llorando...

MARTÍN.—La infantita calla. Aún lo ignora todo. Don Diego la ama por eso y porque está hecha de luz. ¿Y él? ¿Qué pensará don Diego, él, que lo sabe todo? *(Una pausa.)*

VELÁZQUEZ.—Pedro... Pedro... *(La música crece.* MARTÍN *come su pan. Telón.)*

FIN DE

"LAS MENINAS"

EDUARDO CRIADO

CUANDO LAS NUBES CAMBIAN DE NARIZ

COMEDIA EN TRES ACTOS

ESTRENADA EN EL TEATRO GOYA, DE MADRID, POR EL TEATRO DE ENSAYO "LOS JUGLARES", EN LA TARDE DEL 7 DE MARZO DE 1961

Premio de Teatro
"CIUDAD DE BARCELONA" 1958

EDUARDO CRIADO

:UANDO LAS NUBES
:AMBIAN DE NARIZ

'INAL PRIMER ACTO

'oto *Basabe*

Foto Basabe

CUANDO LAS NUBES CAMBIAN DE NARIZ

SEGUNDO ACTO

Foto Postius

CUANDO LAS NUBES CAMBIAN DE NARIZ

TERCER ACTO

AUTOCRITICA

Amigo lector: Cierta vez un yanqui, después de recorrer rápidamente una determinada distancia, lo comentaba con un mejicano:

—¡He ganado un minuto!—decía—. ¡He ganado un minuto!

Y entonces el mejicano le preguntó intrigado:

—¿Y qué va usted a hacer ahora con ese hermoso minuto?

Es muy posible que esta anécdota—si la hubiera conocido antes—fuera en mi subconsciente el embrión de la comedia *Cuando las nubes cambian de nariz*; pero también podría haberlo sido cualquier hecho, circunstancia o situación cotidiana porque se trata de una obra cuyo protagonista no es personaje, sino algo abstracto, deforme, angustioso, y a la vez cómico, burlón y ridículo, que nos hace andar de cabeza diariamente.

"La vida es eso que tenemos para que nos pasen cosas", ha dicho alguien. Pues, ¡bien!, yo he intentado dar forma teatral a algunas de esas cosas que es muy posible le estén pasando estos días a usted, amigo lector.

Y nada más. Solo confesar que he puesto en ella sinceridad y mucho cariño, y mi más vivo deseo es que al caer el telón del último acto, al vivir la última página del libro, algo quede en su ánimo de cuanto yo intenté decir.

EDUARDO CRIADO.

CRITICAS

Ayer el Teatro de Ensayo "Los Juglares" estrenó por la tarde, en el Goya, con certeros y expresivos decorados de José Jardiel y una dirección impecable y cuidadosa de Suárez Radillo, que, con el autor, salió a saludar al fin de la obra, entre grandes ovaciones, *Cuando las nubes cambian de nariz,* de Eduardo Criado; obra ya conocida en Barcelona, donde obtuvo gran éxito, y también presentada hace dos años en función íntima del Círculo Catalán.

Estrella Pérez Valero, Esperanza Saavedra, Maribel Biedma, con García Nuevo, Sánchez Polack, Samaniego, Enguita,

Chinarro, Revilla y García Vidal, actuaron con estudio, disciplina y brillantez.

La pieza tiene una primera parte costumbrista, resuelta en cuadros cortos con aire de secuencias cinematográficas, con ágil lenguaje, tipos bien apuntados y definidos y algunos detalles de humor irónico. Al terminar esa primera parte hay una escena de carácter expresionista, con música de fondo y pantomima simbólica, que nos prepara para el tránsito o evasión hacia lo espiritualista. El personaje central vive unos instantes en el ultramundo, donde advierte el pecado de su prisa y su falta de caridad. Se advierten aquí coincidencias con obras de temática parecida (Oscar Wilde, Noel Coward, Jardiel, Pirandello, Thornton Wilder, Molnar, Sutton Vanne, Andre, Paul Antoine, Greppi, López Rubio; Ruiz Castillo, que muestra una situación semejante en *Un diablo llamado Leopoldo...*) Pero el autor sabe dar variantes originales y adoptar cierto tono finalmente burlesco, hasta llegar a un final valeroso y sin concesiones—excluido el truco fácil del sueño—y dotado de una sana moral. En suma, Criado es un excelente autor y su comedia bastante buena.

ALFREDO MARQUERÍE.

(De *A B C*, de Madrid.)

*

En un ensayo ofrecido amablemente a la crítica ante la concurrencia de novedades teatrales, hemos conocido ayer las primicias del estreno de ayer tarde en el Goya de la comedia de Eduardo Criado *Cuando las nubes cambian de nariz*, que proporcionó a su autor el premio "Ciudad de Barcelona" de 1958 correspondiente al teatro. Criado es autor ya revelado y consagrado ante el público barcelonés, y debía haberlo sido antes del madrileño a no ser por la persistencia en ciertas compartimentaciones de la mecánica teatral. Así conocemos, pues, aparte de otra obra concursante, una del autor no sólo galardonada en la forma dicha, sino también con la suma de cuatrocientas representaciones barcelonesas en su favor.

"Los Juglares", la agrupación de Teatro Hispanoamericano de Ensayo que dirige Suárez Radillo con un tesón admirable, nos ha traído este interesante estreno, que no solo por los precedentes, sino por su carácter escapa del límite minoritario, pues se trata de una obra hecha y derecha que revela para nosotros a un autor cuya factura no tiene nada de temblorosa, primeriza ni esotérica, y al que por ciertos detalles expresivos puede aventurarse que ha leído a Eugenio d'Ors, lectura que no es indispensable para construir teatro, pero en modo alguno inconveniente para el ingenio del autor. *Cuando las nubes cambian de nariz* destaca por la seguridad constructiva que se nuclea a través de una expresión un tanto puntillista de planos sueltos y que plantea un problema de costumbres humanas en relación con la incomunicación que estas añaden como plus a la incomunicación inevitable.

Eduardo Criado, en su comedia, resuelve por vía trascendental, aunque con veladura irónica, una cuestión superficial. Da por supuesto que una oleada trascendente que pone de relieve al protagonista—como se ponía de relieve para don Cleofás, el de *El Diablo Cojuelo,* la intimidad de debajo de las tejas—la realidad de su circunstancia que por contagio social ignora voluntariamente, su problema humano se ha de resolver y, con él, el de la humanidad aquejada en buena medida de su mismo mal. Quizá el carácter del protagonista—que es un negociante tan avispado que es capaz de exportar aceitunas a Grecia, país de olivos milenarios—no tenga en sentido estricto una dimensión universal; pero Criado, que en esta obra, por la que juzgamos en espera de otras su teatro, demuestra aptitud para sugerir hondura desde la superficie y logra que en muchos momentos, sobre todo en los dos primeros actos, los mejores de la obra, el protagonista cobre un halo de dimensión y hondura que se achica otra vez al llegar a la concreción familiar de su problema.

Una exposición acertada, finura en el diálogo, con humor más auténtico que el que se escapa al chiste habitualmente, sugestión o perspectivas de profundidad humana, es el bagaje, bien positivo, que descubrimos en *Cuando las nubes cambian de nariz* a través de la interpretación del grupo de "Los Juglares" y de una dirección efectiva, precisa, útil y poco aparatosa de Suárez Radillo. Los actores pusieron su mejor voluntad y entusiasmo, encabezados por Rafael Samaniego, que realizó el papel principal. Esperanza Saavedra, Estrella Pérez Valero, Maribel Biedma, Juan Revilla, Miguel García Nuevo, Fernando Chinarro, Fernando Sánchez Polack, Jesús Enguita y Luis García Vidal compusieron el reparto. Y suponemos que el veredicto público habrá sido para ellos, para el director y para Eduardo Criado en primer término, lo favorable que es el nuestro.

VALENCIA.

(De *Marca,* de Madrid.)

*

Eduardo Criado pertenece a la actual promoción de jóvenes valores dramáticos que no son diletantes, sino suficientes. Es decir, que han pasado de los tanteos iniciales y prometedores a los frutos sazonados y ciertos. Aquí está *Cuando las nubes cambian de nariz,* que, con *Los blancos dientes del perro,* ha constituido—y constituye—uno de los más atractivos alicientes de las carteleras barcelonesas donde, como se sabe, se exigen demostraciones ambiciosas, fuera de lo tradicional y ecolálico, en lo que Madrid es fuente nutricia. Suárez Radillo, el aguerrido y documentado director de "Los Juglares", nos ha traído, dentro del ciclo de Autores de Hoy, a este joven adalid de nuestra dramática, al que días antes, como finalista del premio Tirso de Molina, pudimos contemplar en el María Guerrero con su obra *La melodía nuestra.* A través de ambas obras se descubre en seguida, apenas se inicia el proceso dramático de una y otra, y mejor de la primera, lo que hay de positivo en la vocación y en el sentido creacional de nuestro autor. Hay, en primer lugar, un absoluto dominio de la técnica—cada creador tiene la suya, sin parangón ni cotejo—y, parejamente, un arte claro y suasorio de expresarse retóricamente. Es decir, por medio de la palabra, que es el *quid* de toda buena invención escénica, siempre, claro es, que palabra y técnica, acción y rumbo, asunto y clima, discurran con la fluidez y naturalidad de una fuente desnuda.

En *Cuando las nubes...* se logra el mejor efecto no ya por la peripecia, que tiene un limpio carácter casi cinematográfico o, si se prefiere, desfilatorio, sino por la retórica. No es fácil la retórica dramática. Es fácil, como se sabe, la elección del tema e incluso su anecdotario, pero nada serviría el cuento, como originalidad o como reiteración, si el autor no supiera contarlo. Eduardo Criado lo cuenta como un narrador ducho, ingenioso y puntual. Está con su hora, que es tanto como afirmar que está con su auditorio. Sucinto y vario, determina cada personaje con rigor, inserta en cada uno su peculiar psicología y acierta a enfrentarlo dentro de una casuística inteligente, con los demás miembros de su población. Esto es lo que más nos gusta de Eduardo Criado. Se promueve con desenvoltura, mezcla garbosamente la fantasía con la realidad, y da en el blanco, sin propósito deliberado, del interés espectador. Por si fuera poco, *Cuando las nubes cambian de nariz,* sin pedanterías de contagio, tiene sabor a cosa diferente, lejos, por supuesto, de la topiquería comercial, lo que no le impide, sino que, al contrario, le facilita, prender airosamente en la complacencia de todos.

La interpretación fue, en todo instante, eficaz, lo que ya es costumbre, como sabemos, bajo la astuta dirección de Suárez Radillo. Entre los factores de esta interpretación sobresalieron por méritos personales además, Esperanza Saavedra, Estrella Pérez Valero, Rafael Samaniego, Maribel Biedma, Fernando Chinarro, Fernando Sánchez Polack, Miguel García Nuevo, Jesús Enguita... Excelentes los decorados de José Jardiel. Para autor y corporizadores, así como para la dirección, hubo unánimes y rotundos truenos de palmas, con salidas al proscenio.

SERGIO NERVA.

(De *España,* de Tánger.)

CUANDO LAS NUBES CAMBIAN DE NARIZ

REPARTO

(POR ORDEN DE INTERVENCION)

PERSONAJES	ACTORES
LINA, hija de JUAN y MARÍA. Moderna (16 años).	Estrella Pérez Valero.
MARÍA, esposa de JUAN. Mujer serena y equilibrada (40 años)	Esperanza Saavedra.
JORGE, hijo de JUAN. Muchacho de unos 18 años. Nervioso. Muy moderno	Miguel García Nuevo.
DON JOAQUÍN, suegro de JUAN. Unos 65 años. Tranquilo. Pesado, sin darse cuenta	Fernando Sánchez Polack.
JUAN, hombre de negocios dinámico (42 años) ...	Rafael Samaniego.
LUISA, secretaria de JUAN. Unos 25 años	Maribel Biedma.
GUILLERMO, socio de JUAN. Activo (40 años)	Jesús Enguita.
SEÑOR MÁRQUEZ, ingeniero electro-técnico. Rápido, muy rápido... (40 años).	Fernando Chinarro.
JOHN BOULTON, aviador americano. Unos 30 años	Miguel García Nuevo.
HERMAN KRAFT, ingeniero alemán. Unos 40 años...	Fernando Chinarro.
CRISTÓBAL, hombrecito simpático (60 años) ...	Juan Revilla.
CARLOS, amigo de JORGE 20 años)	Luis García Vidal.

Epoca actual. Diciembre.

La acción, en Barcelona o en cualquier importante capital española.

***Dirección:* Carlos Miguel Suárez Radillo.**

DECORADOS

ACTO I:

Cuadro I:	Sala de estar en el hogar de Juan.
Cuadro II:	Sala de estar en el hogar de Juan.
Cuadro III:	Automóvil en circulación.
Cuadro IV:	Despacho de Juan.

ACTO II:

Cuadro I:	Departamento de características especiales... muy especiales.
Cuadro II:	Rayo de luz que lleva una escena ocurrida en una casucha de peón caminero en las inmediaciones de Barcelona.
Cuadros III y IV:	Rayo de luz que lleva escenas ocurridas en la sala de estar del hogar de Juan, al mismo tiempo que ocurría el cuadro IV del acto I, en el despacho de Juan.

ACTO III:

Cuadro I:	Despacho de Juan.
Cuadro II:	Sala de estar en el hogar de Juan.

ACTO PRIMERO

I

La escena representa la sala de estar de un hogar acomodado. Dos salidas practicables en los extremos del fondo. Una lleva a las habitaciones interiores. La otra da a la salida del piso. Un tresillo a la derecha (del espectador). Un sillón cómodo a la izquierda. Al fondo, una mesita de té, que también utiliza la familia para servir el desayuno. Un canterano a la derecha y unas sillas completan el mobiliario. La decoración, de buen gusto, elegante sin estridencias.

Al levantarse el telón, en escena MARÍA, una mujer de cuarenta años, muy bien conservada, de buena presencia. Equilibrada y serena. Está sentada en una de las butacas del tresillo, cosiendo. LINA, muchacha moderna y desenvuelta, está tendida en el suelo hojeando unas revistas de moda algo atrasadas.

LINA.—¡Qué de prisa pasan las modas! Ya nadie se acuerda de la línea "saco" ni de la "trapecio", y el furor que hicieron.

MARÍA.—Todo pasa. Y las modas, más aún.

LINA.—Recuerdo que la hermana mayor de Pili llevaba siempre vestidos "saco". Decían que disimulaban las formas, pero no era verdad. A ella se le notaban más... A los hombres se les pesca así, ¿verdad, mamá?

MARÍA.—¿Tú crees que vale la pena un hombre que se pesca con un vestido?

LINA.—*(Pensándolo.)* Pues no. Creo que no. *(Sonríe.)* Tienes razón... *(Pausa. Sigue leyendo.)* Y tú..., ¿cómo pescaste a papá?

MARÍA.—Fue tu padre quien me pescó a mí, Lina.

LINA.—Que no, mamá..., que no me lo creo.

MARÍA.—*(Sonriendo.)* No se lo digas, ¿eh? Pero fui yo.

LINA.—¿No te lo decía? Explica, explica...

MARÍA.—¡Curiosona!... Tu padre era amigo de mis hermanos. Se conocieron en el Instituto. Pasaba muchas tardes estudiando en casa. En los últimos años venía aunque no estuvieran ellos y me explicaba sus planes, sus proyectos... Y yo le escuchaba...

LINA.—Te gustaba, ¿verdad?

MARÍA.—Pues sí.

LINA.—¿Más que ahora?

MARÍA.—Es distinto.

LINA.—Papá sí que te debía querer más entonces...

MARÍA.—¿Por qué lo dices?

LINA.—No sé... Porque no te ha llevado a este viaje con él.

MARÍA.—No era un viaje de turismo. Iba a resolver asuntos de su negocio. No debes hablar nunca así de tu padre, Lina. Si papá no hiciera lo que hace, ni tú, ni yo, ni tu hermano, podríamos vivir como vivimos. Si hoy podemos, es gracias a su esfuerzo.

LINA.—Tienes razón, mamá. Perdona. He sido una tonta al decirlo. *(Pausa.)* Me gusta hablar contigo. Las otras madres no son como tú.

MARÍA.—*(Sonriendo.)* ¡Ah!, ¿no?... ¿Cómo son?

LINA.—No sé..., pero no son como tú. *(Ríen las dos.)*

JORGE.—*(Entrando despeinado y con los ojos hinchados como si hubiera estado estudiando mucho.)* En esta asignatura me catean. ¡Todo el Código Civil! ¡Enterito! Lo que en Derecho se estudia en cuatro cursos nos lo ponen a nosotros en uno. *(Cae agotado en una silla.)* No puedo más. Me salen artículos hasta por las orejas.

MARÍA.—¿Por qué no te llegas al gimnasio? Haces un rato de ejercicio y después te duchas. En media hora quedas como nuevo.

JORGE.—Prefiero esperar a papá. Quiero que me explique cómo son las autopistas alemanas. Dicen que son tan rectas que la gente se duerme conduciendo. Y que es obligatorio ir muy de prisa. ¡Hasta ponen multas por defecto de velocidad! ¡Así da gusto! ¡Cuánto me gustaría salir al extranjero y poder correr por esas carreteras, ver una prueba en el circuito de Monza y asistir a las Veinticuatro Horas de Le Mans! *(Imita el sonido del tubo de escape recorriendo la habitación.)* "Rrrrr"...

MARÍA.—Jorge, ¿cuántas simpatinas has tomado?

JORGE.—Una... *(Bromeando.)* Pero así de grande... Como una ensaimada. ¡Ja!, ¡ja!, ¡ja! *(El recuerdo de los próximos exámenes le hiela la risa en la boca. Cambia de expresión y, desolado, dice, mientras vuelve a sentarse.)* Me catean... Seguro que me catean. *(Suena el timbre de la puerta.)*

LINA.—Papá. Ese debe de ser papá. *(Va a abrir.)*

MARÍA.—Tu padre tiene llave. Como no la haya perdido en el viaje.

LINA.—*(Apareciendo y anunciando.)* Es el abuelo.

JOAQUÍN.—*(Entrando y amonestando simpático a* LINA.*)* Niña, cuidado con esa palabra, Joaquín, Joaquín a secas. Recuérdalo. *(Saludando.)* ¿Qué tal, María? ¡Hola, Jorge!

MARÍA.—*(Le besa.)* Hola, papá.

JORGE.—*(Socarrón.)* Hola..., Joaquín.

JOAQUÍN.—*(Acusa sonriente el saludo medio burlón de* JORGE, *que despista, y dice, dirigiéndose a* MARÍA:*)* Creí que tu marido ya estaría aquí. Me ha dicho Lina que aún no ha llegado.

MARÍA.—Lo esperábamos esta mañana. Se ha debido de retrasar en la aduana.

JOAQUÍN.—¿En la aduana? ¡Qué va! Tú no conoces a Juan...

MARÍA.—Entonces..., no creo que tarde ya.

JOAQUÍN.—Me gustaría oír sus impresiones sobre lo

que ha visto. *(A* JORGE.*)* Y esos trofeos motociclistas, ¿cómo van?

JORGE.—Se está poniendo imposible. Con la excusa de que no hay pistas y los pisos están mal, cada día hay menos pruebas de velocidad. Y las de regularidad no tienen emoción.

MARÍA.—Además, ahora está de exámenes.

JOAQUÍN.—¿Qué estudias?

JORGE.—Ciencias Económicas.

JOAQUÍN.—Y eso, ¿qué es?

JORGE.—Lo que hace papá, pero a lo loco y en álgebra. Lo malo que tiene es que si cuando acabas la carrera no demuestras que sirves, no hay quien te haga caso.

JOAQUÍN.—Como Filosofía y Letras, ¿no?

JORGE.—¡Qué va! Con esa, ni aunque lo demuestres.

JOAQUÍN.—Entonces, ¿para qué te vale?

JORGE.—Para oposiciones y llegar a ser director de empresa.

JOAQUÍN.—¡Ah! Pero ¿eso se estudia ahora? En mis tiempos se llegaba a pulso. No sacando título.

JORGE.—Era muy distinto. En tus tiempos no había curvas de indiferencia, ni zonas de librecambio, ni exposiciones como la que ha visitado papá.

JOAQUÍN.—¡Pero hicimos la de Barcelona, niño! ¡Aquella sí que fue una señora Exposición! Y no como las de hoy, prefabricadas como un Meccano, sino edificada piedra a piedra sobre el terreno. Aquello sí que eran hombres y empuje y Ayuntamientos.

JORGE.—No exageres, porque hoy no nos podemos quejar.

JOAQUÍN.—Ahora me va a salir este con lo de la calle de Aragón. ¡No seas ridículo, niño! *(Entra* JUAN *con una gabardina colgando del antebrazo.)*

JUAN.—Un saludo a todos. La familia completa, ¿eh? ¿Cómo estáis?

MARÍA.—¿Qué tal el viaje, Juan? ¿Te ha gustado?

JUAN.—Un poco agitado, pero muy interesante. *(Besa a* MARÍA, *que recoge la maleta abandonando la escena.)*

JOAQUÍN.—¿Qué impresiones traes? ¿Qué se dice de nosotros por ahí fuera?

JORGE.—¿En que avión has vuelto, papá? ¿En un "Constellation" o en un "Superjet"?

LINA.—¿Te fijaste cómo visten las mujeres en París, papá?

JOAQUÍN.—*(A JUAN, confidencial.)* Esta niña no sabe que en París se fija uno en todo lo contrario.

JUAN.—Bien, muy bien todo. He visto cosas buenas y regulares... De todo hay... Ya os explicaré. ¿Ha llamado Guillermo? *(Marca un número de teléfono.)*

MARÍA.—Esta mañana. Para leernos tu telegrama. *(JUAN desatiende a su familia y se concentra en la conversación telefónica.)*

JUAN.—Guillermo..., soy Juan. Ahora mismo. Bien, muy bien. Traigo un par de patentes y unos prototipos que, si nos los hacen bien aquí, son una mina. Oye, te llamo por lo de Nieto. Lo traigo resuelto. ¿Sabes si está ahora en Barcelona?... ¿Que está contigo? Dile que se ponga... Señor Nieto, soy Roca... ¿Cómo está usted? Sí, tengo su asunto solucionado... ¿Cuándo se marcha?... Pues muy bien, nos vemos ahora. Antes de diez minutos estoy con usted. De acuerdo, señor Nieto. *(Volviéndose a su familia.)* No os marchéis. Dentro de media hora estoy de vuelta. *(Desaparece con prisa.)*

LINA.—*(Después de una pausa.)* Pero... ¿ha venido papá?

JORGE.—Claro, mujer. ¿No lo has visto? ¡Ya ha venido papá!

II

Oscuro rápido. Entra música dinámica. Funde con la canción navideña "Stille Nacht". Al encenderse las luces vemos de nuevo la sala de estar de la casa de JUAN. En un rincón, un árbol navideño. JUAN está de pie intentando beber una taza de café muy caliente. Aparece MARÍA.

JUAN.—*(Comenta con ella.)* Esto está ardiendo.

MARÍA.—Espera un poco. ¿Por qué no te sientas? ¡Qué manía esa de desayunar de pie!

JUAN.—Se digiere antes, mujer. *(Se sienta. Pausa.)* ¿No han traído el periódico? *(Se sirve pan tostado y se pone mantequilla.)*

MARÍA.—*(Entregándole el periódico que estaba en un revistero.)* Toma.

JUAN.—Gracias. *(Se pone a leer.)*

MARÍA.—Papá ha dormido aquí esta noche. Creo que quería hablarte.

JUAN.—*(Distraído con su lectura.)* Lo siento, pero no voy a esperar a que se levante. No me gusta llegar tarde al despacho. Dile que me llame después.

MARÍA.—¿Te esperaremos hoy a comer?

JUAN.—No. Tomaré unos bocadillos en cualquier sitio. Pasaré sobre las cinco. Tenme lista la maleta. La azul. Con las cuatro cosas de siempre.

MARÍA.—¿Te vas por fin?

JUAN.—Sí, claro. *(Sigue leyendo y comenta:)* ¡Esto sí que es grande! Ahora están a 425. ¡Diez enteros en una semana! Y Guillermo sin hacerme caso cuando le dije que comprásemos. *(Apunta unas notas en la agenda.)* A ver si telefoneo a Peris después.

MARÍA.—Pero... ¿tan importante es tu viaje de hoy? Aún no hace cuatro días que llegaste y ya tienes que volver a marcharte.

JUAN.—*(Que está distraído.)* Ya te lo he dicho. Nos han propuesto instalar una pequeña agencia en Gerona y quiero ver personalmente el despacho que tiene puesto quien nos ha escrito. Además, tengo otros asuntos por aquella zona, y ahora al desplazarme puedo estudiarlos con calma.

MARÍA.—Sí..., con mucha calma.

JUAN.—*(Sigue hojeando el periódico, leyendo sólo los titulares y pasando las páginas con gran rapidez.)* Uranio 233... Sigue con éxito la aplicación práctica del nuevo isótopo de uranio U 233, que en mínima cantidad puede hacer funcionar un reactor debido a su gran rapidez en poner en libertad más neutrones desintegrados. Un avance más en la técnica atómica que facilitará el lanzamiento de proyectiles, cohetes interplanetarios y satélites artificiales, aumentando su velocidad. *(Entusiasmado.)* Estamos viviendo una época interesantísima, María, como ninguna generación la ha vivido en la Historia. *(Deja el diario y bebe.)*

MARÍA.—*(Después de una pausa. Tímida.)* ¿Y no podrías salir mañana por la mañana? Al fin y al cabo no harás nada, ya, esta tarde.

JUAN.—Si salgo mañana, entre unas cosas y otras, llego allí casi a las once. Medio día perdido. *(Pausa.)* ¿Por qué lo dices? Por el santo de Alicia, ¿no? ¿No comprendes que no puedo? Además, esas fiestas que empiezan a media tarde, acostumbran acabar a media noche. ¡No sé cómo las llaman "parties", con lo enteras que son!

MARÍA.—Podríamos retirarnos pronto. Ayer noche, cuando viniste, intenté explicártelo, pero no me hiciste caso. Te quedaste dormido en seguida.

JUAN.—*(Semicariñoso.)* Quieres estrenar algún vestido, ¿no? Porque las mujeres, cuando deseáis ir a una fiesta, es que tenéis algo por estrenar...

MARÍA.—No es eso, Juan. Tengo un vestido nuevo, sí..., pero, en fin, ¡dejémoslo! *(Entra* JORGE.)

JORGE.—Hola, buenos días. *(Se sienta a la mesa.)*

MARÍA.—Buenos días, hijo.

JUAN.—*(Acabándose de beber el café y ya en pie.)* Hola... Qué, ¿cuándo empiezas las vacaciones?

JORGE.—Las empecé el lunes, papá.

JUAN.—Pues... muy bien, muy bien. *(A* MARÍA.) Mi cartera... ¿La has visto, María?

MARÍA.—En tu despacho estaba anoche. (JUAN *sale de escena.* JORGE *está absorto pensando.)*

MARÍA.—*(Al darse cuenta le pregunta:)* ¿Qué te pasa, Jorge?

JORGE.—¿Eh? Nada, mamá, nada. *(Bebe.)* ¿Y Lina? ¿Duerme aún?

MARÍA.—Regresó de la excursión a medianoche.

JORGE.—¿Qué les pasó?

MARÍA.—Los cogió la lluvia por el camino. Se estropeó la moto de Carlos y los tuvo que traer un camión. (JORGE *sigue pensativo.)*

JUAN.—*(Aparece con la cartera. Besa a su mujer.)* Adiós, María. A las cinco estaré de vuelta.

MARÍA.—Te olvidas del talón, ¿recuerdas?

JUAN.—¡Ah, sí! *(Saca un talonario del bolsillo.)* Te firmo dos... *(Lo hace.)* Y dejo el talonario aquí. Guárdamelo. *(Lo pone en un departamento del canterano que hay en la sala.)*

JORGE.—¿Te acompaño, papá?

JUAN.—Si quieres...

JORGE.—¿Me dejarás conducir a mí?

JUAN.—Pues sí... Así podré preparar unas notas por el camino.

JORGE.—Adiós, mamá.

MARÍA.—Adiós. (MARÍA *se levanta. Recoge el talonario que ha dejado* JUAN. *Separa de la matriz los dos talones, los guarda en un bolso suyo y vuelve a dejar en su sitio el talonario. Se oye el timbre de la puerta.)*

MARÍA.—*(Dirigiéndose hacia adentro.)* Juana..., están llamando.

III

Oscuro total. Entra música dinámica que funde con sonido de ambiente callejero. Coches que circulan. La luz va subiendo y vemos un asiento delantero de coche sobre el que están sentados, cara al público, JUAN y JORGE. JUAN hojea unos papeles y puntea unas notas. JORGE simula llevar el volante del coche imaginario que conduce.

JUAN.—*(Viendo que corre demasiado.)* ¡Eh, cuidado, chico!

JORGE.—No te preocupes, papá. ¿No llevas en el tablier al Patrón de la velocidad?

JUAN.—Sí, pero tú ya sabes lo que dicen, ¿no? Que San Cristóbal sólo protege hasta los sesenta por hora.

JORGE.—En nuestra época es ridículo, ¿no te parece? Con lo apasionante que es la velocidad. Pero no en coche. No tiene emoción. Lo bueno es que el viento te golpee la cara hasta endurecerte los músculos de frío. Sentir cómo te llena los pulmones el olor a gasolina y que el trepidar de la moto te llegue por los brazos al corazón. Un buen corredor ha de formar cuerpo con la máquina, papá. Entonces sí que hay emoción. Cuando coges una curva bien cerrada, cuando das gas apretando los dientes, cuando pasas dos a la vez, cuando doblas vuelta, créeme esa apasionante sensación es yendo en moto cuando más se nota. Ni en coche, ni siquiera en avioneta.

JUAN.—Pero ¿tú has volado?

JORGE.—En un cacharro que tiene Javier en el Prat. Lo que debe de ser interesante es pilotar un reactor. Quizá tenga ocasión en la "mili".

JUAN.—Depende del Arma a que te destinen.

JORGE.—Ya he solicitado el ingreso en Milicias Aéreas.

JUAN.—¡Ah! Entonces...

JORGE.—*(Pausa.)* Papá..., tú, cuando tienes algún problema, ¿cómo lo resuelves?

JUAN.—¿Qué?

JORGE.—Que cómo resuelves tus problemas.

JUAN.—De frente, hijo, de frente. Cuanto más grave, más rápida ha de ser la solución. No se debe acobardar uno nunca. En la vida, como en los negocios, se han de resolver los problemas con decisión, con rapidez. Y si es preciso, cortando por lo sano. Si el mundo va tan mal es porque hay mucha gente que titubea. Hay mucho Moreno suelto...

JORGE.—¿Mucho Moreno suelto?

JUAN.—Es una frase que utilizamos Guillermo y yo. Moreno es un cliente nuestro que cuando tiene algún asunto urgente guarda la documentación en una carpeta especial. Al cabo de quince días la abre, y como el asunto ya ha dejado de ser urgente, puede resolverlo con calma. Hay mucho Moreno suelto, hijo. Y hoy, con calma, no se puede resolver nada. De frente y en directa. Si tienes diez problemas, resuelve hoy los diez. Te equivocarás en uno, en dos quizá; pero si quieres resolverlos con calma, cada día dejarás nueve pendientes de solución...

JORGE.—Es que yo...

JUAN.—*(Sonriente.)* ¿Estás preocupado porque a tu máquina le falla una bujía o por los exámenes trimestrales? ¿No? ¡Je!, ¡je! A tu edad no se tienen problemas. Ya sabrás lo que son cuando seas hombre. *(Cambiando el tono.)* No te distraigas y cambia de marcha. Aquí ya puedes poner la directa. *(Sigue escribiendo en sus papeles.)*

IV

Oscuro total. Entra música dinámica. Al encenderse las luces vemos el despacho de JUAN, en el que figuran gráficos, "plannings" y carteles de Ferias extranjeras. LUISA, secretaria de Juan, está hablando por teléfono.

LUISA.—Sí... Espéreme a esa hora..., sobre las dos y media. Si para entonces puede usted tenérmelo acabado, se lo agradeceré. *(Entra* JUAN. *Se dirige a su mesa. Abre la cartera de mano y empieza a sacar papeles con gran nerviosismo de* LUISA, *que se ha visto sorprendida utilizando el teléfono.)* Cuelgo, Julia... *(Sin poder dejarlo por verse obligada a continuar atendiendo.)* Sí, sí... repito, gracias. Hasta después. *(Cuelga y, cohibida, saluda.)* Buenos días, señor Roca.

JUAN.—*(Que se ha sentado y sigue ordenando papeles.)* Buenos días, señorita...; y procure recordar cuántas veces le tengo dicho que el teléfono para cosas particulares y durante horas de oficina, no.

LUISA.—*(Disculpándose.)* Sí, señor Roca...; pero es que se trataba de...

JUAN.—No, si excusas ya saben encontrar ustedes cuando les conviene. *(Cambia.)* Pero dejémoslo. No perdamos tiempo. Me he retrasado hoy y hay mucho pendiente. Recuerde lo dicho, y procure que no vuelva a repetirse.

LUISA.—Sí, señor Roca. Digo, no, señor Roca.

JUAN.—¿Alguna visita?

LUISA.—El señor Márquez, de una casa de maquinaria, le está esperando.

JUAN.—Que pase en seguida. Le he citado yo. Me interesa hablar con él. *(Hablando por el intercomunicador.)* Guillermo..., oye, Guillermo.

VOZ FEMENINA.—*(Por el intercomunicador.)* El señor Fuentes no ha llegado todavía. ¿Desea ustel algo, señor Roca?

JUAN.—En cuanto llegue dígale usted que me llame. *(Corta el intercomunicador y repasa papeles. Entra la señorita* LUISA *acompañando al señor* MÁRQUEZ.)

MÁRQUEZ.—¿Con permiso?

JUAN.—Pase usted, pase... *(Dirigiéndose a la señorita* LUISA.) Ya la llamaré después. Mientras tanto, pase a máquina este informe y estas cartas. Y después llame a Peris, el agente de Bolsa... *(Se va la señorita* LUISA.)

MÁRQUEZ.—¿Señor Roca?

JUAN.—El mismo.

MÁRQUEZ.—*(Le entrega una tarjeta.)* Ingeniero Antonio Márquez, director del Departamento Electro-Rápido de Máquinas Veloces Administrativas, S. A.

JUAN.—Mucho gusto. ¿Quiere usted sentarse? *(Se sienta.)* El martes estuve hablando con el señor Calvo. ¿Usted le conoce?

MÁRQUEZ.—Sí, señor. Un buen cliente nuestro.

JUAN.—Y me indicó que ustedes tenían montado un servicio para control administrativo con unas máquinas especiales...

MÁRQUEZ.—*(Le interrumpe soltándole un disco ya estudiado.)* Nuestras máquinas electro-rápidas de la Empresa Máquinas Veloces Administrativas, S. A., son lo más perfecto del mercado hoy en día. Ideadas en Alemania, fabricadas en Suiza, son utilizadas en Norteamérica. ¿Para qué decirle más? Y, sin embargo, podría decirle más, muchas cosas más, sobre su funcionamiento, su garantía, su historia, sus sistemas de manipulación, la seriedad de nuestra casa. El señor Calvo le habrá indicado lo serios que somos. Muy serios, sí, señor, y, sobre todo, rápidos, muy rápidos.

JUAN.—Eso me interesa. Rapidez.

MÁRQUEZ.—Y también a nosotros, sí, señor. Cuanto más rápidos vamos, antes cobramos y más trabajamos.

JUAN.—También es ese uno de mis principios. ¿Cómo funcionan sus fichas?

MÁRQUEZ.—Nuestras fichas controlan hasta el último detalle de cada operación mercantil. Véalas usted a trasluz. *(Le entrega unas fichas.)* Fíjese en estos agujeritos: hay rombos, círculos, flores, mariposas... Según su taladro y la posición que ocupan, indican la fecha, el importe, el cliente, el asunto, la calidad.

JUAN.—¿También la calidad?

MÁRQUEZ.—Sí, señor. Si las fichas son malas, se rompen por el agujerito.

JUAN.—¿Y si yo deseo conocer un dato en un momento determinado?

MÁRQUEZ.—De acuerdo con los documentos que usted nos haya entregado para ordenárselos, podemos facilitarle cuanta información desee en pocos minutos. Las compras, por meses; las operaciones, por clientes; los vencimientos de letras. Todo, menos el importe de los impuestos, ¡claro! Eso no se sabe nunca hasta que le extienden a uno el acta. *(Suena el timbre del teléfono.)*

JUAN.—*(Cogiendo el auricular.)* Dígame... ¿De mi casa? *(Hace un gesto de desagrado.)* Bien..., póngame. Di, María... ¿Qué quieres? No, mujer, con un par de calcetines que lleve en la maleta es suficiente. Mañana mismo regreso... Pero ¡si esta mañana te lo he explicado! No puede ser, compréndelo. Otro día. Bien. Adiós. *(Cuelga. Hace un gesto significativo al señor* MÁRQUEZ.) ¡Las mujeres! Ya sabe usted cómo son

MÁRQUEZ.—Un gran porcentaje de esposas de dirigentes interrumpe el trabajo de toda una empresa al recordar al marido asuntos domésticos.

JUAN.—Se ve que tiene usted experiencia. Casado, ¿eh?

MÁRQUEZ.—Soltero. Nuestras máquinas electro-rápidas hicieron el estudio.

JUAN.—Pues, como le decía... Me interesan sus servicios... Quiero que nuestra empresa sea un modelo de organización. Vea usted estos gráficos. *(Le muestra unos gráficos que figuran en la pared a la vista del público.)* Me sirven para controlar con precisión el rendimiento horario de mis oficinas. Esta columna indica el tiempo que se invierte archivando...; esta, taquigrafiando...; esta, telefoneando...

MÁRQUEZ.—¿Y esta columna tan alta?

JUAN.—*(Serio.)* Es el tiempo que invertimos haciendo estos gráficos. *(Zumba el intercomunicador.* JUAN *conecta.)* Dígame.

GUILLERMO.—*(Por el intercomunicador.)* Juan, soy yo. ¿Puedo ir un momento?

JUAN.—Pasa. Te espero. *(Desconecta.)* Es mi socio y mi mejor amigo. Activo. Muy inteligente.

MÁRQUEZ.—¿Rápido?

JUAN.—También, también...

GUILLERMO.—*(Entra con unos documentos en la mano para despachar con* JUAN.) Buenos días...

JUAN.—*(Presentando.)* El señor Márquez.

MÁRQUEZ.—*(Levantándose y con la cantinela de siempre.)* Ingeniero Antonio Márquez, director del Departamento Electro-Rápido de la Empresa Máquinas Veloces-Administrativas, S. A.

GUILLERMO.—Mucho gusto.

JUAN.—*(Levantándose también.)* Quedamos, pues, que, en principio, me interesa. Pasaré a visitarlos el lunes a ver cómo tienen instalado su servicio. Llevaré datos para que efectúen un estudio como prueba.

MÁRQUEZ.—Que prepararemos en su presencia en minutos y podrá llevarse usted mismo. *(Saludando.)* Señores, a su disposición. Máquinas Veloces Administrativas, S. A., queda a la espera de su pronta visita, que deseamos sea lo más corta posible. Buenos días, señores. *(Se retira.)*

GUILLERMO.—Pasé por tu casa a recogerte.

JUAN.—Hoy salí antes, pero he llegado más tarde. Conducía Jorge y nos han puesto una multa. ¡Tú no sabes cómo corre! *(Interesándose por los papeles que trae* GUILLERMO.) ¿Algo nuevo?

GUILLERMO.—Lo del barniz plástico para el calzado. ¿Recuerdas que escribimos a Pittsburg pidiendo la representación para España?

JUAN.—¿Contestaron ya? ¿Qué dicen?

GUILLERMO.—Que aquí no hay mercado.

JUAN.—Pero ¿qué se creen? ¿Que no damos lustre al calzado?

GUILLERMO.—No. Que no llevamos zapatos.

JUAN.—¡Pues sí! ¿Algo más?

GUILLERMO.—Lo del portero.

JUAN.—¿Qué le pasa al portero?

GUILLERMO.—Hace ya un año que está con nosotros y aún no lo tenemos en el Seguro.

JUAN.—¿El ha dicho algo?

GUILLERMO.—No..., pero ¡como está casado y tiene hijos!

JUAN.—Entonces, mientras no diga nada, nos ahorramos unas pesetas. No es asunto urgente. Pero, Guillermo, con el jaleo que tenemos... ¡y se te ocurre hablarme del portero! Más te valía haberte fijado en las acciones de la TELASA... ¿Sabes a cómo están? ¡A cuatrocientos veinticinco!

GUILLERMO.—*(Intentando desengañarle.)* Bajarán...

JUAN.—Pero, mientras tanto, suben. *(Conecta el intercomunicador.)* Señorita Luisa..., ¿me pone usted con Peris o no? ¿Qué pasa?

LUISA.—*(Por el intercomunicador.)* Comunica, señor Roca. Insisto continuamente.

JUAN.—Bien.

LUISA.—*(Igual.)* Señor Roca. Acabamos de recibir un telegrama por teléfono.

JUAN.—¿Qué dice? Léamelo.

LUISA.—*(Igual.)* Viene de Sevilla y dice: "Urge hablar exportación aceitunas. Llegaré martes tarde. *Clemente Aznar.*"

JUAN.—*(Entusiasmado.)* ¿Qué te parece?

GUILLERMO.—*(Pensando.)* Llega esta tarde. *(Decidido.)* Yo creo que deberías dejar para otro día tu visita a Gerona.

JUAN.—¡Naturalmente! Vale la pena. *(Al intercomunicador.)* Señorita. Telegrafíe al señor Mauri: "Aplazo viaje hasta lunes próximo. Saludos. *Roca.*" ¡Ah!..., y llame a mi señora. Quiero hablar con ella.

LUISA.—*(Por el intercomunicador.)* Bien, señor Roca. *(Cierra el intercomunicador.)*

JUAN.—*(Paseándose nervioso como si se le estuviera ocurriendo una gran idea.)* Guillermo..., ¿cuándo sale el pedido de manzanilla para Grecia?

GUILLERMO.—El mes próximo.

JUAN.—Entonces... ¡Este es mi plan! Hoy convencemos a Aznar. Mañana preparamos los papeles, firmamos el acuerdo el jueves y el viernes telegrafiamos a Teotocopulus para que hable con los que compran la manzanilla y les endose también las aceitunas. Mientras tanto, que los dibujantes preparen un cartel publicitario para enviar a Grecia por avión. Sobre una pandereta que pinten una copa de manzanilla y un plato de aceitunas, y encima, con un fondo de claveles rojos, que escriban en letras de oro: "Las aceitunas de Sevilla dan más sabor a la manzanilla".

GUILLERMO.—*(Levantándose entusiasmado como si*

estuviera en los toros.) ¡Olé! ¡Magnífico, Juan, magnífico! ¡Muy bueno! Pero ¡qué muy bueno! *(Recapacitando.)* Pero, oye..., ¿tú crees que esa frase, en griego también rima?

JUAN.—Guillermo, qué cosas tienes. ¡En griego, rima todo!

GUILLERMO.—¡Ah! Bueno, bueno... *(Llaman al teléfono.)*

JUAN.—*(Cogiendo el auricular.)* Dígame. ¡Ah! ¿Eres tú, María?... Oye, no hace falta que prepares la maleta. Suspendo el viaje... Viene Aznar de Sevilla y he de verme con él... ¿Cómo?... Pero, mujer, ¡es un cliente! ¿No comprendes que es un cliente? *(Mirando el auricular como si hubieran colgado.)* Es un cliente y no lo comprende... ¿Te has fijado?

LUISA.—*(Entrando.)* Señor Roca. Don Joaquín está en la salita... ¿Le hago pasar?

JUAN.—¿Cómo? ¿Mi suegro?

GUILLERMO.—Quizá sea por el asunto de la chapa.

JUAN.—Claro, lo habrá resuelto y vendrá a explicármelo todo detalladamente. ¿Qué le ha dicho? ¿Que estaba?

LUISA.—*(Refiriéndose al ¡olé! de* GUILLERMO.) Como les ha oído jalear...

JUAN.—Entonces, que pase. Guillermo, por favor..., dentro de unos minutos échame un cable, ¿eh? Ya me entiendes. *(Para sí.)* Con todo lo que tengo pendiente hoy... Y cartas por dictar. En fin, en cuanto se marche acabaremos de despachar los asuntos que te quedan. *(Refiriéndose a los papeles que traía* GUILLERMO *y que están sobre la mesa.)* Déjamelos aquí...

GUILLERMO.—De acuerdo. *(Se va. La señorita* LUISA *entra acompañando a* DON JOAQUÍN, *que la mira insistente. Sale.)*

JOAQUÍN.—*(A* JUAN, *mientras se sienta.)* Oye, ¿sabes que esta secretaria cada día está más... *(Con intención)*, más facultativa?

JUAN.—Muy facultativa, pero hace una temporada, también distraída, muy distraída...

JOAQUÍN.—Y María, ¿está enterada?

JUAN.—¿De que está distraída?

JOAQUÍN.—No, hombre, no. Bueno, a lo que vengo...

No quiero hacerte perder tiempo, que tú tienes trabajo...

JUAN.—Sí, esta mañana he de resolver aún muchas cosas...

JOAQUÍN.—Pues bien... *(Con teatro y escuchándose.)* Ayer tarde fui al Círculo a ver a Tejada. Yo que me llego allá y me lo veo arrellanado en su butaca. Estaba con su puro, coloradote él. Se veía que había hecho una buena digestión. Empezamos a charlar, y él va y que si la Biblioteca, que si las nuevas dependencias, que si tal, que si cual..., Yo callado, dejándole decir, y cuando veo la cosa a punto le digo: "Bueno, tú me tienes que solucionar este asunto." *(Aclarando.)* Lo tuyo, lo da la chapa. Y él va, y que si la semana próxima ha de ir a Madrid para un asunto de las minas, que entonces lo mirará, que quizá sea difícil, que no lo sabe bien. Y yo le digo que aquello él puede resolverlo en un momento, por teléfono... Y él que ya lo mirará. Y yo que el teléfono, y él que sí, pero que ya veremos. Y yo...

JUAN.—*(Que ha estado escuchándole nervioso todo el párrafo.)* ¡Que el teléfono!...

JOAQUÍN.—¡Pues sí, señor! El teléfono. Y lo convencí. Va, y delante de mí pide conferencia. Le ponen con Madrid. Habla con don Andrés y te resuelve el asunto de la chapa... O sea que ya puedes ir preparando los moldes, que eso es cuestión de días..., ¿eh? ¿Qué te parece tu suegro?

JUAN.—Magnífico, muy bien. Pues... muy agradecido.

JOAQUÍN.—*(Levantándose y abriendo los brazos triunfante.)* Venga ese abrazo, Juan. ¡Venga ese abrazo! *(Estruja a* JUAN.*)*

GUILLERMO.—*(Entrando.)* Juan... ¡Ah! ¿Está usted aquí? Buenas tardes, don Joaquín.

JOAQUÍN.—¿Qué tal, Fuentes? *(Le estrecha la mano.)* Pues le estaba explicando aquí, a Juan, que lo del cupo de la chapa os lo habéis metido en el bolsillo, ¿eh?

GUILLERMO.—Gracias a usted, ¿no?

JOAQUÍN.—Pues sí..., verás. Ayer tarde yo me fui al Círculo. Tejada estaba allí, en su sillón. Se veía que había comido bien...

GUILLERMO.—*(Interrumpiéndole.)* P e r d ó n... *(A* JUAN.) Juan, ¿recuerdas que están esperándonos en la Zona Franca?

JUAN.—Tienes razón. *(Mirando el reloj.)* Teníamos que haber salido ya para allí...

JOAQUÍN.—Si queréis, os llevo en el coche y por el camino os voy explicando...

JUAN.—No, gracias. Antes hemos de preparar unos documentos, ¿verdad, Guillermo?

GUILLERMO.—Sí, sí.

JOAQUÍN.—Pues entonces os dejo. Veo que tenéis mucho trabajo y yo también tengo que llegarme a la fábrica. Un día de estos iré a tu casa a comer y te lo contaré con detalle..., porque la cosa no fue fácil, ¡no vayas a creer! Hasta que cogió el teléfono...

JUAN.—*(Impaciente.)* Claro, claro...

JOAQUÍN.—*(A* GUILLERMO.) Ya le explicará Juan. Otro abrazo, hijo. *(Lo estruja de nuevo.)* Adiós, Fuentes... *(Le da la mano y se dispone a salir.)* ¡Ah!... Y a Tejada, ahora, por Navidad, una cestita, ¿eh? *(Sale.)*

JUAN.—*(Mira el reloj.)* Ya se nos ha ido media mañana. *(Nervioso.)* Sigamos, ¿qué más hay? *(Cambio.)* Y Peris... ¿Cómo es que aún no me han puesto con él? *(Llama por el intercomunicador.)* ¿Todavía comunica Peris?

LUISA.—*(Por el intercomunicador.)* Sí, señor Roca...

JUAN.—Diga a Teresa que llame a averías. Debe de estar estropeado su teléfono. Y usted venga con el "block". *(A* GUILLERMO.) ¿Tienes listos los envíos del Norte?

GUILLERMO.—Ya está resuelto. Salió todo ayer tarde, y asegurado. Tú tienes pendiente el pedido anual de Freire. *(Entra la señorita* LUISA, *y sin decir palabra se sienta, abre el "block", prepara el lápiz y se coloca en posición de atender para taquigrafiar.)*

JUAN.—Esta mañana le escribiré. Señorita. Anote. Carta a Freire. No. Rectifique. Telegrama a Freire. *(A* GUILLERMO.) ¿Qué más?

GUILLERMO.—La autorización de Campos para utilización de su patente.

JUAN.—Anote, señorita. Carta a Campos.

GUILLERMO.—Reunión de viajantes a las doce.

JUAN.—Los atiendes tú. Como siempre, les cuentas alguna anécdota de Dale Carnegie y les hablas sobre el estímulo del vendedor, sobre las "public relations"... Pero de comisión, nada, ¿eh? Si ellos no hablan, tú ni ¡pum! Apunte, señorita, ni pum de comisión. ¿Algo más?

GUILLERMO.—La visita de los de la Productividad.

JUAN.—Los atiendo. Esos acaban pronto.

GUILLERMO.—Lo del permiso de Obras Públicas.

JUAN.—No lo dan, ¿eh?

GUILLERMO.—No lo dan.

JUAN.—Hablaré con Mercadal. *(A* GUILLERMO.) ¿Nada más?

GUILLERMO.—Nada más. *(Se va.)*

JUAN.—*(A* LUISA.) Repasemos. ¿Qué tenemos pendiente?

LUISA.—Informe de la Junta.
Liquidación de gastos.
Visita a la Diputación.
Y carta al Banco Nacional.
Y ahora...
Telegrama a Freire.
Carta a Campos.
Ni pum de comisión.
Y llamar a Mercadal.

JUAN.—Pues muy bien. Vamos a empezar. Anote, señorita, anote... *(A partir de este momento, la acción toma carácter de pantomima, como si fuera una película de celuloide rancio, proyectada a gran velocidad. Los actores actúan solo con mímica, sin hablar. De fondo se oye una musiquilla nerviosa, hiriente, algo así como el sonido excitante y agudo que produce una cinta magnetofónica en su retroceso. Musiquilla que irá aumentando de volumen a medida que aumente la velocidad de la acción.* JUAN *se pasea rápido, dictando a* LUISA, *quien va escribiendo y pasando hojas del "block" continuamente. El paseo nervioso de* JUAN *se interrumpe dos o tres veces momentáneamente para atender al teléfono o al intercomunicador. Incisos fugaces durante los cuales* LUISA *está quieta con el lápiz a punto, para seguir después taquigrafiando como un veloz autómata.* JUAN *acaba de dictar.* LUISA *se va. Entra* GUILLERMO *moviéndose también muy rápidamente y le da un papel a* JUAN. *Este lo firma y se lo devuelve.* GUILLERMO *se va.* JUAN *coge el teléfono. Figura que habla. Cuelga. Llama por el intercomunicador. Entra* LUISA *introduciendo a una persona imaginaria, a quien* JUAN *figura estrechar la mano. Se va* LUISA. JUAN *se mueve, como si estuviera hablando con alguien sentado frente a él, mientras atiende otra vez al teléfono. Se va la visita.* JUAN *la acompaña. Vuelve a la mesa. Coge un papel. Escribe. Entra* LUISA *con un libro portafirmas, moviéndose aún más de prisa.* JUAN *va firmando las cartas sin mirarlas, mientras hojea* LUISA *el portafirmas como un ventilador. Entra* GUILLERMO *y* JUAN *le entrega un papel. Se va.* JUAN *coge el teléfono. Mientras tanto, a la musiquilla de cinta magnetofónica al revés se ha añadido, a mitad de la veloz pantomima, el ruido de una locomotora en marcha, que avanza silbando, creando un conjunto musical cada vez más excitante, pues el sonido va subiendo de volumen al mismo tiempo que aumenta la velocidad de movimiento de los actores.* JUAN *está de pie detrás de su mesa, apoyando como puede con los hombros un teléfono en cada oreja, mientras que con una mano escribe y con la otra llama al intercomunicador. En este preciso instante, el sonido de la cinta y el tren, que ha llegado al máximo, para en seco.* JUAN *se queda quieto como una estatua, mirando hacia el frente. Está sorprendido, con los ojos muy abiertos. Tras una pequeña pausa, de completo silencio, se oye clarísimo el sonido de una copita de cristal al romperse.* JUAN *se desploma en su sillón y rápido cae el*

TELON

ACTO SEGUNDO

I

Sala de espera de unas características especiales, muy especiales. A la derecha, un banco amplio, con cabida para cuatro o cinco personas. A la izquierda, una mesa alta con tablero inclinado, sobre la que se apoya un gran libro. Una banqueta de asiento redondo y tres patas junto a la mesa. Viva luz amarillenta ilumina toda la sala, que no se adivina si está limitada por paredes o linda con el infinito... Sentados en el banco, BOULTON, equipado con indumentaria de vuelo de piloto de avión supersónico. Viste chaqueta de cuero, pantalones ajustados, amplio casco con tubo de oxígeno y todos los accesorios que se crean oportunos. Sujeta en su mano izquierda un tarjetón rojo. Es el vivo retrato de JORGE, el hijo de JUAN, con diez años más. Junto a él, KRAFT. Este viste mono blanco, impecable, sobre cuyo bolsillo superior lleva bordada en rojo una sigla cruzada por una flecha zigzagueante, símbolo de la energía eléctrica. Al igual que BOULTON, también retiene en su mano izquierda una tarjeta roja. Recuerda a MÁRQUEZ, el técnico. Después de permanecer unos momentos sentado junto a KRAFT, BOULTON se levanta y, jugueteando distraídamente se dirige a la mesa, tamborilea con sus dedos por el tablero, recorriéndolo de un extremo al otro. Al llegar al borde pone plana su mano y la ondula en el aire imitando el vuelo de un avión. Pasea lentamente por escena, mientras con sonido nasal imita el zumbido del motor. KRAFT ha seguido todos sus movimientos, sonriendo. Cuando BOULTON pasa cerca de él, apunta con un dedo la mano que hace las veces de avión, siguiendo su recorrido. El juego se mantiene así unos breves instante, hasta que KRAFT simula disparos de ametralladora antiaérea. Entonces BOULTON, rápidamente, hace recorrer a su mano un "looping", esquivando los simulados tiros mientras aumenta el sonido nasal. Posa suavemente, como aterrizando, su mano en el libro que se halla sobre la mesa, se sienta junto a KRAFT y sonríe.

KRAFT.—*(Correspondiendo a la sonrisa de* BOULTON.*)* ¿Tocado?

BOULTON.—*(Chasquea repetidamente la lengua en los dientes, negando.)* No...

KRAFT.—Por poco, ¿eh?

BOULTON.—*(Satisfecho.)* ¡Soy muy rápido!

KRAFT.—Ya lo he visto. *(Pausa.)* ¿Aviador?

BOULTON.—*(Afirma con el gesto sonriendo. Pausa. Después pregunta extrañado.)* ¿Cómo lo ha adivinado?

KRAFT.—*(Modesto.)* Intuición.

BOULTON.—*(Tras una pausa.)* ¿Y usted?

KRAFT.—*(Como si hubiera estado esperando la pregunta.)* Ingeniero electrotécnico.

BOULTON.—*(Celebrándolo.)* ¡Ah! Está bien.

KRAFT.—*(Sonríe.)* Sí, no está mal. *(Tras una pausa se levanta, hace un ejercicio gimnástico con los brazos, aspirando lentamente.)* ¡Hum! Se respira bien aquí, ¿eh? (BOULTON *afirma con el gesto.)* Hacía tiempo que no respiraba tan bien.

BOULTON.—*(Extrañado al oír esta palabra.)* ¿Tiempo?

KRAFT.—*(Sorprendido.)* Sí...

BOULTON.—*(Intrigado.)* ¿Cuánto?

KRAFT.—Pues... no lo sé. *(Se sienta junto a él, avergonzado. Toda esta escena ha de desarrollarse a ritmo lento, tranquilo, sosegado, que contraste con la agitación del primer acto. Aparece en escena* JUAN, *quien, al igual que* BOULTON *y* KRAFT, *lleva un tarjetón de color rojo en la mano. Se dirige al centro del escenario. Recorre la vista por el público. Gira sobre sus pies y ve sentados en el banco a* BOULTON *y a* KRAFT.)

JUAN.—*(Desde el centro del escenario, de espaldas al público.)* Muy buenas... (BOULTON *y* KRAFT *corresponden amablemente con el gesto, sin levantarse.* JUAN *mira su tarjetón rojo y pregunta:)* ¿Es este el departamento U 233? (BOULTON *y* KRAFT *comprueban en sus tarjetas esta referencia y contestan afirmativamente con un movimiento de cabeza.* JUAN *se sienta junto a ellos. Pausa larga. Levantándose.)* Permitan que me presente. Juan Roca. Comerciante.

BOULTON.—*(Se levanta y se cuadra militarmente.)* John Boulton. Comandante de la escuadrilla 47 de las Fuerzas Aéreas Norteamericanas. *(Estrecha la mano de* JUAN.)

KRAFT.—*(Presentándose.)* Ingeniero Herman Kraft. Electrotécnico de la Kraft, Kraft y Kraft, Limitada. *(Da la mano a* JUAN. BOULTON *y* KRAFT *se miran y se estrechan la mano muy serios. Se sientan los tres de nuevo y permanecen como antes, de cara al público.)*

JUAN.—*(Sin levantarse mira las facciones de* BOULTON *y* KRAFT.) ¿No nos hemos visto antes en alguna parte?

BOULTON.—¿Ha estado usted en Estados Unidos?

JUAN.—No.

KRAFT.—¿Ha estado usted en Alemania?

JUAN.—Tampoco.

BOULTON.—Entonces, no.

KRAFT.—Entonces, no.

JUAN.—Claro, entonces, no. *(Extrañado.)* ¡Qué raro! Hubiese jurado que ya nos conocíamos. *(Tras una pausa y mirando de nuevo al tarjetón.)* ¿Están seguros de que este es el departamento U 233? (BOULTON *y* KRAFT *se entrecruzan las tarjetas y se las devuelven. Después afirman con la cabeza.)* Sí, sí, ya veo. Sus tarjetas. Sin embargo..., no hay a la entrada ningún letrero que lo indique. ¿Cómo han llegado ustedes aquí?

KRAFT.—Pues... supongo que igual que usted.

JUAN.—Y... ¿no les parece extraño?

KRAFT.—Hombre..., ahora que lo dice...

JUAN.—Veamos, ¿de dónde viene usted? ¿Puede recordar qué hacía antes de venir? ¿Qué es lo último que le ha ocurrido?

KRAFT.—*(Con esfuerzo.)* Yo recuerdo que estaba trabajando en mi último complejo electrodinámico. *(Aclarando.)* Soy especialista en cerebros electrónicos y estoy planeando un mecanismo que pueda calcular a mayor rapidez que cualquier máquina conocida hasta hoy. Mi cerebro automático podrá resolver un problema antes que acabe de plantearse...

JUAN.—¿Cómo dice?

KRAFT.—Al percibir la primera parte del problema, mi mecanismo calcula ya la segunda parte del planteamiento y da la solución exacta antes de que este acabe de exponerse.

BOULTON.—Usted quiere que su avión aterrice antes de despegar, ¿no es eso?

KRAFT.—Algo así.

BOULTON.—Magnífico. ¡Eso sí que es rapidez!

JUAN.—Oiga... : ¿tiene usted ya representante en España?

KRAFT.—¿Cómo dice?

JUAN.—Nada. Siga, siga...

BOULTON.—¿Y cómo lo logra?

KRAFT.—No, si aún no lo he logrado. Estaba intentándolo... Verán ustedes... Dejen que recuerde... Tenía todo a punto para iniciar su funcionamiento. Solo me faltaba efectuar la conexión. En mis manos tenía la posibilidad de ganar en velocidad al cerebro. Vencer a la naturaleza. Sabía cuánto significaba para la civilización si conseguía hacer funcionar mi mecanismo al pulsar la palanca y... ¡la pulsé!

JUAN.—¿Y funcionó? Recuerde...

KRAFT.—*(Esforzándose.)* Ocurrió algo raro... Oí un ruido ensordecedor y después algo así como... cristalitos al romperse...

JUAN.—¿Cristalitos rotos, dice? *(Angustiado.)*

KRAFT.—Sí.

JUAN.—Es curioso... ¿Y después?

KRAFT.—A pesar de ser más reciente, lo recuerdo con más vaguedad... Creo que durante un tiempo he estado esperando algo, pero no estaba solo. Había más gente, sí..., mucha más gente. Después alguien me entregó esta tarjeta, y sin saber cómo, me he dirigido a este departamento. Como usted dijo, no hay letrero sobre la puerta ni nadie que indique el camino, pero yo sabía que había de llegar aquí...

JUAN.—*(Pensativo.)* ¿Sabía que había de llegar aquí?... *(Dirigiéndose a* BOULTON.) Y usted ¿qué recuerda?

BOULTON.—Era mi décimo vuelo de la semana. Ascendía casi verticalmente. El altímetro iba marcando diez mil, quince, veinte, veinticinco, treinta... Entonces piqué. Todo mi aparato vibraba. Los controles automáticos acusaban la velocidad. Cruzaba la barrera del sonido y seguía aumentando. No era solo el aparato, todo yo vibraba con él. A tal velocidad el corazón acelera sus latidos en forma increíble y resuenan bajo el casco violentamente. Los pulmones parecen estallar. El diafragma asciende. Los músculos se distienden... Las facciones se contraen... Se desfiguran... Estaba en el límite de la mayor velocidad alcanzada por un ser humano..., cuando, de pronto...

JUAN.—Los cristalitos, ¿no?

BOULTON.— Sí. *(Lento.)* Los cristalitos... Después,

una sensación extraña que todavía siento. Muchas personas junto a mí. Como a ustedes, me dieron esta tarjeta y aquí he venido.

KRAFT.—Igual que yo. Pero ¿adónde iba usted a tanta velocidad?

BOULTON.—¿Que adónde iba? *(Natural.)* Pues... a ninguna parte.

KRAFT.—¿Y tanto correr para no ir a ninguna parte?

BOULTON.—Intentaba atravesar la barrera del calor.

JUAN.—*(Que se había retirado recapacitando.)* Y la atravesó... ¡Vaya si la atravesó! ¡Todos la hemos atravesado!

BOULTON.—*(Dirigiéndose a él.)* ¿Cómo dice?

JUAN.—Pero ¿es que no se da cuenta? Hablamos idiomas distintos y nos entendemos. Esta sensación extraña que todos sentimos. Este pisar sin notar nuestras pisadas. Este respirar ligero... ¿Notan ustedes el oxígeno?

KRAFT.—Ya se lo dije antes, ¿recuerda?

BOULTON.—Verá usted... Como estoy acostumbrado a esto... *(Señalando el casco y la careta de oxígeno.)*

JUAN.—Y, sobre todo, esta sensación de haber dejado de hacer algo importante, ¿me entiende? Algo importante. Créanme, señores: es muy grave lo que nos ha ocurrido.

KRAFT.—¿Quiere decir que estamos...... *(Palpándose y sin atreverse a acabar la frase.)*

BOULTON.—*(Golpeándose la frente como recordando algo muy grave.)* ¡Anda! ¡Y mi aparato sin piloto automático!

KRAFT.—*(Resistiéndose a creerlo.)* No, no puede ser. Debemos estar dormidos. Esto es un sueño. Una pesadilla. Si pudiéramos gritar con fuerza suficiente, nos despertaríamos. ¿No les ha ocurrido a ustedes alguna vez?

JUAN.—No se haga ilusiones

KRAFT.—¡Intentémoslo! Es una probabilidad *(Grita.)*

BOULTON.—¿Sigue usted aquí?

KRAFT.—*(Desalentado.)* Sigo...

BOULTON.—¡Con permiso!... *(Grita.)*

KRAFT.—*(Tras una pausa en la que todos están atentos, mirándose. A* BOULTON.) ¿Nada?

BOULTON.—*(También desalentado. Disculpándose.)* Nada.

KRAFT.—Y usted, ¿por qué no intenta? (JUAN *grita por compromiso.)*

BOULTON.—¿Tampoco?

JUAN.—*(Seguro de que así ocurriría.)* Tampoco. *(Se sientan los tres frente al público, con la cara entre los puños, pensativos.)*

BOULTON.—Yo siempre había imaginado todo esto muy distinto.

JUAN.—Y resulta que es como en las películas americanas.

BOULTON.—¿Cómo dice?

JUAN.—Pero ¿ustedes no van al cine?

KRAFT.—*(Extrañado.)* ¿Usted tenía tiempo?

JUAN.—*(Disculpándose.)* Cuando iba a Madrid a solucionar algún asunto.

BOULTON.—¿Y qué ocurre en las películas de mi país?

JUAN.—Pues la cosa suele pasar en un sitio así o en un lujoso salón.

BOULTON.—¿Y después?

JUAN.—Aparece un hombrecito mal vestido o un señor de frac.

KRAFT.—¿Y qué ocurre entonces?

JUAN.—Si sale el señor de frac..., no creo que lo pasemos muy bien.

KRAFT.—¡Pues sí!

JUAN.—*(Tranquilizándoles.)* Pero eso suele ocurrir en el salón...

BOULTON.—*(Resignado.)* Entonces esperaremos al hombrecito. *(Los tres quedan pensativos en la misma posición. Entra* CRISTÓBAL, *un tipo despistado muy particular. No va muy bien trajeado. Viste chaleco y manguitos negros de contable anticuado. Emana simpatía.)*

JUAN.—¿No les decía yo?

KRAFT.—*(Dirigiéndose a* BOULTON.) Tenían razón en América, ¿eh?

BOULTON.—*(Extrañado.)* A ver si tendremos razón en todo lo demás y nadie nos hace caso...

CRISTÓBAL.—*(Sale y se queda mirándolos.)* Bien, hombre, bien... *(Como si lo comentara consigo mismo.)*

No tenéis escarmiento, ¿eh? Aún no acabáis de llegar y, ¡hala!, a chillar se ha dicho. *(Murmurando para sí mientras abre el libro y se sienta a la mesa.)* Siempre con prisa. En la vida... Aquí... Vaya, que está visto que mientras me ocupe de este departamento no podré echar la siestecita. *(Mirándolos por encima de los lentes que se ha puesto.)* A ver... El primero. (BOULTON *se acerca y se cuadra militarmente.)* ¿Te llamas?

BOULTON.—John Boulton.

CRISTÓBAL.—¿Profesión?

BOULTON.—Piloto de escuadrilla a retropropulsión.

CRISTÓBAL.—*(Le mira.)* Bien, hombre, bien... ¿Conque tú eres de esos del silbidito— De los que hace una temporada no nos dejan pegar un ojo, ¿eh?

BOULTON.—Pues verá usted. Yo no sabía...

CRISTÓBAL.—No, si saber nunca sabéis nada. Dame, dame tu ficha. *(La sella.)* Y ahora pasa... Al final, a la izquierda. (BOULTON *sale. A* KRAFT.) El siguiente.

KRAFT.—Ingeniero Herman Kraft. Electrotécnico.

CRISTÓBAL.—De los que juegan con chispitas, ¿eh? ¿Tú sabes qué es la electricidad?

KRAFT.—Nadie lo sabe. Aprovechamos su fuerza, pero no sabemos exactamente qué es...

CRISTÓBAL.—Si lo supierais... ¡Menudo susto os llevabais! *(Sella la tarjeta.)* Pasa, hijo, pasa... Al final, a la derecha. (KRAFT *sale.)* ¿Queda alguien más?

JUAN.—*(Tímido.)* Pues sí... Quedo yo.

CRISTÓBAL.—Acércate..., acércate. ¿Cómo te llamas?

JUAN.—Juan Roca.

CRISTÓBAL.—¿Roca? ¿De dónde eres?

JUAN.—Español. De Barcelona.

CRISTÓBAL.—¡Ah, sí! También de allí nos van llegando bastantes últimamente. ¿Profesión?

JUAN.—Comercio... Por eso me extraña que...

CRISTÓBAL.—*(Quitándose las gafas interesado y mirándolo.)* ¿Qué es lo que te extraña?

JUAN.—Verá... Yo creo que aquí hay un error. Esto parece un departamento técnico. Esta tarjeta... Esos dos... Aquí vienen especialistas y yo..., la verdad, no sé atornillar un enchufe ni nunca he desmontado un reloj.

CRISTÓBAL.—*(Extrañado.)* ¿Ni siquiera eso?

JUAN.—¿Ve usted cómo se han equivocado?

CRISTÓBAL.—*(Mirándole cariñosamente.)* ¿Ni siquiera has tenido tiempo en tu vida de desmontar un reloj?

JUAN.—*(Muy extrañado.)* ¿Cómo dice?

CRISTÓBAL.—*(Sonriente.)* Esto no es un departamento de selección de técnicos, hijo, como tú crees.

JUAN.—Entonces, ¿qué es? ¿Dónde estoy?

CRISTÓBAL.—¡Je, je! No es fácil que lo entiendas solo con palabras. En vuestro lenguaje lo llamaríais un laboratorio de análisis..., una sala de experimentación...

JUAN.—Pues no entiendo qué pueden estudiar aquí...

CRISTÓBAL.—*(Amable.)* Estamos estudiando un pecado, hijo, un nuevo pecado.

JUAN.—¿Cómo? ¿Conmigo?

CRISTÓBAL.—Y con ellos también. *(Refiriéndose a* BOULTON *y a* KRAFT.) Con todos los que llegan.

JUAN.—Pero... *(Mirando por donde se fueron.)* ¿Qué les están haciendo?

CRISTÓBAL.—Preguntas..., solo preguntas. Investigamos el mercado..., ¿no se dice así?

JUAN.—¿Preguntas?

CRISTÓBAL.—¿Te extraña que las hagamos?

JUAN.—Yo creí que ya lo sabían todo.

CRISTÓBAL.—Nosotros, sí hijo; nosotros, sí.

JUAN.—*(Que no comprende nada.)* Entonces...

CRISTÓBAL.—No lo entiendes, ¿verdad? Ya te dije que las palabras no llegan a definirlo todo. *(Se sienta junto a él. Buscando un papel.)* ¿Dónde habré dejado yo el cuestionario? *(Lo encuentra. Es un impreso muy manoseado. Lo desdobla cuidadosamente. Le caen unas estrellas de papel de plata que apresuradamente recoge.)* Vamos a ver, Juan: ¿sabes dónde tienen las orejas las vacas?

JUAN.—¿Qué?

CRISTÓBAL.—Sí... ¿Delante o detrás de los cuernos?

JUAN.—Pues...

CRISTÓBAL.—No lo sabes. ¿No sabes que hay prados con vacas que llevan sus esquilas haciendo tilín tilán...? *(Busca de nuevo en el cuestionario.)* ¿Hiciste navegar alguna vez en un charco barquitas de papel?

JUAN.—No.

CRISTÓBAL.—¿No?

JUAN.—No.

CRISTÓBAL.—Y las nubes, ¿no las has visto nunca cuando cambian de nariz? (JUAN *calla. Va comprendiendo. Pausa.)* No, claro, porque cuando las nubes cambian de nariz, de fisonomía, de forma, vosotros estáis mirando la hoja del calendario o consultando vuestro reloj. Ven aquí, Juan, acércate. *(Le acompaña a primer término y le señala sobre el público un plano imaginario a la altura de sus ojos.)* ¿Las ves?

JUAN.—*(Pausa. Su rostro se transforma. Gozoso, extasiado, susurra.)* Sí..., las veo. *(Pausa.)*

CRISTÓBAL.—Y ahora... mira hacia allí. Al fondo. *(Le señala un punto imaginario al final del pasillo central.)* ¿Qué ves?

JUAN.—La Tierra. ¿Es aquello la Tierra?

CRISTÓBAL.—Sí, lo es... Es hermosa, ¿verdad? ¡Si la hubieras visto antes!... Además del verde de los prados, del azul de los mares y del pardo rojizo de las montañas, cada país tenía su color como en los mapas de vuestros colegios... *(Triste.)* Hoy, ya lo ves, toda ella es gris.

JUAN.—¿Y aquellos dibujos blancos?

CRISTÓBAL.—Modernas autopistas que acortan las distancias entre las grandes ciudades, pero os alejan más de otros lugares. ¿Ves aquella ermita, aquel bosque, aquel pequeño lago? A pocos kilómetros de la autopista y, sin embargo, ¡cuán lejos!

JUAN.—¿Y aquellos rascacielos en la selva?

CRISTÓBAL.—Una nueva ciudad que nace.

JUAN.—¿Y esos puntos que cruzan?

CRISTÓBAL.—Aviones de línea que llevan gente nerviosa de todas las naciones.

JUAN.—¿Y aquella lucecita que se enciende y apaga?

CRISTÓBAL.—Aquello... *(Recordando.)* ¡Ah..., sí! ¡Cabo Cañaveral!

JUAN.—*(Fijándose más atentamente.)* Ahora se ve más claro... Pero ¿qué ocurre? ¿Qué es esa lluvia de rayos? ¿Hay guerra?

CRISTÓBAL.—No, Juan. Son los teletipos. Las emisoras de radio, de televisión. Los telégrafos. No son rayos... Son fotografías, canciones, noticias..., que os llevan a domicilio el acontecimiento más lejano y os enteran de cuanto sucede antes de que ocurra. Fíjate ahora, que estamos más cerca... ¿Ves en aquella oficina un hombre fuerte, joven, lleno de vida? Tendría que estar alegre, ¿no?

JUAN.—Sin embargo, parece triste, preocupado. ¿Por qué se pasea tan aprisa?

CRISTÓBAL.—Está buscando una nueva frase publicitaria para pimientos en conserva.

JUAN.—¿Y aquel? ¿Por qué sale corriendo del teatro?

CRISTÓBAL.—Las máquinas entran a las dos. Solo tiene quince minutos para escribir. Es un crítico, Juan, un crítico...

JUAN.—*(Sonríe.)* Y esa señora, ¿por qué está nerviosa?

CRISTÓBAL.—Espera impaciente oír el pito de la olla automática y el reloj de la lavadora para poder ir a buscar los niños al colegio.

JUAN.—*(Sonríe más abiertamente.)* Y aquel conductor, ¿por qué muerde su pañuelo?

CRISTÓBAL.—Hay un camión que no le cede el paso.

JUAN.—*(Ríe.)* Y ese muchacho despeinado, ¿por qué sella todos los papeles que caen en sus manos? Le van a saltar las gafas...

CRISTÓBAL.—Pone una estampilla roja que dice: "Urgente"... "Urgente"... "Urgente"...

JUAN.—*(Ríe a gusto, muy a gusto.)* Y aquellos, y esos. Todos corren como locos. ¡Ja, ja, ja! ¡Qué gracia! Corren, corren... ¡Ja, ja, ja! *(Se desternilla de risa.)* Ese obrero, ¿por qué...?

CRISTÓBAL.—*(Sin mirar, fijando atentamente su vista en* JUAN.) Su turno empieza a las ocho.

JUAN.—*(Riendo más.)* ¿Y aquella muchacha?

CRISTÓBAL.—Tiene una cita a las cinco.

JUAN.—*(Riendo más.)* ¿Y aquel viajante?

CRISTÓBAL.—Ha de coger el tren de las tres.

JUAN.—*(Riendo más.)* ¿Y aquel tendero?

CRISTÓBAL.—Le vence una letra a las once.

JUAN.—*(Riendo a mandíbula batiente.)* ¿Y esos soldaditos?

CRISTÓBAL.—Atacan, Juan, atacan. *(Pausa. Terrible.)* ¡Han de morir a las diez! (JUAN, *al oír estas palabras, deja de reír y queda quieto, impresionado. Pausa lar-*

ga. CRISTÓBAL *dice afectuoso:)* ¿Comprendes ahora cuál es el pecado que estamos investigando?

JUAN.—*(Sin moverse. Impresionado aún.)* ¿La..., la prisa?

CRISTÓBAL.—Sí..., la prisa. *(Muy lento y cariñoso, como si reprendiera a un niño por haber roto un juguete.)* Estáis viviendo una época interesantísima, Juan, como ninguna generación la ha vivido en la historia. La época de la prisa. Vivís esclavos de ella. Para nacer antes, estimuláis los partos artificialmente, y desde niños competís en rapidez con vuestros dientes, con vuestra estatura, con vuestros juegos, con vuestros estudios. Vivís a ritmo de cronómetro. Tomáis píldoras para activar vuestro trabajo y gotas para descansar más en menos tiempo. Para poder correr, lo exigís todo preparado. Habitáis casas prefabricadas, vestís trajes prehilvanados y coméis alimentos premasticados. Queréis correr más que el cerebro, que el sonido, que el calor. Tenéis prisa para todo. Para edificar y para destruir. Para reír y para llorar. Para nacer..., para vivir..., para morir. *(Pausa. Lento.)* Vuestra prisa es ya más que prisa, Juan; es ansiedad, es angustia..., porque habéis perdido... la esperanza.

JUAN.—*(Que se ha mantenido en la misma posición durante la explicación de* CRISTÓBAL. *Después de una pausa.)* Pero es un pecado colectivo..., un pecado del mundo. No podéis condenarnos ni a mí, ni a ese, ni a aquel... No somos culpables, somos ínfimas partículas de una rueda, de la civilización, del progreso... No, yo no soy culpable... ¡No lo soy!

CRISTÓBAL.—*(Rascándose la coronilla, como indicando qué difícil es hacérselo entender a* JUAN.) Juan, en tu vida..., ¿te has interesado alguna vez por los demás?

JUAN.—*(Sorprendido.)* Pues sí... Creo que sí.

CRISTÓBAL.—¿Quién te daba los buenos días el primero, al entrar en la oficina?

JUAN.—Pues... el portero. ¡Claro!

CRISTÓBAL.—Sí, el portero. ¿Y sabes cuántos hijos tiene?

JUAN.—*(Sintiendo un escalofrío.)* No..., no lo sé.

CRISTÓBAL.—Y esa muchachita morena... Tu secretaria... Esa que telefonea a horas de oficina. ¿No notaste algo raro en ella?

JUAN.—Sí, últimamente estaba distraída.

CRISTÓBAL.—Preocupada. Debía de tener sus problemas, porque antes fue siempre muy eficiente. ¿No es cierto?

JUAN.—Sí.

CRISTÓBAL.—¿Por qué estaba preocupada, Juan?

JUAN.—*(Angustiado.)* No puedo contestar..., no puedo.

CRISTÓBAL.—¿No puedes... o no sabes?

JUAN.—Quizá en mi prisa he desatendido algunos detalles... Pero he trabajado para crear una familia, un hogar... Corría por ellos, por mi mujer y mis hijos.

CRISTÓBAL.—*(Mirándole incrédulo.)* ¿Tu mujer? ¿Tus hijos? *(Intentando convencerle.)* Mira, Juan, los hombres han llegado ya a la barrera del sonido y están intentando pasar la barrera del calor... ¿Quieres que atravesemos juntos la barrera de la luz?

JUAN.—*(Extrañado.)* ¿La barrera de la luz?

CRISTÓBAL.—Sí... Iremos allí donde la luz aún no ha llevado algunas escenas del reverso de tu vida.

JUAN.—¿Del reverso de mi vida?

CRISTÓBAL.—De tu familia. ¿Deseas ver a tu mujer y a tus hijos?

JUAN.—Sí. Deseo verlos. ¿Qué hacen ahora?

CRISTÓBAL.—No veremos lo que ahora hacen, sino algo más interesante. Lo que hicieron ayer o lo que han hecho hace unas horas.

JUAN.—*(Ilusionado.)* ¿Usted cree que los veré? ¿Dónde están?

CRISTÓBAL.—No te impacientes, hijo, ya los verás, y no me trates de usted. Tutéame como hacen todos... y llámame por mi nombre.

JUAN.—Su nombre...; ¡perdón!..., tu nombre, ¿cuál es?

CRISTÓBAL.—*(Pausa.)* Cristóbal, hijo, Cristóbal. *(Se va oscureciendo la escena. Sube música. Oscuro total.)* Dame la mano, Juan, y sígueme. Vamos a entrar en un rayo de luz.

II

Al encenderse las luces vemos el interior de una casucha de peón caminero. A la izquierda, unos picos. En el centro, una ventana. A la derecha, un montón de ladrillos sobre los que CRISTÓBAL hace sentar a JUAN.

CRISTÓBAL.—Y ahora, atiende. Esto ocurrió ayer noche. *(Entran* LINA *y* CARLOS *con indumento de motoristas.)*

LINA.—*(Riendo.)* Pero ¡qué bueno, tú! ¡Qué bueno! Tienes cosquillas...

CARLOS.—Y se te ocurre comprobarlo en plena carretera, mientras conduzco.

LINA.—¡Ay, qué bueno! *(Reponiéndose.)* ¡Valiente motorista estás tú hecho si no puedes gobernar la máquina por una tontería así!

CARLOS.—Ya te he dicho que en cuanto caen unas gotas, el piso se pone resbaladizo...

LINA.—*(Burlándose.)* Sí, ya lo sé... El "gas-oil" de los camiones ¿no?

CARLOS.—Menos mal que era subida y no corría. Si llego a ir a toda velocidad, no lo contamos.

JUAN.—*(A* CRISTÓBAL.) Pero ¿has oído? Podían haberse matado. Esta chica está loca. ¿Quién le ha dado permiso para ir en moto?

LINA.—¡Qué interesante! Morir así... Los dos juntos. Como Romeo y Julieta. Carlos y Lina. ¿No te suena bien?

CARLOS.—¿Cómo dices?

LINA.—*(Burlándose.)* Vamos, chico. No te hagas ilusiones.

CARLOS.—*(Acercándose.)* ¿Por qué me has hecho cosquillas?

LINA.—Pues... no sé.

CARLOS.—*(Acercándose más insinuante.)* Merecerías que te castigara con un beso... *(Se le acerca.)*

LINA.—*(Esquivándole.)* ¡Mira tú, no te pongas pesado! Oye..., ¿por qué no enciendes la chimenea? Hace frío...

JUAN.—Pero si este chico... es el hijo de García, el

agente de Aduanas. ¡Vaya, hombre, vaya! Tan modosito que es de vista. Y aquí me está resultando un elemento de cuidado. Esto no me gusta, Cristóbal. No me gusta nada, lo que se dice nada. (CARLOS *se arrodilla en el centro del escenario, cara al público, simulando remover en la chimenea, que ocupa figuradamente el lugar de la concha del apuntador.)*

LINA.—¡Anda! ¡Cómo llueve ahora! Los del grupo deben estar a kilómetros ya. ¡Qué frescos! Ni han parado...

CARLOS.—Ibamos los últimos. ¿Cómo podían vernos?

LINA.—Y la moto, ¿se ha descacharrado mucho?

CARLOS.—Lo suficiente para no poder ponerla en marcha. Como tenga algo gordo, le digo a tu padre que me pague la reparación.

LINA.—*(Imitando la risa.)* ¡Ja, ja, ja!... ¡Qué ingenuo! ¡Cómo se ve que no conoces al viejo! No nos hace caso a nosotros, conque a ti...

JUAN.—Pero... el... el viejo, ¿soy yo?

CRISTÓBAL.—Eso parece.

LINA.—*(Recorriendo el cuarto.)* Oye, ¡qué chanchi es todo esto! Como aquellos que se pierden y van a parar a un caserón lleno de misterio...

CARLOS.—*(Riendo.)* Me hace gracia que le eches tanta imaginación a una casucha de peón caminero.

LINA.—¡Qué pobre de espíritu! *(Mientras bailotea.)* Esta es la mansión solariega de los Judith de "Mientras los corazones duermen"... Y este es el salón central. Aquí es donde Osvaldo, junto al hogar de la gran chimenea, declara su amor a la pobre huerfanita. *(Señala los picos.)* Las viejas armaduras. *(Señala el ventanuco.)* Los ventanales que dan al jardín y encima, el blasón de los Judith sobre campo de gules... *(Se queda pensativa.)* ¿Tú sabes lo que son gules?

CARLOS.—*(Distraído.)* ¿Qué?

LINA.—Nada. *(Sigue imaginando.)* Y aquí... *(Señala el grupo de ladrillos en donde está sentado su padre.)* está el cofre del crimen. (JUAN *se levanta, asustado.)*

CARLOS.—Esto ya quema, tú. *(Se sienta en el suelo frente al público, haciendo ademán de calentarse.)*

LINA.—*(Sentándose junto a él y aproximando las manos a la chimenea imaginaria.)* Dame un cigarrillo.

JUAN.—¿Y Lina fuma? ¿Desde cuándo? (CARLOS *lo saca del bolsillo y se lo da.)*

LINA.—Oye... ¿te has hecho daño?

CARLOS.—*(Burlándose.)* ¿Te has hecho daño? Ahora, ¿verdad? *(Amenazándola.)* Te... te daba así...

JUAN.—Oye, niño...

LINA.—*(Riendo.)* Es que tu caída ha sido bestial, de campeonato... No entiendo cómo no te has partido un hueso...

CARLOS.—Porque soy un tío cayendo. En el gimnasio, cuando luchamos, es lo mejor que hago: caerme. Todos lo dicen. Oye, Lina... *(Insinuante.)* ¿Quieres que te enseñe un par de llaves?

LINA.—*(Burlándose.)* Sí, sí... *(El le acerca la mano para acariciarla, rodeándole el cuello. Ella le quema con el cigarrillo.)*

CARLOS.—*(Dando un bufido.)* ¡Ay!

LINA.—*(Ríe.)* ¡Ja, ja, ja!

CARLOS.—Por lo menos es de tercer grado. ¡Qué bruta eres!

LINA.—Trae a ver. *(Le coge la mano.)* Pero si no es nada. Tú que eres blando. *(Le acaricia la mano.* CAR*los aprovecha la ocasión para besarla en el cuello.)* ¡Carlos!

JUAN.—*(Coge un ladrillo y va a estrellarlo en la cabeza de* CARLOS, *pero* CRISTÓBAL *se lo quita de la mano.)* Déjame, Cristóbal... A este chico lo mato.

CRISTÓBAL.—¿A quién? ¿A su sombra? (JUAN *comprende y se sienta de nuevo.)*

CARLOS.—¿No te ha gustado?

LINA.—*(Desviando.)* Sé buen chico y trata de poner en marcha la moto.

CARLOS.—Está bien. *(Sale.)*

LINA.—*(Se acaricia el cuello donde la besó* CARLOS.) En la casa de los Judith ocurre igual. El protagonista tiene una avería en su Jaguar gris y después finge no poder repararla para poder pasar la noche con Peggy.

JUAN.—¿Cómo?

CARLOS.—*(Limpiándose las manos con un pañuelo.)* Eso no tiene arreglo. El motor se ha partido como una nuez... Y sigue lloviendo. Por ahora no nos podemos ir.

JUAN.—Lina tiene razón. Este chico es un sinvergüenza.

CARLOS.—Nos resignaremos a pasar aquí la noche. *(Insinuante.)* ¿No te emociona?

LINA.—*(Burlándose.)* ¡Imagínate!

CARLOS.—¿No te echarán de menos en tu casa?

LINA.—Dije que si llegaba tarde dormiría en casa de Mariló.

CARLOS.—Supongo que no tendrás miedo, ¿verdad? *(Acercándose.)*

LINA.—*(Burlándose.)* ¿Cómo voy a tener miedo de mi pocholo? *(Se despeina.)* ¿Verdad que tú eres mi pocholo? *(Se hace oscuro total.)*

JUAN.—*(En la oscuridad.)* Pero, Cristóbal..., ¿has oído? Le ha llamado su pocholo. Esta hija mía se pierde. ¿Quién la ha educado así? ¿Por qué va de excursión sin saberlo yo? ¡No puede ser, Cristóbal! ¡No puede ser!

III

Sube música. Después, luz. Estamos en la sala de estar de la casa de Juan.

JUAN.—*(Asombrado.)* Pero si estamos en casa. Porque... es mi casa, ¿verdad?

CRISTÓBAL.—Sí, lo es, Juan.

JUAN.—Y María, ¿dónde está María? ¡Quiero verla!

CRISTÓBAL.—No está aquí ahora. Ha salido, Juan.

JUAN.—Pero alguien abre la puerta del piso.

CRISTÓBAL.—Sí. Es tu hijo. Acaba de dejarte en tu oficina y ha vuelto a casa. Sabe que no hay nadie.

JUAN.—¿Y a qué viene?

CRISTÓBAL.—Para eso estamos en este rayo de luz, Juan. Para que puedas verlo tú mismo. *(Entra* JORGE. *Decidido mira por las puertas a ver si hay alguien. Después se dirige al canterano y coge el talonario que* MARÍA *dejó en él.)*

JUAN.—Pero ¿por qué coge el talonario de cheques? *(*JORGE *duda. Vuelve a dejarlo donde estaba. Marca un número de teléfono. Está nervioso.)*

JORGE.—Oye, soy yo, Jorge... Sí, lo sé, pero no me fue posible ayer... ¿No podrías darme un plazo mayor?

Te lo iría pagando por meses... Tenías que habérmelo dicho antes... Si hubiera sabido que ya te debía tanto, no te hubiera pedido más... Sí, pero no llevaba la cuenta.

JUAN.—Pero ¿qué ha hecho? ¿Debe dinero? ¿A quién? ¿Por qué?

CRISTÓBAL.—*(Encogiéndose de hombros.)* Pequeños gastos...

JORGE.—Sí. Siete mil quinientas. Ya me lo has dicho...

JUAN.—*(Extrañado.)* ¿Pequeños gastos?

JORGE.—Hoy mismo, sí, hoy. Conforme. A las siete. *(Cuelga el auricular y se queda quieto, pensativo, un momento. Luego, decidido, coge otra vez el talonario y busca otro documento en los cajones del canterano.)*

JUAN.—Pero ¿por qué coge otra vez el talonario? ¿Y ahora qué busca? Mi "carnet" del club... ¿Para qué lo quiere, Cristóbal? (JORGE *se sienta y escribe en el talonario.)* Pero ¿qué hace este chico? No, Jorge. No lo hagas. *(Se acerca para intentar convencerle.)* No falsifiques mi firma. Dime que necesitas dinero... Pero eso no, eso no, hijo. Además, esta no es mi firma en el Banco. Falta la doble rúbrica. No te pagarán. ¡No lo hagas, Jorge, no lo hagas! (JORGE *guarda el talón y se va.)* ¿Por qué has dejado que lo hiciera, Cristóbal? Tú podías haberlo impedido. *(Recapacitando.)* ¿O no? Claro, esto ha pasado. No lo estoy viviendo..., pero ¡no es posible que haya ocurrido! *(A* CRISTÓBAL.*)* Pero... ¿por qué me miras? Es mía la culpa, ¿no? ¡Eso piensas! *(Cambia.)* Y tienes razón... Tenía que haberlo educado de otra forma... Siempre se lo consentí todo. ¡A este chico hay que meterlo en un correccional! Cristóbal, esto no puede quedar así. Y María, cuando se entere, ¡qué disgusto! ¿Dónde está?

CRISTÓBAL.—¿Quieres verla?

JUAN.—Sí, Cristóbal, sí.

CRISTÓBAL.—¿Recuerdas cuándo la viste por última vez?

JUAN.—Esta mañana. Al irme al despacho me despedí de ella. Jorge iba conmigo.

CRISTÓBAL.—Pues bien: que la luz nos haga retroceder hasta el momento en que tú la dejaste en casa esta mañana.

IV

Se hace el oscuro. Suenan unos compases musicales. Vuelven a encenderse las luces. Vemos a MARÍA en la misma posición que quedó al marcharse JUAN y JORGE al despacho. MARÍA se levanta. Recoge el talonario que ha dejado JUAN. Separa de la matriz los dos talones, los guarda en el bolso y vuelve a dejarlo en su sitio. Se oye el timbre de la puerta.

MARÍA.—Juana, están llamando. *(Transcurre una pausa en la que* MARÍA *sigue tomando el café. Entra* GUILLERMO.)

GUILLERMO.—Hola, María. Buenos días.

MARÍA.—*(Deja la taza, alargándole la mano.)* Guillermo, ¿cómo por aquí a estas horas? ¿Ocurre algo?

GUILLERMO.—No, nada. Venía a buscar a Juan.

MARÍA.—Ha salido hace un momento con Jorge. No sé cómo no os habéis visto. ¿Desayunaste ya?

GUILLERMO.—*(Duda.)* Pues... la verdad, no. Como he salido pronto de la pensión...

MARÍA.—¿Café con leche?

GUILLERMO.—No, lo prefiero solo.

MARÍA.—*(Mirando la cafetera.)* Casi no queda...

GUILLERMO.—Pero no te molestes... Lo tomaré en el bar.

MARÍA.—Hay caliente en la cocina. No faltaría más. Siéntate. Un día que te vemos por aquí... (MARÍA *se va con la cafetera. El repasa con la mirada la habitación. Pasea por ella fijándose en todos los detalles que la hacen acogedora. Se fija en el arbolito navideño. Hace sonar una campanita que está colgada. Mientras* JUAN *hace señas a* CRISTÓBAL *como preguntándole: "Bueno, y todo esto, ¿a qué viene ahora?",* MARÍA *regresa con la cafetera.)*

GUILLERMO.—*(Refiriéndose al árbol navideño.)* Los chicos, ¿eh?

MARÍA.—Yo también los he ayudado. Me gusta.

GUILLERMO.—*(Bebe un sorbo y se arrellana en el sillón.)* Todo es tan acogedor..., tan íntimo. ¡Qué bien debe de vivirse aquí!

MARÍA.—*(Hace un gesto como indicando: "Para el caso que hace Juan de todo esto".)* Sí.

GUILLERMO.—No entiendo cómo Juan vive encerrado tantas horas en el despacho.

MARÍA.—¡Quién habla! Si Juan está ocupado en sus asuntos, tú no lo estás menos. Los dos tenéis esa fiebre. Eres igual que él.

GUILLERMO.—No lo creas: para mí el trabajo es mi familia, mi mujer, mis hijos. Mi hogar está en el despacho. ¡Si supieras cuán tristes me parecen los días festivos!

MARÍA.—¿Por qué no te has casado, Guillermo?

GUILLERMO.—¡Qué fácil pregunta y qué difícil respuesta!

MARÍA.—Nunca lo he entendido. Un hombre como tú, apuesto, inteligente y hasta... ¡interesante! ¡Podías casarte cuando quisieras y con quien quisieras!

GUILLERMO.—*(Con intención.)* Con quien quisiera, no.

MARÍA.—*(Que, distraída, no ha atendido a su frase, le pregunta:)* ¿Te he puesto azúcar? *(El la está mirando distraído. Ella insiste:)* ¿Tiene azúcar?

GUILLERMO.—*(Reaccionando.)* No. Lo prefiero solo... Despeja más *(Vuelve a tomar un sorbo.)*

MARÍA.—*(Volviendo a la conversación.)* Algún día nos darás esa sorpresa.

GUILLERMO.—No lo creo.

MARÍA.—Tan decidido en los negocios y tan indeciso en el amor... *(Riñéndole sonriente.)* Claro, ¡te habrás enamorado tantas veces!

GUILLERMO.—Una sola y para siempre.

MARÍA.—*(En broma.)* ¡Huy, huy, huy! Esa frase encierra un hondo significado. Entre los pliegues de una vida sencilla va prendido un gran poema, ¿eh?

GUILLERMO.—*(Sonriendo.)* Quizá...

MARÍA.—¿Desgraciado?

GUILLERMO.—Sí.

MARÍA.—¿Murió?

GUILLERMO.—*(Tras una pausa.)* Se casó con mi mejor amigo.

MARÍA.—*(Después de una pausa. Turbada por la confesión.)* ¿Más azúcar?

GUILLERMO.—No, gracias. Me voy ya. Juan debe de estar esperándome.

MARÍA.—Sí, claro.

GUILLERMO.—Si no nos vemos, ¡felices Navidades!

MARÍA.—*(Por decir algo.)* Pero nos veremos...

GUILLERMO.—*(Sonriente.)* No lo sé... *(Se va.)*

JUAN.—*(Impresionado también.)* ¿Y eso es verdad, Guillermo? ¡Si nunca me dijo nada!

CRISTÓBAL.—Pero, hombre, ¿qué querías que te dijera?

JUAN.—No comprendo cómo...

CRISTÓBAL.—¿No comprendes qué? ¿Que tu mujer pueda inspirar un cariño así? *(Entra en escena* DON JOAQUÍN.)

JOAQUÍN.—Vengo del cuarto de Jorge y veo que también se ha ido...

MARÍA.—Hola, papá. Buenos días.

JOAQUÍN.—*(Se sienta a la mesa y se sirve café solo.)* Hoy tenía ganas de charlar un poco con tu marido. Le he de dar una buena noticia.

JUAN.—Lo de la chapa. Es capaz de contarlo otra vez.

CRISTÓBAL.—Si acaso, lo contará por vez primera, ¿no?

JUAN.—Tú no sabes cómo es, Cristóbal. ¡Un plomo! ¿No podríamos saltarnos esta escenita?

CRISTÓBAL.—Atiende, Juan.

JOAQUÍN.—*(Se sirve mantequilla en una rebanada de pan mientras explica.)* No creas que haya sido fácil, no. Si no hubiera sido por Tejada, del Círculo... Pero uno aún tiene buenos amigos.

JUAN.—No. Si lo cuenta. Ya verás cómo lo cuenta.

JOAQUÍN.—Lo contento que va a ponerse tu marido cuando se lo explique. *(Bebe.)* Y después me iré un ratito a la fábrica a ver si aún la conozco, porque con lo que están haciendo los torbellinos de tus hermanos, cada día hay una innovación.

MARÍA.—¿Y por qué no te consultan? ¿No eres el fundador de la casa?

JOAQUÍN.—Sí, hija, sí. Y tengo mi despacho Renacimiento, mis sillones de cuero y mis tinteros de metal. Pero ellos son los motores de la empresa. Los oigo moverse, telefonear, dar órdenes. Ponen altavoces en los talleres, cronometran movimientos, miden espacios, cambian máquinas... A mí, en el fondo, me gusta lo que hacen. Me espanta un poco, pero no lo digo. Comprendo que ha de ser así. Es la época. Lo que me duele es no poder seguirlos y notar cómo me están dejando al margen.

MARÍA.—¡Qué cosas tienes, papá!

JOAQUÍN.—Deben decir: "Para lo que hace, podría quedarse en casa"... o "A él le gusta venir y sentarse ahí. Mientras no estorbe..." Y eso procuro: no estorbar.

MARÍA.—¿Cómo vas a estorbar en un negocio que tú creaste?

JOAQUÍN.—Eran otros tiempos. Con gran esfuerzo creé lo que entonces era un buen negocio. ¿Sabes con qué capital social? La misma cantidad que el beneficio mensual de hoy. ¿Qué respeto quieres que tengan por lo que yo hice, cuando hoy lo multiplican ellos cada mes? Pero soy feliz viéndolos luchar, trabajar como lo hacen. ¡Con ese afán, con esa prisa! Son otros tiempos...

MARÍA.—¡Cuánto vales, papá!

JOAQUÍN.—*(Serio, pero en broma.)* No lo sabes bien, hija mía. Tienes un padre que es un tesoro. ¡Je, je! Y que algunas veces aún puede demostrar que sirve para algo, como el asunto de Juan. Sé que me lo agradecerá, porque Juan es un buen chico... Absorbido por su trabajo, sí; pero muy buen chico.

JUAN.—¡Con el cariño que este pobre hombre vino a verme, y cómo pude yo recibirle de aquella manera!

MARÍA.—*(Pensativa.)* Sí..., muy buen chico.

JOAQUÍN.—*(Pausa.)* ¿Qué te pasa? Algún disgustillo con tu marido, ¿eh? Ya he visto que no me hacías mucho caso. ¿Estás preocupada?

MARÍA.—*(Disimulando.)* No, papá. No es nada.

JUAN.—*(A* CRISTÓBAL.*)* Pero ¿qué le pasa a María?

MARÍA.—*(Se sienta.)* Una tontería. Que Juan no puede ir esta tarde a la fiesta de Alicia.

JUAN.—¿Es por eso?

JOAQUÍN.—Pues vente conmigo. Todavía estoy de buen ver, ¿no te parece?

MARÍA.—Claro que sí, papá.

JOAQUÍN.—Mira que tomar tan a pecho una cosa así. Pareces una colegiala. Si tu marido no puede ir, es porque tendrá su trabajo.

JUAN.—¡Es que ella quisiera que lo dejara todo para leerle versos a la luz de la luna!

MARÍA.—No es lo de hoy solo, papá. Es que llega un momento en que una ya no puede más.

JOAQUÍN.—*(Disculpando.)* Ya sabemos todos cómo es.

JUAN.—Claro que lo saben, ¿no?

MARÍA.—Pero sabiéndolo no arreglamos nada. Si fueran solo sus viajes... Lo que me hiere es esa ausencia cuando está conmigo. Siempre distraído, nervioso, ajeno a todo lo que le rodea, a su casa, a mí... La culpa la tengo yo por quererle tanto. Yo quisiera ser para él algo más que la que prepara sus maletas...

JUAN.—*(Asombrado de oírla hablar así.)* María...

MARÍA.—Tienes razón. No debía disgustarme por una cosa así, como dices. Pero bien sabes que no quiero ir a pasar la tarde bailando con él, o a perderme por el jardín, cogida de su mano. No es eso. Ahora me hacen ilusión otras cosas. Que al llegar con él, me digan mientras saludamos a unos y a otros... "¿Cómo has conseguido traerle?" ¡Qué milagro! El hombre importante abandonó sus negocios... Después nos separarán los amigos. ¿Cuántas veces nos veremos en toda la tarde? Quizá muy pocas... Si le busco para pedirle unas fotos que le metí en el bolsillo. Si él me consulta el nombre de unos parientes, o si a media fiesta algunas amigas buscamos a los maridos, y al oírles hablar del problema de los árabes, seguimos con nuestras charlas sobre el servicio, desfiles de modas o críticas de cine. Y, sin embargo, sé que estoy con Juan, que él está allí y la fiesta es más fiesta para mí, porque fue él quien me llevó. *(Pausa.)* Después, ya de regreso, en el coche, en nuestra habitación, yo le iré contando cosas tontas. Que la de Andréu llevaba un vestido muy escotado, que los Fábregas dijeron que irían a Suiza y solo fueron a Andorra, o que Pilar está de tres meses y que ya es el sexto en diez años. Y aunque él me oiga sin escucharme, pensando en sus exportaciones, en sus pagos, en sus gráficos, no me enfadaré. Con las migajas de su tiempo, me habrá hecho feliz una tarde.

JUAN.—*(Emocionado.)* María...

MARÍA.—Muchas veces me digo lo que tú ahora, papá. Juan es así. Sabiéndolo me casé con él y con su prisa. ¿Por qué me quejo? Pero eso no quita para que a veces, a mis años, resulte tonta haciendo escenitas como esta.

JUAN.—Tonta, no, María; tonta, no.

MARÍA.—Sola, siempre sola. Sin poder compartir una idea, un sentimiento. ¡No sabes qué triste es!

JOAQUÍN.—También tu madre me decía esas cosas a tu edad. Son las primeras canas y las primeras arruguitas en los ojos. ¡Cuánto daría por poder vivir de nuevo aquellos años! ¡La haría tan feliz!

JUAN.—María, yo también te haré feliz.

JOAQUÍN.—*(Levantándose.)* Mujer, has de intentar comprender mejor a Juan... Como yo hago con tus hermanos. *(Pausa.)* ¿Quieres que le convenza para que se quede esta tarde?

MARÍA.—No, papá. No digas nada.

JOAQUÍN.—Como quieras. *(Se va, pero al salir se detiene en la puerta.)* Pero llámale tú. Quizá esté esperando que lo hagas... *(Se sonríen. El se va.)*

MARÍA.—*(Marca un número de teléfono.)* Soy la señora Roca... ¿Me pondrán con mi marido, por favor? Gracias.

JUAN.—*(Nervioso, disculpándose con* CRISTÓBAL.*)* Yo..., yo no sabía que le hiciera tanta ilusión...

MARÍA.—Juan... *(Tímida.)* ¿Necesitarás dos pares de calcetines en la maleta?... Entonces... ¿No puedes aplazarlo hasta mañana?

JUAN.—Sí, María, sí. Saldré mañana.

MARÍA.—No puedes, claro... *(Cuelga el auricular.)*

JUAN.—Sí, me quedaré hoy contigo. Cristóbal, díselo tú. Tú puedes hacerlo... *(Comprendiendo.)* No, tampoco puedes. *(Se acerca a* MARÍA *y se la queda mirando afectuosamente, como a algo perdido para siempre.)* María.

CRISTÓBAL.—Bien, ya has visto a tu mujer. No la has conocido, ¿verdad? Te ha parecido distinta... Fíjate en ella. Como dijo don Joaquín, ya no es una colegiala. Sus ojos no brillan como antes, blanquean sus cabellos, y es cada vez más hondo el gesto de su boca, y son más acentuadas las arrugas de su frente... No, ya no es la muchacha de quien te enamoraste, y ella lo sabe. Difícil edad, Juan, muy difícil. Estos años maduros necesitan afecto, mucho afecto. No quiere que le leas versos a la luz de la luna. No sueña con tus besos y tus caricias, Juan. Ya oíste lo que dijo. Son pequeñas cosas las que necesita para ser feliz hoy. ¿Sabes qué quiere? ¿Sabes en qué está pensando ahora? En tenerte en ese sillón que solo es tuyo de nombre, descansando de tu trabajo, charlando con ella de vuestros hijos, de vuestros problemas, de sus compras o de tus proyectos que nunca le explicas... Y oírte decir un día que estás cansado, para arroparte un poco, apagar la luz y seguir a tu lado mientras reposas. Desea sentir que tú... la necesitas. En su mirada tranquila solo se refleja una imagen, la tuya. Sin embargo, en tus pensamientos agitados un pequeño rincón para ella. La agenda y el reloj no dejan sitio para más.

JUAN.—*(Medio se arrodilla junto a ella, tímidamente, como un niño.)* María..., aunque no puedas oírme..., quiero decirte que yo no sabía... Nunca imaginé que tú... Yo también te quiero mucho, ¿sabes? Mucho. Pero no lo sabía. Volveré contigo, ya verás. Cristóbal lo arreglará todo. El me dirá por dónde se sale, ¿verdad, Cristóbal? Y... y te llevaré al cine, al teatro... y a esas fiestas que no me gustan... *(Suena el timbre del teléfono.* MARÍA *se levanta a coger el auricular. El la sigue arrodillado. Parece un pelele. Su aspecto es cómico.)*

MARÍA.—Dígame... Sí..., espero. *(Limpiándose los ojos. Ilusionada.)* Juan..., ¿eres tú?

JUAN.—*(Sin entenderlo.)* ¿Cómo? ¿Yo? *(Se vuelve a* CRISTÓBAL.) Pero...

MARÍA.—*(Con alegría.)* ¿Suspendes el viaje? *(Pausa. Su sonrisa va desapareciendo.)*

JUAN.—*(Que ha comprendido. Angustiado. En un susurro.)* No..., no... ¡Cuelga! ¡Cuelga!

MARÍA.—Claro..., claro. Lo comprendo. El... es un cliente.

JUAN.—No, María..., no has oído nada. Guillermo lo atenderá. El conoce mejor las aceitunas que yo. Amor mío, no llores... (MARÍA *se retira. El la sigue, arrodillado.)* ¡No, no te vayas! Espera..., ¡no te vayas! *(Angustiado, queda golpeando el suelo. Se levanta y se vuelve a* CRISTÓBAL.) No puede ser que esto haya ocurrido. No, no es justo. He de volver con María, ¿no lo comprendes? *(A* CRISTÓBAL, *excitado.)* Ayúdame tú... ¿Cómo se sale de aquí? ¿Por dónde se baja?

CRISTÓBAL.—*(Lento y afectuoso.)* ¿Para qué quieres volver, Juan?

JUAN.—*(Excitado.)* Para arreglarlo. Para solucionar lo que mi prisa destruyó... ¿Es que no comprendes que tengo que volver?

CRISTÓBAL.—*(Moviendo la cabeza y sonriendo.)* Sí, Juan, sí... Lo comprendo... ¡Tienes que volver!

TELON

ACTO TERCERO

I

Al alzarse el telón aparece el despacho de Juan. Este continúa en la misma posición que al terminar el primer acto. GUILLERMO, junto a él, intenta hacerle volver en sí.

JUAN.—¡Tengo que volver! ¡Tengo que volver! ¡Tengo que volver!

GUILLERMO.—Juan..., Juan..., Despierta. ¿Qué te ocurre?

JUAN.—*(Abre los ojos. Mira a su alrededor. Ve a* GUILLERMO.) ¿Eh? Guillermo, ¿dónde estoy?

GUILLERMO.—¿Que dónde estás? Pues aquí..., en tu despacho.

JUAN.—Pero ¿qué hora es? ¿Es de noche?

GUILLERMO.—¿Cómo va a ser de noche? Es de día, pleno día. ¿Qué te pasa?

JUAN.—No sé..., no sé...

GUILLERMO.—Estás pálido. ¿Te encuentras bien?

JUAN.—¿Muy pálido? Tómame el pulso, Guillermo. *(Le da la mano.* GUILLERMO *le toma la muñeca para ver si tiene fiebre.)* ¿Lo notas? ¿Estoy vivo? ¿Tú crees que estoy vivo?

GUILLERMO.—*(Soltando la mano de* JUAN.) Pero, ¡hombre!, naturalmente. ¡Qué cosas tienes!

JUAN.—Entonces..., me habré quedado dormido. Eso ha debido de ser. Porque he soñado. *(Pasándose la mano por la frente.)* He soñado algo tan extraño... ¡Qué pesadilla!

GUILLERMO.—¿Cómo quieres haberte dormido, si hace un momento que me has llamado para que viniera? *(Le señala el intercomunicador.)* Aún tienes abierto mi botón. *(Cierra el contacto del intercomunicador.)*

JUAN.—*(Extrañado.)* ¿Un momento? No puede ser. ¡Me ha parecido toda una vida!

GUILLERMO.—*(Dejando sobre la mesa los papeles que*

traía e interesándose.) Juan, escúchame y procura hacerme caso. Hace unos días estás llevando un ritmo de trabajo que no sé cómo lo aguantas. Tienes que estar agotado. ¿Por qué no te tomas las cosas con más calma?

JUAN.—*(Levantándose y paseándose mientras parece pensar en otra cosa.)* ¡Con más calma! Sí, Guillermo, sí. Tienes razón.

GUILLERMO.—Si no te encuentras bien, vete a casa.

JUAN.—*(Reaccionando.)* No, no... Estoy bien. No te preocupes. No ha sido nada. Ya me pasa. *(Se sienta casi normal, pero continúa aún distraído, ajeno a lo que trata.)*

GUILLERMO.—Bien. ¿Para qué me has llamado?

JUAN.—No sé. Debía de ser para lo de Aznar. ¿Tienes los documentos?

GUILLERMO.—Aquí están. *(Se los entrega.)*

JUAN.—¿Qué bonificación nos hizo el año pasado?

GUILLERMO.—Conseguimos un descuento importante y "rappel" a final de temporada, ¿recuerdas?

JUAN.—Sí, sí...

GUILLERMO.—Yo intentaría obtener las mismas condiciones... *(Suena el timbre del teléfono. Lo coge* GUILLERMO.) Dígame... ¡Ah! Diga, señor Benítez. Soy Fuentes. *(Mientras* GUILLERMO *atiende al teléfono,* JUAN *se halla ausente recordando su sueño o evasión.)* Sí, sí, espere un momento, por favor. Ahora se pone él mismo. Oye, Juan. Es del Banco. Benítez, el cajero. Dice que un muchacho ha presentado al cobro un talón tuyo, pero a tu firma le falta la doble rúbrica.

JUAN.—*(Reaccionando.)* ¿Cómo dices? *(Le arrebata el teléfono.)* Oiga... ¿De cuánto es ese cheque? Sí, ¿cuántas pesetas? *(Lento y para sí. Muy concentrado.)* Siete mil quinientas. *(Queda un momento en silencio. Después reacciona.)* ¿Quién lo presenta al cobro? ¿Mi hijo? ¿No? ¿No es él?... No sé. Mi mujer tenía algún talón en blanco. Desearía comprobarlo... Muy bien. Y que venga también ese joven. Quiero hablar con él. *(Cuelga. Pensativo. Para sí, pero en voz alta.)* ¡Entonces era verdad, era verdad! ¡Todo ha sucedido! *(A* GUILLERMO.) Es cierto, Guillermo. Es cierto. No he soñado, no. Claro, ¡yo tenía que volver! Tenía que volver a solucionarlo. A corregir aquí los errores que eran consecuencia de mi culpa. Me han dado la ocasión. Por eso estoy aquí. Para arreglarlo todo yo mismo. Y lo haré, Guillermo, lo haré. *(Cambiando al ver la extrañeza de* GUILLERMO.) Claro, tú no entiendes nada. ¡Qué puedes entender! *(Pensando.)* Es horrible lo que me ocurre. Mi hogar está deshecho, mi familia destrozada. ¡Y todo por mi culpa! ¡Solo por mi culpa!

GUILLERMO.—Juan, ¿y si bebieras algo?

JUAN.—Pero ¿tú crees que es cuestión de celebrarlo?

GUILLERMO.—¿O descansaras unos momentos? Pero no decidas nada ahora. Estás excitado. Ese desmayo tuyo puede haber sido un descenso de presión o un pequeño ataque cardíaco.

JUAN.—Estoy perfectamente. Mi corazón no tiene nada, nada, y yo respiro. *(Inspira fuerte.)* Respiro. No tan bien como allí, pero respiro.

GUILLERMO.—Perdona. Dices que estás bien, pero estás haciendo unas cosas muy raras. ¿No te das cuenta?

JUAN.—Eso, eso. Darnos cuenta. *(Avanza hacia* GUILLERMO. *Este, con los ojos abiertos de asombro, va retrocediendo.)* Vivimos sin darnos cuenta de nada. ¿Sabes acaso dónde tienen las orejas las vacas? Claro, ¡no lo sabes! Pero conoces la cotización de la peseta en Tánger. ¿Has hecho navegar alguna vez barquitas de papel? No, en tu vida. Pero sabes que de aquí a Madrid se tarda ocho horas en el T.A.F., hora y media en avión y diez en coche por carretera, descontando la que se pierde comiendo en Zaragoza. Estás perdiendo la vida, Guillermo. Se nos va como una sombra que perseguimos. *(Se detiene y angustiado dice:)* ¡Guillermo..., el portero!

GUILLERMO.—¿Cómo?

JUAN.—Sí... ¿Cuántos hijos tiene el portero?

GUILLERMO.—Pues... no sé...; creo que tres.

JUAN.—Tres hijos y nosotros sin tenerlo en el Seguro. ¿Y si este hombre se pone enfermo?... Si le pasa algo, ¿qué? Claro, eso a ti no te importa.

GUILLERMO.—Pero, Juan, yo creí que era a ti a quien no te importaba.

JUAN.—Y la señorita Luisa... ¿Qué le pasa a la señorita Luisa?

GUILLERMO.—¿Qué quieres que le pase? Hace un momento estaba perfectamente. Pero ya no aseguro nada.

JUAN.—¡Que venga en seguida! *(Llama por el intercomunicador.)* Señorita Luisa, ¿puede venir a mi despacho?

LUISA.—*(Por el intercomunicador.)* Sí, señor, en seguida.

JUAN.—*(Cierra el intercomunicador.)* ¿No te has fijado, Guillermo, que esta muchacha últimamente estaba preocupada?

LUISA.—*(Entrando con el "block" en la mano y el lápiz en la otra.)* ¿Con el "block", señor Roca?

JUAN.—Pase, pase, señorita. Siéntese. Vamos a ver, sea sincera conmigo. No vea en mí al jefe, sino a un padre que intenta comprenderla. ¿Qué le ocurre estos días? ¿Está usted preocupada por algo? ¿Tiene algún problema que yo pueda solucionarle?

LUISA.—Pues verá...

JUAN.—No me la voy a comer, señorita. Dígame qué le pasa...

LUISA.—Yo ya se lo habría dicho antes, pero no me atrevía. Se trata de mi madre. Vivimos solas, y como pasa muy malas noches, tengo que velarla. Quizá alguna vez he telefoneado desde aquí preguntando a la vecina que cuida nuestro piso cómo seguía...

JUAN.—Mire, señorita, a partir de este momento no se preocupe. Aunque no esté aquí a la hora de entrada es igual, y telefonee cuando quiera; telefonee...

LUISA.—*(Con los ojos muy abiertos va retirándose.)* Sí, señor. Gracias, muchas gracias, señor Roca. *(Se va.)*

JUAN.—Se trataba de su madre, y yo ¡sin poder contestar nada! ¡Si tú supieras qué angustia se siente cuando te preguntan allí y no sabes qué contestar! ¿Y el papelito que le hemos hecho esta mañana a mi suegro? ¡El pobre hombre que viene aquí a explicarnos cómo nos ha hecho un favor!... Porque ¿resolvió o no resolvió lo del cupo de la chapa? Lo resolvió, ¿verdad? ¡Entonces! Pero ¡no! No podíamos dedicarle dos minutos. Has de entrar tú y decirme que me esperan en la Zona Franca. ¡Qué Zona Franca ni qué molinos de viento! ¿Tú crees que eso está bien? ¡Pues no está bien, Guillermo, no está bien, hombre! *(Pausa.)* ¡Ah..., si tú hubieras oído a Cristóbal! Tenía razón, ya lo creo que tenía razón en lo de las nubes. *(A* GUILLERMO, *que lo está mirando atónito.)* ¿Por qué me miras? Crees que estoy loco, ¿verdad? ¡Je! ¡Loco! ¡Claro! ¿Cómo vas a entender tú todo eso?... Un hombre sin hogar, sin familia, sin... *(Se detiene.)* Guillermo... *(Recordando.)* ¿Estuviste en casa esta mañana?

GUILLERMO.—Sí..., ya te lo dije.

JUAN.—Y tomaste café... ¿sin azúcar?

GUILLERMO.—*(Tímido.)* Sí, Juan..., sin azúcar.

JUAN.—*(Conmovido.)* Perdona, Guillermo, perdona. Tienes razón. Estoy algo nervioso. *(Suena el zumbador del intercomunicador.* JUAN *toca el botón de conexión.)* Diga, diga...

LUISA.—*(Por el intercomunicador.)* Preguntan por usted. Un empleado de la Agencia del Banco. Viene acompañado de un joven.

JUAN.—*(Al intercomunicador.)* Que esperen un momento. *(Cierra el intercomunicador. A* GUILLERMO.) Sal tú. Atiéndelos y haz pasar aquí a ese muchacho. (GUILLERMO *se va.)* A ver si aclaramos este asunto. *(Llama por el intercomunicador.)*

LUISA.—*(Por el intercomunicador.)* Diga, señor Roca.

JUAN.—Que no me molesten durante esta visita. No estoy para nadie.

LUISA.—*(Igual.)* Muy bien. *(Entra* CARLOS.)

CARLOS.—*(Entrando sonriente.)* ¿Cómo está usted, señor Roca?

JUAN.—*(Asombrado, se queda mirándole. Después reacciona.)* Muy bonito, hombre. ¡Muy bonito! ¿Conque también eres tú?

CARLOS.—*(Extrañado.)* Pues sí, señor. Soy yo.

JUAN.—Y tu padre, ¿lo sabe?

CARLOS.—*(Más extrañado.)* No.

JUAN.—¡Menudo disgusto le vas a dar!

CARLOS.—¿Yo? ¿Por qué?

JUAN.—¿De dónde has sacado el dinero que prestaste a mi hijo?

CARLOS.—¡Pero si yo no le he dejado dinero! *(Entra* GUILLERMO *con el cheque en la mano.)*

JUAN.—¿Y qué hacías en el Banco?

CARLOS.—Cobrar este cheque que usted quiere comprobar.

JUAN.—Intentabas cobrar un cheque falsificado, ¿eh?
CARLOS.—¿Cómo? *(Mira el cheque.)*
JUAN.—Esta firma no es la mía. ¡Es falsa!
CARLOS.—¡Yo no he sido! ¡Se lo juro!
JUAN.—Ya lo sé, ya lo sé. Pero estabas de acuerdo con Jorge, ¡confiésalo!
CARLOS.—*(Sincero.)* No sé de qué me habla.
GUILLERMO.—Juan. Este muchacho parece que dice la verdad.
JUAN.—¡Fíate de él! Ahí donde lo ves, con esa cara de inocente, ¡es un fresco!
CARLOS.—¡Señor Roca!
JUAN.—Eso es lo que eres, ¡un fresco! *(A* GUILLERMO.*)* Si hubieras visto lo desvergonzado que estuvo ayer con mi hija!
CARLOS.—Pero...
JUAN.—Sí, ayer. ¡En la excursión!
CARLOS.—¿Qué le ha dicho Lina?
JUAN.—Eres tú quien va a decirme ahora qué es lo que pasó entre vosotros ayer.
CARLOS.—*(Espantado.)* Nada, señor Roca, nada. Créame. *(Cambio.)* Bueno..., tonteamos un poco.
JUAN.—¿A qué le llamas tú tontear? ¿Eh?
CARLOS.—No le haga caso. Lina tiene mucha fantasía. No pasó nada. Se lo aseguro.
JUAN.—*(Dejando el asunto por inútil.)* No. Ya sé que de ti no voy a sacar nada en claro. Pero este asunto no queda así. Puedes marcharte. Ya hablaré yo con tu padre. (CARLOS *se va turbado.)*
GUILLERMO.—*(Intrigado.)* Juan, ¿estás seguro de que esta firma es falsa?
JUAN.—Seguro. Y la ha falsificado mi hijo.
GUILLERMO.—¿Cómo lo sabes?
JUAN.—Porque yo mismo vi cómo la falsificaba.
GUILLERMO.— ¿Y por qué no lo impediste? (JUAN *le va a decir algo. Se queda parado. Le mira. Hace un gesto con las manos, uniendo los dedos, como los italianos, indicando: "Aunque te lo explique no te lo vas a creer". Suena el timbre del teléfono.* GUILLERMO *coge el auricular.)* Dígame... ¿Peris? Un momento. Es Peris, Juan. ¿No querías comprar acciones de la TELASA?
JUAN.—¿Quién? ¿Yo? ¿Acciones de la TELASA, yo?

No, Guillermo, no. Lo que me he de comprar yo es una caña de pescar, una mochila y un acordeón. *(Decidido.)* Aquí te dejo con los gráficos, los teléfonos y las fichas. Todo para ti. Adiós, Guillermo. Yo me voy.

GUILLERMO.—Pero ¿adónde vas?

JUAN.—A mi casa. A ver a María y a sentarme en mi sillón, para que no sea mío solo de nombre.

II

Oscuro. Música dinámica que funde con "Stille Nacht". Se encienden las luces. Nos hallamos en la sala de estar de la casa de Juan. Transcurridos unos momentos, vemos entrar a JUAN. Deja la gabardina en una silla y, sonriendo con la mirada, va repasando la habitación. Su rostro expresa satisfacción. Se aproxima al arbolito navideño y hace sonar la campanita, igual que hizo GUILLERMO en el segundo acto. Se detiene ante su sillón. Va hacia él. Lo acaricia. Se sienta. Se acomoda. Cierra los ojos. Entra MARÍA, lo ve sentado y con los ojos cerrados. Se extraña y le pregunta:

MARÍA.—Juan, ¿qué haces aquí? Dijiste que no vendrías a comer...

JUAN.—*(Sobresaltado.)* ¡Eh! María, ¿eres tú? *(Se levanta.)*

MARÍA.—*(Extrañada aún.)* ¿Qué te ocurre?

JUAN.—No, no hables. Deja que te mire. *(Contemplándola.)* Sí, eres tú. Con el mismo vestido azul, de antes. Pero ahora puedo tocarte. Y acariciarte. Y abrazarte. *(Lo ha ido haciendo mientras lo decía.)* Eres tú, de carne y hueso. No una sombra... *(Muy tierno.)* ¿Sabes que tienes arruguitas junto a los ojos?

MARÍA.—Pero, Juan..., ¿qué te pasa? ¿Te encuentras bien?

JUAN.—*(Continúa teniéndola abrazada.)* Sí, María. Me encuentro bien. Muy bien. *(La abraza.)*

MARÍA.—Pero ¿quieres decirme de una vez qué te sucede? ¡Nunca te he visto así!

JUAN.—*(Feliz.)* Pues ahora me verás siempre. Siempre... ¡Si tú supieras!... *(Cambiando.)* María. Siéntate. Quiero explicártelo todo, todo. Tú me entenderás. Esta mañana me ha ocurrido algo extraordinario. *(Pausa. Definitivo.)* ¡He atravesado la barrera de la luz!

MARÍA.—*(Con los ojos muy abiertos.)* ¿Qué?

JUAN.—¡No comprendes! He ido más allá de la luz. He visto cómo estaba perdiendo la vida en cosas sin trascendencia. He comprendido qué es lo importante. Vivía sin darme cuenta de que en casa tenía una mujer y un sillón. *(Transición.)* ¿No te gusta que te hable así? ¿No eres feliz?

MARÍA.—Sí. Me gusta oírte. Pero lo que no me explico es cómo has podido cambiar, así, en solo unas horas.

JUAN.—No. No ha sido en unas horas, sino en un momento. Solo en un momento. La comprensión no se mide con el tiempo. Un solo momento me ha bastado para verlo todo tan claro... Y también para enterarme de algo horrible, María. Algo que yo no quisiera tener que decirte, pero que es necesario que sepas. *(Pausa.)* Nuestro hogar está en peligro.

MARÍA.—¿Qué ocurre, Juan? ¿Van mal los negocios?

JUAN.—No es eso. Los negocios van bien. Demasiado bien. Son nuestros hijos los que van mal. ¿Sabes lo que ha hecho Jorge? ¡Ha falsificado mi firma para poder pagar deudas que había contraído! *(Aparecen* JORGE *y* LINA.) Ahí lo tienes. ¡Ese muchacho en el que habíamos puesto nuestras esperanzas! ¡El que había de seguir mi apellido, continuar mi negocio, se ha convertido en un estafador de su propio padre!

JORGE.—¿Se lo has dicho tú, mamá?

MARÍA.—¡No, Jorge, no!

JUAN.—Ahora pides ayuda a tu madre, ¿verdad? Para disimular tu falta. ¡Y ella te defenderá, te ayudará. No la merecéis, no. Ni tú ni Lina os la merecéis. Porque ella también, María. También se ha portado a modo, saliendo de excursión con su pocholo, ¿sabes? ¡Su pocholo!

LINA.—¡Papá! Fui con el grupo de siempre.

JUAN.—Pero procuraste quedarte a solas con Carlos. Con ese fresco que presta dinero a tu hermano, seguramente a interés crecido.

JORGE.—Carlos no me ha dejado dinero.

JUAN.—Entonces, ¿por qué ha presentado al cobro este cheque esta mañana? ¿Por qué? ¿Eh?

JORGE.—Yo le pedí que lo hiciera. Me conocen en el Banco y no quise que me vieran.

JUAN.—¿No fue él quien te dejó el dinero? *(Pausa.)* ¡Claro! Tú le obligaste a ir al Banco para ocultar la vergüenza de tu hermana. ¡Eso es!

LINA.—Pero ¿de qué he de avergonzarme yo?

JUAN.—Niega que has pasado la noche con él.

LINA.—*(Refugiándose en su madre, extrañada y dolida.)* ¿Qué está diciendo papá? ¡Mamá, tú sabes que eso no es cierto!

MARÍA.—Lina ha dormido en casa.

JUAN.—¿Pero es que os creéis que Cristóbal me ha estado tomando el pelo, o qué? *(A* LINA.) ¿No os caísteis de la moto? ¿No os refugiasteis mientras llovía en un caserón de peones camineros?

LINA.—Hasta que pudimos parar un camión que nos trajo a casa...

JUAN.—Pero, ¡hombre!, ¡también allí hacen cortes!

LINA.—Todo esto te lo ha contado Carlos. *(A* JORGE.) ¡Tu amiguito del alma! ¡Que es tan sinvergüenza como tú! ¡Tú falsificando firmas y él mintiendo!

JORGE.—Sus razones tendría para explicarle a papá todo eso.

LINA.—¿Qué dices?

JORGE.—Que Carlos es un buen amigo que se brindó a hacerme un favor.

LINA.—Y se creyó con derecho a cobrarlo ofendiéndome. *(A su madre.)* ¡No es verdad! ¡No es verdad! Mamá, ¿cómo puede pensar papá eso de mí? ¿Cómo ha podido creerlo?

MARÍA.—*(Intentando calmarla y marchándose con ella.)* Vamos, Lina. Vamos a tu habitación.

JUAN.—*(Después de una pausa.)* ¿Estarás satisfecho de tu obra, ¿eh? ¡Menudo disgusto has dado a tu madre y a tu hermana!

JORGE.—Pero, papá...

JUAN.—¡A callar! A partir de ahora, aquí se habla cuando yo lo diga. Se han acabado las contemplaciones. De eso os aprovechabais. De que vuestro padre os dejaba hacer todo lo que queríais. Pero ¡se acabó! *(Decidido a solucionarlo.)* Vamos a ver, Jorge: ¿quién te dejó esas siete mil quinientas pesetas?

JORGE.—No lo conoces, papá. Un compañero de curso.

JUAN.—Dile que venga a verme. Quiero hablar con él.

JORGE.—¿No sería mejor que...?

JUAN.—¡Si quieres que cobre, dile que venga! Y me va a oír. Va a enterarse de quién soy yo y qué clase de amiguito eres tú.

JORGE.—*(Temeroso.)* No, papá. Eso, no...

JUAN.—¡Eso sí! He venido a solucionar todo esto y he de hacerlo. Con energía. Sin vacilaciones y ¡pronto! No puedo perder la oportunidad que me han dado. *(A* JORGE.) ¿Te duele que tu padre se haya vuelto enérgico? Tú tienes la culpa por no haber sabido afrontar la situación a tiempo. ¿Por qué no me pediste a mí el dinero, si estabas en un apuro?

JORGE.—Tú mismo me dijiste que a mi edad no se tenían problemas... *(Entra* MARÍA.)

JUAN.—Excusas..., solo excusas.

JORGE.—No, papá. Es verdad. Además, yo quería decírtelo hoy, ¿verdad, mamá?

MARÍA.—Vete, Jorge. Déjame a solas con tu padre. (JORGE *duda. Los mira a los dos. Luego se va.* JUAN *se sienta en su sillón. Se pasa la mano por la frente.)*

JUAN.—Ya lo has visto, María. Esos son tus hijos.

MARÍA.—*(Mirando a* JUAN *afectuosamente.)* ¡Qué equivocado estás, Juan!

JUAN.—*(Con atención.)* ¿Cómo?

MARÍA.—¿Te das cuenta de lo que estás haciendo? *(Lenta, pero calando hondo.)* Quieres arreglar con prisa lo que crees que tu prisa ha destruido.

JUAN.—*(Asombrado.)* ¿Qué quieres decir?

MARÍA.—*(Medio sonriente y hablándole despacio.)* Juan..., yo sabía lo que Jorge había hecho. Me lo confesó hace una hora, ignorando que tú estabas enterado, y me lo dijo con honradez, con humildad, avergonzado de su acto. Te hubiera emocionado oír a tu hijo en aquel momento. El mismo te lo hubiera explicado todo esta noche. Le impuse esta condición.

JUAN.—*(Que ha ido cambiando. Serio y dolido.)* Nunca ha hablado como un hombre, y ya lo es, María.

MARÍA.—¿Le has dado ocasión alguna vez? No, Juan, porque no lo conoces. Ni a Lina tampoco. ¡Si supieras cómo es en realidad! Que vaya en moto o lleve "shorts", no nos ha de preocupar. Lo importante son sus criterios, sus sentimientos, la solidez de sus principios. Mi mayor alegría es ver en sus ojos la seguridad de que siempre procurará mirarme limpiamente. Y ahora, trata a Jorge con mano dura y con disciplina, mucha disciplina. Perderás en él a un amigo, un compañero, un hijo. Con Lina, vigilancia, mucha vigilancia, como si ello pudiera hacerla más mujer. Y nosotros felices por ahí, al cine, al teatro, al baile, como si aún fuéramos novios. Juan... Lo que creíste haber destrozado con tu prisa, ¿quieres ahora, arreglarlo también con prisa? ¿Me comprendes, Juan? *(Se oye, suave, el "Stille Nacht", que queda de fondo hasta el final.)*

JUAN.—*(Alzando la vista que tenía fija en el suelo. Concentrado. Lento.)* Sí, María, te comprendo. Ahora lo comprendo todo. Por eso tenía que volver. Para comprenderlo todo mejor aquí, entre vosotros. Esta ha sido mi segunda lección hoy. Más dura, más aleccionadora aún que la primera... No podía arreglar nada con mi prisa. He pasado mi vida creyendo edificar un mundo, mientras tú, despacio, muy despacio, has sabido crear un hogar, una familia, en la que yo he sido siempre un ausente..., un extraño...

MARÍA.—No lo eres. Juan. Di, mejor, que nuestro hogar te parece extraño a ti...

JUAN.—María... *(Apoya la cabeza en la mano que ella tiene en la cabeza del sillón.)* Estoy cansado..., muy cansado...

MARÍA.—*(Cogiendo una manta y poniéndosela sobre las piernas.)* Procura reposar un poco... Lo necesitas.

JUAN.—*(Agotado.)* Después quiero hablar a los chicos... Se han enfadado mucho, ¿verdad? Quiero hablarles. Y esta noche iremos a casa de Alicia. Ponte ese vestido nuevo. *(Le sonríe.)* Y mañana saldremos todos de viaje... y no regresaremos hasta después de las Navidades.

MARÍA.—*(Mientras le arropa las piernas, le va siguiendo la corriente para procurar que se duerma.)* Sí..., sí..., nos iremos de viaje...

JUAN.—A pasar unos días en el campo..., para poder sentarnos en un prado...

MARÍA.—Sí, Juan, sí...; pero ahora duerme...

JUAN.—*(Durmiéndose.)* ...saber dónde tienen... las orejas las vacas..., y ver cómo las nubes... cambian... de nariz. (JUAN *se ha quedado dormido.* MARÍA *cierra los postigos. Enciende una lámpara de sobremesa, quedando la habitación en una tenue oscuridad. Suena el timbre del teléfono.* MARÍA *lo coge en seguida, mirando a* JUAN *a ver si se ha despertado.)*

MARÍA.—*(Con medio tono.)* Diga... Hola, Guillermo... Mucho mejor, gracias. Está dormido ahora... ¿La entrevista con Aznar? No, hoy no podrá..., ha de descansar... ¿Mañana? *(Mira a* JUAN, *que sigue dormido, y lentamente dice:)* Sí... Mañana Juan irá de nuevo al despacho..., aunque un poco más tarde. *(Cuelga. Mira a* JUAN *cariñosamente y repite:)* Sí..., un poco más tarde. *(Sube "Stille Nacht" y lento cae el telón.)*

FIN DE
"CUANDO LAS NUBES CAMBIAN
DE NARIZ"

ALFONSO SASTRE

EN LA RED

DRAMA EN TRES ACTOS

ESTRENADO EN EL TEATRO RECOLETOS, DE MADRID, POR EL GRUPO DE TEATRO REALISTA (G. T. R.), EN LA NOCHE DEL 9 DE MARZO DE 1961

Foto Wagner

ALFONSO SASTRE

Foto Basabe

EN LA RED

PRIMER ACTO

Foto Alfredo

EN LA RED

SEGUNDO ACTO

EN LA RED—TERCER ACTO

Foto Alfredo

AUTOCRITICA

En la red es un drama sobre la condición humana del "hombre clandestino"; materia también de un libro que preparo. Se verá que estamos ante una pieza que pudiéramos llamar *aristotélica* en un doble sentido: su conformidad con la tesis de las tres unidades y la índole de los elementos dramáticos puestos en juego: "peripecia", "reconocimiento" y "pasión"; que son justamente los tres elementos que Aristóteles propone como partes del mito trágico. Está claro, supongo, que la obra no es así porque haya obedecido a las tesis de la preceptiva neoclásica, sino que la forma es la que ha obedecido—como siempre en mi teatro—a la materia.

Mi busca va en el sentido de una síntesis superadora de la oposición entre la concepción propiamente dramática del teatro (Aristóteles) y la concepción épica del hecho teatral (Brecht), cuyo primer ensayo práctico será ofrecido al público cuando se estrene, si es que algún día se estrena, mi *Asalto nocturno*. De modo que *En la red* no es, naturalmente, ni un manifiesto *aristotélico* ni una exhibición neoclásica, sino una prueba más dentro de un trabajo que tiene, en cuanto a una teoría de las formas dramáticas, un carácter experimental.

Por lo demás, no me extrañaría que este drama resultara, en algunos aspectos, intolerable; pero también espero y deseo que despierte en los espectadores esa toma de conciencia que, más allá del inmediato efecto catártico, es el fin último del teatro concebido como forma de lucha y de investigación de lo real.

ALFONSO SASTRE.

CRITICAS

El señor Sastre se ha comprometido de lleno, con este drama, al lado de los nacionalistas argelinos. Para mí, que no soy más que uno de los millones de espectadores de ese otro drama de la política, la lucha cruel, feroz y tenacísima que dura desde hace años, tiene héroes y mártires en los dos bandos. ¿O es que los guerrilleros del Frente Nacional de Liberación no han asesinado, torturado y mutilado en expediciones y actos terroristas de una crueldad escalofriante? Por las razones que sean, los paracaidistas decapitados y colgados de los pies, los niños desventrados por las bombas en los mercados y en las calles no tienen puesto alguno en la obra teatral del señor Sastre, cuyo talento—que es mucho—se ha aplicado a mostrarnos una sola vertiente de la pugna. Pero por este camino llegaríamos a los orígenes políticos del tema, y no es esto lo que puede interesar ahora al lector.

En la red, a pesar de la parcialidad en el enfoque, está la plena demostración de que el señor Sastre es un autor de cuerpo entero. La discrepancia en cuanto a la valoración de factores humanos—que, a mi juicio, debieran haberse extraído equitativamente entre los idealistas y héroes de ambos bandos—, no puede impedir que reconozcamos al autor un vigor dramático poco común. No ha ido el señor Sastre a buscar asunto en los rincones de la fantasía, sino en la realidad más cercana y que precisamente estos días tiene actualísima incidencia sobre la atención de todos los lectores de periódicos. Con un ascetismo técnico verdaderamente admirable, el autor nos sitúa en una habitación desamueblada, refugio provisional de los miembros de una organización de ayuda a los terroristas. No hay que hacer muchos esfuerzos para reconocer en ellos a discípulos de Jean-Paul Sartre y asiduos consumidores de "L'Express". Son franceses y argelinos unidos en el ideal de una Argelia independiente. La angustia de su situación se manifiesta rápidamente en el escenario a través de breves efectos escénicos y de un diálogo que es el más sólido, el más expresivo, el más conciso y el más eficaz de cuantos lleva escritos este autor. Los personajes están como ratas encerradas en la ratonera, mientras fuera, en la calle, la Policía militar desarrolla activamente una operación de captura en la que han caído algunos miembros de la organización. Drama, pues, de típico *suspense,* pero de un *suspense* que se deriva naturalmente de la realidad misma y que el el autor nos comunica a través de tres actos desarrollados en forma magistral, sin dar al espectador la menor oportunidad para que se libere de la presión tremenda que las circunstancias escénicas ejercen sobre la sala. Entra en juego, en el segundo acto, uno de los detenidos, y nos ponemos así en contacto con los métodos más refinados de tortura. El autor encontró un tema genuinamente trágico, pero se apuntó en un bando y con ello la pluma se le fue hacia la acusación. No entro ni salgo en el derecho que tenga para hacerlo así. Dejo constancia de un hecho que, por otra parte, concede a *En la red* un carácter polémico franco, capaz de conquistarle muchas representaciones en otros países y ciudades. Tal vez nuestros espectadores se sientan remotamente ligados al asunto, pero no creo que tengan menos relación con él que con los tiroteos en el Far West del celuloide. Es la técnica—teatral en este caso, cinematográfica en otros—la que nos relaciona intelectual y sentimentalmente con episodios distantes en el tiempo y en el espacio, y esa técnica es aquí perfecta y por ella nos vemos sumergidos en el clima de miedo y heroísmo—sin lo primero no habría lo segundo—, y seguimos con el ánimo en vilo el lento desarrollo de unos hechos que apenas tienen otra manifestación que el ruido de un ascensor que sube o baja o el paso por la calle de algún coche; en el ascensor pueden subir los policías, en el coche pueden llegar las patrullas. No hay más que estos indicios físicos de peligro y la personalidad indeterminada y a ratos sospechosa de uno de los protagonistas del drama. El autor no hace concesiones. La obra está enclaustrada, cerrada en sí misma, y respira ajena a todo truco. Es un verdadero ejercicio de dominio técnico, con explotación inteligente de las situaciones. En el cine hemos visto algunas veces obras maestras que se desarrollan en una habitación. En el teatro, sin cámaras que nos lleven de un lado a otro, la inamovilidad del decorado suele sustituirse con un pequeño barullo de entradas y salidas de los personajes, acumulación de episodios y trucos de sorpresa, es decir, con especias que, aun siendo de uso lícito, están destinadas a paladares elementales. *En la red* todo eso ha sido reducido al mínimo. Es pura literatura dramática, teatro despojado de adornos inútiles.

Interpretación y montaje.—¿Responderá el público? No lo sé. Ayer se produjo un hecho extraño: los espectadores permanecieron sentados en sus localidades, profundamente impresionados por lo que habían visto, y aplaudieron largamente. Pero no estaban entusiasmados, sino conmovidos. Y esta misma falta de entusiasmo fue la que privó al actor Agustín González de la ovación que en justicia merecía después de explicar lo que había sido su estancia en una especie de checa. La dureza del trabajo encomendado a este actor exigía poner en tensión máxima el cuerpo y el espíritu. Agustín González hizo su escena principal de modo brillantísimo, con un realismo sobrecogedor.

María Amparo Soler Leal logró transmitir a los espectadores la fría decisión de una muchacha idealista y las ganas de vivir libre y alegremente fuera del círculo que se abre y se cierra alternativamente en torno a sus esperanzas. A su lado, Casas mantuvo el tipo de su personaje dentro de la línea un poco vacilante que nos hacía dudar de su identidad; personaje un poco bronco, de acción directa, valeroso y fanático. Antonio Queipo y Magda Roger compusieron con acierto una pareja de *activistas* que están al borde del pánico después de dilatados servicios.

La dirección de Juan Antonio Bardem acusó un cierto estilo cinematográfico, pero de eficacia total, sobre todo en la luminotecnia, que creaba zonas de luz y sombra en las cuales resaltaban o se hundían las expresiones de los personajes a tenor del grado de emoción y de la intensidad del momento. La labor del director me pareció de primera clase. Ni un solo detalle quedó descuidado. Cuando finalmente la patrulla de los paracaidistas sube y caza a los refugiados en el piso, se producen unos segundos de anhelante expectación. El director consiguió un desenlace fulminante, de un verismo que venía a poner adecuado remate a un drama tomado de la realidad acuciante de estos días.

El decorado de Javier Clavo es uno de esos decorados difíciles, precisamente porque solo puede consistir en cuatro paredes. El mérito de este artista consistió exactamente en producir con tan escasos elementos la atmósfera de refugio de urgencia, rodeado por todas partes de amenazas de muerte.

Adolfo Prego.

(De *Informaciones*, de Madrid.)

*

Los del Grupo de Teatro Realista que dirigen, mancomunadamente, Alfonso Sastre y José María de Quinto, prosiguen el plan que prometieron. *En la red*, obra del primero, dirigida con amor y sabiduría por Juan Antonio Bardem, es eso: teatro realista. Es decir, teatro sincero, directo y testimonial, del que ya hablaba, al referirse a "La naturaleza de la obra de arte", el propio Hipólito Tayne. "En el siglo de Luis XIV—decía—, alcanzó la literatura un estilo perfecto, de una fuerza, de una precisión, de una sobriedad únicas, y el arte teatral, sobre todo, encontró un lenguaje que pareció a toda Europa la obra maestra del espíritu humano". ¿A qué se debió esto? "Se debió a que los escritores tenían a su alrededor modelos que no cesaban de observar." Cuando dejó de procederse así, la literatura de expresión sufrió un descenso sensible. No reflejó la vida, sino la misma literatura que la había reflejado. Era una copia de copias.

Pero se copiaba a los escritores, no a la naturaleza. Y ya todo, o casi todo, perdió su autenticidad. Nadie quería comprometerse a pintar una verdad, sino, como decimos, a los que la habían descubierto y transmitido. Por fortuna, el arte, todo arte, incluido el más dócil a la fantasía, tenía que ser como un eco de la realidad si quería imponerse en los públicos. O sea que para no convertir al hombre en un notario, en un fotógrafo, en un espejo subordinado, se aliaron, firme y sensiblemente, la vida y el arte, el compás y la lira, la realidad y el ensueño.

El Grupo de Teatro Realista va por estos rumbos, tan azarosos y tan nobles. No es un teatro incomprometido, de evasión o de ausencia, sino un teatro que se encara con el hombre, rebulle en sus pasiones, exhibe sus problemas y trata, en primer término, de salvarlo, no para hundirlo más, sino para librarlo definitiva y cordialmente, aun bajo la carga de sus ambiciones, de sus luchas, de sus entusiasmos. El teatro tiene el deber de ser así. De contribuir con sus enseñanzas a la redención de su linaje. A ser acusación y denuncia, guión y lábaro, emoción y culpa, expiación y premio. *En la red*, por la que tanto se jugaba Alfonso Sastre, palpita, en todas sus dimensiones, un trozo de la vida real. No hay truco, ni mixtificación, ni amaño, y con ella su autor despierta en los espectadores, como pretendía, "esa toma de conciencia que, más allá del inmediato efecto catártico, es el fin último del teatro concebido como forma de lucha y de investigación de lo real".

Y lo ha logrado Alfonso Sastre, exponiendo con duras tintas la verdad de un hecho. La conciencia no puede actuar con los sueños de la razón, aunque produzca monstruos, si estos sueños no tienen su raíz en la verdad misma. Esta es la fuerza del drama. En este caso, esta es la fuerza de *En la red*, tragedia, más que drama, del "hombre clandestino", inerme en la soledad de su aislamiento. ¿Qué hombre clandestino? Este, y aquel, cualquiera de los que esmaltan el panorama universal, si está imbuido por una causa justa. Esto es lo más notorio de todo documento. Se puede contrastar por opiniones diversas y todas coincidirán en la identificación y localización de sus estragos. Pero para ganar esta doble vertiente hay que meter en la eficacia del relato la síntesis de las dos verdades que entretejen y animan el equilibrio expositivo. Los hombres son igualmente reprobables de un lado y de otro, pero se redimen, en los substratos de la conciencia, por la limpieza de sus propósitos, por la diafanidad de sus ambiciones, por la generosidad de sus doctrinas. Lo que el hombre quiere ser no es lo mismo que lo que le imponen que sea. El problema no existe cuando la verdad que se busca es la verdad de todos, la que redime y dignifica, la que iguala y perfecciona, sin privilegios ni exclusiones. La oposición, viene a demostrar Alfonso Sastre, es universal y ortodoxa y se puede revelar, sin contraste, por todas las direcciones del pensamiento del hombre, si no media una idea bastarda y claudicante, aunque el autor, para decidir, tenga necesariamente que elegir un punto de la rosa de los vientos.

Para exponer su verdad, que, como apuntamos, es la verdad de toda oposición justificada, Alfonso Sastre desenvuelve, con tajante magistralismo, lo más sazonado de su concepción dramática, que va del verbo al tema, de la causa al efecto, de la situación al ambiente, del clima al *tempo*. El primer acto, un prolongado dúo, es modelo en su género. Sucinto el coloquio, complementario el contraste sonoro—un simple ruido constituye una sorprendente onomatopeya sensorial—, todo en la obra surge y se concierta para componer el fatalismo de los hechos que se prevén y amenazan como elementos incontrastables, pero seguros, de la tragedia. Aquí, en esta redondeada obra, sí que hay expectación, y *suspense*, y homogeneidad patética. Incluso en las escenas—el intérprete podía hacerlas más contenidas y hondas—donde el desgarro y la crudeza se manifiestan sin paliativos ni miramientos. *En la red* es seca como un garrotazo y manantial como un venero desnudo, sin que, para suscitar esa impresión, tenga el autor, dueño de su misma economía expresiva, que echar mano de convencionalismos ni estridencias.

La interpretación fue, en todas sus incidencias, convincente, en particular por lo que atañe a Amparo Soler Leal y Antonio Casas, certeros de actitud y de pausas, de mímica y de reacciones. Agustín González, tan buen actor, convirtió, por exceso de matizaciones, el drama en melodrama, la tragedia en aparato. No hacía falta. Dentro de un tono grave, más interior que exterior, hubiera obtenido consecuencias más legítimas. Más legítimas, queremos decir, y él lo sabe, para una plástica comunicativa. La labor de Antonio Queipo, Magda Roger, Francisco Taure y Manuel Torremocha, excelente. Y hábil y auténtica, rozando el primor, la dirección de Bardem. Para todos hubo rotundos truenos de palmas. Un éxito, en suma, que fortalece la ilustre personalidad de Alfonso Sastre, tan rico de presente y de porvenir para los fueros del buen teatro.

SERGIO NERVA.

(De *España*, de Tánger.)

La obra suscita, entre otras cosas, el teatro escrito sobre la Resistencia francesa. Aunque en esta ocasión, por triste paradoja, la palabra Francia sea un término de significado opuesto.

Quizá, en este punto, un mérito esencial de la obra de Sastre—para mí, al menos—sea su contemplación del sufrimiento humano, de ese vivir acosado y en clandestinidad, trascendido a cualquier situación histórica. Lo que importa es el hombre y la necesidad de asistirle en cada momento. Lo que importa es estar *contra* la historia siempre que haga falta. Lo que importa es restituir a la sociedad y al individuo un criterio moral.

En la red tiende, limpiamente, a esa meta.

Buscarle otros pies al gato me parece mala fe.

Teatro comprometido.—Salacrou, el autor de *Las noches de la cólera*, escribía:

"Los autores dramáticos vivos, ¿son todavía nuestros contemporáneos? Parecen testigos de otra época. Cuentan historias de otros tiempos.

"Nuestro teatro no es actual porque ya no tenemos un verdadero público, sino una colección de personas que tienen, por casualidad, una misma noche, 500 francos para gastar.

"Ahora bien: de ese público al margen no pueden nacer sino obras al margen. El teatro vive al día una vida frecuentemente inútil en los ligeros remolinos de ese público sin consistencia. Pero el asunto se pone más grave cuando grandes fuerzas que aman la paz y el porvenir del hombre quedan de esta manera sin voz en el teatro."

Y también, a propósito del teatro comprometido:

"Durante aquellas noches de cólera, mientras imaginábamos con angustia qué sería del pensamiento francés en una Europa nazi, ¿no comprendimos que el artista que no se compromete renuncia en realidad al derecho de pensar, a menos de emboscarse sencillamente, por cobardía, detrás de los que combaten por él?

"Es preciso entenderse bien. ¿Cuál es el problema del mundo de hoy? Una terrible lucha por la paz y por la dignidad del hombre.

"No, el artista no puede ya encerrarse en una torre, aunque sea de marfil. Los más obstinados en el error no pueden ignorar ahora que la vida de un artista está ligada a la vida de su país. ¿Y quién puede ignorar todavía que el poeta es solidario del obrero y del ingeniero?"

Sí, la persecución—"llamad delincuentes a los enemigos y podréis asesinarlos", como dice Bruno Brehm—, el genocidio, la tortura, son realidades históricas con las que necesitamos enfrentarnos. Quinto lo dice en el programa del Recoletos: "Toda realidad revelada es, sobre todo y por encima de todo, socialmente progresiva."

Sastre ha elegido un episodio de la guerra francoargelina. No se dice que concretamente lo sea, pero se deduce, sin posible error. Una cita de *La question*, de Henri Alleg, acaba por precisarlo definitivamente.

Se trata de un hecho histórico actual, en el que se acumula una serie de monstruosidades. Sastre nos las dramatiza para que contemos con ellas, "más allá del inmediato efecto catártico", para que tomemos conciencia de una determinada realidad.

¿Cómo no agradecerle a Alfonso Sastre la raíz última de su drama? ¿Desde qué siniestra trinchera podría condenarse "nada más que la verdad"?

Estética.—Creo que queda precisada una serie de características esenciales, éticas, de *En la red.* Vayamos ahora con sus rasgos formales.

El propio Sastre nos habla—en una nota del programa—de la estructura aristotélica de la obra. No porque se trate de un ejercicio neoclásico, sino porque la forma elegida cuadra a la materia dramática.

Se respetan, pues, las tres unidades. Y se da una serie de elementos de la poética aristotélica. Sáltase, en cambio, uno de sus principios. Aquel que dice: "Es necesario que las acciones recíprocas sean o entre amigos o entre enemigos o entre personas neutrales. Si el enemigo matare al enemigo, no causa lástima... Mas lo que se ha de mirar es cuando las atrocidades se cometen entre personas amigas, como si el hermano quiere matar al hermano, o el hijo al padre o a la madre."

En el drama de Sastre, el daño se lo causan los enemigos. Pese a lo cual, la tragedia existe. El propio concepto de *enemigo* es, sustancialmente, un concepto trágico.

La acción transcurre dentro de las veinticuatro horas—unidad de tiempo—y en un mismo lugar. La psicología de los personajes apenas se esboza. Estamos ante un teatro "monosituacional", la situación del hombre, de cualquier hombre, acosado y puesto a prueba.

El autor, deliberadamente, extrema la visión de hechos espantables. Se trata de procurarle al espectador una "toma de conciencia", de meterle por los ojos una realidad que siempre ablandan las palabras.

La espera, ese aguardar la muerte y el tormento, esa tremenda y multiplicada situación del hombre, crea el clima del drama. Los breves momentos esperanzados no son sino contrapuntos, porque lo que quiere Sastre transmitirnos es la situación de encierro, de acoso de unos hombres por otros hombres.

Dialécticamente, esto es afirmado y reafirmado una y otra vez. Probablemente incluso en exceso, porque ello cercena esporádicamente la espontaneidad del drama para darle—en esos momentos—un tono discursivo.

El lenguaje teatral de Alfonso es conocido de todos. Carece de la más leve frivolidad. Es un lenguaje que intenta profundizar siempre. Un lenguaje de inspiración racionalista, que no deja un cabo suelto, aun a riesgo de envarar momentáneamente el diálogo. La elusión casi nunca es ejercitada. Se dice todo y, hasta donde es posible, todo es mostrado en escena. El autor lucha obsesivamente contra cualquier argucia técnica que pueda resultar inhibitoria. Al concepto de fluidez se prefiere el de madurez. Al de sugerencia, el de "toma de conciencia".

Bien mirado, si la estructura es aristotélica, *En la red* respira por los cuatro costados lo que hay de esencial en la teoría brechtiana : "En lo sucesivo, el teatro no alimentará al espectador de ilusiones, no le hará olvidar el mundo, no le hará reconciliarse con su destino. El teatro le presentará el mundo para que pueda comprenderlo y transformarlo."

¿No era este, poco más o menos, uno de los enunciados de la declaración inicial del Grupo de Teatro Realista?

Montaje e interpretación.—Sastre escribe, como apuntaba antes, un teatro de cierta indiferenciación psicológica. No estamos ante el problema individuo-colectividad de rigor. El concepto *hombre* es objetivizado, por decirlo así. O colectivizado.

No se trata de luchar por el individuo, sino de luchar por el hombre, que es otra cosa. De ahí nace, precisamente, la exigencia de escribir un teatro comprometido.

Para este teatro no valen, pues, muchos de los criterios con que se montan e interpretan tantas comedias. Hay una dialéctica que frena al actor, que la *dis-*

tancia de toda interpretación apasionada y subjetiva. Se trata, en definitiva, de algo que no encaja dentro de la técnica habitual de nuestros intérpretes. O dentro de la tónica global de nuestro teatro.

Juan Antonio Bardem, nuevo en este menester, montó la obra con ejemplar humildad y servicio al texto. No se permitió ni una pirueta extemporánea, en beneficio de su lucimiento. (Hubiera sido absurdo, pero estoy seguro de que muchos los esperaban.) Bardem es un hombre de largas y densas experiencias y no incurrió en la menor ingenuidad. Sonidos y luces—estas con la colaboración de Julio Baena—fueron establecidos con rigor y sensibilidad. El juego de los intérpretes, salvo en algunas fases en que el texto exigía lo contrario, se sometió a una cierta *frialdad* sentimental, de acuerdo con los más firmes postulados de todo el teatro político. La tortura de un personaje fue mostrada con violenta crudeza, con deliberado propósito de quitarle al espectador toda postura inhibitoria, y, sin embargo, siempre flotó un espíritu pedagógico —en el sentido brechtiano—que demandaba más una toma de conciencia que una simple *catarsis* o *participación*.

He de cortar la ya larga crítica. El espectáculo está fuera de los cánones tradicionales. Es, pues, desde el punto de vista formal y estético, un espectáculo que se presta a la polémica. Quizá no tanta como de primer intento parece, cuando advertimos la raíz ética y pragmática de todo su contenido. Incluso cabe decir que su estética es un corolario indubitable de los propósitos esenciales que animan a Alfonso Sastre a escribir un teatro comprometido y responsable.

De los intérpretes, quizá no deba destacarse a nadie. O solo a Antonio Casas, el más convincente de un reparto que tuvo también en Agustín González, Amparo Soler Leal, Antonio Queipo y Magda Roger otros buenos intérpretes.

La noche del estreno se aplaudió mucho. Y, al final, hablaron el autor y el director.

José Monleón.

(De *Triunfo*, de Madrid.)

EN LA RED

REPARTO

(POR ORDEN DE SU APARICION)

PERSONAJES		ACTORES
CELIA.	europeos	Antonio Casas.
PABLO.	europeos	Amparo Soler Leal.
TAYEB, mestizo		Antonio Queipo.
AÏESCHA.	árabes	Magda Roger.
HANAFI, el portero.	árabes	Luis Sanz.
LEO, europeo		Agustín González.

... Y una patrulla de la Policía Militar. Hablan: el Sargento y tres Soldados.

Los seis personajes llevan trajes ligeros y claros (es verano). Aunque ninguno de ellos, durante los actos primero y segundo, haga grandes comentarios sobre el calor (quizá porque todos están habituados a él), la dirección de escena cuidará de señalar los efectos del ambiente sobre ellos: gestos, movimientos, sudor. En el acto tercero, el tema salta al diálogo por la aparición del viento del desierto. La dirección de escena cuenta ahí con datos suficientes para un expresivo desarrollo escénico, aunque el tema llega a caer del diálogo por la fuerza de los acontecimientos.

ACTO PRIMERO

ANOCHECE

Es el crepúsculo. PABLO—un hombre de aspecto ingenuo y sonrisa un poco burlona—está inmóvil; mira fijamente hacia el exterior: a la terraza sobre la cual ya empiezan a caer las sombras. Entra CELIA; es una mujer muy bonita, pero viste severamente. Va sin pintar. Trae una taza con una infusión.

CELIA.—¿Qué hace ahí?

PABLO.—Esperando a que anochezca.

CELIA.—No sé para qué.

PABLO.—Para salir un rato.

CELIA.—Puede ser peligroso.

PABLO.—No me verá nadie. Sé cómo hacerlo.

CELIA.—Hay que tener cuidado.

PABLO.—Ya lo sé. Saldré con la luz apagada... Me pegaré a la barandilla. Es para ver la calle, ¿sabes? Por distraerme un poco. Por respirar...

CELIA.—Tome esto. *(Le tiende la infusión.)*

PABLO.—Gracias. *(Coge la taza y bebe.)*

CELIA.—*(Se sienta. Suspira.)* Me he echado un poco en la cama. Pero no puedo descansar. He leído un rato.

PABLO.—Yo no puedo leer. Tampoco duermo desde que nos encerramos aquí. ¿Cuánto tiempo hace?

CELIA.—*(Sonríe.)* ¿Ya ha perdido la noción del tiempo?

PABLO.—Creo que hace... tres días.

CELIA.—Así es.

PABLO.—Parece mucho más tiempo. Además, hace demasiado calor. Estoy sudando. Se me caen encima... estas cuatro paredes. *(Un silencio.)*

CELIA.—Es la primera vez, ¿verdad?

PABLO.—Sí. *(Un silencio. La observa.)* Usted... ¿ya tiene experiencia?

CELIA.—*(Ligeramente.)* Bastante.

PABLO.—Entonces, enséñeme a soportarlo.

CELIA.—Lo intentaré... De todos modos tengo que rogarle que no salga.

PABLO.—¿A la terraza?

CELIA.—Pueden verlo desde las casas de enfrente.

PEBLO.—Yo tendré cuidado.

CELIA.—Es mejor no salir. Estamos... *(Sonríe.)* en un departamento deshabitado. Nadie vive aquí, ¿lo entiende?

PABLO.—*(Sonríe también.)* Entonces..., ¿nosotros? *(Se seca el sudor de la frente con un pañuelo.)*

CELIA.—¡No hay nadie!

PABLO.—¡Es cierto! ¡Nadie! ¡Solo... fantasmas! *(Ríen. Un silencio.)* ¿Cómo están nuestros huéspedes?

CELIA.—Ahora descansan. Les he dado un calmante. *(Un silencio.)* ¿Se siente mejor?

PABLO.—Un poco.

CELIA.—Verá cómo se acostumbra.

PABLO.—¿Ha subido ya el portero?

CELIA.—No.

PABLO.—¿A qué espera?

CELIA.—El sabe cuál es el momento oportuno. Cuando todos los habitantes de la casa duerman, él subirá muy silenciosamente.

PABLO.—¿Traerá los periódicos?

CELIA.—Claro.

PABLO.—*(Saca cigarrillos.)* ¿Quiere fumar?

CELIA.—No, gracias. *(El enciende. Ella lo observa.)* Le preguntaría quién es usted. *(El va a decir algo. Ella lo detiene con un gesto.)* Pero no lo haré nunca. Es capaz de decírmelo.

PABLO.—¿Por qué no?

CELIA.—*(Lo observa.)* Se diría que nunca ha trababajado en nuestra organización.

PABLO.—¿Por qué?

CELIA.—Desconoce las reglas

PABLO.—*(Sonríe ingenuamente.)* Eso creo.

CELIA.—Cuanto menos sepamos los unos de los otros, mejor. ¿Es capaz de entenderlo?

PABLO.—Creo que sí. Pero... *(Se calla.)*

CELIA.—Dígalo.

PABLO.—Me parece horrible.

CELIA.—Nadie ha dicho que no lo sea.

PABLO.—*(Parece reflexionar.)* Pienso que se nos niegan demasiadas cosas.

CELIA.—"Casi" todo... por ahora.

PABLO.—¿Y hasta cuándo?

CELIA.—Hasta..., hasta ese día feliz. Ese día podremos mirarnos todos cara a cara.

PABLO.—Afortunadamente, creo en ese día.

CELIA.—Todos creemos. O hacemos por creer.

PABLO.—Ese momento va a llegar muy pronto, créalo... Yo tengo motivos para decirle...

CELIA.—*(Le interrumpe.)* Así sea.

PABLO.—*(Sonríe.)* ¿Tiene miedo de que hable demasiado?

CELIA.—Mucho.

PABLO.—Miedo, ¿a qué?

CELIA.—Nunca me han... Digamos que nunca me han hecho daño. No sé hasta dónde podría llegar.

PABLO.—Yo tampoco tengo experiencia. Pero creo que podría llegar bastante lejos.

CELIA.—Nunca se sabe. Otros tan fuertes como usted han hablado así, y luego no pudieron soportarlo.

PABLO.—Eso es hablar de cosas tristes, ¿no le parece?

CELIA.—*(Sonríe.)* Siempre se cae en lo mismo. Perdóneme. (PABLO *pasea intranquilo. Ella lo mira.)* Ahora sí quisiera un cigarrillo, por favor. *(El se detiene. Va junto a ella y se sienta a su lado. Le ofrece un cigarrillo y fuego.)* Gracias. *(Están ya en una semipenumbra.)*

PABLO.—Es... una mujer muy bonita. ¿Se puede hablar así dentro de la organización?

CELIA.—Se puede..., pero no es necesario. Gracias. *(Se levanta con cierta brusquedad y va junto al ventanal. Cierra la persiana silenciosa, cuidadosamente. En la oscuridad, en la que brillan los cigarrillos, se oye su voz.)* Encienda esa luz. *(Por la lámpara, que enciende también un aplique.)*

PABLO.—*(Un poco burlón.)* ¿No teme que se vea algo a través de las rendijas?

CELIA.—Enciéndala. *(El lo hace. Ella enciende la lámpara que hay sobre el tablero de trabajo.)*

PABLO.—Pero no se enfade conmigo. *(La luz se enciende.* PABLO *está junto al interruptor.)* Es de noche. A estas horas los "caballeretes" abren sus puertas. La gente empieza a divertirse. Suena música americana y corre el champán francés. ¿Quiere que demos una vuelta? Conozco un sitio interesante. Una cueva donde una mujer se desnuda de un modo muy agradable. Es un espectáculo.

CELIA.—Cállese.

PABLO.—Hago lo posible por divertirla. Bromeo. Trato de ser un compañero divertido.

CELIA.—No lo consigue.

PABLO.—Entonces le pido mil disculpas.

CELIA.—Tampoco es necesario.

PABLO.—*(La mira.)* Voy dándome cuenta de algo, Celia... Creo recordar que para mí se llama Celia. Tengo mala memoria. ¿Celia?

CELIA.—Sabe de sobra que así es.

PABLO.—Le recuerdo mi nombre. Pablo.

CELIA.—Tengo buena memoria.

PABLO.—*(En tono ligero, casi divertido.)* Me da lecciones continuamente. No sé si podré soportarlo.

CELIA.—Si no lo soporta, puede abrir la puerta y salir; márchese.

PABLO.—No crea que estoy loco.

CELIA.—Decía que va dándose cuenta de algo. ¿De qué?

PABLO.—De que le gusta esto.

CELIA.—¿Esto? ¿A qué se refiere? ¿A estar aquí con usted?

PABLO.—De ningún modo. Eso lo va soportando, simplemente. Me refiero a... todo lo demás. La oscuridad, el misterio, pertenecer a una sociedad secreta, dedicarse a cierta actividad clandestina, por decirlo todo de una vez. Hablar con medias palabras, susurrar algo a un camarada del que solo sabe que lo es por un detalle..., un gesto..., el modo de doblar un periódico reaccionario... Comprobar hábilmente que nadie la ha seguido... Echar una carta comprometedora en un buzón... ¿No es cierto? Tiene algún encanto. Se experimenta, a veces, un placer indefinible. ¿Verdad? (CELIA *no responde. Lo mira fijamente.)*

CELIA.—Si me lo permite, voy a hacerle una pregunta.

PABLO.—¿Podré contestarla?

CELIA.—Yo no le haría una pregunta que usted no pudiera contestar..

PABLO.—*(Sonríe.)* ¿Quién me lo garantiza?

CELIA.—Supongo que... la persona que lo dirigió hacia mí.

PABLO.—¿Y quién me garantiza a esa persona?

CELIA.—*(Un poco molesta.)* Usted sabrá.

PABLO.—Como ve, todo sería imposible si se llevaran las cosas a cierto extremo. Es lo único que quería demostrarle. Nos quedaríamos todos en silencio y mirándonos recelosamente. Esto, entre camaradas, sería lamentable. Mi opinión es que un poco más de alegría no puede perturbar gran cosa... el efecto del conjunto. Por el contrario, es posible que facilitara muchas cosas. ¿No le parece?

CELIA.—*(Le mira ahora con cierta simpatía.)* Es posible.

PABLO.—Vamos, pregúnteme.

CELIA.—Quería..., en fin, quería preguntarle cuánto tiempo hace que entró en la clandestinidad.

PABLO.—*(La mira con fingido recelo.)* Dudo si he de contestarle.

CELIA.—*(Ahora sonríe.)* Hágalo sin miedo.

PABLO.—Puedo comprometerme seriamente.

CELIA.—Lo olvidaré en seguida. *(Un breve silencio.)*

PABLO.—Solo una semana.

CELIA.—*(Sorprendida.)* ¿Tan poco? ¿Cómo es eso?

PABLO.—Pues así es.

CELIA.—¿Cómo fue? ¿Alguien le habló de nuestra causa? ¿Se sintió atraído hacia ella de pronto? Cuéntemelo sin citar nombres, se lo ruego.

PABLO.—Veo que no me ha entendido. Lo siento.

CELIA.—¿Qué quiere decir?

PABLO.—Hace una semana que entré en la clandestinidad, es cierto. Pero hay otras formas de luchar por la causa. ¿No las recuerda? Trabajo por ella desde hace muchos años.

CELIA.—Perdóneme. Ya sé a qué se refiere.

PABLO.—He luchado durante años allá, en el desierto. Soy soldado. Nuestro ejército no es clandestino. Tiene sus cuarteles. Combatimos a la luz del sol.

CELIA.—Ya lo sé.

PABLO.—También morimos a la luz del sol. (CELIA *lo mira, extrañada por el acento, repentinamente patético, de las palabras de* PABLO.) ¿Sabe lo que hace el enemigo con los soldados nuestros que caen prisioneros?

CELIA.—He oído algo.

PABLO.—Los despedazan. Horriblemente mutilados, los exhiben en las aldeas árabes, como escarmiento. *(Entre dientes.)* Esos canallas.

CELIA.—*(Es ahora ella quien sonríe levemente.)* Está hablando de nuestros compatriotas, no lo olvide. Esos "canallas" han podido ser nuestros compañeros en el colegio.

PABLO.—Hace mucho tiempo que ya no lo son para mí. Mi pueblo es este. Esta gente de color. Estos hombres humillados. Hace tiempo que escupí sobre la bandera de mi país.

CELIA.—Yo no he hecho nunca ese gesto de desprecio. Pienso que allí..., que allí hay un pueblo que rechaza lo que estos hacen en su nombre.

PABLO.—Yo hablaba de la bandera. El pueblo no la tiene.

CELIA.—Puede que algún día..., y entonces sería el momento de la reconciliación. ¿Qué piensa?

PABLO.—*(Se encoge de hombros.)* Yo estoy dispuesto. *(Un silencio. Ella le mira fijamente.)*

CELIA.—¿Usted... era ya soldado?

PABLO.—Pertenecía a la guarnición. Un día maté a un cabo que estaba torturando a un indígena. Deserté y fui acogido por las gentes del desierto. Desde entonces lucho por ellos.

CELIA.—*(Conmovida.)* Es admirable lo que me ha contado. Gracias.

PABLO.—Me prometió olvidarlo.

CELIA.—*(Tiene los ojos húmedos.)* No será posible.

PABLO.—No le dé importancia. No la tiene, se lo aseguro.

CELIA.—Aquí, a veces, nos olvidamos.

PABLO.—¿De nosotros?

CELIA.—Sí. Pensamos que la guerra la hacemos nosotros solos en la ciudad, imprimiendo la propaganda, preparando las huelgas. Nos olvidamos de ustedes... tantas veces.

PABLO.—Allá también ocurre. O nos figuramos que aquí lo pasan bien. Se nos ocurre pensar de pronto: "Allí pueden tomar una copa en un bar, bañarse, ir al cine o leer un buen libro." Entonces pensamos en ustedes con resentimiento.

CELIA.—Nos damos importancia. Nos parece como si los sótanos de la Policía fueran el más terrible peligro del mundo. Trasladar un alijo de armas, llevar un mensaje o cruzar la frontera con un pasaporte falso es, para nosotros, algo enorme. Más allá no hay nada. Vivimos con ese engreimiento, y es ridículo.

PABLO.—*(Sonríe.)* No lo es tanto. En cuanto a mí, prefiero aquello.

CELIA.—*(Lo mira con asentimiento.)* No puede soportar esta inmovilidad. Ya ve: este es nuestro pobre heroísmo. Hacer como si no existiéramos.

PABLO.—*(Dice ligeramente.)* El nuestro, hacer como si existiéramos muchos más. (CELIA *ha sacado de un armarito una botella y dos copas.)*

CELIA.—¿Quiere?

PABLO.—Desde luego. Allí no hay muchas ocasiones de probar un "brandy" como este.

CELIA.—*(Sonríe.)* ¿Es un reproche?

PABLO.—*(Ríe abiertamente.)* ¡Claro! El reproche propio de un brutal guerrillero. (CELIA *ha llenado las copas y le tiende una. El la coge.)*

CELIA.—Por todos los camaradas.

PABLO.—Y por nosotros. *(Beben.)* Me alegro de que me haya permitido, por fin, hablar. *(Ella sonríe.)* Estos tres días me ha mantenido usted a distancia. Estaba, lo confieso, un poco atemorizado.

CELIA.—¿Ha tenido miedo de mí?

PABLO.—Un... un respeto enorme. Estaba demasiado seria. Hasta el punto de que deseaba escapar lo antes posible.

CELIA.—En cuanto pase esto, podrá irse.

PABLO.—¿Es seguro que sigue?

CELIA.—Según parece, no ha hecho más que empezar.

PABLO.—Una redada enorme, ¿verdad?

CELIA.—La más grave hasta ahora. Se están empleando a fondo.

PABLO.—Esperemos que no llegue hasta aquí. Sería desagradable. Además, yo tengo que volver.

CELIA.—No podrá volver por ahora. No daría un paso y ya habrían caído sobre usted.

PABLO.—No soy tan conocido.

CELIA.—Caen sobre todo el mundo. Entonces hay que presentar una documentación convincente. ¿Dispone usted de esos papeles?

PABLO.—Desde luego que no.

CELIA.—Por eso está aquí.

PABLO.—Ya me figuraba yo que sería por algo. *(Ríe.)* Al principio lo tomé un poco a broma. Me pareció que podría ser el comienzo de una bonita aventura.

CELIA.—¿A qué llama una bonita aventura?

PABLO.—Verá: hace tres días fue a verme un...,

bueno, una persona. No le diré nada de ella. ¿Está contenta así? Arabe o europeo, ¿qué importa?

CELIA.—Siga.

PABLO.—Me dijo que había empezado una redada y que tenía que esconderme. "Pero ¿dónde?", le pregunté. "Irás dentro de dos horas al Gran Café. Llevarás bajo el brazo este libro. Te sentarás en una mesa. Empezarás a leer y pasarás una hoja cada minuto... Se te acercará una señorita." La cosa empezó a gustarme. "¿Una señorita? ¿Y cómo es?" Entonces me hizo una descripción satisfactoria. "Estarás a sus órdenes." Eso no me gustó. "Lo de las órdenes ya lo veremos", me dije para mí. Entonces la persona desapareció. Se esfumó en el aire, de un modo profesional, como solo un expertísimo agente secreto es capaz de hacerlo. Yo me afeité cuidadosamente y me dispuse a asistir a la cita de una extraña mujer, por lo que me habían dicho, llena de encanto. Fui silbando hacia el Gran Café como cuando era jovencito y acudía a alguna cita con una chica que me gustaba.

CELIA.—¿Se cruzó con alguna patrulla?

PABLO.—Traté de esquivarlas. *(Un corto silencio.)* ¿No es capaz de pensar en otra cosa? Concibe la vida de un modo un poco fúnebre. Le estaba contando una bonita historia.

CELIA.—¿Se figura la otra mitad? Una persona me cita, por teléfono, en un banco del parque. Una cita de amor. ¡Quién sabía si el teléfono de aquella pensión estaba también intervenido!

PABLO.—Le preguntaría algo... si no se disgustara conmigo. *(Ella le mira, interrogante.)* ¿Podría saber su dirección? Me refiero a su domicilio de verdad..., su casa, si la tiene. No esa pensión de que me habla.

CELIA.—No es necesario que la sepa. ¿Para qué la quiere?

PABLO.—Por si un día..., en fin, por si las cosas cambiaran algún día. Me gustaría mucho volver a verla. Le haría una visita muy cortés. Puede que incluso afectuosa. Le daría las gracias y hasta es posible que me pusiera sentimental. *(Un silencio.)* Así que... una cita de amor.

CELIA.—Sí.

PABLO.—*(Ríe, reflexivamente.)* Si se trata de la persona que pienso, no es muy agradable en ese aspecto.

CELIA.—*(Ríe.)* No, no lo es. Aunque por teléfono no resulta tan mal. Supongo que el policía que escuchara la grabación enrojecería escandalizado.

PABLO.—¿Tan... expresiva es esa persona? No lo hubiera creído nunca.

CELIA.—Desvergonzada... en ese aspecto. Pero luego es un honesto padre de familia. Terriblemente respetuoso.

PABLO.—Siga, siga.

CELIA.—En el parque, me enseñó un libro con las tapas rojas. "En el Gran Café, a las once, alguien tendrá este libro. Cada minuto justo pasará una hoja."

PABLO.—¿Me describió correctamente?

CELIA.—No parece tener una gran idea de usted.

PABLO.—¿Quiere decir que la he sorprendido favorablemente?

CELIA.—Simplemente, me ha sorprendido.

PABLO.—Ya es algo. *(Un silencio. Consulta el reloj.)* Las nueve. A esta hora estará transmitiendo la emisora de la Organización en el desierto.

CELIA.—¿Quiere escucharla?

PABLO.—Sí, por favor. *(Enciende la lamparita que hay junto al aparato.)*

CELIA.—De acuerdo. *(Maneja el pequeño aparato. Se oyen ruidos. Al fin:)*

VOZ DEL LOCUTOR.—... Ante la brutalidad de los recientes sucesos hacemos un llamamiento general a las naciones civilizadas. Continúan los arrestos en masa. Basta cualquier denuncia, cualquier sospecha, para que la Policía militar cometa las mayores violaciones de los derechos humanos. La actual redada comenzó el 7 de mayo. A las cuatro de la madrugada en punto, quinientos domicilios eran asaltados por la Policía. Sus ocupantes fueron brutalmente conducidos a los cuartelillos, donde están siendo sometidos a espantosas torturas. En nombre de la dignidad humana, nos dirigimos al mundo civilizado... (CELIA, *sombría, cierra el aparato. Su rostro, ahora, está desfigurado por una mueca.* PABLO, *impresionado, trata de atenderla. Lo hace con timidez.)*

PABLO.—Pero ¿qué le ocurre?

CELIA.—Nada. *(Está llorando silenciosamente.)*

PABLO.—Trataba de distraerla un poco. He sido un estúpido.

CELIA.—No es nada.

PABLO.—Haría lo que fuera por no verla así, Celia. Por favor. Si caemos en una depresión, todo va a ser demasiado difícil.

CELIA.—Déjeme sola.

PABLO.—No lo haré.

CELIA.—Déjeme sola, por favor.

PABLO.—¿Por qué? Si hay una razón...

CELIA.—*(Grita frenética.)* ¡Le he dicho que me deje sola!

PABLO.—No grite. Supongo que debajo de estas habitaciones vive alguien.

CELIA.—*(Parece algo apaciguada.)* Déjeme sola; para que no tenga nadie a quien decir...

PABLO.—A quien decir, ¿qué?

CELIA.—Lo que me ocurre. *(Un silencio.)*

PABLO.—Yo puedo servir. *(Ella lo mira, interrogante.)* Yo puedo servir para que usted esté sola, Celia. Hable sin miedo. Nadie sabrá lo que me cuente.

CELIA.—Quiero creer en usted.

PABLO.—¿Por qué no?

CELIA.—... Pero ya no puedo creer en nadie. Me figuro... *(Mira a* PABLO *y se calla.)*

PABLO.—Dígalo. *(Un silencio.)*

CELIA.—*(Como obsesionada, murmura:)* La Policía pudo coger a un hombre antes que llegara al Gran Café. Llevaba un libro con tapas rojas. En el primer cuartelillo, lo torturaron hasta que confesó las señas del reconocimiento... Un policía ocupó su puesto en el Gran Café... Cada minuto pasaba una hoja suavemente... y yo... *(Un silencio.)*

PABLO.—*(Sombrío.)* Entonces ha llegado a esto.

CELIA.—Sí.

PABLO.—Ya no confía en nada, en nadie.

CELIA.—No.

PABLO.—Piensa que yo puedo ser un policía. ¿No es así?

CELIA.—*(Asiente, mirándole a los ojos.)* Un policía que espera a que este refugio le revele sus secretos. Un policía que se ha metido en la red y que en cualquier momento puede ordenar: "¡Arriba! ¡Ya es bastante!"

PABLO.—*(Gravemente.)* No es así. Pero no puedo mostrarle ninguna prueba. Tampoco yo se la pido a usted; sería absurdo. Solo nos queda confiar en algo; o, si lo prefiere, explorarnos sinceramente. Hágalo. *(En la calle suena, ahora, una sirena policíaca.* PABLO *se yergue. Ha palidecido un poco. Escucha la sirena hasta que se extingue. Entonces respira con alivio.* CELIA *no se ha movido: sin mostrar ninguna emoción, como habituada, ha observado a* PABLO *curiosamente.)*

CELIA.—Sería un gran actor.

PABLO.—¿Cómo?

CELIA.—En el caso de que los de ese coche que ha pasado fueran sus amigos.

PABLO.—¿Me ha notado algo?

CELIA.—Un ligero temblor.

PABLO.—Lo siento.

CELIA.—También ha palidecido.

PABLO.—No estoy acostumbrado a esperar en una ratonera. *(Un silencio.)* Bueno, dígalo ya.

CELIA.—¿Qué quiere que le diga?

PABLO.—Cuando hemos escuchado la radio, ¿qué le ha ocurrido? *(Un silencio.)*

CELIA.—Hace tres días, a las cuatro de la madrugada, uno de los domicilios asaltados..., fue el mío. ¿Todavía quiere saber mi dirección?

PABLO.—Usted... no estaba dentro.

CELIA.—*(Ríe ásperamente.)* ¿No me ve aquí?

PABLO.—Entonces... no había nadie. *(Un breve silencio.)*

CELIA.—Sí, alguien... a quien ahora estarán torturando esos salvajes.

PABLO.—¿Lo sorprendieron?

CELIA.—Sí.

PABLO.—¿Usted... estaba fuera por casualidad?

CELIA.—No.

PABLO.—¿Cómo dice?

CELIA.—Yo lo sabía. Por eso no volví esa noche.

PABLO.—¿Sabía que iban a hacer esta redada?

CELIA.—Esa misma tarde me avisaron. Hubo una confidencia.

PABLO.—¿Y cómo no avisaron... a esa persona?

CELIA.—*(Penosamente.)* No hubo tiempo.

PABLO.—¿La dejaron allí... sabiendo...?

CELIA.—No se pudo hacer más.

PABLO.—¿Y el teléfono?

CELIA.—Se le llamó para tratar de decírselo de algún modo, a pesar de la intervención.

PABLO.—¿Y...?

CELIA.—No lo cogió.

PABLO.—¿Por qué?

CELIA.—Teníamos orden de no utilizar aquel teléfono. El... o ella la cumplió.

PABLO.—Pudo ocurrir una cosa diferente.

CELIA.—Ocurrió así, como le digo.

PABLO.—¿Y si no estaba?

CELIA.—Sí estaba.

PABLO.—¿Están seguros de que fue detenido?

CELIA.—Sí, por desgracia.

PABLO.—¿Era algo... o mucho para usted?

CELIA.—Déjelo, por favor. Tenga... un poco de piedad.

PABLO.—No quiero hacerle daño. *(Se oye el ruido del ascensor que se acerca.* PABLO *lo escucha, expectante.)* Es el ascensor.

CELIA.—Sí.

PABLO.—¿Quién subirá? (CELIA *se encoge de hombros.)* ¿Quién vive abajo?

CELIA.—Un comerciante árabe. Inofensivo, según parece. *(El ruido se detiene.)*

PABLO.—Será él.

CELIA.—Seguramente. *(El ruido vuelve a sonar, ahora alejándose.* PABLO *sonríe.)*

PABLO.—Tiene... cierta emoción.

CELIA.—Me alegro de que lo tome así.

PABLO.—¿Cuánta gente conoce este refugio?

CELIA.—Dos... o tres personas.

PABLO.—¿Alguno de ellos... ha caído ya?

CELIA.—*(Vacila antes de responder. Con esfuerzo:)* Sí...

PABLO.—Entonces... *(Trata de sonreír, pero ahora no lo consigue.)* Eso quiere decir que... en cualquier momento...

CELIA.—Puede ocurrir.

PABLO.—Esperemos que... todos resistan.

CELIA.—*(Irónica.)* Rece por ello. Es lo único que nos queda por hacer.

PABLO.—*(Con un humor frío.)* No..., no tengo costumbre.

CELIA.—Entonces cállese. No me ponga nerviosa.

PABLO.—¿Tiene usted nervios... de verdad?

CELIA.—Un resto... incontrolable. Guárdese de ellos.

PABLO.—Trataré de guardarme... callándome. *(Queda en silencio. Ella también con la mirada fija en el vacío. Una pausa. Los sobresalta, de pronto, un ruido dentro de la casa.* PABLO *comenta ligeramente.)* El misterioso matrimonio se remueve. *(Se enjuga el sudor con el pañuelo.)*

CELIA.—Ya lo he oído.

PABLO.—Puede que se les hayan pasado los efectos de ese calmante.

CELIA.—No me he atrevido a ponerles una dosis muy fuerte. *(Se levanta como si fuera a ver qué ocurre.* PABLO *la detiene con un gesto.)*

PABLO.—Déjelos en paz. Es posible que quieran estar solos.

CELIA.—Estoy un poco inquieta por ellos.

PABLO.—Están... bajo su custodia, ¿verdad?

CELIA.—Puede decirse así.

PABLO.—Una pareja un poco extraña.

CELIA.—No tanto como puede parecer.

PABLO.—Hay... un desequilibrio en ellos; no sé... Algo que acaba por inquietar un poco.

CELIA.—Por eso están aquí.

PABLO.—Nosotros estamos muy enteros todavía, ¿verdad? Como recién nacidos. *(Ríe.)* No hay nada que temer de nosotros, por ahora.

CELIA.—Es cuestión de tiempo.

PABLO.—Esperemos que llegue antes ese gran día..., la liberación. Los tambores de la victoria... Sanos y salvos podremos gozar algunos años de la vida. ¿No lo cree así?

CELIA.—Quiero creerlo así. *(Está sombría. Un silencio.)*

PABLO.—Piensa otra vez en esa persona, ¿no? No se atormente. Es posible que no..., que no le hagan ningún daño. *(Ella no dice nada.)* Si le parece, ponemos un poco de música. Muy bajito, ¿eh? Nadie nos oirá. *(Manipula en el aparato. Se oye una melodía.)* Esta canción tiene grandes recuerdos para mí.

CELIA.—¿Una chica?

PABLO.—Una francesa. Se llamaba la Resistencia.... (CELIA *lo mira con curiosidad.)* Entonces, sin querer, me hice soldado... Al terminar la guerra me trajeron aquí para colaborar en la pacificación del territorio... ¡Pacificación! Qué bonita palabra, ¿verdad? *(Es una canción de la Resistencia Francesa cantada por Ives Montand, sobre el rumor de la marcha de las tropas alemanas por las calles de París y el grito gutural de las órdenes en alemán. Escuchan, conmovidos.)* Entonces..., para usted también significa algo.

CELIA.—Sí, también.

PABLO.—¿Dónde vivía usted?

CELIA.—En París.

PABLO.—Yo..., de un lado para otro. Como siempre. *(Escuchan.)*

CELIA.—Eso me hace recordar.

PABLO.—¿Aquellos tiempos?

CELIA.—Muchas cosas... También cuando regresé aquí, al terminar la guerra... En fin *(Sonríe.)*, puedo decirle que había conseguido una plaza de maestra para una escuela indígena... Eso no compromete demasiado...

PABLO.—¿Qué me iba a decir?

CELIA.—Entre los niños empecé a amar a este pueblo y a comprender que lo tratábamos injustamente.

PABLO.—Comprendo... Cada uno de nosotros tiene su historia... (CELIA, *pensativa, asiente. Escuchan aún. Entonces entra* TAYEB. *Es un mestizo de aspecto muy distinguido. Parece envejecido por una lucha demasiado prolongada. Va en mangas de camisa. Furtivamente, se desliza hasta el aparato y lo cierra. Ellos se vuelven.* CELIA *se levanta.)*

CELIA.—Tayeb.

TAYEB.—*(Dice en voz baja.)* Están locos. ¿Qué quieren? ¿Qué nos cacen? (PABLO *va a decir algo, pero* CELIA *le interrumpe.)*

CELIA.—No hay nada que temer, Tayeb. Abajo no vive nadie. Además, ya no hay ningún peligro. Estamos aquí por extremar las medidas de prudencia, ¿comprende? La Policía se ha parado ya.

TAYEB.—*(Tiembla ligeramente.)* Eso no es cierto.

CELIA.—Sí lo es.

TAYEB.—¿Han caído muchos?

CELIA.—No..., la redada no ha tenido la importancia que se temió en un principio. Han detenido a cuatro o cinco.

TAYEB.—*(Excitado.)* ¿De la organización?

CELIA.—No, ninguno.

TAYEB.—Entonces, nadie puede saber que estamos aquí.

CELIA.—Nadie.

TAYEB.—De todos modos, hay que tener cuidado.

CELIA.—Claro..., como siempre.

TAYEB.—¿No llegan los papeles?

CELIA.—No han llegado aún.

TAYEB.—Habrá ocurrido algo.

CELIA.—Se habrá retrasado todo... por las circunstancias. Pero llegarán.

TAYEB.—Yo no quisiera irme.

CELIA.—Deben hacerlo. Se han ganado... ese pequeño descanso.

TAYEB.—¡Abandonarlos aquí!

CELIA.—Somos muchos. Sabemos protegernos.

TAYEB.—En el momento de más peligro.

CELIA.—No es así.

TAYEB.—Pero volveremos. Volveremos... en cuanto nos repongamos un poco. Lo acepto por Aïescha, ¿comprende? Aïescha está enferma. Yo me quedaría..., pero no puedo abandonarla. *(Se oye como un lamento de mujer.* CELIA *se dirige hacia la puerta.* TAYEB *trata de impedirlo.)* ¿Adónde va?

CELIA.—Voy a ver si necesita algo.

TAYEB.—No le ocurre nada.

CELIA.—Voy a verlo.

TAYEB.—¿Me va a dejar aquí?

CELIA.—Claro. *(Por* PABLO.*)* Es un amigo. *(Sale* TAYEB, *sin dar la espalda a* PABLO, *para lo que fuerza, con pretendida discreción, los movimientos, se coloca de pie en un rincón. Ha recorrido una parte de la distancia que le separaba del rincón, de espaldas.* PABLO *lo* *observa curiosamente.* TAYEB, *al sentirse observado, sonríe un poco, como disculpándose vagamente de algo sin importancia. Ahora palpa las dos paredes en ángulo como comprobando su solidez. Sonríe tranquilizado. Trata de explicar:)*

TAYEB.—Tengo... algunas curiosas costumbres.

PABLO.—¿Le gusta sentirse protegido? Los rincones... Se encuentra más cómodo así, ¿verdad?

TAYEB.—No puedo remediarlo. Para leer, para todo..., un buen rincón, ¿entiende? No sé cómo, pero he adquirido esa costumbre.

PABLO.—Todos tenemos... alguna pequeña manía. Es natural.

TAYEB.—No ve... nada raro en ello, ¿verdad?

PABLO.—Nada. Claro que no.

TAYEB.—*(Parece un poco conmovido. Sonríe con agradecimiento.)* Gracias. No... *(De pronto parece decidirse a contar algo más. Excitado, casi grita:)* ¡No puedo aguantar que haya algo vacío detrás de mí! ¡Quizá sea una rareza, pero no me importa decirlo! ¡El vacío detrás de mí es algo que... me... angustia! Prefiero... estar apoyado en algún sitio. Así. *(Se apoya en la pared.)* Me quedo quieto y... me siento casi feliz. ¿Sabe por qué? *(Con mucho misterio, añade.)* Solo disparan sobre lo que se mueve, ¿entiende lo que le digo? Y el vacío... es un camino por donde llegan siempre.

PABLO.—¿Quién llega? ¿Qué quiere decir con eso?

TAYEB.—¡Policías! Pero lo peor... *(Se calla como si dudara desvelar un misterio.)*

PABLO.—¿Qué es lo peor?

TAYEB.—Lo peor es que no llevan uniforme. Todo el mundo puede ser policía. Casi todo el mundo lo es. ¡Perseguidores! Los perseguidos somos muy pocos. Así que... llegan a cazarnos siempre. ¡Antes o después! Hay que tener mucho cuidado. Un cuidado exquisito. Yo lo tengo. Por la calle me gusta ir de prisa, moverme mucho. Claro, es cosa de experiencia. Así no se pueden fijar. Pero además, si disparan, puede que no acierten. También, yendo de prisa..., es posible que el que venga detrás no lo alcance a uno. A veces hasta hay que correr, y se consigue que nos pierdan de vista. Como ve, es completamente distinto estar en una habitación a ir por la calle. No tiene nada que ver lo uno con lo otro. (PABLO *va junto a la puerta. Escucha, como temiendo que vuelva* CELIA. *Tranquilizado, vuelve junto a* TAYEB, *que, excitado, pregunta:* ¿Ocurre algo?

PABLO.—Nada. *(Ahora, sin pestañear, pregunta de un modo rápido incisivo:)* ¿Hace mucho que entró en la organización?

TAYEB.—No debo decírselo.

PABLO.—Soy su amigo. ¿Qué le ha dicho Celia?

TAYEB.—Que es un amigo, sí.

PABLO.—Entonces dígamelo. Es por hablar de algo.

TAYEB.—Cinco años... ; un poco más.

PABLO.—¿En qué grupo trabaja?

TAYEB.—En el veintitrés.

PABLO.—¿Cuántos son?

TAYEB.—Creo que... unos quince.

PABLO.—¿Arabes?

TAYEB.—*(Asiente.)* Menos uno. *(Sonríe.)* No se trata de mí. Yo también lo soy..., en cierta proporción.

PABLO.—*(También sonríe.)* ¿Los conoce a todos?

TAYEB.—Personalmente, no.

PABLO.—¿A cuántos conoce personalmente?

TAYEB.—A... unos cinco o seis...

PABLO.—Trate de recordarlo bien. ¿A cuántos?

TAYEB.—Sí..., a más, desde luego. Pero no a todos.

PABLO.—¿Al responsable? Diríamos... ¿al que lleva el peso de la organización?

TAYEB.—No, nunca lo he visto.

PABLO.—¿De quién habla? ¿Del jefe de su grupo?

TAYEB.—No. A ese sí lo conozco. Me refería al jefe de la..., digamos, de la Quinta Columna. Al Alto Mando...

PABLO.—Ya. *(Lo mira fijamente.)* No sabe su nombre... ni nada de él.

TAYEB.—No lo conozco, de verdad.

PABLO.—*(Dice con cierta dureza.)* Habría que verlo.

TAYEB.—Le digo la verdad.

PABLO.—*(Fríamente.)* Sí, claro. Pero habría que ver con otros métodos.

TAYEB.—Pero ¿por qué me habla así?

PABLO.—*(Sonríe.)* ¿Cómo le hablo?

TAYEB.—Como... *(Se estremece.)* Como un policía.

(Pablo, *bruscamente, le coge de las solapas. Su gesto se ha endurecido.)*

Pablo.—¡No diga eso... o lo mataré! ¡A nadie! ¡No vuelva a repetirlo!

Tayeb.—No he querido ofenderle. *(Un silencio.* Pablo *parece tranquilizarse un poco. Vuelve a sonreír.)*

Pablo.—Ya casi lo he olvidado. ¿Quiere fumar?

Tayeb.—Sí, por favor. (Pablo *le da un cigarrillo y se lo enciende.)*

Pablo.—Ha dicho que conoce al jefe de su grupo, ¿verdad?

Tayeb.—*(Receloso.)* No, yo no he dicho eso.

Pablo.—He creído entenderlo.

Tayeb.—Yo no conozco a nadie. ¡A nadie! No pertenezco a nada. Estoy... injustamente perseguido.

Pablo.—¿Cómo se llama?

Tayeb.—¿Quién?

Pablo.—El jefe del grupo veintitrés, al que usted pertenece. *(Un silencio. Baja la vista.)*

Tayeb.—Se llama... Celia. *(Un silencio.)*

Pablo.—¡Ah!, ¿es ella? No sabía...

Tayeb.—Sí. Es decir, eso es lo que podría pensarse. *(Trata de replegarse.)* No estoy tan seguro de lo que acabo de decir.

Pablo.—Es una gran mujer, ¿verdad?

Tayeb.—*(Asiente.)* Nos va a sacar del país. Nos lo ha prometido. Quiero decir..., nos lo ha ordenado. Es... una gran mujer, como usted dice.

Pablo.—Seguramente tiene una gran importancia dentro de... la organización general. Al menos, lo parece.

Tayeb.—*(Irreflexivo.)* Sí que la tiene. *(De pronto, trata de frenarse.)* Bueno, quiero decir...

Pablo.—Yo... acabo de entrar, ¿me entiende? Tengo alguna experiencia militar, pero todo esto es nuevo para mí. Vengo con muchas ganas de hacer algo. Por eso le pregunto tantas cosas. No vea nada raro en ello. Encuentro todo tan... maravilloso.

Tayeb.—*(Sonríe afectuosamente.)* Claro... Lo es, en cierto modo... Le doy mi bienvenida. *(Extiende el brazo, ofreciéndole la mano, sin moverse del rincón.* Pablo *va junto a él y le estrecha la mano.)* Necesitamos jóvenes como usted. Sanos, con entusiasmo... y sin ficha policíaca. ¿Entiende? Algunos de nosotros ya no podemos ni movernos. Nos conocen demasiado. Es una vida un poco dura, ya verá.

PABLO.—Usted... ha tenido una actuación muy destacada. Yo había oído hablar de usted hace algún tiempo.

TAYEB.—*(Halagado.)* ¿Es cierto eso? ¿Dónde?

PABLO.—Entre la oficialidad se le conoce mucho.

TAYEB.—En las guerrillas, ¿eh? Buenos chicos..., llenos del mejor espíritu, ¿verdad?

PABLO.—Así es. *(Un silencio.)*

TAYEB.—Se ha hecho todo lo que se ha podido. No tiene importancia. *(*PABLO *guarda silencio, observándole. Ahora está dispuesto a hablar. Espera, como deseando que* PABLO *se interese por algún detalle concreto. Como no ocurre, él habla.)* Claro, siempre se corre algún peligro, pero menos del que a veces se piensa. No hay razones para envanecerse. Yo, por ejemplo, he notado en algunas ocasiones en que el riesgo era, por decirlo así, bastante grande. Pero había que hacer aquello y se hacía por encima de todo. Es natural. Las órdenes eran cumplidas. A veces... caía alguien. ¡Qué se le iba a hacer! Ya sabíamos que nos exponíamos a eso. Había que tener serenidad; yo la tenía. ¿Por qué no decirlo? Tenía... bastante serenidad. He metido propaganda de la organización en los sitios más inverosímiles. En el Gobierno Militar, por ejemplo; allí, en el mismo corazón de la Policía, ¡fíjese! En otra ocasión, diez mil octavillas en un solo día, por fábricas y talleres. ¡Yo!, ¡yo solo! Bueno, mi mujer y yo, quiero decir. Hasta que a ella la detuvieron un día. Entonces empezó lo más difícil. Le hicieron... verdaderos horrores. Sin embargo, seguimos. Pero a ella le fue entrando mucho miedo..., hasta que ya no pudo más. Además, está muy enferma. Le dieron patadas en el vientre, ¿sabe? Y eso..., eso es horrible. *(Se le han humedecido los ojos.)* Yo... estoy entero como el primer día; pero ella, ella ya no. Esto no quiere decir nada. No, no le doy importancia, de verdad. Solo se lo decía para que sepa que, a veces, corremos algún peligro.

PABLO.—Comprendo. Conozco algunos casos.

TAYEB.—No he querido desmoralizarle. ¡No, de ningún modo! Nos hace falta mucha gente como usted.

(Se oye el ruido del ascensor. Asustado, pregunta:) ¿Qué es eso?

PABLO.—El ascensor. Nada. *(Escuchan. Se para.)* Se ha parado abajo.

TAYEB.—¡Abajo! No puede ser. No vive nadie.

PABLO.—Ha sido en el cuarto. Creo que vive un comerciante árabe.

TAYEB.—¡Ah! Comprendo. *(Se oye otra vez el ruido.)* Ya baja...

PABLO.—Sí... (TAYEB *respira con alivio y se seca con un pañuelo el sudor de la frente. En ese momento vuelve* CELIA. *Trae, del brazo, a Aïescha. Es una mujer de cutis oscuro. Seguramente ha sido muy bonita.)*

CELIA.—Siéntese aquí con nosotros. Estará mejor.

AÏESCHA.—Gracias. *(Se sienta.)*

CELIA.—¿Quieren beber algo?

PABLO.—Sí, pero no se moleste. Yo mismo... *(Prepara unas bebidas.)*

CELIA.—Mientras, voy a prepararles algo de cenar; no sé todavía qué. *(Ha sacado una lata del armarito.)* ¡Ah!... No es lo peor que podía ocurrirnos. Abra esto, por favor. (PABLO *se apresura a acudir.)*

PABLO.—Un trabajo duro... y peligroso. Muy propio para mí. Ya está... ¿Dónde lo pongo?

CELIA.—En la mesa.

PABLO.—Con mucho gusto. *(Lo pone.)* Tengo bastante hambre. ¿Y usted? (TAYEB *no le oye. Está abstraído.)* Le preguntaba si su apetito es... satisfactorio. (TAYEB, *ahora, gira la cabeza y lo mira. Dice, incongruentemente.)*

TAYEB.—Perdón.

PABLO.—No tiene importancia. Era una pregunta estúpida. *(Se sienta* AÏESCHA *también.)* ¿Está cansada?

AÏESCHA.—*(Trata, gentilmente, de sonreír.)* Un poco. *(Se acerca* CELIA *con cubiertos. Los distribuye.)*

CELIA.—Sírvanse.

PABLO.—Usted, por favor *(Comienzan la cena. Comen silenciosamente.* AÏESCHA *mira a* CELIA *y parece que con mucha dificultad se atreve a decir:)*

AÏESCHA.—Celia...

CELIA.—Dígame, Aïescha. ¿Quiere algo?

AÏESCHA.—¿Tendremos que estar mucho tiempo aquí... todavía?

CELIA.—No creo. Sobre todo, ahora que todo marcha bien.

AÏESCHA.—¿Todo... marcha tan bien como dices? ¿Es cierto?

CELIA.—Sí, Aïescha. De verdad. *(Un silencio.)*

AÏESCHA.—Nunca he estado en Suiza. Debe de ser bonito todo aquello, ¿verdad?

CELIA.—Lo es. Y hay paz.

AÏESCHA.—Pensaremos mucho en ustedes desde allí.

CELIA.—Ya sé que así será. Pero no deberían hacerlo. Traten de olvidarse por algún tiempo de nosotros.

AÏESCHA.—No es posible. Nos dejamos aquí demasiadas cosas. *(Un silencio.)* Volveremos, ¿verdad? Algún día...

CELIA.—Claro que volverán.

AÏESCHA.—El día de la liberación... ¡Dios mío! No quisiera morirme sin verlo.

CELIA.—El día de la liberación estaremos todos juntos aquí. ¡Así será! *(Un silencio.* AÏESCHA *reflexiona, conmovida.)*

AÏESCHA.—Entonces, habrá merecido la pena todo.

CELIA.—Sí, Aïescha. Será... Un día muy bonito. ¡Y ya está muy cerca! Créalo.

AÏESCHA.—Sí que lo creo. Gracias. *(En ese momento se oye el timbre de la puerta, sofocado por una sordina. Quedan inmóviles, escuchando. Es una llamada característica.* TAYEB *se aprieta contra la pared frente a la puerta. Con ansiedad, pregunta:)*

TAYEB.—¿Quién será?

PABLO.—Es Hanafi, el portero. Un buen amigo. Fiel y silencioso. *(Va a abrir. Sale al pequeño vestíbulo y se le pierde de vista. Se le oye abrir la puerta. Al poco vuelve y deja paso a* HANAFI*: es un anciano. Silencioso, cruza hasta* CELIA*, a la que saluda ceremoniosamente. Ella le corresponde. Entonces,* HANAFI *le da unos periódicos. Luego inclina la cabeza saludando a todos.)*

HANAFI.—Si necesitan algo...

CELIA.—Nada, por ahora. Gracias. *(Entonces* HANAFI *se retira lentamente.* PABLO *vuelve a acompañarle. Que-*

dan CELIA, AÏESCHA *y* TAYEB *solos.* TAYEB *se acerca a* CELIA *y le pide:)*

TAYEB.—Déjeme los periódicos, por favor.

CELIA.—*(No se los da.)* ¿Para qué? Todo es mentira en ellos. ¿Qué quiere encontrar?

TAYEB.—*(Excitado.)* ¡Yo quiero verlos, sin embargo! ¡Sabiendo leer entre líneas se da uno cuenta de muchas cosas! ¡Por ejemplo, puede saberse si es cierto que ha terminado la redada! ¡Déjemelos! *(Trata de arrebatárselos.)*

CELIA.—No se los dejaré, Tayeb. Sea razonable.

TAYEB.—¡Entonces es que pasa algo! Algo grave, ¿verdad? ¡Es eso! ¡Pasa algo! ¡Lo dicen los periódicos! ¡Han detenido a todos los amigos! ¡Estamos en una ratonera! ¡Sí, ahora lo veo claro! ¡La redada continúa! ¡Está a punto de llegar hasta nosotros! ¡Ya llega! ¡Están en los pisos de abajo! ¡Siguen! ¡Suben por la escalera! ¡Déjeme esos periódicos! ¡Déjemelos! ¡Debo estudiar la situación! ¡Soy el único que puede hacerlo! *(Trata de arrebatárselos.* AÏESCHA *se echa a llorar. Ha vuelto* PABLO. *Se hace cargo de la situación y separa brutalmente a* TAYEB.*)*

PABLO.—*(Sordamente.)* ¡Cállese ya! ¡Está loco! ¡Cállese! *(Lo reduce violentamente.* TAYEB *lo mira con terror. Está sobreexcitado.)*

TAYEB.—Usted, ¿quién es? ¡Usted... es de la Policía! ¡Hay que pedir auxilio! ¡El nos ha vendido! ¡Hemos caído en una trampa! (PABLO *lo golpea en la cara.* TAYEB *queda, súbitamente, en silencio. Ahora se oye, de nuevo, el ascensor. El ruido los inmoviliza. Esperan, atentos.* TAYEB *parece a punto de gritar. El ruido llega hasta muy cerca. Entonces, se para.)*

PABLO.—*(Parece muy tranquilo.)* Ha sido aquí *(Silencio. Ahora se oye el ruido de una llave en la puerta.* PABLO, *entonces, hace un movimiento hacia allá, pero* CELIA, *pálida, lo detiene.)*

CELIA.—*(Musita.)* No, no vaya. Espere. *(Se oye el ruido de la puerta que se abre y se cierra. Unos pasos. Entonces, aparece en el marco de la puerta un hombre. Tiene el aspecto de un desenterrado. Mira fríamente a su alrededor.)*

HOMBRE.—Bueno, ya estoy aquí.

CELIA.—*(Casi con terror, como si el hombre fuera un aparecido.)* No, no es posible.

HOMBRE.—¿Puedo pasar?

CELIA.—Claro..., amor mío. *(Va hacia él. El* HOMBRE *la estrecha en sus brazos.* CELIA *solloza.* PABLO *está inmóvil, mirándolos. Va cayendo el*

TELON

ACTO SEGUNDO

LA NOCHE

Un poco más tarde. Aïescha y Tayeb se han retirado a descansar. El hombre—Leo—está sentado frente a la mesa. Trata de comer algo. Pablo lee atentamente uno de los periódicos que trajo el portero; los demás están sobre una silla. Celia está de pie frente a Leo.

Celia.—¿Estás seguro?

Leo.—Sí.

Celia.—Pueden haberte seguido sin que te dieras cuenta.

Leo.—No lo creo. He tomado mis precauciones.

Celia.—¿Qué has hecho?

Leo.—He dado muchas vueltas por las calles antes de venir.

Celia.—¿A qué hora te han puesto en libertad?

Leo.—Por la tarde. Serían las seis.

Celia.—¿Y dónde has estado hasta ahora?

Leo.—Ya te lo digo... Dando vueltas por ahí, para comprobar si me seguían o no... ¡No me seguía nadie! Entonces he tomado un taxi. He salido a la carretera. ¡Nadie! Por fin, me he decidido a venir. *(La mira fríamente.)* ¿Crees que he hecho mal?

Celia.—No lo sé aún. *(Se estremece.)* Hay que esperar para saberlo.

Leo.—¿Qué querías? ¿Que me quedara toda la noche por ahí?

Celia.—También has podido quedarte en un hotel cualquiera. *(En la mirada de* Leo *hay un amargo reproche.)*

Leo.—¿Eres tú quien me dice eso?

Celia.—*(Imperturbable.)* Yo, sí. *(El rostro de* Leo *se contrae, fugazmente, con un gesto de ira. Por fin, como contra su voluntad, dice casi humildemente:)*

Leo.—Quería verte. Tenía necesidad...

Celia.—Yo también a ti. Pero no era posible.

LEO.—Sí lo era. Ya ves que estoy aquí. No temas nada, Celia. *(Toma una mano de* CELIA. *Ella la retira.)*

CELIA.—Solo queda esperar. *(El baja la cabeza.)*

LEO.—También... quería esconderme.

CELIA.—¿Ya para qué?

LEO.—¡Porque no quiero caer de nuevo en sus manos! *(Se estremece.)* ¡No! ¡Nunca más! ¡No quiero caer...!

CELIA.—Cálmate, te lo ruego.

LEO.—Es muy fácil decirlo. No sabéis nada. Yo tampoco sabía lo que era aquello. Pero ahora...

CELIA.—*(Dulcemente.)* Ahora cálmate. *(Con ternura le pone la mano sobre el hombro. El aguanta un gesto de dolor que* CELIA *no advierte.)* No comprendo lo que ha ocurrido.

LEO.—¿Qué es lo que no comprendes?

CELIA.—Cómo han podido dejarte en libertad...

LEO.—*(Parece incómodo.)* Pues lo han hecho.

CELIA.—...a no ser que lo hicieran para seguirte.

LEO.—Te estoy diciendo...

CELIA.—Ya lo sé. Pero no deja de ser extraño. *(Un silencio.)* ¿Te has... portado bien?

LEO.—*(Después de un silencio.)* Sí. Pero no quiero que nadie me pida cuentas... No lo aguantaría. No, no podría aguantarlo de nadie. ¡Ni del Mando! ¡Qué saben ellos...! *(No alza los ojos; trata de comer un poco, pero hace un gesto de dolor y expulsa la comida sobre el plato. Ellos no se dan cuenta.)* No podré perdonar nunca. Nunca.

CELIA.—¿A qué te refieres?

LEO.—Tú lo sabes.

CELIA.—No se pudo hacer nada.

LEO.—Se sabía desde la media tarde. Me dejasteis caer en la trampa. ¡Tú estabas con ellos... y me dejaste caer! ¡Tan fríamente como ellos! ¡Es horrible pensarlo!

CELIA.—No cogiste el teléfono.

LEO.—Esas eran las órdenes. *(Lo ha dicho con violencia. Ella dice tranquila:)*

CELIA.—Ya lo sé. Todo tenía que ocurrir como ocurrió. Yo... sufrí mucho. Figúrate lo que era para mí. Creía volverme loca.

LEO.—Claro...

CELIA.—El barrio estaba acordonado por la Policía. No se podía entrar... ni salir. Estaba muy cerca de ti y, sin embargo..., era como si estuvieras en otro mundo.

LEO.—Tal como lo cuentas, es emocionante, Celia. Muy conmovedor. *(Parece que suena un ruido en la escalera.)*

CELIA.—¿Qué ha sido eso?

LEO.—*(Se ríe nerviosamente de su susto.)* Alguna rata. Las hay a montones en este asqueroso barrio. Pronto invadirán las casas nuevas y todo será igual. *(Pero* CELIA *sigue escuchando, atenta.)*

CELIA.—No debiste subir en el ascensor. Ha sido una locura.

LEO.—No podía de otra manera. Estoy... enfermo.

CELIA.—¿Hasta ese punto? *(Escucha. Parece que no hay nada.)* Esa llave. Tienes que devolvérsela al portero.

LEO.—Lo haré... en cuanto suba. *(Parece muy fatigado. Está palidísimo.* CELIA, *lo mira con ternura.)*

CELIA.—Tienes que descansar.

LEO.—Sí, lo necesito.

CELIA.—*(Con miedo, le pregunta.)* ¿Te han..., te han tratado muy mal?

LEO.—Un poco.

CELIA.—¿Te han pegado?

LEO.—Al principio. Luego... ya no.

CELIA.—¿Te dejaron en paz? (LEO *ríe ásperamente.)*

LEO.—Déjame. Voy a dormir un rato. Lo necesito mucho. *(Se levanta con un gesto crispado, doloroso. Al cambiar de posición, vacila.)* Estoy... un poco mareado. *(Parece que va a caer.* PABLO, *que durante la escena ha estado—evidentemente—atento al diálogo, tira el periódico y acude a ayudarle. Trata de conducirlo a la cama turca. Pero* LEO *se suelta bruscamente.)* Déjeme. No necesito a nadie. *(Trata de avanzar, erguido. Los mira con ira. Les grita.)* ¿Qué estáis esperando? ¿Qué miráis? ¡Tengo todo el cuerpo herido, quemado! ¡Un hotel! ¿Qué querías? ¿Qué me desangrara en la habitación de un hotel? ¡Solo y muerto de dolor! ¿Era eso lo que querías? ¡El ascensor! "¿Por qué subes en el ascensor?" ¿No te lo figuras? ¡Porque no puedo andar... ya más! ¿No os importa nada? ¿Qué miráis? ¿No sois capaces de ver lo que me ocurre? ¿No veis... cómo estoy? *(Trata de avanzar hacia ellos, pero entonces se desploma.* CELIA *y* PABLO *acuden a socorrerlo.* PABLO *le quita la chaqueta y le abre la camisa.* CELIA *hace un gesto de horror.* PA*blo no parece inmutarse.)*

PABLO.—Traiga mi maletín. Las vendas.

CELIA.—En seguida. *(Sale.* PABLO *lo lleva a la cama turca y lo extiende en ella. Le quita la camisa, con lo que queda desnudo de medio cuerpo para arriba. Vuelve* CELIA *con el maletín y las vendas.)*

PABLO.—Ha perdido el conocimiento. *(Comienza la cura.)*

CELIA.—*(Aparta la vista.)* ¡Qué horror!

PABLO.—¿Qué se figuraba?

CELIA.—No..., no quería figurarme nada.

PABLO.—*(Curándole.)* Lo han tenido los soldados. Estas son las huellas de sus pezuñas.

CELIA.—Pero ¿por qué no ha dicho nada? Ha aguantado así hasta que no ha podido más.

PABLO.—Usted sabrá por qué.

CELIA.—*(Desvía la vista.)* No... ¿Por qué dice eso?

PABLO.—Lo ha tratado muy mal. Usted sabrá por qué.

CELIA.—Venía dispuesto a pedirme cuentas, a hacerme reproches. He tenido que contenerle, que defenderme. Pero... no podía figurarme... *(Llora.)*

PABLO.—No llore ahora. Ayúdeme.

CELIA.—¿Qué debo hacer?

PABLO.—Traiga agua. (CELIA *sale.* LEO *se remueve. Abre los ojos.)* ¿Está mejor?

LEO.—Sí. Gracias.

PABLO.—Lo llevaron al viejo cuartel, ¿verdad?

LEO.—¿Cómo lo sabe?

PABLO.—*(Señala las heridas.)* Por el sistema. La Policía civil actúa de otra forma.

LEO.—*(Habla ahora con dificultad.)* Me vendaron los ojos. Pero, por las descripciones, supongo que he estado allí.

PABLO.—Una vieja casa destartalada.

LEO.—Así es.

PABLO.—Se han empleado a fondo.

LEO.—No sé...

PABLO.—Si lo ha resistido, puede estar contento. No hay muchos que, con un trato como este, puedan decir lo mismo. (LEO *no dice nada. Aprieta los dientes para no gritar.)* Perdóneme. Es necesario. *(Vuelve* CELIA *con un recipiente lleno de agua. Lo deja junto a* PABLO *y se sienta a la cabecera de* LEO.)

CELIA.—Tienes que perdonarme lo de hace un momento. Me he portado como una tonta.

LEO.—Me extrañaba que no te alegrara verme.

CELIA.—Sí me alegraba..., pero no he sabido decírtelo. A veces te hago daño sin querer. Tú lo sabes. Digo lo contrario de lo que pienso, no sé por qué.

PABLO.—Lo siento. *(Le da unos toques de un desinfectante.* LEO *se retuerce.)*

LEO.—No... Por favor... No puedo más... No puedo...

PABLO.—Trate de resistirlo.

LEO.—*(Se lamenta.)* Basta... Le ruego que me deje... ¡Basta o...! *(Trata de incorporarse y agredir a* PABLO. *Este lo reduce sin piedad y sigue aplicándole la cura. Se escucha el lamento casi infantil, ahogado, de* LEO. PABLO *y* CELIA *cruzan una mirada sombría.* PABLO *pregunta por fin, inclinándose sobre* LEO:)

PABLO.—¿Cuánto les ha contado?

LEO.—¿Qué quiere decir?

PABLO.—Cuando le torturaron, ¿qué ha contado usted? ¿Hasta dónde?

LEO.—No, no he contado nada. Le juro que...

CELIA.—Vamos, Leo. Trata de recordar. No tiene importancia. Les ha ocurrido a muchos. Tú sabes que se los sigue estimando porque se comprende que es muy difícil... Ninguno sabemos hasta dónde nos será posible llegar.

PABLO.—Es por tomar medidas de seguridad, ¿comprende?

LEO.—Pero... si yo le juro que... (PABLO *ha terminado la cura.)*

PABLO.—Ya está. Puede incorporarse. (LEO *lo hace con alguna dificultad y queda sentado en la cama.)* ¿Qué tal se encuentra?

LEO.—Mucho mejor.

CELIA.—¿Has dado esta dirección?

LEO.—No. Ninguna.

CELIA.—Trata de recordar.

LEO.—Es decir, creo... creo que no he dado ninguna dirección. Pero, en algún momento, semiinconsciente, es posible. No lo sé seguro. Creo..., creo que no.

PABLO.—¿Ha dado nombres?

LEO.—*(Baja los ojos.)* No.

CELIA.—Leo, dinos la verdad. Es posible que todavía se pudiera avisar a alguien.

PABLO.—¿Cuántos nombres ha dado? ¿Cuáles?

LEO.—Ninguno... No, ninguno...

PABLO.—*(Su mirada se ha endurecido. Cierra, amenazador, un puño y casi grita.)* ¡No hay tiempo que perder! ¡Suelte ya lo que sea! ¡Es necesario! ¿No se da cuenta, imbécil? *(*CELIA *se tapa los ojos.* LEO *balbuce algo. Está asustado.)*

LEO.—Ha sido... la primera vez. Yo no podía figurarme que era... tan horrible.

PABLO.—Nadie le reprocha nada. Le pedimos una información precisa; eso es todo.

CELIA.—¿Usted... con qué derecho?

PABLO.—*(Bruscamente.)* Déjeme en paz.

CELIA.—No le contestes, Leo. El no es nadie para pedirte cuentas.

PABLO.—*(Se ha hecho dueño de la situación.* ¿Nadie? Eso vamos a verlo. *(A* LEO.) Escuche. Desde que entró esta noche aquí, me di cuenta de lo que había ocurrido. Le habían dejado en libertad porque ya le habían sacado todo lo que esperaban. Eso estaba a la vista. Está claro también que su último servicio, inconsciente supongo, a la Policía ha consistido justamente en venir hasta aquí. Puede que haya conseguido desorientarlos. No lo sé. De lo que sí estoy seguro es de que han venido detrás de usted. Nunca sueltan a alguien con señales de tortura si no es para utilizarlo de algún modo. Yo no soy nadie, según su mujer. Eso es posible. Pero soy, por lo menos, un hombre perseguido, y no estoy dispuesto a que me cacen aquí de cualquier forma. Por eso, necesito saber. Si me siento inseguro aquí, me marcharé.

CELIA.—No hará tal cosa.

PABLO.—Lo veremos. *(Vuelve, fugazmente, a su aire irónico.)* He tratado de divertirme aquí, pero no lo consigo... Encuentro el ambiente demasiado opresivo para mis nervios. (*Se vuelve a* LEO.) ¡Así que hable! ¡Hable de una vez!

LEO.—(*Vencido.*) ¿Qué es lo que quiere que le diga?

PABLO.—¿Qué nombres les ha dado? (*Un silencio.*)

LEO.—El de "Andrade" porque sabía que ya estaba fuera del país. El de "Jacob", al que habían matado dos semanas antes. Yo lo sabía. Por eso, no tuve inconveniente...

PABLO.—¿Quién es "Andrade"?

CELIA.—No, Leo. No se lo digas. Calla.

PABLO.—Dígalo. Es posible que no haya salido todavía del país.

LEO.—Arturo Martel, el profesor universitario. No formaba parte de la organización, pero estaba amenazado por haber denunciado algunos hechos. Establecimos contacto con él.

PABLO.—(*No parpadea.*) ¿Y quién más?

LEO.—También... (*Se vuelve a* CELIA.) No tuve más remedio. Sabían que estábamos en contacto. ¡Lo sabían todo! Era inútil negarlo.

CELIA.—¿Quién?

LEO.—Moussa...

CELIA.—Ya lo habrán detenido. ¡Qué horror!

PABLO.—¿Quién es?

CELIA.—(*Lo mira fijamente.*) Alguien que, hace unos días, le prestó un libro. ¿Lo recuerda?

PABLO.—(*No parpadea.*) Sí... (*A* LEO.) Haga un esfuerzo y continúe. Por favor. Es de temer que a estas horas estén ya muy cerca de nosotros.

LEO.—Déme un cigarrillo, por favor. (PABLO *se lo da. El pulso de* LEO *tiembla.*) Claro... Como ven, no he tenido más remedio que decirles algo...; pero, naturalmente, he procurado que sea..., no sé cómo decirlo..., lo menos posible. Sin embargo, estoy..., estoy avergonzado. Hasta el punto..., hasta el punto de que no quisiera vivir más. No..., no lo merezco. Siento... mucha vergüenza.

PABLO.—La vergüenza... Déjese ahora de eso. Es un lujo que no nos podemos permitir. Siga; díganos todo tal y cómo ocurrió.

LEO.—Es que... (*Se calla, como con miedo.*)

PABLO.—Vamos, continúe.

LEO.—*(Se tapa la cara. Casi solloza.)* ¡Es demasiado horrible!

CELIA.—*(Apenada.)* ¿De qué se trata, Leo? Tranquilízate. Cuéntalo, si eso puede aliviarte. (LEO *está llorando.)*

LEO.—*(Después de un silencio.)* Mientras me pegaron todo fue bien. Yo apretaba los dientes y bastaba con eso. Estaba desnudo en el centro de aquella habitación inmunda. Había cuatro o cinco oficiales a mi alrededor. Se reían y gastaban bromas. groseras. "¿Por qué no escribes ahora algún artículo? ¡Mirad: es un cerdo de la especie intelectual! ¡Todos sois iguales, maricas! ¿Por qué no te envalentonas ahora? ¡Los derechos de los indígenas! ¡Anda, danos una conferencia sobre eso!" En seguida sentí el primer golpe fuerte en plena cara. Empecé a echar sangre. Luego otro. Otro. Me había llevado las manos a los ojos para protegérmelos, pero entonces sentí patadas en los costados y en el pecho. Había caído de rodillas. Entonces, de una patada en la cara, me tiraron para atrás, al suelo. Luego me levantaron y me pusieron contra la pared. Aún oía sus risas. "¡Escribe un artículo sobre el trato inhumano, anda! ¡Protesta contra la censura de Prensa!" De pronto se hizo el silencio. No podía mirar. Desde la cabeza, la sangre me caía por los ojos. Un silencio espantoso. ¿Qué ocurría a mi alrededor? Yo estaba ciego. ¿Para siempre? No lo sabía aún. Entonces, empezó el interrogatorio. Apreté los dientes. Guardé silencio. Me pegaron más, más, hasta que perdí el conocimiento. *(Un silencio.* CELIA *está llorando.)*

CELIA.—Leo, soy..., soy yo quien tiene que sentir vergüenza. Tú, no..., ninguna.

PABLO.—*(Parece conmovido.)* Somos... todos nosotros.

LEO.—*(Cierra los ojos.)* Gracias. *(Un silencio.)* Luego..., no sé cuándo..., me desperté en la oscuridad, herido..., ensangrentado. ¿Cuánto tiempo había pasado? Una hora..., o puede que varias horas... Tenía sed. Pedí agua; pero nadie me escuchó. O no llegué a pedirla, no lo sé. Puede que no me salieran las palabras. Estaba sobre una tabla, desnudo. ¿Qué estaban haciendo conmigo? Olía mal. Veía los uniformes militares, las boinas verdes... Oía rumor de conversaciones. Alguna risa. Me estaban sujetando a la tabla, por las muñecas y los tobillos, con unas correas... Entonces vi, muy cerca, la cara sonriente de un capitán..., una cara gruesa, bien afeitada... "Los lugares donde almacenáis la propaganda clandestina... Eso es todo lo que queremos saber esta mañana. Mira." Me enseñó unas pinzas metálicas que colgaban de un hilo conductor. Yo cerré la boca y los ojos. Entonces sentí una sacudida horrible en el sexo..., una descarga eléctrica. Chillé... y lo oí como si fuera otro el que chillara. Luego, otra y otra descarga. ¡Convulsiones! ¡Mi grito me extrañaba! ¿Era yo aquel? Entonces, la mordaza en la boca... —un trapo que me ahogaba. No sé ya más: las muñecas y los tobillos, ¿estarían ya rotos? Los espasmos... Y ahora, ¿Qué me estaban haciendo? ¿Qué quedaría ya de mí? ¿Dónde terminaba yo entonces? ¿Hasta dónde llegaba ya aquella espantosa mutilación? ¿Hasta dónde corría ya mi sangre? ¿Qué profundidad tendría la herida de mi vientre? ¿Qué quedaría de mi piel? ¿Era todo una llaga? Hasta que una vez, al gritar, sentí de pronto que las pinzas de hierro me agarraban la lengua, y una descarga horrenda dentro de la boca fue como el infierno. Entonces, ya no pude más. ¡No, ya no pude más! (PABLO *le mira interrogante.* LEO *baja la vista.)* Hablé...

PABLO.—*(Mueve la cabeza.)* Otros ni siquiera llegaron hasta ahí. Tranquilícese un poco.

LEO.—¿Trata de consolarme?

PABLO.—Le digo la verdad.

LEO.—Yo sé de otros...

PABLO.—También los ha habido, pero no es posible exigir de todos la misma resistencia a la tortura. ¿No lo comprende?

LEO.—*(Obsesionado.)* Yo sé de muchos que llegaron más allá del límite. ¡El fuego, el descoyuntamiento, colgados de los pies, días de sed, las drogas! Han salido de todo, limpios. O han muerto, limpios.

PABLO.—Usted también lo está. No se torture más ahora. Es inútil.

CELIA.—*(Está llorando.)* Leo...

LEO.—*(Vuelve hacia ella la cabeza.)* Qué...

CELIA.—No fue posible avisarte Te lo juro.

LEO.—Claro... Si ya es igual. ¿Lo ves? Ya lo he perdido todo. *(Tiene una mueca triste, como si ya estuviera infinitamente resignado a algo.)* He tenido mi ocasión. Ojalá no hubiera llegado nunca. Hubiera vivido casi feliz sin enterarme.

CELIA.—¿Sin enterarte de qué, Leo?

LEO.—De mi falta de dignidad. De toda mi cobardía. ¡Qué vergüenza!

CELIA.—Leo... *(Le acaricia.)* No pienses más en ello. Hay muchas cosas que hacer aún. Podemos ser todavía muy útiles a la causa. Esto, con el tiempo, no será más que un episodio triste. *(*LEO *mueve la cabeza.)*

LEO.—Nadie me mirará a la cara. O me disculparán compasivamente. Yo no seré capaz de hablar con nadie. Estoy... perdido.

PABLO.—*(Enciende una cerilla y ofrece a* LEO, *cuyo cigarrillo está apagado.)* Verá, todo eso me parecen... complicaciones intelectuales. Ahora se trata de salir de todo esto del mejor modo posible, ¿no es así? Ya habrá tiempo para la psicología. Le pido mil disculpas, Celia. Trato de respetar la autoridad que, en esta situación, tiene sobre mí. El que me puso a sus órdenes está ahora detenido. *(*LEO *se estremece.)* Y ello hace más respetable aún su decisión de que me encerrara aquí con ustedes y a merced de sus decisiones. Pero permítame que le diga una cosa: no está actuando de un modo... digamos realista. Esto puede ser peligroso. *(Ella parece ahora muy cansada.)*

CELIA.—Tiene razón. Ha sido demasiado para mí. Estoy aturdida.

PABLO.—Yo deseo saber *(Se vuelve a* LEO.*)* si les contó algo realmente comprometedor para la organización en general. Esto sí es importante. Si estamos a tiempo de algo, yo mismo podría salir y llegar a donde fuere, dar la alarma. Empiezo a asfixiarme aquí. *(Los dos miran a* LEO, *el cual se remueve, incómodo.)*

LEO.—*(Dice muy lentamente, como con una voluptuosidad masoquista.)* Les he dicho el lugar de la imprenta, los nombres de los redactores, el sistema de la distribución... *(De pronto, grita:)* ¡Todo! No había nada más! ¡De haber algo más, también lo hubiera echado!

PABLO.—*(Tranquilo.)* ¿Nada más?

LEO.—¿Qué más puede haber..., además de "todo"? *(Un silencio.)*

CELIA.—Leo, no es tan grave como puedes creer.

LEO.—*(Extrañado.)* ¿Qué no es tan grave?

CELIA.—Eso ya lo sabían.

LEO.—¿Lo sabían?

CELIA.—*(Asiente.)* Hasta el punto de que empezaron por ahí. Tú caíste al mismo tiempo que todos ellos. No se dejaron ni uno solo afuera. Actuaron con una gran precisión. A las cuatro de la madrugada cayeron... sobre todos vosotros. Se pensaba que el nuestro era el único domicilio peligroso; pero sabían muchos más... Nadie, ni en el último momento, pensó en una redada así... Los creíamos mucho más lejos de nosotros... ¡y ya estaban encima!

LEO.—¿Y la imprenta?

CELIA.—La ocuparon... También a las cuatro de la madrugada. *(Un silencio.* LEO *parece un poco tranquilizado. Se atreve a preguntar:)*

LEO.—¿Alguna confidencia?

CELIA.—Seguramente. *(Un silencio.* PABLO *respira hondo.)*

PABLO.—Bien, si es eso todo..., creo que podríamos tratar de descansar un poco. *(Bosteza discretamente.)* Me caigo de sueño.

LEO.—Pero aquí... estamos en peligro.

CELIA.—Confiemos en que Moussa no diga nada. Es el único que sabe esta dirección.

LEO.—¿Podrá resistirlo?

PABLO.—*(Ligeramente.)* Supongo que sí.

LEO.—Pero yo... no tengo la seguridad de que no me hayan seguido.

PABLO.—Antes dijo que sí la tenía.

LEO.—No lo sé. Nunca se sabe.

CELIA.—Ya habrían venido.

LEO.—También puede ser que prefieran observarnos... Por ahora.

PABLO.—*(Ligeramente.)* ¿Con qué objeto?

LEO.—*(Después de un silencio, gravemente.)* Esta vez no pararán hasta que no caiga...

PABLO.—*(Interesado.)* ¿Quién?

LEO.—*(En voz muy baja, como si alguien más pudiera escucharlos.)* El Mando de la organización.

PABLO.—*(Sin dar importancia a lo que pregunta.)* ¿Cree que están cerca de él?

LEO.—*(Sonríe.)* Por ahora no saben nada. Están a mil leguas de descubrirlo.

PABLO.—¿Está seguro?

LEO.—Claro.

PABLO.—¿Cómo lo sabe? (CELIA *le mira fijamente. El se da cuenta.)*

LEO.—Simplemente, lo sé.

PABLO.—Comprendo su discreción. No me interesa saber más. He aprendido de su mujer que cuanto menos sepamos es mejor.

CELIA.—*(Sonríe.)* Le agradezco su buen comportamiento.

PABLO.—Trato de progresar.

CELIA.—Nosotros tampoco sabemos quién es, ¿entiende?

PABLO.—*(Como respondiendo a otra cosa.)* Claro... (CELIA *ha consultado su reloj. Ahora cruza la escena y va hacia el aparato de radio.)*

CELIA.—La radio oficial da un boletín de noticias a esta hora. Puede que digan algo interesante. *(La enciende. Ellos se agrupan alrededor. Ruidos a pequeño volumen. Por fin, se oye la voz de un locutor.)*

VOZ.—*(Termina una frase.)* "...del jefe supremo de la organización terrorista que actuaba dentro del país, al servicio de los intereses extranjeros." *(Se oye la música de un himno militar. Ellos se miran. Se para la música. Vuelve a oírse la voz del locutor.)*

VOZ.—"¡Atención! Repetimos el comunicado de la Policía que acabamos de transmitir. La investigación policíaca sobre los turbios manejos de la organización terrorista que funcionaba en nuestro país está llegando a su término. Se nos comunica de Arville que ha sido detenido Andras Benami. Según resulta de sus declaraciones, se trata del jefe supremo de la organización terrorista que actuaba dentro del país al servicio de los intereses extranjeros. Se añade que, en estos momentos, la organización está prácticamente al descubierto y totalmente desarticulada. Un paso más en el camino de la pacificación..." (CELIA, *de un modo extraño, ríe. Vuelve a sonar el himno.* LEO *sonríe levemente,* PABLO *los mira extrañado y parece que va a preguntar algo, pero en ese momento se oye sonar el timbre con sordina de la puerta.* LEO *corta bruscamente y escuchan, suspensos. Es la llamada característica del portero.)*

CELIA.—*(A* LEO.) Voy a devolverle la llave. (LEO *se la da.* CELIA *va a abrir. Ellos aguardan. Se oye el ruido de la puerta que se abre. Un silencio.)*

LEO.—¿Qué ocurrirá? (PABLO *se encoge de hombros. Con un hilo de voz.)* La situación parece bastante grave, ¿eh?

PABLO.—*(Como si no le afectara.)* Sí...

LEO.—Ese hombre, ¿por qué no pasará? Voy a ver... (PABLO *le detiene.)*

PABLO.—Deje. Trate de estarse quieto.

LEO.—Es que... *(Pero no dice nada. Se está quieto. Se oye el ruido de la puerta que se cierra. Los pasos de* CELIA. *Entra* CELIA. LEO *va a su encuentro.)* ¿Qué era?

CELIA.—*(Trata de parecer tranquila, pero su voz iiembla un poco.)* Nos avisa de que la Policía militar está acordonando el barrio. *(Un silencio.* PABLO *enciende un cigarrillo.)*

LEO.—Eso quiere decir que vienen por nosotros.

PABLO.—*(Tranquilo.)* No se sabe aún. *(Un silencio.)*

CELIA.—¿Qué hacemos?

PABLO.—Precisamente ahora, esperar.

LEO.—¡Esperar!

CELIA.—¿Es usted quien recomienda eso?

PABLO.—Ahora sí. *(Sonríe.)* Ahora no me movería de aquí por nada del mundo. Ustedes hagan lo que quieran.

LEO.—*(Está muy pálido.)* Yo no quiero... caer otra vez.

PABLO.—Usted ya no corre ningún peligro, amigo. Ya pasó por ello. ¿Para qué lo van a querer ahora?

LEO.—Cada vez veo con más claridad que me soltaron solo para seguirme. ¡Para que los condujera hasta aquí! Ahora querrán continuar conmigo.

CELIA.—Y... con nosotros.

LEO.—*(La mira con angustia.)* ¡Celia, es horrible!

CELIA.—Calla... *(Están abrazados. Un silencio.)*

PABLO.—*(Sonríe aún y hace un gesto amplio.)* Como ven, no ocurre nada por ahora. Hay un gran silencio. *(Un silencio en el que parece que tratan de escuchar algo.)* Puede que vayan a otro sitio. Es de esperar que nuestro amigo Moussa haya sido discreto. Parecía un hombre de gran temple. Al menos, yo tuve esa impresión. *(Silencio.* PABLO *trata ahora de conversar en un tono ligero.)* Antes, cuando la radio ha dicho lo de Andras Benami, ustedes se han reído. ¿Por qué?

CELIA.—*(Irreflexivamente.)* Porque ese hombre no es lo que suponen.

PABLO.—¿Está segura?

CELIA.—Todo lo que se puede estar de algo en estas circunstancias. *(Un silencio.)*

PABLO.—*(Pregunta gravemente.)* Entonces, ¿quién es, digamos, "la cabeza"? *(Un silencio.* CELIA *y* LEO *se miran. Es* LEO *el que interviene.)*

LEO.—No lo sabemos.

PABLO.—¿De veras? Como soldado que soy considero eso inconcebible; obedecer a un fantasma. Yo, para obedecer, necesito conocer el nombre del comandante.

CELIA.—*(Fríamente.)* Nosotros... no sabemos el nombre del comandante.

PABLO.—Comprendo... *(Sonríe.)* Bien; dado que el silencio continúa, podemos pensar que no ocurre nada grave por ahora. Tratemos de dormir, si les parece.

CELIA.—Puede que sea lo mejor. *(Está junto a la puerta de una habitación.)* Leo, tú necesitas descansar. *(*LEO *asiente. En silencio, se dirige a la puerta. Va como encogido; parece totalmente vencido y deshecho. Entra.* CELIA *mira a* PABLO *y le dice en un tono neutro.)* Buenas noches. Puede echarse, si quiere, en esa cama.

PABLO.—Así lo haré; gracias por todo. Espero que seamos buenos amigos algún día.

CELIA.—*(Repite simplemente.)* Buenas noches. *(Entra y cierra la puerta. Queda* PABLO *solo. Va hacia la puerta y se asegura de que está cerrada. Entonces apaga las luces. En la oscuridad, abre silenciosamente la persiana. Sale a la terraza. Allí enciende una linterna y parece hacer señales a alguien. Se abre la puerta donde descansan* TAYEB *y* AÏESCHA. *Nos damos cuenta de que es* TAYEB. *Mira, extrañado, hacia la terraza y la luz de la linterna. Entonces vuelve* PABLO *a la habitación. Ilumina a* TAYEB *con la linterna.)*

PABLO.—¿Qué hace usted aquí?

TAYEB.—No.., no podía dormir.

PABLO.—Yo tampoco. No diga a nadie lo que ha visto. ¿Entiende?

TAYEB.—*(Susurra.)* Sí.

PABLO.—¡A nadie!... Ahora, váyase a dormir. (TAYEB, *sin dar la espalda a* PABLO, *se retira en silencio.* PABLO *se sienta en la cama y enciende un cigarrillo. Fuma, pensativo, mientras va cayendo el*

TELON

ACTO TERCERO

LA MADRUGADA

Han pasado unas horas. Aún no ha empezado a amanecer. Se ha movido viento. La persiana está descorrida. PABLO, tendido en la cama, parece dormitar. Una pausa, durante la que se oye el viento. De la habitación a la que CELIA y LEO se retiraron, viene CELIA. Va en combinación o cubierta con una ligera bata. Se dirige junto al ventanal y queda allí. Un silencio. De pronto se oye la voz de PABLO, que pregunta tranquilamente.

PABLO.—¿No puede dormir?

CELIA.—*(Se vuelve, sobresaltada. Por fin.)* No...

PABLO.—¿Qué hora es?

CELIA.—Las cinco y media.

PABLO.—Hace mucho calor, ¿eh?

CELIA.—El viento viene del desierto.

PABLO.—Cierre. Nos vamos a ahogar aquí.

CELIA.—*(Cierra.)* Creía que podría respirarse un poco.

PABLO.—No... Ese viento es como un incendio. Lo conozco bien. *(Enciende la lámpara que tiene a mano. La luz hace más evidente que* CELIA *va ligeramente vestida.)* Suele ir cargado de fuego... y de malos pensamientos. En noches como esta, allá, en el desierto, tratamos de emborracharnos. *(Queda sentado en la cama. Mira a* CELIA *y entorna los ojos.)* También pensamos en mujeres como usted.

CELIA.—*(Desvía la mirada.)* No ha ocurrido nada, por fin.

PABLO.—Afortunadamente, no.

CELIA.—Esperaba oír, de un momento a otro, los golpes en la puerta.

PABLO.—*(Sonríe.)* Pero nada.

CELIA.—Entonces tenemos otro día de plazo.

PABLO.—No ha amanecido aún.

CELIA.—Faltará poco.

PABLO.—También pueden llegar durante el día. ¿O no?

CELIA.—No es lo corriente.

PABLO.—Casi siempre eligen la noche para eso, ¿verdad? Son historias que suelen suceder de noche, es cierto. O a la madrugada...

CELIA.—*(Asiente, con un estremecimiento.)* Esa es la costumbre.

PABLO.—¿Por qué será?

CELIA.—Es... más impresionante.

PABLO.—¿Cree que les gusta un poco hacer teatro?

CELIA.—Algo así. Les gusta ver temblar a los otros. Gozan con ello. *(Un silencio.)*

PABLO.—*(Por* LEO.) ¿Está durmiendo?

CELIA.—Por lo menos tiene los ojos cerrados. No lo sé.

PABLO.—¿Tiene fiebre?

CELIA.—He preferido dejarlo en paz. No se queja. Supongo que está recuperándose. *(Un silencio.)*

PABLO.—¿Qué hay entre ustedes? Si es que quiere decírmelo. He creído notar... una cosa un poco extraña.

CELIA.—Hay... una gran devoción.

PABLO.—¿Amor?

CELIA.—Antes, yo lo llamaba así.

PABLO.—¿Por qué no ahora?

CELIA.—No lo sé. Las cosas van cambiando sin que uno se dé cuenta. De pronto, un día, todo es diferente.

PABLO.—Ese día la relación empieza a hacerse un poco más difícil. ¿No es así?

CELIA.—*(Niega.)* Todo es más fácil a partir de entonces. Todo importa menos, ¿comprende?

PABLO.—Sí.

CELIA.—El amor, eso es lo difícil.

PABLO.—*(Se encoge de hombros.)* No tengo experiencia... matrimonial. *(Le ofrece un cigarrillo. Encienden. Fuman.)* Es usted muy bonita, hasta el punto de que... *(Se interrumpe.)* Perdone. He dicho una vulgaridad... *(Pero* CELIA *sonríe.)*

CELIA.—...a la que las mujeres estamos muy acostumbradas.

PABLO.—Trato de ser original, pero pocas veces lo consigo.

CELIA.—¿Lo consiguió alguna vez?

PABLO.—No recuerdo ninguna. *(Ríen.)* ¿Su marido se da cuenta?

CELIA.—¿De qué?

PABLO.—De... de esa vulgaridad.

CELIA.—*(Seria.)* De un modo... suficiente.

PABLO.—Comprendo.

CELIA.—Si quiere bromear, búsquese otro tema más divertido.

PABLO.—No... No trataba de bromear. *(Un silencio. Ella parece reflexionar. Dice por fin:)*

CELIA.—Es... un hombre extraordinario. Puede creerlo.

PABLO.—*(También se ha puesto serio.)* Lo creo... a pesar de todo. *(Otro silencio.)*

CELIA.—¿Se refiere a su conducta con la Policía?

PABLO.—Sí.

CELIA.—No estaba preparado para eso. El es un escritor. Lo ha dado todo por esta causa. Se puso de este lado, enfrentándose con todo... Su familia, sus intereses... No tiene derecho...

PABLO.—*(Grave.)* ¿Cree que no?

CELIA.—Nadie... *(Pero* PABLO *la interrumpe.)*

PABLO.—Yo sí. *(Se abre la camisa. Está de espaldas a nosotros.* CELIA *hace un gesto de horror.)*

CELIA.—Pero... es horrible.

PABLO.—Ahora ya no. Lo fue.

CELIA.—¡Qué horror!

PABLO.—Una sencilla cicatriz.

CELIA.—¿Cómo le hicieron eso?

PABLO.—Fácilmente. Me aplicaron un hierro... al rojo.

CELIA.—Usted dijo que nunca...

PABLO.—Hay ocasiones en que no me gusta presumir.

CELIA.—¿Ahora sí?

PABLO.—Ahora es distinto. *(La mira fijamente. Ella sostiene la mirada. Están muy juntos.)*

CELIA.—*(Susurra.)* ¿Por qué?

PABLO.—Es de noche, estoy solo con usted en esta habitación, y de pronto he sentido la necesidad de que me admire.

CELIA.—¿Yo?

PABLO.—Sí, usted. Es una debilidad de la que no llego a avergonzarme.

CELIA.—¿Quién se lo hizo?

PABLO.—Caí prisionero en una acción... bastante arriesgada.

CELIA.—Sigue dándose importancia, ¿no?

PABLO.—No puedo evitarlo.

CELIA.—Habría que saber cómo se comportó entonces.

PABLO.—No dije nada.

CELIA.—¿Puedo creerlo?

PABLO.—No tenía nada que decir.

CELIA.—¿No sabía nada?

PABLO.—No; nunca me han confiado grandes cosas.

CELIA.—Pudo inventar algo.

PABLO.—Para eso hay que tener imaginación. Yo no la tengo.

CELIA.—*(Lo mira fijamente.)* Dentro de usted hay algún misterio, pero no puedo figurarme lo qué es.

PABLO.—*(Se finge halagado, con buen humor.)* ¿Me encuentra misterioso?

CELIA.—Reconozco que sí.

PABLO.—Lo soy, en la medida de todo el mundo. No de un modo especial.

CELIA.—¿Trata de vengarse de algo? ¿Contra quién?

PABLO.—*(Ríe.)* Pero ¿qué dice?

CELIA.—¿Quién lo torturó de ese modo? Sea sincero un momento y dígalo.

PABLO.—Le he dicho la verdad. *(Se oye un fuerte golpe de viento.)* Sigue ese viento. Nos vamos a asfixiar aquí.

CELIA.—Quema el aire.

PABLO.—A veces dura horas y horas. En los campamentos, los hombres se retuercen dentro de las tiendas. Tragamos la arena y nos parece que vamos a morir.

CELIA.—*(Tiene los ojos semicerrados.)* Por favor...

PABLO.—Qué...

CELIA.—No me encuentro muy bien. Parece como si faltara algo, el aire.

PABLO.—*(Le rodea la cintura.)* ¿Qué le ocurre?

CELIA.—Ese maldito viento. Me zumban los oídos. (PABLO *la ha tomado en sus brazos. La estrecha en ellos.)*

CELIA.—*(Casi desfallecida.)* Por favor... (PABLO *la besa. Ella al fin se desprende. Se deja caer sentada, con languidez, en el borde de la cama turca. Un silencio.)*

PABLO.—¿Se ha enfadado conmigo?

CELIA.—¿Para qué? Iba a reírse de mí.

PABLO.—No soy un cínico. Si piensa eso, se equivoca. Tengo otros mil defectos. *(Se abre la puerta de la habitación de* LEO. *Aparece este, agitado.)*

LEO.—*(A* CELIA.) Apaga esa luz. *(Ella obedece mecánicamente.* LEO *va al ventanal y abre la persiana. Entra ya la primera, todavía muy débil, luz del día.)*

PABLO.—¿Qué ocurre?

LEO.—Abajo ha parado un coche. Lo he visto desde la ventana. *(Se miran.)*

CELIA.—¿Qué puede ser?

PABLO.—Nada...

CELIA.—¿Cómo es el coche?

LEO.—Americano. Y se ha bajado de él un hombre de uniforme.

CELIA.—¡No has debido asomarte!

LEO.—No me ha visto nadie. Te lo aseguro.

CELIA.—¿Se oye el ascensor?

LEO.—*(Escucha.)* No.

PABLO.—Algún vecino juerguista que se ha retirado un poco tarde. ¿De qué se preocupan? Ahora le ajustará las cuentas su mujer. (CELIA, *sin decir nada, entra en su habitación.* LEO, *pálido, dice a* PABLO :)

LEO.—Era un uniforme de la Policía militar.

PABLO.—¿Cómo ha podido distinguirlo?

LEO.—Lo distinguiría a mucha más distancia, en la oscuridad.

PABLO.—¿Hasta ese punto le obsesiona?

LEO.—Yo... no soy un hombre de acción. Trate de entenderlo de una vez.

PABLO.—¿Por qué se metió en esto?

LEO.—Porque "esto" es una cosa de todos. No solo de los hombres de acción.

PABLO.—Yo sí lo soy. Por eso no le entiendo. *(Vuelve* CELIA. *Se ha puesto la falda y la blusa, que viene abrochándose.)*

CELIA.—No era nada.

PABLO.—No...

LEO.—*(Todavía excitado.)* Parece que no... *(Entonces suena un timbre que no hemos oído antes. La llamada, sin embargo, tiene las mismas características que las anteriores.)*

CELIA.—Es el timbre de abajo.

LEO.—Hanafi...

CELIA.—No podrá subir.

LEO.—Pero ¿por qué?

PABLO.—Es posible que nos avise de algo.

CELIA.—Llamaría de otra forma.

PABLO.—¿Entonces?

CELIA.—Llama para que baje alguien.

PABLO.—¡Yo mismo!

CELIA.—Pero tenga cuidado.

PABLO.—No se preocupe.

CELIA.—Y no suba en el ascensor... *(Sonríe.)*, si es que puede subir.

PABLO.—Claro que podré. Hasta ahora. *(Sale. Quedan* CELIA *y* LEO *solos. No se miran.)*

CELIA.—¿Te encuentras mejor?

LEO.—Sí.

CELIA.—No vuelvas a decir una cosa así. Ni a pensarla.

LEO.—*(Se encoge de hombros.)* No sé de qué me hablas.

CELIA.—De lo que me has dicho antes, ahí dentro.

LEO.—No lo diré más. Pero sí puede que lo haga. No lo sé todavía.

CELIA.—Si crees que tienes algo de qué avergonzarte, no lo remediarás así. Eso sería... la peor de las vergüenzas.

LEO.—*(Mueve la cabeza.)* Si llega a ocurrir, tú no te enterarás... hasta que no esté "hecho". Habla de otra cosa.

CELIA.—Tratas de despertar interés, piedad. Eso es lo que sucede.

LEO.—*(Triste.)* Veo que me comprendes bien. Te lo agradezco. *(Llega, sigiloso,* TAYEB. CELIA *lo ve. Se dirige hacia él.)*

CELIA.—¿Qué hay? *(El no contesta. Se sitúa, se protege.)* ¿Y Aïescha?

TAYEB.—Duerme.

CELIA.—Vuelva con ella.

TAYEB.—¿Ocurre algo?

CELIA.—Nada. Todo va bien.

TAYEB.—¿Y... ese hombre? *(Mira a su alrededor, con miedo.)*

CELIA.—Ha bajado un momento.

TAYEB.—*(Desolado.)* Entonces... Es posible que ya sea tarde...

LEO.—¿Qué dice?

TAYEB.—...de ser cierto lo que he llegado a pensar.

CELIA.—Pero ¿qué es?

TAYEB.—Al principio pensé que hacía señas a alguno de los nuestros. Pero entonces, ¿por qué me dijo que no se lo contara a nadie? Claro que siempre hay razones para que los compañeros nos ocultemos algunas cosas los unos a los otros. Eso es lo que pensé en aquel momento.

CELIA.—¿Cuándo ha sido eso?

TAYEB.—A medianoche.

LEO.—¿Hacía señas? ¿Cómo?

TAYEB.—Con una linterna... desde la terraza. (CELIA *y* LEO *se miran. Un silencio.)*

LEO.—¿Está seguro de eso?

TAYEB.—Claro que sí. *(Los mira, tratando de averiguar lo que piensan.)* ¿Qué creen? ¿Puede ser lo que yo temía? *(Un silencio.* CELIA *hace un esfuerzo para decir* :)

CELIA.—No... Hacía señales a uno de los nuestros, naturalmente. Ha tenido la discreción de no decirlo para que no tuviéramos otra cosa que ocultar.

TAYEB.—¿Otra cosa? ¿Qué?

CELIA.—*(Mira por el ventanal.)* Que hay otro grupo de amigos detrás de alguna de aquellas ventanas, a lo lejos. Yo hubiera hecho lo mismo. Tranquilícese. (TAYEB *se remueve.)*

TAYEB.—Solo quería decirles eso; pero no sabía cómo. Creía que él estaba aquí. Era muy delicado.

CELIA.—No era necesario que nos dijera nada. De todos modos..., despierte a Aïescha. Estén dispuestos por si hubiera que salir. Ha pasado todo el peligro y en cualquier momento...

TAYEB.—Descuide. Gracias. *(Entra otra vez en la ha-*

bitación. El gesto de ellos cambia bruscamente. Denotan una terrible inquietud.)

LEO.—Es un policía.

CELIA.—Calla. *(Va hacia la puerta que da al pasillo.)*

LEO.—Subirá con los otros.

CELIA.—O seguirá este juego.

LEO.—¿Hasta cuándo? *(Un silencio.)* ¿Qué puede hacer ahora?

CELIA.—Habrá ido a enterarse... de lo que sea.

LEO.—Puede que ya lo supiera de antemano. *(Ella no sabe qué decir.)* ¿Qué podemos hacer?

CELIA.—Solo esperar. Ahora veremos.

LEO.—Escapar. Todavía es posible.

CELIA.—¿Adónde? ¿Cómo?

LEO.—No lo sé todavía. Estoy pensándolo.

CELIA.—Seguramente, él está aquí para impedirlo.

LEO.—*(Pensativo.)* Pero también para tratar de descubrir lo que los otros no consiguen.

CELIA.—Ese nombre.

LEO.—Sí... *(Un silencio.)* Ahora podemos escapar.

CELIA.—¿Cómo?

LEO.—Si sube solo...

CELIA.—Qué.

LEO.—Yo sería capaz.

CELIA.—*(Con horror.)* ¿De... matarlo?

LEO.—Creo... que yo sería capaz.

CELIA.—Estás loco.

LEO.—¡Tenemos derecho a defendernos!

CELIA.—No se trata de eso. Es posible que tengamos derecho. Una "legítima defensa"... o lo que sea. Es un problema de abogados... ¡Se trata de que no somos capaces, ni tú ni yo, de una cosa así!

LEO.—Otros lo son. Estamos en guerra. No tenemos derecho a sentir esta repugnancia.

CELIA.—No es repugnancia. Es algo más allá de eso. Es...

LEO.—Yo lo haré. Yo..., yo puedo hacerlo.

CELIA.—¡Si, por lo menos, nos atacara...; si ahora, al entrar, se lanzara contra nosotros, o nos insultara! Entonces sería fácil. *(Ha sacado una pistola del armario. La mira con horror.)* Yo también sería capaz de disparar. Pero es como un amigo. Entrará sonriendo.

LEO.—Nos está atacando. Yo siento físicamente su ataque. *(Le ha tomado la pistola.)* Tengo imaginación para eso. Estamos sentenciados a muerte por él. ¡Nos apunta con una metralleta! ¡Pero yo..., yo dispararé antes! ¡No tengas miedo, Celia! *(Está excitado. Aplica un "silenciador" a la pistola y se la guarda.)*

CELIA.—*(En voz muy baja.)* Será... la primera vez. Tendremos las manos manchadas de sangre.

LEO.—*(Con un estremecimiento.)* Ya las tenemos. Está muriendo mucha gente en esta horrible guerra. Estallan bombas en las calles de la ciudad. Ametrallan los barrios musulmanes. Todo es horrible. Calla. *(Se oye la puerta de afuera, que se abre.)*

CELIA.—Viene.

LEO.—*(Con un hilo de voz.)* Sí... *(Sus pasos. Llega* PABLO, *sonriente. Habla con animación.)*

PABLO.—El coche americano, por muy extraño que parezca, era portador de muy buenas noticias. El barrio sigue acordonado, pero la Policía no se mueve. Todo va bien, según parece... El conductor del coche nos ha traído esto. *(Muestra un sobre.)* Y espera abajo. ¿Saben de qué se trata? *(Tiende el sobre. Es* CELIA *quien lo coge. Lo abre y saca de él unos papeles y unas cartulinas. Las mira detenidamente. Un silencio.)*

CELIA.—Son los salvoconductos para nuestros amigos. Los estábamos esperando.

PABLO.—Me alegro. *(Un silencio.* CELIA *mira a* LEO.)

CELIA.—Ese coche los llevará hasta la frontera.

LEO.—¿Es una documentación en regla? ¿Estás segura?

CELIA.—Sí lo es. Todo está en orden.

PABLO.—¿Qué espera para decírselo?

CELIA.—Nada... *(Cambia una furtiva mirada con* LEO *y entra en la habitación. Silencio.* LEO, *sentado, mira a* PABLO. *Tiene un gesto torcido. Le sorprende la voz de* PABLO, *que le pregunta:)*

PABLO.—¿Está mejor? Déjeme verlo. (LEO, *mecánicamente, lo rechaza con un gesto.)* ¿Qué le ocurre? Déjeme ver... Es posible que haya que cambiarle el apósito. Una de las llagas era bastante profunda. Déjeme. (LEO *ahora no se resiste. Tiene una mano dentro del bolsillo del pantalón donde guardó la pistola.)* Alce los brazos o no será posible.

LEO.—*(Bruscamente, nervioso.)* Apártese. Déjeme en paz. *(*PABLO *no le hace caso. Le coge el antebrazo y le obliga a sacar la mano del bolsillo. Entonces, bruscamente, le cachea con habilidad profesional. Da con la pistola y la saca del bolsillo de* LEO*. Lo mira sonriendo.)* Una pistola. ¿Para qué? *(La deja sobre el armarito.* LEO *está como paralizado; pero de pronto tiene una reacción violenta y trata de recuperar la pistola.* PABLO *se lo impide. Hay una breve lucha y* PABLO *inmoviliza fácilmente a* LEO*, que lo mira con odio.)*

PABLO.—Déjela ahí. No le va a servir para nada. *(Suelta a* LEO *y se vuelve tranquilamente de espaldas a él.* LEO *lo mira, indeciso. No se atreve a intentarlo de nuevo. En ese momento entra* CELIA *con* AÏESCHA *y* TAYEB. *Mira a* LEO *tratando de adivinar la situación, pero Leo rehuye mirarla.)*

CELIA.—*(Por* AÏESCHA *y* TAYEB.) Se van. *(Un silencio.* TAYEB *avanza hacia* LEO. *Está emocionado.)*

TAYEB.—*(Le tiende la mano.)* Adiós. Les deseamos muy buena suerte. Volveremos pronto. Yo... no quisiera irme. Pero comprendo que Aïescha se encuentra mal, es cierto.

LEO.—*(Le estrecha la mano.)* Adiós.

TAYEB.—*(Se vuelve a* PABLO.) Adiós, amigo. Pensaremos mucho en ustedes. ¡Y volveremos! Tengo mucho ánimo, muchos deseos de luchar. ¡No sabré estar allí, inactivo! Adiós.

PABLO.—Hasta pronto. (CELIA *y* AÏESCHA *se abrazan.)*

AÏESCHA.—Gracias por todo, Celia. Nunca la olvidaremos.

CELIA.—Dentro de unas horas estarán fuera del país. Hasta ese momento, mucha tranquilidad. ¿Entendido?

AÏESCHA.—Sí, Celia.

CELIA.—Ahora bajen. Los están esperando. (TAYEB *y* AÏESCHA *salen.* CELIA *los acompaña hasta salir con ellos. Pero vuelve en seguida. Encuentra a* PABLO *jugueteando con la pistola junto al armario. Mira a* LEO*—que está de espaldas al público—y se da cuenta de la situación. Un silencio.)* ¿Los dejará llegar?

PABLO.—*(Se vuelve.)* ¿Qué dice? No entiendo su pregunta.

CELIA.—¿Qué piensa hacer con ellos?

PABLO.—Antes de mediodía estarán en Suiza. ¿Es eso lo que quiere saber?

CELIA.—¿Quiere decir que los deja escapar? ¿Por qué?

PABLO.—*(Ríe.)* ¿Yo? ¿De qué me habla?

CELIA.—¡Es inútil que los torturen! ¡No saben nada! ¡No los hagan sufrir más! ¿No les parece bastante todavía? ¡Yo se lo ruego..., que...!

PABLO.—Pero ¿qué dice? Se está expresando de un modo muy confuso.

CELIA.—¡Digo que si lo que buscan es la identidad del dirigente de la organización, ellos no la saben! ¿Me entiende ahora? Ni ellos ni nosotros. Sépalo de una vez.

PABLO.—*(Tranquilo.)* He tenido ocasión de darme cuenta. Para mí ha sido muy tranquilizador comprobar... que el mecanismo de seguridad no ha fallado. Les doy mi enhorabuena.

CELIA.—¿Qué quiere decir? ¿Qué nueva trampa se le ha ocurrido ahora? *(Pero* PABLO *no contesta a esta pregunta.)*

PABLO.—*(Saca otro sobre del bolsillo.)* Se me olvidaba decirles que, junto a esa, ha llegado otra documentación. Es para usted. *(Se la tiende a* LEO *que, después de una ligera vacilación, la coge. La mira. Un silencio.)*

LEO.—*(Balbucea.)* Yo..., yo no la he solicitado.

PABLO.—*(Habla ahora con una sorprendente autoridad, pero sin énfasis, con sencillez.)* "Se pensó", sin embargo, hace unas semanas, en la conveniencia de su salida del país. Estaba demasiado señalado. "Se temía" ya su detención. Por desgracia, los papeles han llegado un poco tarde. De todos modos, tiene que utilizarlos. Salga del país y aguarde órdenes en Italia; ahí encontrará su dirección. En el avión de la tarde hay un pasaje para usted. Entérese bien de su nueva identidad y de la hora a que debe presentarse en el aeropuerto. A esa hora, la Policía es nuestra. Aprovechará ese momento para cruzar la frontera. *(Ellos están asombrados. Un silencio.)*

CELIA.—Pero ¿quién es usted?

PABLO.—*(Ríe.)* ¡Nadie! Un simple guerrillero sorprendido en la ciudad por una redada. ¿Quién quieren que sea? ¿El dirigente de la organización clandestina? ¡No, de ningún modo! Tiene la piel un poco más oscura... Si no es mucho decir. *(Sonríe.)*

CELIA.—Nosotros sabíamos que Andras Benami, al que han detenido, "no era". Pero no sabemos "quién es".

PABLO.—Es una preciosa ignorancia. Yo, tampoco.

CELIA.—¿De verdad?

PABLO.—*(Sonríe.)* Supongamos, por razones de seguridad, que yo no sé quién es. Supongamos que soy un guerrillero. Supongamos que me llamo Pablo. Supongamos... *(Se echa a reír. Entonces* CELIA *ríe. Parece otra mujer. Es una risa alegre, hasta casi llorar. Por fin se calma. Dice:)*

CELIA.—Siento mucha alegría de ver que no es usted lo que habíamos llegado a pensar.

PABLO.—También es una gran alegría para mí. Una alegría que pocas veces podemos concedernos. Tienen que perdonarme. Yo no quería llegar a tanto. Me bastaba con que se hubieran creído mi historia militar.

CELIA.—¿No es cierta?

PABLO.—Solo en parte. El principio. Lo demás, no.

CELIA.—Tiene... una gran imaginación.

PABLO.—Alguna.

CELIA.—Decía que no.

PABLO.—He dicho muchas cosas... con diferente éxito. *(Un silencio.)* De cualquier modo, todo lo que puedan pensar ahora de mí, traten de olvidarlo. La situación había llegado a ser demasiado extrema... *(Muestra la pistola.)* y no he tenido más remedio que hablar un poco para salir del atolladero. Ahora, considéreme, de nuevo, aquel violento y estúpido soldado. Tengo pruebas para que esa sea, ante la Policía, una historia muy convincente. Es de esperar que no suceda nada, pero de todos modos... *(Un silencio. Se miran fijamente con sorpresa y admiración. El siente la mirada y murmura:)* Hemos llegado a una penosa situación, ¿verdad? No me refiero a estar aquí y a lo que pueda ocurrirnos todavía.

Me refiero a la calle, a todo. Los hermanos no pueden darse a conocer. (CELIA *asiente, sombría.* PABLO *respira hondo y dice en tono más ligero:)* Confieso que la marcha de nuestros amigos me ha tranquilizado mucho. Había oído hablar de cómo estaban, pero no podía figurarme hasta qué punto. He podido comprobarlo... Ha sido un poco cruel hacerlo... Bien... La noche ha terminado... ¿Quiere prepararnos un poco de café? Un desayuno en familia no nos vendrá mal.

CELIA.—Con mucho gusto.

PABLO.—En cuanto a usted (LEO *está sombrío.)*, le ruego que trate de perdonarme. No se considere ofendido...

LEO.—Déjeme en paz. *(No le ha mirado. Está sentado, inmóvil, con los papeles que le dio* PABLO *entre las manos.* PABLO *se encoge de hombros.* CELIA *manipula sobre el armarito, del que ha sacado un infiernillo. Prepara el café.)*

CELIA.—*(En tono ligero.)* De todos modos, me gustaría saber qué hacía usted con una linterna. ¿Es algún juego divertido?

PABLO.—*(Sonríe.)* ¿Sigue desconfiando? (CELIA *niega como diciendo: "Pero...")* Hay gente como nosotros detrás de otra ventana.

CELIA.—*(Sonríe también.)* ¿Gente importante?

PABLO.—Todos los hermanos lo son, ¿no le parece? *(Ella mueve la cabeza, pensativa.)* ¿Qué piensa ahora?

CELIA.—Pienso que antes he dicho una mentira... y era la verdad. Tiene gracia.

PABLO.—*(Ha buscado en el armarito. Saca algo.)* ¿Unas galletas? *(Pero* LEO *se ha levantado y se encara con él.)*

LEO.—*(Por los papeles.)* Entonces, ¿qué quiere decir esto? No, no es preciso que me diga nada. Ya lo sé yo. Me consideran inservible..., inutilizado... Me desprecian. No tienen derecho...

PABLO.—Nadie lo considera así. Su salida está ya prevista desde antes de que empezara la redada. No se trata de una decisión a raíz de su conducta.

LEO.—*(Agresivo.)* ¿Qué tiene que decir de mi conducta?

PABLO.—*(Como diciendo: "Nada.")* Ya se lo hubiera dicho. *(Un silencio.* LEO *parece reflexionar.)* Así era..., por doloroso que resulte ahora decirlo.

LEO.—¿Por qué? ¿Se me consideraba gastado? ¿Era eso?

PABLO.—*(Firme.)* Sí. Ha trabajado demasiado. No es preciso ser detenido para quemarse en una lucha como esta. Es normal que...

LEO.—¡No lo estoy! ¡Estoy entero como el primer día! ¡He tenido un momento de debilidad, eso ha sido todo! ¡En seguida caen sobre mí! ¿Por qué? Lo de Tayeb está justificado... Comprendo que con él se haya tomado esa medida. Pero ¡conmigo...!

PABLO.—De todos modos, debe irse. Su mujer se reunirá con usted... lo antes que sea posible.

CELIA.—*(Que ya ha preparado el café.)* Ahora lo pensaremos, Leo. Cálmate.

LEO.—¡No tengo nada que pensar! ¡Yo no me voy! ¡Antes me dejo matar aquí de cualquier modo, en la calle, por la primera patrulla que me encuentre! No me creéis, ¿verdad? ¡Pero yo os voy a demostrar de lo que soy capaz aún! ¡Os voy a demostrar...! *(Rompe los documentos. Un silencio.* CELIA *y* PABLO *se miran.)*

CELIA.—¿Qué has hecho? Es...

LEO.—¡Romperlo! ¡Me río de mi "nueva identidad"! ¡Me basta con la mía! ¿Qué tenéis que decir? ¡Os voy a demostrar...! ¡Claro que sí..., yo..., a demostraros que...! *(No puede más. Solloza nerviosamente.* CELIA *va a atenderlo cuando suena el timbre de abajo, pero ahora con una llamada diferente; son toques muy cortos, repetidos. Por el gesto de todos, nos damos cuenta de que es la llamada de máximo peligro.)*

CELIA.—¿Es... la señal de alarma?

PABLO.—Sí.

CELIA.—¿Qué piensa?

PABLO.—Hanafi no es un hombre que se asuste por cualquier cosa. Si él llama así..., es de temer que sea muy grave.

CELIA.—*(Pálida.)* ¿Qué hacemos? (LEO, *con un movimiento nervioso, se apodera de la pistola que* PABLO *había dejado en cualquier sitio.)*

PABLO.—Estese quieto. ¿Qué va a hacer? (LEO *se inmoviliza como respondiendo que no va a hacer nada por ahora, que está tranquilo.)* Por si fuera la Policía, les deseo suerte. Aguanten al máximo, hagan... todo lo que puedan por guardar silencio. Vayan hasta el límite o más allá del límite si fuera preciso. Recuerden siempre que los días están contados; que el que nos pega la patada en el vientre está condenado a desaparecer. Es él quien huele a podrido, a muerto, aunque todavía seamos nosotros los que nos desangremos. En los peores momentos piensen en ello y en la liberación, o dejen de pensar y aguanten en el vacío; porque se han de oír, y muy pronto, las voces de la victoria... Recuerden, si quieren agarrarse a algo, que ya somos demasiados para caer en una red, por muy grande que sea... *(Unas lágrimas resbalan por el rostro de* CELIA.) ¿Está tranquila?

CELIA.—*(Con emoción.)* Sí.

PABLO.—Ya tenían que haber llegado. ¿A qué esperan?

CELIA.—*(Muy pálida.)* Moussa no ha podido resistir. Es horrible.

PABLO.—Olvídese de ese y de todos los nombres, de todas las relaciones. Es importante.

CELIA.—*(Como si fuera su última sonrisa.)* Ha sido un buen discípulo. Estoy contenta de su aplicación..., Pablo.

PABLO.—*(Sonríe también.)* Trato de hacerlo lo mejor posible.

LEO.—*(En cuyo rostro se ha ido advirtiendo su enorme turbación, murmura agitado:)* No podré resistirlo. Ahora veo que no. Voy a decirles... algo grave. No sé qué, algo... monstruoso. ¡No quiero! ¡Pero... no podré resistirlo!

PABLO.—*(Le pone una mano sobre el hombro, afectuosamente.)* No dirá nada. Tenía razón usted. Está muy entero todavía. ¡Y ahora vamos a ver todo lo que es capaz de hacer aún! Es mucho, ya lo sé. Y para usted será... el fin de esa vergüenza que ha sentido. A su regreso, los camaradas van a recibirlo con alegría, con respeto... y con admiración. ¿Se da cuenta de lo que puede hacer aún? ¿Está dispuesto? ¿Verdad que sí? ¿Verdad...? *(El no contesta. Parece paralizado.)*

CELIA.—Pero, Leo, ¿no escuchas? ¿Qué te pasa? ¡Leo! *(Se abraza a él. Entonces se oyen unos golpes, resonantes, en la puerta; violentos como producidos por las culatas de las metralletas.)*

PABLO.—Son ellos. (LEO, *inopinadamente, se desprende de* CELIA.) ¿Adónde va? (LEO, *con la pistola en la mano, abre el ventanal y sale a la terraza. Desde allí suena súbitamente una ráfaga de metralleta y el cuerpo de* LEO, *rechazado, se desploma sobre el suelo del interior, bajo la luz, ya clara, de la mañana.* CELIA *da un grito y se lanza hacia allí; pero desde el fondo de la terraza avanzan hacia nosotros, hacia la habitación, las figuras de dos* SOLDADOS *con las metralletas empuñadas, cruzadas sobre el pecho. Uno rechaza brutalmente a* CELIA, *que se refugia en* PABLO. *Solloza sobre su pecho. Los* SOLDADOS *quedan inmóviles bajo el dintel mirándolos. En ese momento se oye el estrépito de la puerta exterior, que ha cedido sobre sus goznes. Irrumpen en la habitación un* SARGENTO *y tres* SOLDADOS *más, empuñando también las metralletas en disposición de hacer, instantáneamente, fuego. El* SARGENTO *hace un gesto y los* SOLDADOS *se distribuyen: uno esposa la muñeca derecha de* PABLO *con la izquierda de* CELIA. *Cada uno de los otros entra en una habitación. El* SARGENTO *les apunta con su arma.)* Sea fuerte ahora. Es su momento. *(Ella le mira entre las lágrimas.)* Yo... no soy más que un soldado..., pero..., ¿entiende? *(Ella lo ha comprendido. Asiente con firmeza, por encima de todo. Se abrazan con un abrazo que las esposas hacen más patético. Los* SOLDADOS *han vuelto de las habitaciones.)*

SARGENTO.—¿Nadie más?

SOLDADO 1.º—No, mi Sargento.

SOLDADO 2.º—No, mi Sargento.

SARGENTO.—Entonces, al coche. *(Los tres* SOLDADOS, *amenazando con las culatas de las metralletas, conducen a* PABLO *y* CELIA *hasta sacarlos fuera. El* SARGENTO *se dirige a uno de los soldados de la terraza, el cual se cuadra.)* Tú te quedas ahí hasta que vengan a recogerlo los de la furgoneta. Lo entregas a la presentación de la orden y en presencia del oficial. ¿Entendido? No quiero negligencias. Les pides el recibo firmado con el visto bueno del comandante.

SOLDADO 3.º—*(Es el que rechazó a* CELIA *brutalmente.)* Sí, mi Sargento. A la orden. *(El* SARGENTO, *y el otro* SOLDADO *salen. Un silencio. El* SOLDADO *bosteza levemente. Sale hacia la terraza. Enciende un cigarrillo. Empieza a oírse el ruido del ascensor, que se aproxima; pero ya no hay nadie para sentir miedo, y el ruido suena ahora de un modo extraño, distinto. De pronto, cuando el ruido era mayor, se hace bruscamente el silencio. El ascensor ha parado en el piso. En seguida entra* HANAFI. *Parece que busca algo en la desolada habitación. Busca a* LEO. *Cuando ve su cuerpo, acude con angustia. Se arrodilla. Toma una de sus manos. Mira hacia nosotros. Hay un silencio.)*

HANAFI.—Asesinos. *(Cae el telón.)*

FIN DE

"EN LA RED"

RICARDO LOPEZ ARANDA

CERCA DE LAS ESTRELLAS

ESTRENADA EN EL TEATRO MARIA GUERRERO, DE MADRID, EN LA NOCHE DEL 5 DE MAYO DE 1961

Premio Nacional de Teatro
CALDERON DE LA BARCA 1960

Foto Gyenes

RICARDO LOPEZ ARANDA

Foto Gyenes

CERCA DE LAS ESTRELLAS

PRIMER ACTO

CERCA DE LAS ESTRELLAS.—SEGUNDO ACTO *Foto Gyene.*

Foto Gyenes

CERCA DE LAS ESTRELLAS

TERCER ACTO

AUTOCRITICA

De todas las cosas que preceden a un estreno es, sin duda, esta de la obligada autocrítica la más inquietante para el autor, sobre todo porque presupone un conocimiento de la obra y una valoración de la misma que resulta casi imposible—al menos a mí me ocurre—por falta de perspectiva. Además me siento avergonzado por tener que hablar públicamente de mí mismo, ya que toda obra es, de una u otra manera—a veces la que más importa—, una parte del autor.

Diversas emociones, con el común denominador de la inquietud, me acosan en este momento en que el telón está a punto de levantarse. Mi deseo ha sido poner ante vuestros ojos un trozo de vida: hombres y mujeres que ríen, aman y sueñan y que, cuando la realidad roza su mundo de ilusión, se angustian y temen, sin dejar de sonreír y esperar. Mas, sobre todo, he querido hacer en esta obra una llamada a la esperanza, a la ternura, a la alegría sana y bulliciosa, al amor, ya balbuciente, ya apasionado; a la amistad y a todas esas pequeñas cosas que tanto amamos, pero que no confesamos en público; en una palabra: a todo lo que de maravilloso aún tenemos los hombres y que los escenarios quieren ignorar casi siempre.

Invocar mis pocos años como disculpa a sus defectos no me parece válido, pero sí quiero apelar a la benevolencia del espectador para algo más importante: para el insistente y apasionado esfuerzo de toda una juventud que trabaja en silencio la espera de una oportunidad.

Quiero señalar, por último, que cuantos defectos encontréis son solo míos, y si algo os agradase, se deberá, sin duda, al talento de los magníficos actores que me han tocado en suerte—José Bódalo, Milagros Leal, Antonio Ferrandis, Fernando Marín, Lola Cardona, Carlos Villafranca, Ana María Vidal, Gonzalo Cañas, María Luisa Hermosa, Pepita C. Velázquez, Isabel Ortega, Matilde Calvo y un grupo de chicos y chicas, valores nuevos que hacen por primera vez un papel largo—; a Sigfrido Burman, creador del extraordinario decorado, y, sobre todo, a José Luis Alonso, que ha puesto en el montaje de mi obra todo su talento y entusiasmo.

Ricardo López Aranda.

(De *A B C,* de Madrid.)

CRITICAS

Esta comedia, de un autor novel, Ricardo López Aranda, nos produce la impresión de un conjunto de fotografías contenidas en un álbum familiar y que se nos van enseñando comentadas, ya por el padre, ya por la madre, ya por los hijos. Entonces, ¿se trata de una comedia sin acción, meramente palabrera? Nada de eso. Su acción es muy viva; tanto, que a veces pensamos en una técnica cinematográfica aplicada al teatro, pero utilizada con maestría tan singular, que la rápida sucesión de escenas, que su simultaneidad, en ocasiones, no impide el normal desenvolvimiento de la trama. En realidad, no hay tal trama, no hay asunto, no hay argumento. Son como fotografías de la vida de una familia, como fotografías del ambiente en que habita esta familia. Este ambiente está captado con una fidelidad asombrosa, fotográfica, ya lo he dicho, pero también artística. ¡Qué duda cabe que existe un arte fotográfico! Pero, desde luego, es un arte frío, al que le falta el toque humano del pincel del pintor. Y esto es lo que ha hecho Ricardo López Aranda con las fotos que nos va mostrando. ¿Iluminarlas? ¡No, por Dios! Comentarlas a punta de pluma con profunda hondura psicológica, con enorme habilidad teatral. De unas fotos vulgares ha hecho una obra de arte, ha transformado las fotos en un gran retablo integrado por tablitas de una suavidad de colorido que embelesa.

Veintinueve personajes intervienen en esta magnífica comedia. Señor don Ricardo López Aranda, permítame usted que le felicite de una manera llana, tosca, chabacana, pero muy expresiva y cordial. ¡Señor don Ricardo López Aranda, es usted un tío! Manejar veintinueve personajes con la desenvoltura, sencillez y oportunidad con que usted lo hace, es hazaña reservada a muy poquitos. Estoy juzgando una comedia, no prejuzgando el porvenir de un autor. *Cerca de las estrellas* es la comedia de un autor cuajado. *Cerca de las estrellas* es la comedia de un gran autor. De esos veintinueve personajes, la mayoría solo aparecen en escena fugazmente, pero ¡en qué momento, con qué naturalidad! Y esto es dificilísimo. Otra dificultad salvada de modos perfectos: los efectos teatrales. Es indudable la eficacia del efecto teatral, siempre y cuando se empleen sin buscarlos premeditadamente, siempre y cuando se presenten como una consecuencia de la acción. Así están conseguidos en *Cerca de las estrellas,* sobre todo el de la salida de la mujer en estado de buena esperanza camino de la clínica, y el de la aparición del nuevo padre en el ágape donde se celebra el nacimiento de su hijo. Así también la escena final, soberbia por lo sobria. Se diría que Ricardo López Aranda fuera un veterano autor que se propuso un alarde de virtuosismo teatral, una cadena de efectos a cuál más arduo, vencidos sin aparente esfuerzo, porque toda la comedia es esto : una sucesión de efectos impregnados de poesía que nos va inundando el ánimo de poesía, que nos va inundando el ánimo de ternura, ternura para el dolor, ternura para la alegría, porque la alegría y el dolor en *Cerca de las estrellas* unidos se hallan, como unidos están en la vida risa y llanto. La comedia es como una esponja llena de poesía. ¡Ah!, pero el autor no la exprime con mano fuerte, sino que se contenta con leves toquecitos que sueltan unas gotas. Se sirve de la esponja como de un perfumador que desparrama una ráfaga de aroma. Y este aroma nos basta. Esas gotas son la esencia de una poesía que se desprende de la prosa de unas vidas humildes, de unas vidas que forman la mayor parte de la Humanidad. Si alguna influencia advertimos en Ricardo López Aranda es la del teatro norteamericano. Con una notabilísima diferencia. El teatro norteamericano, por lo menos el que yo conozco, deriva lamentablemente al folletín. Y nada más lejano y más próximo al folletín que *Cerca de las estrellas*. Apuntemos como muy señalado este otro mérito de Ricardo López Aranda: su total apartamiento de lo folletinesco, tan fácil, incluso, para un autor primerizo. Ricardo López Aranda lo desdeña. Se subió a lo alto de una casa para estar cerca de las estrellas. ¡Dios mío, pues no queda nada para llegar hasta el cielo! Y entonces se produjo el milagro de la inspiración. La inspiración tiene alas. La inspiración vuela. Y se remontó hasta una estrella, y desde allí contempló la terraza de una casa y unas habitaciones contiguas, y, sirviéndose del sol como de máquina fotográfica, retrató un puñado de vidas, veintinueve vidas; unas, nacientes; otras, declinantes; otras, en la pujanza de la juventud; todas, al linde del folletín; todas, apartadas de él porque una luz las fotografiaba, la luz del arte, que es la luz del sol, que alumbra lo mezquino dotándolo del suave resplandor de la poesía.

Ricardo López Aranda ha tenido suerte. No me refiero al premio concedido a su comedia, porque esa suerte hoy es muy común. Me refiero a que su comedia la haya montado un director que sabe su oficio, como lo conoce José Luis Alonso. Los veintinueve personajes son dificilillos de mover en unas cuartillas, pero ¡mire usted que en escena... la cosa es floja! Bueno; pues su juego escénico es trasunto fiel de la realidad. Los chiquillos son auténticos chiquillos, a los que el director convierte en verdaderos actores. Los verdaderos actores, una Milagros Leal, un José Bódalo, un Antonio Ferrandis, un Fernando Marín, una

Lolita Cardona, se olvidan de que son comediantes y se transforman en Adela, en Ricardo, en Antonio, en Andrés, en Laura, e interpretan una comedia realista con tal verosimilitud y propiedad y arte, que nos figuramos enfrentarnos no con un escenario (admirable el decorado de Sigfrido Burmann), sino con un espejo mágico, donde se reflejan no solo los cuerpos, sino las almas de unos pobres seres que viven, unos, a impulsos de la alegría; otros, a rastras con el dolor, y todos, nimbados con un halo de poesía que la mano de un hombre que se llama Ricardo López Aranda pintó con el pulso seguro de un gran pintor.

¡Una comedia acabada de un autor español contemporáneo! Parece el sueño de una balsa de aceite en medio de la oleada extranjera.

ANTONIO DÍAZ-CAÑABATE.

(De *Semana*, de Madrid.)

*

No nos ha sorprendido el triunfo de Ricardo López Aranda. Lo que nos ha sorprendido es la perfección de su obra. El triunfo es la consecuencia natural de esta perfección. "Hacen falta autores jóvenes—venimos diciendo desde hace muchos años—, y, a ser posible, universitarios." Es decir: gente preparada, generosa de entusiasmos y de vocación, que se oponga, radicalmente, a la estulticia rutinaria de nuestra escena. A la breve, pero probada y prometedora, lista que poseemos, para gozo de nuestra ilusión, hay que agregar, por derecho propio, un nombre más: el de Ricardo López Aranda, que, como se sabe, optó al premio Calderón de la Barca, de 1960, con ocho obras nada menos, entre las que el jurado eligió la titulada *Cerca de las estrellas*, que acaba de estrenarse con todo honor y la máxima complacencia pública, en el María Guerrero. ¿Y qué es *Cerca de las estrellas?* Sencillamente una comedia de costumbres de hoy, o, si se prefiere, una tragicomedia, o, en todo caso, y a nosotros nos parece mejor, un sainete dramático, a la manera de Arniches, y que ha tenido magníficos seguidores en Buero Vallejo, en Martín Iniesta, etcétera. Un sainete dramático, decimos, y no hay ningún sentido paradójico, que se nutre de la realidad misma, dentro de una fórmula complicada, por la variedad y extensión de su reparto, sin que por ello pierda, ciertamente, su filosofía y su típica expresión teatrales. El realismo de López Aranda no es, ni pretende serlo, el realismo fotográfico de los amigos de André Antoine, si dejamos a un lado el rigor filiatorio de las criaturas y de los hechos formales. No hay sainete sin esta cualidad. Pero López Aranda no calca ni copia, sino que deja que la vida se refleje, tal como la sorprendemos, en su obra, como en un espejo animado que el autor pasa, ágilmente, sensiblemente, por los estratos de la sociedad en la que, por su peculiar condición, han de comparecer y entrechocar problemas perentorios y diversos.

Lo verdaderamente sorprendente de *Cerca de las estrellas* es la simplicidad complicadísima de su mecanismo, a la vista de todos, sin escamoteos ni convencionalismos que, en cualquier caso, no harían más que estorbar el ritmo de su paso, la precisión de su conflicto y la elocuencia de su resolución. ¿Cómo es posible que un autor, con apenas veintitrés años de edad, cuando la experiencia no le ha dado documentos al juicio, levante un fascinante microcosmos de inconformismo y rebeldías, sometimientos y protestas, ambiciones y ensueños, fracasos y alegrías, con la naturalidad artística con que lo hace López Aranda? Estamos, sin duda, ante un claro ejemplo de intuitismo dramático excepcional.

Pero esa intuición no es meramente superficial y figurera, sino entrañable y sentimental. O sea, que actúa de dentro a fuera, apretada de emoción y de ternura, lejos de toda tiranía, y dentro de la exactitud de un reloj que tuviera, por añadidura, la esfera de cristal. Lo subraya la dosificación de sus elementos, la firmeza de su articulación, la gracia de sus expresiones, la legitimidad de su verbo, que va de los formalismos a la anécdota, sin tropiezos ni vacilaciones, alternando la risa con la lágrima, la poesía con el desengaño, el dolor con la esperanza. Porque de todo esto, a más de un íntimo acento cordial, hay en *Cerca de las estrellas*, sin partes muertas ni paralíticas de tiempo y espacio, sino sometida a una ley biológica que le da en seguida carácter de documento social, directo y categórico.

El público, desde que se levantó el telón por primera vez hasta que, al término de la velada, cerró aquel primoroso friso palpitante, estuvo pendiente, con progresivo interés, del conflicto escénico, vario y, en ocasiones, urgido por un pugilato de ideas y de sentimientos, como ocurre en la vida, y por tanto, como ocurre en la obra, ya que esta, conviene repetir, no es más que la vida sometida, domeñada por el escritor y el poeta, represada entre acotaciones, y que de nuevo vuelve a vibrar, pujante y entera, multiforme y sugestiva, con el fin de que cada criatura se justifique y defina.

En *Cerca de las estrellas* no hay un solo instante que pueda perturbar la claridad del desarrollo. Al contrario, todo fluye con la sencillez de una fuente desnuda.

La reacción de la sala fue espontánea y unánime desde el primer momento. Se aplaudieron mutis, finales de cuadros y de actos y, al concluir la obra, estalló una de las más rotundas y sostenidas ovaciones que hemos oído en nuestras andanzas teatrales. Bien es cierto que la dirección de José Luis Alonso y la interpretación de la compañía del María Guerrero fueron modelo de similitud, fragancia y capacidad. He aquí la relación, y por ella se apreciarán las dificultades del experimento, de esos beneméritos actores—veintinueve en total—, con la impar

Milagros Leal al frente, secundada, dentro de la misma línea, por Pepe Bódalo y Antonio Ferrandis, con la cooperación primorosa de Lolita Cardona, Alberto Alonso, María Enriqueta Carballeira, Ana María Vidal, Gonzalo Cañas, Carlos Villafranca, Fernando Marín, seguidos por Sonsoles Benedito, Isabel Gómez, María Dolores Lana, Encarnación Merino, María Luisa Hermosa, Matilde Calvo, Pepita C. Velázquez, Isabel Ortega, Elsa Díez, José Luis Matrán, Fernando Rojas, Benito Carrillo, Francisco Rodríguez, Antonio Marco, Rafael Castellano, Manuel Galiana, Antonio Zegrí, José Cuadrado y Manuel Tejada. Tan insistentes fueron los aplausos que el autor, entre sus colaboradores, tuvo que pronunciar, emocionado, unas palabras de agradecimiento.

SERGIO NERVA.

*

CARTA ABIERTA.—Mi joven amigo: Creo yo que los adjetivos elogiosos se prodigan a los que ya los tienen todos y entiendo que la justicia del elogio no es una política y, sin embargo, parece de buena política intelectual la dureza con el que empieza su camino y la sofística adulación con el que ya lo tiene todo ganado; por eso, si tu comedia ha despertado los afanes de analizar lo que no se atreven con comedias de importación, quede para otras plumas la misión de lo desagradable como ejercicio político ante tu vocación profesional, deslumbrante a tu edad. Me han dicho que tienes veintidós años.

Por eso, por el hecho de que hayas presentado ocho comedias para optar al premio Calderón de la Barca, me hace superar mi juicio sobre tu "afición" al teatro y llamarla "vocación", que es mucho más, porque solo en la vocación caben las "devociones".

Amas el teatro y te entregas a él devocionalmente. ¡Así debe ser! Eres *nueva ola*, y un personaje de tu comedia brinda porque su hijo recién nacido "viva en un mundo que no sea tan cochino como este". Ello, a mi entender, quiere decir que este mundo de hoy, con *nuevas olas* y todo, no te gusta nada. A mí tampoco, y por no gustarme me dicen que estoy viejo. Pero ahora llegas tú, y con tus veintidós años me salvas.

Mi carta, dirigida también un poco a las estrellas, tiene el propósito de acompañarte en el camino de tu devoción. Yo también muchas veces, en mi juventud y en mi madurez, me he sentido prisionero de "esa angustia infinita que no tiene principio ni fin", y tal vez por eso haya llenado de lágrimas mis ojos para pescar estrellas, como pretende con una lata de agua por anzuelo aquella niña que aparece en el tercer acto de tu comedia, para advertirnos que el cielo está allá arriba.

No me ha sorprendido su final, porque yo también sé que la vida mata a la vida. Lo raro es que a los veintidós años lo sepas tú.

También he comprendido la geométrica psicología de tus personajes, acciones paralelas y segmentos de paralelas comprendidos entre paralelas; es decir, distintos modos de pensar y un común denominador en el modo de ser.

Los jovencitos casi niños, que no saben más que sentir el amor y no conocen sus palabras, y los que conociendo sus palabras tienen que refugiarse en el amor, que es el único regazo que comprende lo que nadie sabe entender, me parecen un gran acierto de autor.

Perdón: ahora me doy cuenta de que la extensión de esta carta ha superado el espacio que generalmente dedico a mis críticas, y entiendo que algo debo decirte de las virtudes que he encontrado en tu obra—obra por su buena arquitectura—y queden para otros sus defectos, que yo no he sabido ver, y que, por otra parte, no me hubiese dado la gana de querer ver.

Tu comedia tiene una gran concepción literaria y, sin embargo, no tiene literatura. En tu comedia no hay pasiones raras ni seres defectuosos contra naturaleza, ni siquiera un mal morfinómano. En tu comedia se bebe vino, no se habla de *whisky*, se nombra a la taberna y nadie va a las *boites*. Singular tu comedia en este aspecto, aunque dudo que te la traduzcan al inglés.

Adelante, muchacho, ya estás en tu camino vocacional. Estoy seguro de que nunca olvidarás la noche del 5 de mayo de 1961, memorable para ti. Comprendo tu emoción y tus lágrimas. Tienes corazón, y esa virtud no es de *olas*, es de los mares de todos los tiempos.

Qué gran actriz Milagros Leal, ¿verdad? Qué sobrio, qué justo, qué entrañable Pepe Bódalo. Qué acertada y humana Lolita Cardona. Qué bien Fernando Rojas y qué justos todos, los veintinueve del reparto, y qué admirable la dirección de José Luis Alonso, vanguardia de directores ya, porque ha llegado más arriba que ninguno.

Y, además, los aplausos en todos los finales, y aquellos mutis aplaudidos a Milagros Leal y a Lolita Cardona. Aplausos encendidos, entusiastas. El público quería que hablases y no pudiste hacerlo; es natural: tienes veintidós años.

Con mis mejores deseos para el porvenir,

ANTÓN PERULERO.

CERCA DE LAS ESTRELLAS

ACTO PRIMERO

La obra se desarrolla durante un domingo de verano en una ciudad de provincias con puerto de mar, situada en la costa mediterránea. La luz y el color desempeñan un papel muy importante: sol hiriente en el encalado de las paredes, azul intenso en el fondo, más allá de los tejados de las casas, etc.

La escena representa el último piso de una casa de vecindad. A la derecha, una pequeña terraza con, al fondo, repecho de ladrillo encalado que da a la calle. En la esquina, puerta que comunica con la escalera de la casa. En primer plano, el hueco del patio protegido por una barandilla de hierro pintada de negro. Cruzan el cielo cables del tendido eléctrico y se entrevé en el chaflán, sobre la puerta de la escalera, el depósito del agua. A la izquierda, sobre tarima de unos quince centímetros, una habitación que hace de sala de estar y de comedor. Paredes empapeladas, mesa redonda de madera oscura, con un camino de mesa blanco y un tiesto en el centro, sillas, una mecedora, un pequeño diván-cama, una radio sobre el aparador, una máquina de coser, un maniquí, jaula con un canario, una lámpara de pie. A la izquierda, puerta que da a la terraza. En el centro, puerta que lleva a un pasillo donde están la cocina y otras habitaciones. Más a la izquierda, escalera que lleva a la habitación de los chicos que tiene el techo agaterado y en el que hay una lucera. Dos camas gemelas, mesilla, una pequeña biblioteca, y profusión de cromos de equipos de fútbol, calendarios, etc. Paredes exteriores desconchadas, asomando el ladrillo. En la terraza, profusión de macetas con geranios, etc. Al lado izquierdo de la puerta de la escalera hay un grifo con agua corriente y pileta. Fondo de cielo. He aquí lo más importante del decorado: la luz plateada de la mañana, la luminosidad radiante del mediodía, el rosa rasgado en franjas amarillas y rosas de la tarde y el morado del crepúsculo. Ya en la noche, extraños puntos de luz parpadean y desaparecen como ojos vivos del mar.

Son las primeras horas de la mañana de un domingo. ADELA está regando unas macetas que hay en la terraza en el extremo del escenario, junto al hueco del patio. Canta una tonadilla popular. PABLO da vueltas en círculo montado en una bicicleta imaginaria, dándose a sí mismo gritos de aliento como si se tratase de un as del pedal en los momentos culminantes de una escalada. En la sala, RICARDO ha terminado el desayuno y está leyendo el periódico. ANTONIO se afeita, en camiseta, frente a un pequeño espejo que cuelga de un clavo en la pared.

Al levantarse el telón se oye un rumor de voces, risas y ruidos de platos y cañerías que vienen del patio. En algún sitio, una radio lanza al aire una canción de moda. En primer plano, se oye la voz de una NIÑA que hace escalas acompañada del piano.

NIÑA 1.ª—*(Voz de.)* ...la... ssiii...

VECINA 1.ª—*(Voz de.)* ¡Niña!...

PABLO.—¡Vamos...!

NIÑA 1.ª—*(Voz de.)* ...doo...

VECINA 1.ª—*(Voz de.)* ¡Niña!... ¡Madre mía, ni que la estuvieran pisando!...

ALBERTO.—¡Vamos, muchacho!

RICARDO.—*(Por el periódico.)* Es que no trae nada que...

NIÑA 1.ª—*(Voz de.)* ...reee...

PABLO.—¡Un poco más!...

RICARDO.—...merezca la pena.

PABLO.—¡Más!... *(Sale* PACO *de la cocina, en camiseta, secándose con una toalla. Murmura un "¿Qué hay...?" al pasar junto a* RICARDO. *Sube a la habitación de arriba, donde* JUAN *duerme aún, y comienza a vestirse.)*

PONTE.—*(A* PABLO.) Deja ya de dar vueltas...

NIÑA 1.ª—*Voz de.)* ...faaa...

VECINA 1.ª—*(Voz de.)* ¡Y que no calla! *(Cesa la música de la radio. Se oye una ventana que se cierra violentamente. Las escalas continúan apenas perceptibles.)*

ANTONIO.—Hombre, a veces...

VECINA 1.ª—*(Voz de.)* ¡Ay, menos mal!

ADELA.—¿Me has oído? *(Se oye caer agua en el patio.)*

PABLO.—*(Grita.)* ¡Aaaah...! Y llegó a la cumbre... *(Los brazos en alto en gesto victorioso.)*

VECINA 1.ª—*(Voz de.)* ¡Maldita sea...!

PABLO.—...¡con diez minutos de ventaja!...

VECINA 1.ª—*(Voz de.)* ¿Otra vez?...

ADELA.—¿Es que no puedes estarte quieto...

VECINA 3.ª—*(Voz de.)* ¿Qué pasa?

ADELA.—...ni un minuto?

VECINA 2.ª—*(Voz de.)* ¿No ve usted que tengo ropa colgada?

VECINA 3.ª—*(Voz de.)* ¿Y qué quiere usted que haga con el agua?...

ADELA.—Me estás mareando.

VECINA 3.ª—...¿Que me la beba?...

ADELA.—¿Me has oído?

VECINA 2.ª—¡Lo que hay que aguantar!...

PABLO.—Sí, mamá.

VECINA 3.ª—*(Voz de.)* Tengo las cañerías atascadas.

VECINA 2.ª—*(Voz de.)* ¡Miren cómo me ha puesto las sábanas! *(Se oye una carcajada. Alguien grita: "Pamplinera... ¿Quién se habrá creído que es?" Una ventana se cierra violentamente. Se oye llorar a un niño.)*

PABLO.—¡Papá!...

RICARDO.—¿Qué?... (PABLO *se apea. Deja la imaginaria bicicleta apoyada en la barandilla y entra en la casa.)*

VECINA 3.ª—Pues para eso están los patios; digo yo, ¿no?

PABLO.—*(A* RICARDO, *con cierto misterio.)* ¿Se lo has dicho?

VECINA 2.ª—Sí, para que se vea...

RICARDO.—No, aún no.

VECINA 2.ª—...bien la poca educación de algunas.

VECINA 3.ª—¡Aaah...! *(Se la oye cerrar la ventana violentamente.)*

PABLO.—Pues anda...

RICARDO.—Espera, tú déjame a mí. (PABLO *sale a la terraza y se asoma por el repecho con las manos en los bolsillos. En el patio la música de la radio aumenta de volumen. Entran corriendo varios* NIÑOS *y* NIÑAS *por la puerta que da a la escalera. Uno de ellos trae una cometa grotescamente pintada.* PABLO *saluda a alguien que pasa por la calle, y grita haciendo bocina con las manos.)*

PABLO.—¡Aaaeeeooo...!

NIÑO 1.º—¿Quién te la ha dado?

RICARDO.—*(Deja el periódico que leía, coge otro.)* Nada, es una tontería gastarse el dinero en ellos.

NIÑO 2.º—Me la trajo ayer mi padre.

NIÑA 1.ª—¿A ver...?

PABLO.—¡Aaaeeeooo...!

ANTONIO.—Hombre, la página de deportes puede leerse.

NIÑA 2.ª—¡Qué bonita!

NIÑO 1.º—¿Y sube mucho...?

NIÑO 2.º—Hasta que no se ve.

MUCHACHO 1.º—*(Voz de, en la calle.)* ¿Bajas?

NIÑO 4.º—¿Me la dejas tener un poco luego?

RICARDO.—Lo único.

NIÑO 2.º—Ya veremos.

PABLO.—¡Dentro de un rato!...

NIÑO 2.º—*(Dando al* NIÑO 1.º *el rollo de cuerda.)* Ten esto.

ANTONIO.—¿Qué alineación lleva el Madrid? (RICARDO *lee la alineación de este equipo en el último partido.)*

NIÑO 3.º—Luego me la dejas tener un poco a mí también, ¿verdad?

NIÑO 4.º—¡Y a mí!...

NIÑO 5.º—¡Y a mí!...

MUCHACHO 2.º—*(Voz de.)* Te esperamos en el desmonte.

NIÑO 6.º—Y a mí también, ¿eh?

NIÑO 2.º—Ahora, a ninguno. Trae. *(Quita al* NIÑO 1.º *el rollo de cuerdas.)*

PABLO.—¡Buenooo...!

NIÑO 1.º—Pero a mí me habías dicho que...

NIÑO 2.º—¡A ninguno! *(Recoge la cometa y sale corriendo por la derecha hacia el otro extremo de la terraza que no se ve. Todos los niños corren detrás.)*

PABLO.—¡Mamá!...

ANTONIO.—*(Después de escuchar la alineación que* RICARDO *ha leído simultáneamente a este diálogo.)* Lo que daría por estar allí...

PABLO.—¡Mamá!...

ADELA.—¿Qué?

VECINA 4.ª—*(Voz de.)* ¡Carlitos!...

PABLO.—¿Puedo ir a la calle?

VECINA 4.ª—*(Voz de.)* Ya estás bajando ahora mismo...

ADELA.—Primero, quítate esa ropa.

VECINA 4.ª—¡Mira que sé que estás ahí! *(Entra el*

NIÑO 3.º *Queda junto a la barandilla del patio, pero sin asomarse, como no queriendo que le descubran.)*

VECINA 4.ª—¡Carlitos!...

NIÑO 3.º—*(Asomándose.)* ¿Qué?

VECINA 4.ª—Baja inmediatamente.

CARLITOS.—¡No!

PABLO.—Pero ¿por qué?

VECINA 4.ª—Que tienes el desayuno sobre la mesa.

CARLITOS.—¡No!...

ADELA.—No discutas y haz lo que te digo.

VECINA 4.ª—¡Que subo y te arrastro!

ADELA.—*(Al* NIÑO 3.º) Vamos, Carlitos, sé obediente.

CARLITOS.—¡Hum!... *(Hace un mohín y da una patada en el suelo.)* ¡Ya voy!... *(A los otros* NIÑOS.) En seguida vuelvo. *(Sale por la puerta de la escalera.)*

PABLO.—Pero hoy es domingo, ¿no? No sé para qué...

ADELA.—*(A la* VECINA 4.ª, *por el hueco del patio.)* Buenos días.

PABLO.—...me has comprado este traje tan bonito, si luego...

VECINA 4.ª—*(Voz de.)* Buenos días, señora Adela.

PABLO.—...no me lo dejas poner nunca.

VECINA 4.ª—*(Voz de.)* Pero ¿ha visto usted? ¡Qué manía! Si es que un día... *(Entra* LAURA. *Viene de la cocina. Trae un tazón de desayuno.)*

VECINA 4.ª—*(Voz de.)* ...van a matarse. Que no tienen conocimiento. Y luego, por no oírles chillar allá arriba a todas horas.

LAURA.—El desayuno...

VECINA 4.ª—*(Voz de.)* Y no sé cómo no la vuelven loca, señora Adela.

LAURA.—¡El desayuno!...

ADELA.—Todo es acostumbrarse.

ANTONIO.—Déjalo sobre la mesa.

VECINA 4.ª—*(Voz de.)* Ya está aquí. Perdone.

LAURA.—¿Aún estás así?

ADELA.—Hasta luego, señora Marcela. *(Se oye la voz de la* VECINA 4.ª, *que grita: "Pero ¿tú te has creído que...?" Suenan un par de bofetadas y el llanto del* NIÑO 3.º *Luego, las voces se pierden.)*

ANTONIO.—Me estoy afeitando, ¿no?

PABLO.—*(A* ADELA, *que recoge la basura que ha estado barriendo. A la carga.)* ¿Me dejas?... ¿Eh...?

LAURA.—Ya veo. Déjame pasar. ¡Que te apartes!...

ADELA.—¿Adónde?

ANTONIO.—No me pongas nervioso. Me voy a cortar.

PABLO.—No sé. Por ahí... (LAURA *abre la cómoda, saca el pan, lo corta.* PABLO *da vueltas alrededor de su madre, intentando convencerla.)*

ADELA.—*(Barriendo.)* ¡Por ahí!, ¡por ahí!... Ya sé yo dónde es "por ahí"... Al desmonte, a jugar con la dichosa pelota y a romper los zapatos. Ya puedes mirar lo que te duran esos, pues no pienso comprarte otros en dos años por lo menos. *(Sale un instante por la puerta de la escalera a dejar la basura en el cubo que se supone fuera.)*

RICARDO.—*(Leyendo aún.)* "Cada día se mata más gente con las motos."

LAURA.—Deberían prohibirlas. Siempre lo he dicho.

PABLO.—Pues a Paco bien le compras.

ADELA.—Paco es un hombre, y tiene que salir con chicas y esas cosas.

RICARDO.—¿Piensas ir al partido?

PABLO.—¡Yo también soy un hombre!

ANTONIO.—Sí, con Paco.

ADELA.—Tú eres un niño.

ANTONIO.—Compramos ayer las entradas al salir del garaje.

PABLO.—Tengo ya quince años, ¡y también salgo con muchachas!

ADELA.—*(Amenazándole.)* Que te vea yo y verás qué bofetada te doy. *(Comienza a limpiar el polvo con una bayeta.* PABLO *vuelve a asomarse y hace hacia la calle un gesto de impotencia, encogiéndose de hombros.)*

LAURA.—¡El fútbol!... No pensáis más que en el fútbol. ¡Apártate!...

ANTONIO.—¿Otra vez?

ADELA.—Tú lo que tienes que hacer es estudiar...

LAURA.—Tú y todos...

ADELA.—...y dejarte de tonterías.

LAURA.—...¡no tenéis otra cosa en la cabeza!...

ADELA.—Ya te llegará la edad, ya. (PABLO *tira una*

piedra a la calle. Se oye una voz de NIÑA *que grita: "¡Idiota!...")*

ANTONIO.—Bueno, ¿y qué?

ADELA.—Tendrás tiempo hasta para aburrirte. ¿Qué has hecho?

PABLO.—Nada.

ADELA.—Que no te vea yo tirar piedras a la calle. Estoy hasta aquí de quejas de los vecinos. *(En la habitación de arriba* PACO *continuará vistiéndose.* JUAN *duerme. Se agita de cuando en cuando.* PABLO *entra en la casa, coge un balón de reglamento y sale a la terraza, donde comienza a hincharlo con la bomba de la bicicleta. Se oye fuera la algarabía de los* NIÑOS, *que han conseguido remontar la cometa.)*

RICARDO.—¿Qué tal van las cosas por el garaje? Me dijo Paco que habíais tenido unas palabras con el encargado.

ANTONIO.—Nos vino gritando el jueves no sé por qué tontería. Hacía tiempo que la atmósfera estaba de trueno. Como se han ido dos a la mili, prácticamente está en nuestras manos. Le pusimos bueno.

RICARDO.—Y él, ¿qué?

ANTONIO.—No, si ya me lo figuro... *(Ríe. Parodiando.)* ..."Les digo a ustedes que esto es un abuso..." *(Ríe.)* Nos oyó. Te juro que nos oyó.

RICARDO.—"...les digo a ustedes...", y la panza para arriba y para abajo... *(Ríen los dos.)*

ANTONIO.—Dicen que han visto a su mujer... *(Entra* LAURA. *Al verla,* ANTONIO *termina la frase al oído de* RICARDO. *Ríen ambos.)*

LAURA.—¿Qué pasa ahora? ¿Eh?...

ANTONIO.—¿Es que no va a poder uno ni reírse? *(*ADELA, *ahora, está limpiando la barandilla del patio con una bayeta.)*

LAURA.—Sí, reíd, ¡reíd!... Es lo único que sabéis hacer. Eso y estaros en la taberna hablando de fútbol las horas muertas.

VECINA 4.ª—Buenos días, señora Adela. *(Pasa una bandada de pájaros, gritando.)*

ANTONIO.—¡Ooooh...!

ADELA.—Y tan buenos, que dan ganas de sacar una silla a la terraza y estar así hasta la noche...

LAURA.—No sé qué diversión podéis sacar de... *(Se oyen en la calle varias voces de muchachos que gritan: "¡Pablo...! ¡Pablo...!" Este corre a asomarse, los saluda y agita el balón en alto.)*

ADELA.—*(Mira al cielo.)* ¡Hasta los pájaros van locos!

LAURA.—...de ver a unos hombres en calzoncillos, corriendo tras una pelota como críos.

ANTONIO.—Ya está bien, ¿no?

VECINA 5.ª—*(Voz de.)* ¿Qué hay de nuevo?

ADELA.—Pues ya ve. Aquí, limpiando un poco *(Las voces siguen gritando: "¡Pablo...! ¡Pablo...!", cada vez más apremiantes.)*

ADELA.—Pero, ¡Dios mío!, qué precioso se le ha puesto a usted ese clavel.

PABLO.—*(A la calle.)* ¿Qué hay?

VECINA 5.ª—*(Voz de.)* Lo cuido mucho.

MUCHACHO 3.º—*(Voz de, en la calle.)* ¿Bajas?

ADELA.—Hola, Margarita, hija.

PABLO.—Esperadme un minuto.

MARGARITA.—*(Voz de.)* Buenos días, señora Adela.

ADELA.—Madre mía, pero ¡qué capullito tiene usted ahí! Si da bendición verla.

MARGARITA.—*(Voz de.)* ¡Qué cosas tiene! *(Ríe.)*

PABLO.—*(Acercándose.)* Mamá...

ADELA.—Al que hace mucho que no veo es también a Andresito.

PABLO.—¡Me están llamando mis amigos...!

VECINA 5.ª—*(Voz de.)* Aún no se ha levantado. Pedro, tampoco.

ADELA.—Los hombres ya se sabe... *(Las voces de los chicos: "¡Pablo...! ¡Pablo...!", continúan.)*

PABLO.—¿Puedo bajar? *(Se asoma un instante a la calle; grita: "¡Ya voy...!")*

ADELA.—...los domingos aprovechan.

PABLO.—*(Vuelve a su madre.)* ¿Eh?...

VECINA 3.ª—Y que lo diga.

ADELA.—Perdóneme un momento. Este hijo no me deja vivir.

VECINA 5.ª—Dígamelo usted a mí. Adiós, señora Adela.

ADELA.—¿Qué es lo que quieres?

PABLO.—Que si puedo bajar. *(Las voces de los chi-*

cos: "Pablo, ¿bajas ya?..." "¡No seas pesado!..." "Que nos vamos..., ¿eh?...", continúan.)

PABLO.—¿Oyes?...

ADELA.—Ya oigo, ya. Anda, anda; pero a ver cómo vuelves. *(En la habitación,* JUAN *se despierta sobresaltado.)*

PACO.—¿Qué te ocurre?

PABLO.—*(Alborozado.)* Gracias, mamá.

JUAN.—Nada.

PABLO.—Eres lo más bonito del mundo. *(Se cuelga de su cuello y la besuquea.)*

PACO.—¿Otra vez las pesadillas?

JUAN.—Sí.

ADELA.—*(Intentando desprenderse de su abrazo.)* ¡Huuum!... Anda, zalamero. No me besuquees más.

PABLO.—Hasta luego. *(Coge el balón, va a la barandilla y hace a sus amigos, balón en alto, un gesto triunfal, que es acogido con silbidos, hurras y bravos unánimes. Va a salir.)*

ADELA.—¡Un momento! (ANTONIO *termina de afeitarse y entra en la cocina a lavarse.)*

PABLO.—*(Ya en la puerta.)* ¿Qué?

ADELA.—¡El balón! *(Se interpone en la puerta. Avanza hacia él queriendo quitárselo.* PABLO *retrocede de espaldas.)*

JUAN.—¿Qué hora es?

PABLO.—Pero, mamá...

PACO.—Las diez y media.

JUAN.—*(Desperezándose.)* ¡Ooooh!...

ADELA.—Por ahí sí que no paso. *(Va a quitarle el balón;* PABLO *le hace un regate. Arroja el balón a la calle. Da una vuelta en torno a su madre y sale corriendo por la puerta de la escalera. Abajo, gritos de: "¡Ya era hora...!" "¡Centra...!" "¡Ya...!" "¡Cabeza...!" "¡Buenaaaa...!", "¡Aaah...!")*

PACO.—¿Puedo ponerme tu corbata nueva?

JUAN.—Cógela. *(Pausa.)* ¿Para quién te acicalas tanto?

PACO.—Adivínalo.

JUAN.—No será para Carmen...

ADELA.—Pablo, vuelve aquí... Te he dicho que vuelvas. ¿No me has oído? ¡Ay Dios mío, qué hijos estos!

JUAN.—...esa está ya harta de verte con el buzo de mecánico... (ADELA *ha entrado en la casa, pasa a la cocina y sale con un cesto de ropa. Se oye dentro un grito de desencanto de los* NIÑOS.) ...Así que no pensarás ir a deslumbrarla ahora con una corbata nueva de diez duros.

PACO.—*(Pícaro y misterioso. Haciéndose el interesante.)* No se trata de ella.

ADELA.—*(Saliendo a la terraza.)* Laura, sácame pinzas.

LAURA.—*(Dentro.)* Ahora.

JUAN.—¿Entonces?

PACO.—¿Es que solo tú puedes tener aventuras? (JUAN *ríe. Al salir hacia el tendedero,* ADELA *tropieza con el* NIÑO 5.º, *que viene llorando. Detrás los demás, encabezados por el* NIÑO 2.º, *dueño de la cometa, que miran hacia el cielo donde esta se pierde.* ANTONIO *sale de la cocina secándose con una toalla.* PACO *silba.)*

ADELA.—¿Qué te pasa?

NIÑO 5.º—*(Lloriqueando.)* Me... ha... pegado...

PACO.—¿No vas a levantarte?

ADELA.—¿Quién ha sido?

NIÑO 5.º—Este. *(Señala al* NIÑO 2.º)

JUAN.—Todavía no. *(Coge un libro de sobre la mesilla, conecta la radio y enciende un cigarrillo.)*

NIÑO 2.º—La ha soltado adrede.

ADELA.—¿No ves que es más pequeño que tú? ¡Ganso! Vergüenza debería darte. ¡Aire!... ¡Aire!... *(Los* NIÑOS *salen retrocediendo de espaldas y diciendo al* NIÑO 5.º, *más por gestos que por palabras: "Ya te cogeremos por nuestra cuenta..." "Buena te espera..." "Esta la vas a pagar...")*

ADELA.—*(Al* NIÑO 5.º, *que sigue lloriqueando.)* Y tú no llores más. ¡Anda! *(Sale el* NIÑO 5.º) Jesús, ¡qué críos!...

JUAN.—¿Qué película viste anoche?

ADELA.—*(Saliendo.)* ¡Laura!... *(Se oye suavemente un disco de Lola Flores en una radio. Canción: "No me tires indirectas.")*

PACO.—No fui al cine. Estuve con una muchacha.

JUAN.—¿Otra?... Chico, Marlon Brando a tu lado...

ADELA.—*(Ya fuera de escena.)* ¡Laura, las pinzas!...

(Entra LAURA *con la jaula del canario y la cuelga en la terraza.)*

LAURA.—¡Ya va!... (ANTONIO *se ha puesto la camisa y desayuna.* RICARDO *hace el crucigrama del periódico. Entra* LAURA *en la cocina.)* ¡Qué vida!...

PACO.—Tienes que conocerla, hombre. Se llama Eulalia. Su madre tiene una mercería al final de la calle.

RICARDO.—*(Leyendo.)* Falta en fútbol: siete letras.

JUAN.—¿Y qué tal?

PACO.—Todavía nada. *(Confidencial.)* Pero espero que hoy se dé bien.

ANTONIO.—Córner.

JUAN.—*(Irónico.)* ¡Qué impulsivo!...

PACO.—¡Quién va a hablar!...

RICARDO.—*(Contando con los dedos.)* Esa tiene seis.

JUAN.—Si se entera Carmen, te deja plantado.

ADELA.—*(Fuera.)* Laura, hija, ¿traes las pinzas o no?

PACO.—No tiene por qué enterarse.

LAURA.—¡Qué ya vaaa...! *(Coge el cesto de las pinzas y sale. Atraviesa la terraza y desaparece por la derecha.)*

PACO.—Ella cree que vengo derechito a casa después de dejarla. ¡Ja!..., ¡Qué simples son las mujeres! *(Se oye el zumbido de un avión y las voces de los* NIÑOS *que gritan: "¡Un avión...!" "¡Un avión...!" Han entrado y miran al cielo. "¿Dónde está?" "¡Allí!... ¡Allí!...", señalan, con los brazos extendidos, mirando al cielo. El zumbido se aleja. Entonces los* NIÑOS *extienden los brazos haciendo el avión, e imitando su zumbido: "¡Raaaaaaaaa...!", salen.)*

RICARDO.—Pe-nal-ty. Siete. Justo.

PACO.—Oye: y tú y Margarita, ¿qué?

JUAN.—Qué, ¿de qué?

PACO.—Hombre, se entiende.

JUAN.—Si te refieres a eso, no.

PACO.—Será porque tú no quieres.

JUAN.—Será. (LAURA *entra en la terraza y coge el recipiente del agua de la jaula.* PACO, *entre tanto, se cepilla el traje y los zapatos, pone el pañuelo en el bolsillo de la chaqueta, etc.)*

RICARDO.—Nombre de rey godo. Ocho letras.

ANTONIO.—Eso pregúntaselo a Juan.

RICARDO.—Lo dejaré para cuando baje.

LAURA.—*(Entrando en la casa.)* ¿Aún estáis así? *(Entra en la cocina.)*

ANTONIO.—Hasta las dos hay misa en la parroquia.

LAURA.—*(Dentro.)* Pero yo quiero oír... *(Sale con el agua y pasa a la terraza colocándola en la jaula.)* la misa mayor.

ANTONIO.—¡Vaya capricho! ¿No dará igual una que otra? Y si tanta prisa te corre, ¿por qué no te vas tú sola?

LAURA.—Eso quisieras tú; para largarte a la taberna con los amigotes, ¡a las diez y media de la mañana!

ANTONIO.—¡Ya está bien de llamarlos amigotes!

RICARDO.—Pero ¿qué ocurre? ¿Por qué gritáis tanto?

ANTONIO.—*(Ha ido hasta la puerta y grita asomado a la terraza.)* ¿Es que yo llamo así a toda esa pandilla de amigas cursis que desde hace tiempo infestan mi casa a todas horas?

LAURA.—¡Su casa!... ¿Habéis oído? ¡Su casa!... ¡Mi casa! La casa de mis padres, ¡que no se te olvide...! *(Llora.)*

ANTONIO.—*(Volviéndose a* RICARDO.) Ahora resulta que... ¡Bueno, es el colmo!

ADELA.—*(Entrando.)* Pero, hija, ¿qué te ocurre? (PACO *sale de la habitación después de decir un rápido "¡Hasta luego...!", al que* JUAN *solo contesta con un gesto.)*

RICARDO.—Déjala, Antonio. No le hagas caso. Todas las mujeres se ponen un poco nerviosas cuando les llega el momento.

LAURA.—Soy muy desgraciada.

ADELA.—Vamos, si no es nada. Eso pasará pronto. Estás muy pálida. Y es que no comes nada.

ANTONIO.—Cualquiera diría que es la primera mujer que va a tener un hijo sobre la tierra.

PACO.—*(Bajando.)* Buenos días, papá. Hola, Antonio. *(Entra en la cocina.)*

ANTONIO.—¿Qué hay?

RICARDO.—Buenos días.

ADELA.—Voy a traerte una silla para que tomes el sol en la terraza.

PACO.—*(Dentro.)* ¿Dónde están las mujeres?

ANTONIO.—Ahí fuera.

ADELA.—Mira qué hermoso día hace.

PACO.—*(Saliendo a la terraza.)* ¿Qué hay, pequeñas? *(Besa a su madre, la coge por la cintura y le da vueltas en el aire a su alrededor.)*

ADELA.—¡Quita! ¡Quita, no seas bruto! ¡Que me mareas!.... (PACO *ríe. La deja en el suelo. Se acerca a* LAURA *y la besa.)*

PACO.—¿Qué te ocurre?

LAURA.—Nada.

ADELA.—Llévate este cesto y saca la mecedora para tu hermana.

PACO.—*(Hace una reverencia grotesca.)* Al instante son servidas las señoras. *(Coge el cesto.)* Tengo un hambre de lobo. *(Entra riendo en la casa. Ruido de agua al caer al patio.)*

ADELA.—*(Entrando detrás de* PACO.) ¡Ay, seguro que el dormir te despierta el apetito!

VECINA 2.ª—*(Voz de.)* ¿Otra vez?

ADELA.—Y es que, después de roncar como lo haces durante toda la noche, no comprendo cómo puedes levantarte siquiera.

VECINA 2.ª—*(Voz de.)* Todo el día tirando porquerías al patio, ¡y yo de fregona!

RICARDO.—¿A que no sabes quién se ha muerto, Adela?

LAURA.—Otro. Parece un pájaro de mal agüero. *(Entra* PACO *con la mecedora de la cocina y la saca a la terraza.)*

LAURA.—Siempre está con lo mismo.

PACO.—Pero, bueno, ¿qué te pasa?

LAURA.—Te he dicho que nada.

PACO.—Está bien. No hace falta morder para eso.

ADELA.—*(Desde la cocina.)* ¿Quién decías que se ha muerto, eh? (PACO *se ha asomado al repecho; colocando las manos en bocina, grita hacia la calle: "¡Adiós, guapa...!" "¡Aaaah...!" Silbido de admiración.)*

RICARDO.—La señora Gertrudis.

ADELA.—*(Dentro.)* ¿La mujer de Gerardo, el del economato? (PACO *lanza otro silbido de admiración. Ríe.)*

RICARDO.—La misma.

T. E. 60-61.—22

ADELA.—*(Entrando con el desayuno.)* La pobre. Así que hace una temporada que no la veía. *(Sale a la cocina. Sigue hablando desde dentro.)* Decían que si tenía cáncer. Mira que llevamos una racha *(Entra con un servicio de desayuno.)* en el barrio... ¡Paco!...

PACO.—*(Volviéndose.)* ¿Qué?

ADELA.—Se te va a enfriar.

PACO.—¡Voy!... *(Entra. Se sienta a la mesa.)*

ADELA.—Mira que no pasa una semana sin que no se pasee por el barrio un carro negro con cura delante.

LAURA.—*(Grita.)* ¿No podéis dejar esa conversación?

PACO.—*(Bebe.)* ¡Uf!... Me quemé.

RICARDO.—Hija, ¿es que no vamos a poder hablar?

ADELA.—Te está bien. Así aprenderás a no correr tanto.

LAURA.—Hablad de cosas alegres.

ADELA.—Tiene razón la chica. Da mala espina hablar de muertos en una casa en que se espera un niño.

ANTONIO.—¡Qué tontería! (PACO *comienza a reír por algo que ha visto en el periódico que su padre lee frente a él.)*

ADELA.—Mira este. Se ríe como los tontos.

PACO.—Pero ¡qué bueno! Fíjate qué chiste más gracioso, Antonio. ¡Eh, que así no veo nada! (RICARDO *mira el chiste. Sobre su hombro le mira también* ADELA. *Ríen ambos.* PACO *ríe también. Se acerca* ANTONIO, *mira y ríe también.)*

RICARDO.—Está bien, ¿verdad?

ANTONIO.—Muy bueno. *(Los tres hombres ríen inconteniblemente. Se oye la voz de* PABLO, *que grita desde la calle: "¡Mamá...!")*

ADELA.—¡Qué tripa se le habrá roto a ese ahora!

PABLO.—*(Voz de.)* ¡Mamá...!

ADELA.—*(Saliendo.)* ¡Ya voy!...

RICARDO.—¿Y tú hermano? ¿Se ha despertado ya?

PACO.—Sí.

ADELA.—*(Asomándose a la calle.)* ¿Qué te pasa?

RICARDO.—¿Va a bajar?

PABLO.—*(Voz de.)* ¡Tírame la cartera!...

PACO.—No sé...

ADELA.—¿Dónde está?

PABLO.—*(Voz de.)* En el bolsillo del pantalón viejo.

RICARDO.—¿Qué hace?

PACO.—Leer, para no variar. *(Entra* ADELA *y busca la cartera. Sale.)* Oye, mamá: ¿nació ya Juan con un libro en la mano? No me extrañaría.

ADELA.—Deja en paz a tu hermano. Preocúpate de tus asuntos. *(Sale a la terraza.)* ¡Allá va!... *(Tira la cartera.)*

PACO.—Bueno, me voy.

RICARDO.—Hasta luego, hijo.

PACO.—Adiós, papá.

ADELA.—*(A* PABLO.) Y a ver dónde te metes. (PACO *sale en ese momento de la casa, se acerca a* ADELA *por detrás y le tapa los ojos con ambas manos.)*

PACO.—¿Quién soy?

VECINA 4.ª—*(Voz de.)* ¡Paco!...

ADELA.—Anda, no seas ganso.

VECINA 4.ª—*(Voz de.)* ¡Paco!...

PACO.—*(Deja a su madre. Se asoma a la barandilla.)* ¿Qué...?

VECINA 4.ª—*(Voz de.)* Te llaman por teléfono.

PACO.—¿Quién es?

VECINA 4.ª—*(Voz de.)* ¡Quién va a ser!...

PACO.—¿Una chica...?

VECINA 4.ª—*(Voz de.)* ¡Menudo pillo estás tú hecho!...

PACO.—Ahora mismo bajo. *(A su madre.)* ¿Te das cuenta, mamá, cómo me persiguen las muchachas? *(Ríe* ADELA. *Le da un azote y sale corriendo.)*

ADELA.—¡Ay!... Ya te voy a dar yo cuando te coja. *(Se acerca a* LAURA.) No tienen respeto. ¿Te encuentras mejor, hija?

LAURA.—Sí, mamá. *(En este momento sale a la terraza* ANTONIO, *ya completamente vestido.)*

ANTONIO.—Cuando tú quieras. Yo ya estoy.

ADELA.—No te canses mucho, hija. Si no fuera porque hace un día tan hermoso... Y ten cuidado al bajar y subir las escaleras. *(Entra en la casa.)*

LAURA.—Que sí..., ¡ya he oído!

ANTONIO.—¿Vamos?

LAURA.—Ahora no me da la gana a mí.

ADELA.—¿Y cuántos años dices que tenía la pobre?

RICARDO.—¿Eh? ¿Quién?

ADELA.—Doña Gertrudis. ¡Quién va a ser!

RICARDO.—Yo qué sé. No me he fijado.

ADELA.—Pues míralo. *(Mutis a la cocina.* JUAN *se ha levantado. Se pone el pantalón y unas zapatillas. Luego recoge los libros, apaga el cigarro y desconecta la radio.)*

ANTONIO.—Pero, mujer, por nada te pones como una fiera.

LAURA.—Por nada... ¡Por nada! A ti quisiera yo verte en mi lugar.

ANTONIO.—Es que a veces tienes unos caprichos...

RICARDO.—Aquí está.

LAURA.—Lo que pasa es que no me tienes consideración.

RICARDO.—Cincuenta y dos.

LAURA.—Otros maridos están siempre en casa cuando...

ADELA.—*(Dentro.)* ¿Eh?...

RICARDO.—¡Cincuenta y dos!...

LAURA.—...Pero tú todo lo compones con ir de la bolera a la taberna y de la taberna a la bolera, con los amigos, sin acordarte para nada de mí. *(Sale* ADELA *secando un cazo.)*

ADELA.—*(Saliendo.)* ¿Sesenta y dos?

RICARDO.—Cincuenta..., ¡cincuenta y dos!

ADELA.—¡Oh, no!; no es posible. Te digo que no.

RICARDO.—Aquí lo dice. Mira: "Doña Gertrudis López Sánchez falleció a los cincuenta y dos años de edad..." (ADELA *lee, deniega con la cabeza. En este momento,* JUAN *sale de su habitación.)*

ADELA.—¡Que no! ¡Que no!... Seguro que son más. Pero si ella iba ya a la costura cuando yo saltaba a la comba.

RICARDO.—Saltarías... a la comba... después de... después de venir del baile... ¡Ja! *(Ríe.* JUAN *baja.)*

ADELA.—Pero ¡qué ganso te pones a veces! Eres más niño que los muchachos. *(Le da un empujón cariñoso. Se oye en el patio el llanto de un niño pequeño.* LAURA, *que está sentada en la mecedora junto a la barandilla, se inclina y escucha atentamente un instante.)*

JUAN.—*(Ya en la sala.)* Buenos días, mamá. Buenos días, papá.

ADELA.—Buenos días, hijo. *(Le besa.)*

RICARDO.—Hola, Juan. ¿Qué hay?

JUAN.—Voy a lavarme. *(Entra en la cocina. Se oye de nuevo el disco de Lola Flores.* ADELA *saca una tabla de planchar y se dispone a planchar una camisa que saca de un cesto de ropa.)*

ADELA.—¿Qué camisa prefieres?

JUAN.—*(Dentro.)* Cualquiera; me es igual.

ANTONIO.—*(Tira el cigarro y mira con impaciencia el reloj. Nervioso ya.)* Son casi las once. Vamos a llegar tarde. Y ahora será por tu culpa. *(Meloso.)* Anda. Y luego nos damos una vuelta por la plaza y oímos la música. *(Pausa.)* ¿Vienes o no vienes? (LAURA *se levanta y va hacia la casa. A gritos.)* ¿Adónde vas ahora?

LAURA.—A coger el velo. Y a ponerme algo por encima. No pretenderás que vaya así por la calle. *(Entra en la casa.)*

ADELA.—¿Se te pasó ya, hija?

LAURA.—¡Qué remedio! *(Saca el velo y el libro de misa de la cómoda.)* Quizá volvamos un poco tarde. *(Sale.)*

ADELA.—*(Despidiéndola desde la puerta.)* Sí, hija; y pasea todo lo que puedas, que buena falta te hace. *(Fuera suena ruido de agua.* ANTONIO *y* LAURA *atraviesan la terraza y salen a la escalera. Los* NIÑOS *corren de un lado a otro, gritando. Juegan con sus espadas de madera y llevan gorros de papel de periódico.* ADELA, *volviendo a la plancha, dice:)* ¡Qué hijos estos!...

RICARDO.—Yo creo que no debería salir ya de casa. ¿Cuánto le falta?

ADELA.—Una semana apenas. Pero cualquiera le dice nada.

JUAN.—*(Dentro.)* ¡Mamá!...

ADELA.—¿Qué?

JUAN.—La toalla.

ADELA.—Está detrás de la puerta. Espera, toma esta limpia. *(Coge una del montón de ropa planchada y se la lleva. Dentro.)* ¡Ay hijo, cómo me has puesto el suelo! No sé de qué me sirve estar todo el día con los riñones al aire. *(Comienza a oírse música en el patio. Se trata de la canción "Olé mi torero", de Lola Flores.)*

JUAN.—Perdona, mamá.

ADELA.—*(Entrando en la sala. Pensativa.)* Me preocupa...

RICARDO.—*(A vueltas aún con el periódico.)* ¿Eh?...

ADELA.—Juan...; me preocupa.

RICARDO.—A mí también. ¿Sigue saliendo con esa chica? La del segundo. ¿Cómo se llama?

ADELA.—Margarita. Algunas tardes. ¿Por qué no le hablas luego?

RICARDO.—La verdad es que no sabría qué decirle. ¿Crees que se casará con ella?

ADELA.—No, no creo. No se le ve entusiasmado. Ya sabes... *(Se oye la canción mejicana "Cuando te canses de llorar.")*

RICARDO.—A mí no me disgustaría.

ADELA.—A mí tampoco.

RICARDO.—Su padre es el vecino más rico de la escalera. Quizá el más rico de toda la calle. Dicen que va a abrir otras dos tiendas en el centro. Y ella es como si fuera hija única, porque el hermano...

ADELA.—Pero tampoco iba a casarse solo por el dinero. Así, sin quererla.

RICARDO.—Mujer, el amor viene después.

ADELA.—¡Qué cosas tienes! O no viene.

JUAN.—*(Entra terminándose de secar con la toalla.)* ¿El desayuno?

ADELA.—Se está calentando. Ahora te lo traigo. *(Coloca la camisa en el respaldo de una silla.)* Aquí tienes la camisa. *(Sale llevándose la toalla.)*

JUAN.—*(Se sienta.)* ¿Qué dice el periódico?

RICARDO.—Lo de siempre. Inauguración de pantano y visita de ministro a no sé dónde. Nada nuevo. *(Una pausa. A una de las* NIÑAS *se le cae la muñeca por el hueco del patio. Grita: "¡Mi muñeca!..."; llora. Sale a la escalera.)*

ADELA.—*(Entrando con el desayuno.)* ¿Qué tal has descansado, hijo?

JUAN.—Bien, mamá.

ADELA.—Hala, desayuna y te vas a misa, y luego a dar una vuelta. No sales apenas de casa, hijo. A tu edad es necesario estirar un poco las piernas.

JUAN.—Sí, mamá. *(Desayuna.)*

ADELA.—*(En el patio sigue oyéndose la canción*

"Cuando te canses de llorar", de Los Cinco Latinos. ADELA *se quita el delantal, hace un gesto significativo a su marido, que quiere decir: "Bueno, ahí le tienes, os dejo solos...", e inicia la salida. Mutis a la cocina. Sale con un capacho. Se cambia las zapatillas por los zapatos.)* Bajo a la frutería un momento, a comprar algo para el postre. Si oyes pitar la olla, ya sabes: colocas las válvulas. Yo vuelvo en seguida. *(Sale.)*

RICARDO.—*(Después de una pausa.)* Te he oído andar esta noche por la terraza hasta casi las cinco de la madrugada. ¿Te pasa algo? Alguna preocupación... o ¡qué sé yo!... Ya sabes que puedes confiar en mí.

JUAN.—No tenía ganas de dormir. Hacía tanto calor... Estuve escribiendo un rato. *(Una pausa.* JUAN *desayuna en silencio.* RICARDO *se ha levantado y pasea un poco nervioso por la habitación, no sabiendo cómo empezar. Durante este diálogo debe seguir dándose la sensación de que la casa es algo vivo: voces, risas, radio, ruido de platos, de ventanas que se abren y cierran, el ladrar de un perro, el canto de las niñas. Y, sobre todo, el cielo con sus nubes y pájaros que gritan persiguiéndose.)*

RICARDO.—No me gusta ser entrometido. Nunca quise meter las narices en tus cosas ni en las de tu hermano. Habéis sido siempre dos muchachos razonables. Pero es que desde hace algún tiempo te noto..., no sé..., extraño.

JUAN.—Yo también me noto extraño.

RICARDO.—Si crees que puedo ayudarte en algo...

JUAN.—Me temo que no, papá.

RICARDO.—Verás, eres ya un hombre. Tienes veinticinco años. Yo..., bueno..., ya sabes que tengo algunos amigos. Nos sentiríamos muy contentos si algún día vinieras al bar a echar una partida con nosotros. Claro que no es la compañía ideal para ti. Tú eres joven. Pero es que he notado que tampoco te diviertes con los muchachos de tu edad. Sí, tienes amigos, pero... no sé...; es distinto. Tu hermano, por ejemplo..., no es que quiera decir que él sea mejor que tú, no..., es distinto... Mejor dicho, es igual a los demás. Eres tú el que no...

JUAN.—No te esfuerces, papá. Sé muy bien lo que quieres decir.

RICARDO.—Cuando a los diecisiete años acabaste el

Bachillerato con el premio extraordinario, tu madre y yo estábamos tan orgullosos de ti... Y luego, todo aquello que escribías. No se hablaba de otra cosa en la ciudad. Te dieron una beca y fuiste a la capital para hacer una carrera. Terminaste hace dos años y...

JUAN.—¿Y qué?

RICARDO.—¿Qué piensas hacer?

JUAN.—Ya lo sabes: quiero ser escritor.

RICARDO.—¿Escritor? Pero... En fin. Yo pienso que deberías trabajar en algo. No es que yo quiera explotarte, hijo, no es eso. No vayas a interpretar mal. Es que... debes ir haciéndote un porvenir. Todos tus amigos, todos tus antiguos camaradas, lo han hecho o se esfuerzan por hacerlo. Solo tú...

JUAN.—Yo, ¿qué?

RICARDO.—No se puede uno cruzar de brazos ante la vida y esperar que esta pase por delante como..., no sé...; bueno, ¡como una película! Hay que engancharse.

JUAN.—¿Engancharse, a qué?

RICARDO.—Yo qué sé. A algo. Tú sabrás mejor que yo cuáles son tus proyectos.

JUAN.—Pero, papá, te lo he dicho ya: quiero ser escritor.

RICARDO.—Pero es que es algo tan impreciso. Bueno..., yo no entiendo mucho de eso; pero por lo que he oído decir, es algo así como..., ¡como una lotería!, ¿no? Si tuvieras éxito, yo me alegraría mucho. Pero entre tanto...

JUAN.—¿Qué puedo hacer?

RICARDO.—Tienes una carrera. Hay muchos negocios esperando jóvenes trabajadores e inteligentes como tú.

JUAN.—No me interesan los negocios.

RICARDO.—Podrías trabajar como profesor, si es eso lo que te interesa. El director del Instituto es muy amigo mío. Fuimos juntos a la escuela.

JUAN.—No tengo vocación para la enseñanza.

RICARDO.—Entonces, ¿qué piensas hacer? (JUAN *se levanta y sale a la terraza.)*

JUAN.—Hay solo una cosa en la vida que yo deseo, papá. Lo deseé siempre: ser escritor. Crear mundos maravillosos. Y... ¡es algo que no puedo explicar!

RICARDO.—*(Que ha salido detrás de él.)* Verás: hoy

estás aquí con nosotros. Pero piensa que un día tu madre y yo habremos muerto, y tus hermanos se casarán. ¿Qué será de ti entonces? No se puede estar solo. *(Se oye cantar un coro de* NIÑAS. *Cantan una canción infantil.)*

JUAN.—Yo amo la soledad.

RICARDO.—Pero estar solo es triste. No se puede vivir siempre solo.

JUAN.—Creo que algún día yo también me casaré. *(*JUAN *se ha sentado en la mecedora. Sufre.* RICARDO *está junto a él apoyado en la barandilla del patio; recordando, su cara se transfigura, sonriendo, a veces, con ternura.)*

RICARDO.—Pero es que son estos precisamente los años del amor. Cuando tu madre y yo nos casamos, apenas teníamos nada. Yo *(Ríe.)* tenía una camisa, un pantalón y un par de zapatos. Pues bien: éramos muy felices. *(Con ternura.)* Reíamos como chiquillos por cualquier cosa, incluso sin motivo. Solo por el placer de reír. Luego vinisteis tú y tus hermanos. Claro que no todo era risa. También teníamos preocupaciones. A veces no había dinero para pagar una cuenta. O uno de vosotros caía enfermo. O yo perdía la calma y gritaba. Tu madre entonces lloraba en silencio por la noche. *(Emocionado.)* Yo..., yo sentía a mi lado sus sollozos, y era..., no sé... Se me subía una congoja terrible a la garganta y... ¡lloraba también! Y así pasábamos horas y horas apretados, sin poder hablar. *(En la calle, el coro de* NIÑAS *continúa.)* No sé cómo he venido a contarte esto. Son cosas que nunca había hablado con nadie. Pero es que quiero que comprendas... *(Le ha puesto nuevamente las manos sobre los hombros.)* Incluso las cosas menos importantes cobran un sentido muy grande si se hacen con amor.

JUAN.—¿Me das un cigarrillo? Se me han acabado los míos.

RICARDO.—Los tengo ahí, en el comedor. *(Entra en la sala. Hace un cigarro en la máquina que tiene sobre la mesa.)*

JUAN.—*(Que le ha seguido, desde la puerta aún.)* Recuerdo en este momento la primera vez que... Yo tenía quince años y fumaba a escondidas. Un día me encontraste por la calle. Yo iba con unos amigos y no te había visto. Y de pronto oí tu voz, y te vi plantado frente a mí; yo hubiera querido que se abriera la tierra. Bueno, yo pensé que me humillarías ante mis amigos pegándome y haciéndome ir a casa delante de ti. Lo había visto hacer antes a los padres de otros muchachos. Entonces tú dijiste: "Vaya, no sabía que fumaras ya. No me extraña: yo empecé a los doce. ¿Quieres darme fuego?" *(En este momento,* RICARDO *le da fuego.* JUAN *enciende. Luego se dan cuenta de la coincidencia y ríen ambos. Pausa.)* Y te fuiste sonriendo. Y yo..., yo supe por primera vez que eras mi padre...; y... que te quería..., que te quería más que a ninguna otra cosa en el mundo.

RICARDO.—Todos los hijos quieren a sus padres.

JUAN.—Sí. Pero es que esto era distinto... Te veía junto a mí, tan fuerte... Mamá nos besaba siempre. Tú solo sonreías y nos tirabas del pelo. Otros padres besaban también a sus hijos. Tú nunca lo hiciste. Nos echabas la mano por el hombro y te ibas por la calle saludando con un gesto a los amigos. Eramos como dos camaradas que salen de parranda a espaldas de las mujeres. Y cuando llegábamos a casa y mamá y Laura nos preguntaban que dónde habíamos estado, nosotros nos dábamos con el codo y hacíamos guiños maliciosos..., ¡hale...!, y reíamos, porque ellas siempre pensaban que habíamos estado en algún sitio terrible. *(Pausa. Transición. Se levanta.)* Papá, estoy esperando una carta. Te prometo que cuando la haya recibido tomaré una decisión. *(Se oye cantar en la calle un coro de* NIÑAS. *Entran* ADELA *y* MARGARITA. MARGARITA *aún lleva la bolsa de comprar de* ADELA *y la ayuda a caminar.)*

ADELA.—¡Ah!... Gracias, hija.

RICARDO.—Es por tu bien. Tú lo sabes.

MARGARITA.—¿Cansada?

JUAN.—Sí.

ADELA.—¡Setenta escaleras!... Setenta cochinas escaleras, y casi estoy congestionada. Todavía me acuerdo de cuando las subía de tres en tres. Trae, hija. *(Los Cinco Latinos.)*

RICARDO.—Oye, deberías salir...

MARGARITA.—No, no; yo se la llevaré.

JUAN.—No, aún no.

ADELA.—Gracias, gracias, hija. Eres un ángel. Pero ¡qué guapa estás!...

MARGARITA.—¿Sí?

ADELA.—Hija mía, ¡y qué mujer! Que parece que fue ayer cuando aún ibas con las trenzas por la espalda. *(Ríen ambas.)*

RICARDO.—Deberías salir. La casa es para los viejos y los gatos. Todos los chicos me preguntan por ti... ¿Es que ya no te gusta divertirte?

MARGARITA.—¿Está..., está Juan?

JUAN.—Te prometo que lo intentaré.

ADELA.—Sí. Apenas sale nada. A ver si consigues sacarle tú de casa. Y llévale por ahí, a que se divierta. Que va a enfermar con la vida que hace.

MARGARITA.—Por mí, encantada. *(Entran en la casa.)* Buenos días, señor Ricardo. Hola, Juan. *(Se oye en el patio la canción: "Mi cariñito", por Los Cinco Latinos.)*

JUAN.—Hola, Margarita.

RICARDO.—¿Qué hay, pequeña?

ADELA.—Un sol es esta chiquilla. Si no es por ella, me tengo que quedar en el descansillo del segundo. *(Entra con la bolsa en la cocina.)*

RICARDO.—¿Has ido ya a misa?

MARGARITA.—A la de nueve.

RICARDO.—¡Ajá! Eso me gusta.

ADELA.—*(Saliendo.)* ¿Por qué no vais a dar una vuelta, eh? Y de paso me lo metes en una iglesia, y que oiga su misa, que se nos está volviendo un ateo con tanto librote como lee.

MARGARITA.—Por mí...

JUAN.—Está bien, vamos. *(Se pone la chaqueta. Salen. Al llegar a la puerta de la terraza,* JUAN *se para.)* Tú, primero. (MARGARITA *sonríe y le coloca bien el nudo de la corbata. A sus padres.)* Hasta luego.

MARGARITA.—Adiós. *(Salen.)*

RICARDO.—¡Adiós!

ADELA.—*(Desde la puerta.)* Adiós, hijos. *(Pausa. Se vuelve lentamente a* RICARDO.) Hacen buena pareja. *(Mutis a la cocina.* RICARDO *sale a la terraza. Y en medio de la dulce calma impregnada de luz y de ternura, pasan a primer plano las voces de Los Cinco Latinos: "Mi cariñito".* RICARDO *silba la melodía, luego entra en la casa en el momento en que sale* ADELA *con un plato de lentejas, que se sienta para escoger.)* Nos han dejado solos. *(Una pausa.)* ¡Ay, qué cansada estoy! Y tú, ¿qué? ¿No sales?

RICARDO.—Iba a bajar a la bolera, pero si quieres que me quede un rato contigo...

ADELA.—¿Qué te dijo? Cuéntame.

RICARDO.—Está desconcertado. No sabe qué hacer *(En el patio sigue oyéndose el disco, más suavemente.)*

ADELA.—Con todo lo que sabe, y lo guapo que es... El día que se le quite esa modorra va a dar que hablar ese muchacho. ¡Dios mío!, si parece que fue ayer cuando tenía que darle el pecho. Y cómo lloraba. Yo le leía las cartas que enviabas desde el frente, y él reía y reía como si comprendiese. Y decía: "¿Pa-Pá? ¿Pa-Pá...?" Y luego, cuando volviste, te seguía a todas partes como un perrillo. No me hacíais ningún caso. *(Con voz temblorosa.)* Y yo tenía unos celos... de los dos... *(Llora.)*

RICARDO.—Pero, mujer, por Dios..., pero si estás llorando...

ADELA.—*(Se quita una lágrima con el dorso de la mano.)* ¡Cuánto tiempo ha pasado! *(Ríe un poco forzadamente.)* Y pensar que vamos ya a ser abuelos.

RICARDO.—*(Ríe también.)* Como que en la taberna todos han empezado ya a llamarme abuelo: "¿Qué hay, abuelo?", dicen en cuanto me ven entrar. "Tiene que ser un chico, ¿eh?", me dicen.

ADELA.—Yo preferiría una nena.

RICARDO.—No, eso sí que no. Ni hablar, vamos. ¡Estaría bueno! ¡Tiene que ser un chico!

ADELA.—Está bien, no vamos a pelearnos por eso. Será lo que Dios quiera.

RICARDO.—¿Sabes que el pequeño anda ya con muchachas?

ADELA.—¡No!... *(Indignada.)* ¡A los quince años! Estudiar... Eso es lo que tiene que hacer ahora, ¡estudiar!... Me imagino que le darías una buena bofetada.

RICARDO.—Mujer, no es para tanto. No va a estar

todo el día estudiando. Además, a mí..., a mí me gusta que vaya con chicas.

ADELA.—No, si tú le vas a echar a perder consintiéndole como le consientes. Por cierto, ¿qué secretos os traíais antes?

RICARDO.—*(No sabe cómo empezar.)* Pues, pues verás... Me ha pedido que te dijera que si le dejábamos dar un baile esta tarde aquí, en la terraza. Sus amigos le han...

ADELA.—*(Indignada.)* ¿Qué?... ¡Oh, no, no! ¡Qué frescura! Aquí... ¿Y se ha atrevido?... Y tú no le habrás dicho nada, ¿verdad? ¡A mí me va a oír!

RICARDO.—*(Conciliador.)* Pero, mujer, siempre será mejor que se diviertan aquí, que no que se vayan por ahí, que sabe Dios lo que harán. Aquí, al menos, estamos nosotros..., tú... Y siempre será mejor.

ADELA.—De ninguna manera. He dicho que no, ¡y no! Y tú no le des alas. Ya sabes que cuando yo digo una cosa... Bueno, se hace siempre lo que ellos quieren. Claro, tú te pones siempre de su parte. Hacen de ti lo que les da la gana. Pero esta vez, no. ¡Vamos, no faltaba más! Venir aquí..., ¡a saber con qué muchachas!

RICARDO.—Si son todas chicas del barrio. Las conoces a todas. Si las has visto nacer.

ADELA.—Y que no me bailan el agua todas: "Señora Adela, ¿la acompaño...?" "¿Quiere que le lleve la bolsa, señora Adela...?" Y es que tengo en casa a los muchachos más guapos de la calle..., ¡del barrio!..., ¡del mundo entero!... *(Se oye acercarse una banda de música. Toca una marcha militar. La banda pasa ahora por la calle; al pie de la terraza, un* NIÑO *grita: "¡La banda!..." Y todos entran corriendo y gritando: "¡La banda...! ¡La banda...!", y se asoman a la barandilla de la terraza dando gritos y agitando los pañuelos.)*

RICARDO.—*(Ríe.)* Mujer, creo que exageras. *(Sigue riendo.)*

ADELA.—Sí, tú ríete... ¡ríete! Pero he dicho que no habrá baile, ¡y no habrá baile! *(Se levanta de pronto, asustadísima.)* ¡Jesús, la olla!... Y yo aquí sentada como una tonta. Todo sea que tengamos que ir a comer a la taberna. *(Al salir.)* ¡Ay, qué críos! No os asoméis tanto... *(Sale a la terraza y obliga a los* NIÑOS *a retirarse del repecho al que estaban peligrosamente asomados. En cuanto ella se va, los críos se asoman nuevamente.)* Algún día va a haber una desgracia. *(Entra en la cocina. Se aleja la banda. Los* NIÑOS *cogen palos y escobas y desfilan imitando con gestos los instrumentos: los platillos, la flauta, el bombo, etc.)*

TELON

ACTO SEGUNDO

En la terraza: a la izquierda, en primer término, la NIÑA 1.ª juega a la comba sobre un rectángulo marcado con tiza, dividido en varios cuadritos numerados. Entran los NIÑOS en tropel. Se ponen a saltar también. NIÑO 3.º: "¡Eh! ¿Qué tal lo hago?" Las NIÑAS, muy dignas, dejan de jugar. NIÑO 1.º: "¿Qué os pasa? ¿Sois idiotas?" NIÑA 3.ª: "El idiota lo serás tú", "Tú..." "Tú..." Se enzarzan en una breve pelea. Ellas muerden y arañan. Ellos las tiran de las coletas deshaciéndoles los lazos. Ellas: "¡Imbéciles...! ¡Idiotas...! ¡Gamberros...!" Por fin las dejan tranquilas. Van al lado izquierdo del escenario. Uno grita: "¡Un pájaro...!" El del tirador dispara. Ha debido de fallar a juzgar por su gesto de fastidio. Otro señala el patio y sugiere: "¡Al loro de la señora Eulalia!" Todos corren: "¡Eso, al loro; vamos...!" Se oyen fuera voces de "¡Pablo...! ¡Pablo...!" PABLO sale a la terraza tropezando con las NIÑAS: "Ahora el otro..."; las NIÑAS se van muy dignas al extremo izquierda del escenario, donde siguen saltando. Los NIÑOS están ahora asomados al borde de la barandilla del patio. PABLO grita a sus amigos que siguen voceando en la calle. Se oye en el patio música de radio. Es la canción de *Los Cinco Latinos* "Naciste tarde". En la casa: JUAN, en su cuarto, lee una carta por enésima vez con aire de cansancio. RICARDO, en la sala-comedor, oye la radio y lee el periódico. ADELA entra en la cocina. La radio de la casa está encendida y a bastante volumen.

PABLO.—*(Haciendo bocina con las manos.)* ¡A las seis y media!...

NIÑO 1.º—¡Ahora!... *(El* NIÑO 2.º *dispara el tirador. Ruido de cristales rotos.)*

NIÑO 3.º—*(Escondiéndose.)* ¡Ahí vaaa...!

NIÑO 4.º—Ha roto el cristal.

VECINA 2.ª—*(Voz de.)* ¡Malditos críos!

RICARDO.—*(Leyendo.)* ¿Se come o no se come?

ADELA.—*(Dentro.)* Espera a que vengan los demás.

VECINA 4.ª—*(Voz de.)* ¿Qué ha ocurrido?

VECINA 2.ª—*(Voz de.)* Ahora mismo subo y os parto la escoba encima.

RICARDO.—Es que tengo hambre.

VECINA 4.ª—*(Voz de.)* ¡Carlitooos...!

NIÑO 2.º—¡Vamos!...

VECINA 2.ª—*(Voz de.)* No, si la culpa la tiene ese

ganso de Miguel. *(Salen todos corriendo hacia la derecha.)*

PABLO.—¡Las bebidas a escote!...

VECINA 4.ª—*(Voz de.)* ¡Carlitooos...!

VECINA 2.ª—*(Voz de.)* ¿Usted ha visto? Y todo el día así. ¡Ay, qué paciencia! *(El* NIÑO 4.º *aparece.)*

NIÑO 4.º—*(Asomándose, temeroso.)* ¿Qué?

VECINA 4.ª—*(Voz de.)* ¡Que bajes, te he dicho...! *(Los otros* NIÑOS *se asoman chascando los dedos. Silban.)*

NIÑO 2.º—¡Jolín!... Vas listo. Menuda te espera.

PABLO.—*(Ríe.)* ¡Nos vamos a poner...!

ADELA.—*(Dentro.)* ¡Esa radio!... (RICARDO *no la oye porque ha salido a la terraza en ese momento. Mete la pita en un bolsillo. Se ponen en triángulo. La* NIÑA 1.ª, *en el centro. Cantan y dan palmadas rítmicamente.* RICARDO *sale a la terraza, coge la mecedora y la mete en la sala.)*

NIÑO 2.º—¡Ay, qué miedo, que le van ha hacer pupita al nene!

NIÑO 4.º—*(Rabioso.)* A ver si me chivo todavía de que has sido tú el que has roto el cristal.

NIÑOS.—¡Atrévete y verás! ¡Chivato! ¡Más que chivato!... *(Se abalanzan sobre él y le sacan fuera a empellones y bofetadas.)*

VECINA 3.ª—*(Voz de.)* ¡Margot!...

NIÑA 3.ª—*(Asomándose.)* ¿Qué?

VECINA 3.ª—*(Voz de.)* Baja a comer.

NIÑA 3.ª—*(A las otras.)* ¿Vamos?

NIÑAS.—Sí, sí; vamos. *(Salen las* NIÑAS *corriendo. Los* NIÑOS *se apartan. El* NIÑO 4.º *sale también.)*

ADELA.—*(Entrando en la sala con platos.)* ¡Ay Dios mío!

RICARDO.—*(Al pasar junto a* PABLO.) Ten cuidado. No te vayas a caer.

PABLO.—*(Volviéndose.)* ¿Eh?...

RICARDO.—¡Que tengas cuidado! (PABLO *se aparta un poco. La pelota con que juegan los* NIÑOS *dentro rebota y sale a la terraza. Todos corren tras ella, la cogen y salen de nuevo jugando.)*

ADELA.—*(Apaga la radio con mal humor. A* RICARDO, *que entra en ese momento con la mecedora.)* Te digo que la pongas más bajo, y tú como quien oye llover. *(Entra en la cocina.)*

PABLO.—¡Adiooos...!

RICARDO.—Mujer, no puedo hacerlo todo al mismo tiempo. (PABLO *entra, coge un taburete de la cocina, lo saca a la terraza, se sube a él y maniobra en la única bombilla que hay.)*

RICARDO.—Qué..., ¿viene o no viene eso? *(Entra* PACO *por la puerta de la escalera, silbando. Se sorprende ante la actitud de* PABLO *y se le queda mirando.)*

ADELA.—*(Dentro.)* ¡Ya va!... ¡Ya va!... Vete poniendo el mantel. Haz algo.

RICARDO.—¿Dónde está?

ADELA.—En el cajón de la cómoda. (RICARDO *saca el mantel y lo coloca en la mesa.)*

PACO.—¿Por qué aflojas la bombilla?

PABLO.—*(Se siente cogido y se disculpa tontamente con lo primero que se le ocurre.)* Para..., para que no se gaste.

PACO.—*(Entrando en la casa.)* A saber lo que estarás tramando.

PABLO.—*(Cuando* PACO *se ha vuelto de espaldas le saca la lengua y hace con el brazo un gesto despectivo.)* ¡Bah!...

PACO.—*(Ya dentro.)* Hola, papá. *(Se quita la chaqueta.)*

RICARDO.—Hola.

PACO.—*(Asomándose a la cocina.)* ¿Está la comida?

ADELA.—*(Dentro.)* ¡Qué prisa!

PACO.—*(Subiendo a su cuarto.)* Es que tengo que ir al partido. Date prisa. *(Sube.)*

ADELA.—*(Dentro.)* ¡El partido!... ¡El partido!... No sabéis pensar en otra cosa.

RICARDO.—Mujer, el muchacho... *(Dos perros ladran en el patio. Se oyen las voces de sus dueños intentando calmarlos. Uno de los perros lanza, de pronto, un aullido lastimero, y una ventana se cierra de golpe. El otro continúa ladrando un rato aún; luego cesa.)*

PACO.—*(Ya en su cuarto. A* JUAN.*)* Hola.

ADELA.—*(Entrando con más platos y el pan.)* "¡El muchacho...!" Y tú, ¿qué? Tú, peor que ellos.

PACO.—Hola. ¡He dicho "hola"!... Qué, ¿buenas noticias?

JUAN.—*(Con un humor de perros.)* ¡A ti qué te importa! (PABLO *entra en la casa. Se acerca a* RICARDO *tímidamente, como si le costara un gran esfuerzo abordar la conversación.)*

PACO.—Chico, ¡cómo te pones por nada!

JUAN.—*(Molesto.)* Bueno, ya está bien.

PACO.—Cualquiera te entiende.

JUAN.—*(Estallando.)* ¡Te digo que te metas en tus asuntos!

RICARDO.—*(Que se le ha quedado mirando.)* ¿Eh?...

PABLO.—Papá...

RICARDO.—¿Qué?

PACO.—Ya te he oído, hombre. *(Ha dejado la chaqueta sobre la cama. Se suelta los gemelos de la camisa e inicia la salida hacia la escalera.)* ¡Qué humor!...

PABLO.—*(Tragando saliva.)* ¿Qué se le dice... a una chica... cuando...? *(Pausa.)*

RICARDO.—*(Forzándole, divertido.)* C u a n d o..., ¿qué?...

PACO.—*(Llegando ya a la sala. A* PABLO.) ¿Me ayudas a hacer la pancarta?

PABLO.—*(Acoge la llegada de su hermano como una tabla de salvación de la violenta situación en que se había metido, y dice precipitadamente.)* Sí..., sí. (RICARDO *ríe.)*

PACO.—Anda, coge la pintura. *(Saca unos palos y una tela blanca de debajo del aparador; saliendo a la terraza se asoma al pasillo de la cocina y grita:)* ¡Y a ver esa comida!

PABLO.—¿Dónde está? *(Cae en escena la pelota con que juegan los niños. Saltando por encima del hueco del patio.)*

PACO.—*(Ya fuera.)* En el armario de la cocina. (PABLO *entra en busca del bote de la pintura. Luego sale a la terraza, seguido de* RICARDO, *que los ve hacer.)*

RICARDO.—¿Qué vais a poner? *(Han extendido la tela en el suelo y* PACO *comienza a escribir con el pincel.)*

PACO.—"Arriba el Racing."

RICARDO.—¿Siempre lo mismo?

PACO.—La imaginación no da para más. *(Al ver esto*

el NIÑO 2.º, *que ha entrado en busca de la pelota, llama a los otros.)*

NIÑO 2.º—¡Eh!... ¡Eh!...

ADELA.—*(Saliendo. Coloca platos.)* ¿Les habrá ocurrido algo?

NIÑO 2.º—¡Eh, venid!...

RICARDO.—*(Que ha vuelto a entrar en la sala.)* ¿A quiénes? *(Entran los otros* NIÑOS *en tropel.)*

ADELA.—¿A quién va a ser? A Laura y Antonio.

RICARDO.—Se habrán entretenido hablando con alguien. *(Los* NIÑOS *los rodean saltando, dando gritos y haciendo comentarios jocosos como: "¡Ahí va, vaya erre, parece un higo chumbo...!", o "¡Eh, tú, que arriba se escribe sin hache!"* PABLO *los aparta a empellones: "¡Cuidado, que vais a tirar la pintura!..." Etc.)*

PACO.—¡Fuera! ¡Fuera!... ¿No veis que lo estáis pisando? *(A* PABLO.) Toma. *(Le da el pincel.)* Pon tú: "Aaa... rriii... baaa... el... Raciiing..." (PABLO *escribe. En el patio, una mujer canta el "Ven y ven y ven..." Ruido de platos. Risas.)*

ADELA.—*(Grita.)* ¡Juan!...

RICARDO.—Déjale, mujer.

ADELA.—Nos va a doler la cabeza con este muchacho. (ADELA *entra en la cocina.* PABLO *levanta la pancarta ya pintada.* PACO *se aparta para ver el efecto.)*

PABLO.—¿Qué tal?

PACO.—*(Superior.)* ¡Pchs!... Bien.

NIÑO 2.º—¿Nos la dejáis tener un poco? *(Entra* ADELA *en la sala con la comida.)*

PACO.—No, primero hay que esperar a que se seque.

NIÑO 2.º—Pero si ya está. Mira.

RICARDO.—Ya era hora.

PACO.—Bueno. Bajadla al portal, entonces. *(Los* NIÑOS *recogen la pancarta e inician la salida con ella en alto gritando: "¡Arriba el Racing!... "¡Arriba el Racing...!" "¡Ahora yo...!" "No, no; déjame a mí..." "Yo la cogí primero...", etc.)*

ADELA.—*(Grita.)* ¡Pablo!...

PABLO.—¿Qué?

PACO.—*(A los chicos, que en su prisa por salir tropiezan con los palos de la pancarta en la puerta. Todos chocan; el último cae sentado al suelo. Los demás ríen.)*

¡Cuidado, no vayáis a romperla! *(Salen por fin los* NIÑOS. *Se los oye bajar gritando y a saltos la escalera.)*

ADELA.—¿No decías que tenías tanta hambre? (PABLO *entra corriendo en la sala. Se sienta y comienza a comer. En el patio, canciones, risas y voces. A* PABLO.) ¡Esos codos!...

PABLO.—Me has puesto mucho. *(Voces de los críos en la calle: "Déjamela a mí..." "A mí..." "¡Cuidado, que la vais a romper!...")*

ADELA.—Tienes que alimentarte. Estás en la peor edad. (PACO, *silbando la melodía de "El puente sobre el río Kwai", recoge el bote de la pintura. Antes de entrar en la casa se asoma a la calle.)*

PACO.—*(Por algo que ve.)* ¡Malditos críos!...

ADELA.—¡Juan!...

PACO.—*(Grita.)* ¡He dicho que en el portal!

RICARDO.—Déjale, mujer, no le atosigues.

PACO.—*(Más fuerte aún.)* ¡Al portal!... (ADELA *entra en la cocina. Entra* PACO. *Se saca del bolsillo de atrás del pantalón una quiniela que da a su padre.)* ¿Qué te parece?

RICARDO.—*(La coge.)* ¡Bah!...

PABLO.—¿A ver?... *(La mira por encima de la mesa.)*

PACO.—*(Entrando en la cocina.)* Mira, mírala bien. *(Ya dentro.)* Seguro que no has visto otra igual en tu vida: una quiniela ¿con catorce resultados! (ADELA *sale con el segundo plato.)*

RICARDO.—A la tarde te lo diré.

PACO.—*(Dentro.)* Mamá, ¿qué quieres que te compre mañana cuando sea millonario?

ADELA.—Déjate de tonterías y siéntate a comer de una vez.

PACO.—*(Entra secándose las manos.)* Cuando me vean entrar en el barrio con un gran Cadillac blanco, con la Banda Municipal por delante, las muchachas, vamos, es que se tiran por las ventanas. *(Se sienta.)*

PABLO.—Esto es mucho para mí.

ADELA.—Pues o te lo comes todo, o no hay baile. Bastante me ha costado decir que sí. De modo que ya sabes. *(Grita hacia el cuarto de arriba.)* ¡Juan, hijo, baja ya!...

PACO.—*(Sirviéndose.)* Oye: ¿de qué habláis? ¿Eh?...

RICARDO.—Ha organizado un baile en la terraza con otros chicos del barrio.

PACO.—*(Ríe.)* ¡Ah!... ¿Entonces era por eso por lo que estabas... aflojando la bombilla...? *(Ríe.)*

PABLO.—*(Dándole un codazo.)* ¡Cállate, idiota!

RICARDO.—*(Que ha entendido perfectamente.)* ¿Qué?... ¿Qué?... *(Ríe.)*

PABLO.—Nada; no le hagas caso, papá.

PACO.—Pero ¿tú sabes bailar?

PABLO.—Mira este... ¿Qué te has creído? ¿Que estoy aún en la escuela de párvulos? Vas a ver. *(Se levanta, va a la radio, aumenta su volumen y baila unos compases de "rock-and-roll".)* ¿Eh? Qué, ¿sé, o no sé?

ADELA.—Siéntate y come. ¡Madre mía!, ¿y a eso lo llamáis bailar?

PABLO.—¿Qué? ¡Mejóralo si puedes!

RICARDO.—*(Que le ha visto bailar, sonriendo. Con sorna.)* ¡Vamos, niño, trae el vino, guapo. Anda, rico.

PACO.—Yo no doy saltos cuando bailo. Yo... *(Se levanta, coge un pico de la servilleta con una mano y apoya el otro en la mejilla. Así baila, sin moverse casi. Haciendo un gesto de apretar exageradamente a la pareja.)* ¡Así es como se baila!

PABLO.—*(Que está a punto de salir hacia la cocina, se ha vuelto a verle.)* ¡Ahí va ese...! Tú, mucho... ¡de aquí... *(Señalando la lengua. Ya dentro, en la cocina.)* Pero después... (PACO *hace un gesto de ir por él.* PABLO *entonces corre a la cocina.)*

PACO.—Si te cojo...

PABLO.—*(Dentro.)* ¿Dónde está el vino, mamá?

ADELA.—En la mesa. *(A* PACO.*)* Y tú no empieces con esas delante del chico. Es solo un niño.

PACO.—¿Sí?... Pues ¡vaya con el niño! No sabe nada, que digamos. (PABLO *ha entrado con la botella del vino. Hace un gesto de burla a* PACO *y se sienta. Entran por la puerta de la escalera* ANTONIO *y* LAURA. *Esta viene sofocada, llorando.)*

RICARDO.—¿Y Juan?

LAURA.—¡Déjame!... ¡Déjame sola!...

ADELA.—¡Juan!

ANTONIO.—Debía haberte cruzado la cara.

RICARDO.—*(A* PABLO.*)* Dile a tu hermano que baje.

(PABLO *sigue comiendo como si no hubiera oído.* ANTONIO *coge a* LAURA *por un brazo. Esta forcejea y se aparta.)*

ANTONIO.—¡Espera!...

PACO.—Está con un morro...

LAURA.—¡No quiero verte!...

ADELA.—Pues ¿qué le ocurre?

ANTONIO.—Pero escúchame, mujer.

PACO.—No sé. Quizá sea por la carta.

LAURA.—¡No quiero verte nunca más!

RICARDO.—¿Una carta?

ANTONIO.—¡Encima eso!...

ADELA.—¡Dios mío! Ese chico está cada día más raro. No sé qué va a ser de él. *(Entran en la sala* LAURA *y* ANTONIO.*)* ¿Qué os pasa, hijos? (LAURA *atraviesa la sala y entra llorando por el pasillo hacia su habitación.)*

LAURA.—¡Quiero morirme...! ¡Quiero morirme...!

ADELA.—*(Saliendo detrás de ella.)* Pero, hija... *(A* ANTONIO.) ¿Qué ha ocurrido? *(Sale.)*

ANTONIO.—*(A* RICARDO.) Me ha hecho una escena en medio de la calle... Que si había mirado a no sé quién, no sé de qué manera. Todo el mundo se paraba a mirarnos. *(Se quita la chaqueta y entra en la cocina arremangándose la camisa.)*

RICARDO.—Ya sabes cómo está.

ANTONIO.—*(Dentro.)* Sí..., sí...

RICARDO.—Ya falta poco. *(A* PABLO.) Vamos, niño, llama a tu hermano.

ANTONIO.—Pues me está pareciendo que no llega nunca el dichoso niño. (PABLO *sube corriendo a la habitación de* JUAN. RICARDO *y* PACO *comen en silencio. Se oyen dentro los sollozos de* LAURA *y la voz de* ADELA *consolándola.* PABLO *entra en la habitación de* JUAN, *que está tumbado en la cama, inmóvil, con las manos detrás de la nuca.)*

JUAN.—¿Qué pasa ahora?

PABLO.—Papá dice que bajes a comer.

JUAN.—Ya voy. (PACO *ríe de pronto.)*

PABLO.—Te estamos esperando todos.

JUAN.—Dile que ya bajo.

RICARDO.—*(A* PACO.) Bueno, tú eres tonto, o ¿que te pasa? ¿Eh? ¿De qué te ríes? Pareces bobo. (ANTONIO *sale secándose las manos. Se sienta, se sirve y come.* PABLO *recoge la carta que está caída en el suelo, y al ir a dejarla sobre la estantería se detiene un momento a leerla por encima.* PACO *sigue riendo.* JUAN *se levanta como movido por un resorte.)*

JUAN.—¿Quién te ha dado permiso para coger esa carta? *(Le arranca la carta de las manos y le da una bofetada.)*

PACO.—*(Riendo.)* Oye: ¿sabéis lo del bombero?... Hay un bombero... y viene otro bombero... y le dice... *(Al ver que nadie le hace caso deja de reír.)* Vaya caras. Parece esto un funeral. *(Come.)*

PABLO.—*(A punto de llorar.)* No has debido hacerme esto.

JUAN.—*(Arrepentido.)* Perdóname.

PABLO.—Tú nunca lo habías hecho antes.

JUAN.—Ya te he pedido perdón, ¿no?

ADELA.—*(Entra.)* ¡Qué vida, Dios mío!... ¡Qué vida...! *(Coge un frasco del aparador y sale de nuevo.)*

PABLO.—*(Después de una pausa.)* Juan, ¿qué te ocurre?

JUAN.—Nada.

PABLO.—¿Puedo..., puedo ayudarte en algo?

JUAN.—No. Vamos. *(Bajan ambos.* JUAN *lleva a* PABLO *cogido del hombro.* PACO *está contando un chiste.* PABLO *se sienta a comer. Entra* ADELA *con el segundo plato.* JUAN *sale un momento a la terraza. Mientras* PACO *cuenta el chiste, en el patio se oye el diálogo que sigue. Los finales de ambos deben coincidir.)*

PACO.—*(A* RICARDO.) Mira qué chiste más bueno me han contado: Hay una señora que está en el balcón de un décimo piso con un niño pequeñito en los brazos. Se asoma..., se asoma..., y, de pronto..., ¡zas!..., el niño que se le escurre de las manos y... *(Silba y hace un gesto de caída vertical.)* ¡plaf!... El trozo más grande, como esto... *(Señala una uña.)* Baja la madre corriendo como una loca entre el griterío del vecindario, llega al portal, aparta el grupo de curiosos, se abalanza sobre el cuerpo del niño, y... *(Cantando y haciendo gestos de coger con los dedos aquí y allá.)*... "Cachito... cachito... cachito mío..., pedazo de cielo que Dios me dio...", etc. *(Todos ríen.)*

VECINO 1.º—¡Ah, ya está aquí el señor!

NIÑO 2.º—A lo mejor...

VECINA 1.ª—No le pegues. ¿No ves que es solo un niño?

VECINO 1.º—Un sinvergüenza, esos es. ¿Son estas horas de venir a comer?, ¿eh...? ¿Dónde ha estado usted? ¿Dónde?... *(Se oye el ruido de las bofetadas y el llanto del niño. La mujer grita. En la casa, la estridencia de las carcajadas y voces. Y ruido de platos. Y música.* JUAN *se lleva las manos a la cabeza, como si le estallara, y avanza enloquecido hacia la barandilla, sobre la calle.)*

OSCURO

Se ilumina la escena. Ha pasado una hora. RICARDO está aún sentado como antes, fumando su pipa y releyendo el periódico. JUAN fuma sentado en el borde de la barandilla de la terraza, mirando a la calle. ANTONIO, en el centro, grita a PACO que está en la cocina terminando de peinarse. Afuera, en la terraza derecha, se oyen las voces de los NIÑOS que juegan a la pelota y las voces de las NIÑAS que cantan y juegan a casas.

ANTONIO.—Venga, hombre, ¡venga!...

PACO.—*(Dentro.)* Ya voy.

ANTONIO.—Vamos, no seas pesado.

PACO.—*(Dentro.)* Que ya voy.

ANTONIO.—Vamos, que son ya las cuatro. Y hay casi media hora hasta el campo. No quiero estar en la última grada de la línea de "corner", como la última vez.

PACO.—*(Saliendo.)* ¿Qué tal va ese crucigrama, papá? ¿Sale o no sale? *(Sube a su cuarto. Se peina y coge la chaqueta.)*

RICARDO.—¡Bah!...

ANTONIO.—*(Vocea.)* ¡Tardas más que una mujer en arreglarte! *(A* RICARDO.) ¿De verdad no te animas?

RICARDO.—No estoy yo para esos trotes. Yo como, mi partidita, ¡y bastante!

ANTONIO.—¡Me voy solo!

PACO.—*(Bajando.)* Ya va. ¡Qué gritón te estás volviendo! A ver si va a resultar que es cierto eso que dicen que entre matrimonios se pega todo... ¡Lo malo, claro!

ANTONIO.—Venga, ya está bien *(Salen a la terraza.)*

PACO.—¿Qué hay, Juan? ¿Te vienes con nosotros?

JUAN.—No.

PACO.—¿Es que no piensas salir, con la tarde que hace?

JUAN.—Estoy cansado.

PACO.—*(A* ANTONIO.) Este solo sale de noche, como los murciélagos.

ANTONIO.—Venga, hombre, que ya está bien.

PACO.—¡Abur!

JUAN.—Que os divirtáis. *(Salen. Queda* JUAN *fumando solo. Entra* ADELA, *que baja de la habitación de* LAURA. *Pasa por la calle un grupo de muchachos que grita: "¡A la biii...! ¡A la baaa...! ¡A la bin-bon-baaa...! ¡Racing...! ¡Racing...! ¡Gaaa... naaa... raaa...!")*

ADELA.—¡Ay Dios mío!

RICARDO.—¿Qué tal sigue?

ADELA.—¡Vaya!... ¡Ahora, duerme!

RICARDO.—¿Lo comió todo?

ADELA.—A medias. ¿Y Antonio?

RICARDO.—Al partido, con Paco.

ADELA.—¡Ah!... ¡Qué hombres! Y se van tan frescos. Para vosotros es la vida. *(Se oye una canción de niños.)*

RICARDO.—Es que también Laura...

ADELA.—Calla, calla; que sois todos iguales. ¡Y aún le defiendes! Al fin, lobos de la misma camada. No, si el mejor... *(Hace con ambas manos un gesto como de retorcer el cuello a alguien.)*

RICARDO.—Bueno, mujer; ya está bien. (ADELA *ha estado recogiendo los platos que ahora lleva a la cocina.* JUAN *entra en la sala y avanza hacia su padre.)*

JUAN.—Papá...

RICARDO.—¿Eh?

JUAN.—Escucha, papá...

RICARDO.—¿Qué hay?

JUAN.—No, nada; nada. *(Sube a su habitación. Durante todo el diálogo que sigue, escribe una carta.)*

RICARDO.—Pero, hijo..., ¿qué...?

ADELA.—*(Entrando.)* ¿Qué le pasa?

RICARDO.—No, nada. No le pasa nada.

ADELA.—¡Pablo!... ¿Dónde está Pablo?...

RICARDO.—A buenas horas. Salió corriendo el primero.

ADELA.—Ese chiquillo... Le dije que tenía que hacerme unos recados, y como si pasara un carro. Con bailar y correr lo tiene todo resuelto.

RICARDO.—Bueno, ya te los haré yo, si quieres.

ADELA.—Buenos estamos tú y yo para estar subiendo y bajando escaleras.

RICARDO.—Oye: ¿por qué no damos una vuelta por las ferias? Hace una tarde estupenda, ¿eh?

ADELA.—Ya me gustaría, pero tengo que ir a hacer compañía a las hermanas de la pobre Gertrudis. Ya sabes: estas cosas se agradecen siempre. Además, que se portaron muy bien cuando lo de la abuela.

RICARDO.—Lo que a ti te pasa es que te chifla ir de velatorio. Es una forma de reunirse las amigas y comentar de esto y de aquello. Y, sobre todo, una oportunidad magnífica de despellejar a los que no están.

ADELA.—¡Ya salió! A saber de qué hablaréis tú y tus amigotes en la taberna. Que decís mucho de las mujeres, pero me parece a mí que los hombres sois peores. *(Sube a la habitación de* LAURA. JUAN *lee la carta que ha escrito, la rompe y comienza otra. Estalla un petardo. Los* NIÑOS *ríen y gritan alborozados.* RICARDO *se levanta y recoge sus cosas, disponiéndose a salir. Entra* ADELA.)

ADELA.—Duerme. Parece un ángel de Dios.

RICARDO.—Con tal que le dure.

ADELA.—Está agotada. Lleva unas noches... ¡Ay!, tanto sufrimiento para traer hijos al mundo, y luego... ¡esto!

RICARDO.—Hasta luego.

ADELA.—¿Adónde vas?

RICARDO.—A..., aquí...

ADELA.—¡A la taberna!

RICARDO.—Mujer, a jugar la partidita. Hoy es domingo, ¿no? Un día tiene el obrero.

ADELA.—Pues ¿sabes lo que he pensado? Que tienes razón. Ya fregaré los platos esta noche. Y si no, que se quede así. Para todos el domingo es domingo menos para las mujeres. Que me he llevado toda la mañana doblando el espinazo. Así que me bajo contigo. *(Se quita el delantal.)*

RICARDO.—¿Es que piensas ir a la taberna?

ADELA.—*(Poniéndose un abrigo sobre los hombros.)* Tú me acompañas hasta la esquina y luego te vuelves. ¡Ay, esas pobres! Estarán allí como dos momias, tan arrugaditas, tan... Porque es que ya de jóvenes eran feas, pero es que tienen una vejez... No, si la pobre Gertrudis, después de todo...

RICARDO.—No, si ya lo sabía yo... *(Atraviesan la terraza. En el momento en que van a salir entra* ANDRÉS. *Viene embutido en su traje dominguero. Lleva un libro en la mano.)*

ANDRÉS.—Buenas tardes.

ADELA.—Hola, Andrés, hijo; buenas tardes.

RICARDO.—¿Qué hay, muchacho?

ANDRÉS.—Pues ya ven...

ADELA.—Esta mañana subió un rato Margarita, tu hermana. Cada día está más guapa. Y tú, ¡madre mía, qué muchachón te has vuelto! Si parece que fue ayer...

RICARDO.—Por Dios, Adela...

LOS DOS.—...cuando te llevaba tu madre a los jardines con aquellos pantaloncitos blancos que...

ADELA.—¿Qué te pasa, Ricardo?

RICARDO.—Nada, mujer; nada.

ADELA.—¿Y qué tal tus padres?

ANDRÉS.—Pues... bien.

ADELA.—Esta mañana charlé un ratito con tu madre, pero a tu padre hace un siglo que no le veo. Y es que yo ahora apenas salgo de casa. Con este reuma... ¡Ay, quién volviera a tener vuestros años! Juan está en casa. Venías a verle a él, ¿verdad?

ANDRÉS.—Sí, tengo que devolverle este libro.

ADELA.—A ver si consigues sacarlo de ahí. Se nos va a apolillar con tanto meterse en casa. Adiós, hijo.

RICARDO.—Adiós, Andrés. ¡Vamos!...

ANDRÉS.—Adiós, señora Adela. Adiós, señor Ricardo.

RICARDO.—Vamos, date prisa.

ADELA.—*(Saliendo.)* No te pongas pelma. Para un día que me sacas... *(Salen.* ANDRÉS *atraviesa la terraza y entra en la casa. Grita:)*

ANDRÉS.—¡Juan!... ¡Juan!...

JUAN.—¿Qué pasa?

ANDRÉS.—Soy yo, Andrés.

JUAN.—Sube, estoy en mi cuarto. (ANDRÉS *sube la escalera y entra en la habitación de* JUAN. *Durante todo este diálogo, los* NIÑOS *entran y salen corriendo por la escena. Están jugando al "cayó y libró". Alguno cae. Se pone en cruz, dos tal vez, pero pronto son librados. Lanzan exclamaciones de júbilo o de rabia y las frases rituales del juego.)*

ANDRÉS.—Hola, Juan, ¿qué hay?

JUAN.—Pues ya ves.

ANDRÉS.—Aquí traigo la novela que me dejaste.

JUAN.—¿Te ha gustado?

ANDRÉS.—Sí, mucho. Bueno, algunas cosas no las he entendido bien.

JUAN.—"Cuerpos y almas"... ¿Qué capítulo te ha impresionado más?

ANDRÉS.—Si te he de ser sincero, apenas he entendido nada.

JUAN.—Bueno, pero habrás llegado a alguna conclusión.

ANDRÉS.—Pues verás, chico: me aburría tanto, que no he pasado de las primeras páginas.

JUAN.—Pero no es la primera que te has llevado. Ya deberías saber que no son precisamente novelas del Oeste. (JUAN *pone la novela en la estantería. Bajan los dos a la sala.)*

ANDRÉS.—Verás, yo... Mi padre siempre me anda diciendo que debo instruirme, que menos ciclismo y boxeo y un poco de cultura es lo que necesito. Por eso te pido todos esos libros. Luego le digo que hablo contigo de ellos. Mi padre te admira mucho, y eso me realza a sus ojos. (JUAN *ríe.)* ¿Te..., te parezco ridículo?

JUAN.—No, hombre. Me río porque a mí nunca se me hubiera ocurrido una cosa así. Y tiene gracia. Pero no pienses que me reía de ti.

ANDRÉS.—A veces te miro y me parece mentira que seas tú el mismo con quien tantas veces me pegué, el mismo que fue nuestro capitán cuando jugábamos a indios o a policías y ladrones.

JUAN.—Ha pasado tiempo desde entonces. (JUAN *entra en la cocina.)*

ANDRÉS.—Sobre todo para ti. El otro día lo comentábamos en la bolera. Uno de los chicos le preguntó a tu padre: "¿Qué es de Juan? ¿Qué hace todo el día metido en casa...? No se le ve por ningún sitio. ¿Es que ya no le gustan las muchachas, ni quiere tomar una copa con los viejos amigos?..."

JUAN.—*(Dentro.)* Estoy muy ocupado.

ANDRÉS.—¿Sigues escribiendo cosas para los periódicos y las revistas esas? ¿Eh?...

JUAN.—*(Saliendo.)* Algo parecido. *(Sale* JUAN *con una botella de vino y dos vasos.)*

ANDRÉS.—Chico, lo que daría yo por tener tu cabeza. Las muchachas, ya sabes, las chicas de la pandilla, no hacen más que preguntarnos por ti. Siempre las tuviste un poco revueltas a todas. Y ahora le andan diciendo cosas a mi hermana porque os han visto salir algunas veces juntos. Ya sabes cómo son las mujeres.

JUAN.—No me había dicho nada Margarita.

ANDRÉS.—Se ha vuelto rara. Hace ya tiempo de esto. Desde tu regreso. Al principio no hacía más que hablar de ti.

JUAN.—¿Y ahora? (JUAN *sirve vino en los dos vasos.)*

ANDRÉS.—No habla mucho ahora... de nada. Quizá te parezca un poco tonto todo esto, pero quisiera preguntarte una cosa. ¿La..., la quieres? (JUAN *no responde. Vuelve la cabeza un tanto molesto.)*

ANDRÉS.—Te entiendo.

JUAN.—Lo siento de veras, créeme. Es una buena chica. Seguramente no encontraré nunca otra como ella.

ANDRÉS.—Es que ella está tan colada por ti... Y como todos sabemos en el barrio tus aventuras con las muchachas del "cabaret" cuando regresaste...

JUAN.—Verás: es un poco difícil de explicar. De todas formas, yo he respetado y respetaré siempre a Margarita. No soy ningún sinvergüenza que anda por ahí aprovechándose. Aquello del "cabaret" fue distinto. Tú sabes cómo son esas muchachas. Se encaprichan de uno... y, ¡bueno, les gusta armar escándalo! *(Entra en la cocina.)*

ANDRÉS.—Ya.

JUAN.—*(Dentro.)* Y..., ¿qué? ¿Sigues dándole a los pedales?

ANDRÉS.—*(Bebe un sorbo de vino.)* ¿Es que no lees los periódicos? Hace apenas dos semanas publicaron mi nombre y mi fotografía.

JUAN.—*(Dentro.)* ¿Has ganado alguna carrera importante?

ANDRÉS.—*(Desinflándose.)* Realmente, la carrera no era muy importante, y la fotografía pues... era de grupo.

JUAN.—*(Dentro.)* Pero ganaste, ¿no?

ANDRÉS.—Llegué en tercer lugar.

JUAN.—*(Sale con pan y queso en un plato.)* Es un buen puesto. Ya ves: yo hubiera llegado el último y con la bicicleta al hombro. *(Ríen.) (Entra el* NIÑO 2.º, *perseguido por el* NIÑO 1.º *Juegan al "cayó-libró". El* NIÑO 1.º *alcanza al* NIÑO 2.º *y grita: "Cayó..." El* NIÑO 2.º *queda con los brazos en cruz. Entran los demás* NIÑOS, *que intentan liberarle. El* NIÑO 1.º *defiende su presa. Los otros* NIÑOS *le acosan por todos lados. Por fin uno logra tocar al* NIÑO 2.º *Grita: "¡Libró...!", y el* NIÑO 2.º *sale corriendo junto a los otros dos, perseguidos por el* NIÑO 1.º)

JUAN.—¡Ooooh...!

ANDRÉS.—Pero ¿qué te pasa?

JUAN.—¡Estoy harto! De mí mismo. ¡De todo!... *(Comienza a oírse la canción "Charming and tender".)*

ANDRÉS.—Pero, bueno, ¿qué es lo que quieres?

JUAN.—No lo sé. De veras, Andrés. Es lo más angustioso. No sé lo que quiero. Algo debe de andar mal aquí dentro. (ANDRÉS, *cómicamente, coge el cuchillo con que parten el pan y el queso y se levanta ocultándolo detrás.)* No, no es eso; no estoy loco. Estoy..., no sé cómo decirte... ¡Descentrado! Esa es la palabra.

ANDRÉS.—*(Sentándose de nuevo.)* No te comprendo.

JUAN.—Yo tampoco me comprendo.

ANDRÉS.—¿Por qué no te colocas en algún sitio?

JUAN.—Tiene que suceder algo, ¡algo...!

ANDRÉS.—¿Qué?

JUAN.—Algo; no sé.

ANDRÉS.—¿Por qué no sales más a la calle? Trabajas demasiado.

JUAN.—¿Trabajar? A veces miro todos los papeles amontonados sobre la mesa y me pregunto: "¿Qué pretendes? ¿Qué pretendes con todo eso, Juan? ¿A quién quieres engañar?" En el fondo me pasa algo así como a ti con mis novelas. ¡Peor! Porque quiero engañarme a mí mismo. *(Pausa.)*

VECINA 3.ª—*(Voz de.)* ¿No va a la verbena?

VECINA 2.ª—*(Voz de.)* Dentro de un rato. Estoy esperando a mi marido.

VECINA 3.ª—*(Voz de.)* ¡Ah, ya! Nosotros nos vamos ahora mismo.

JUAN.—¡Oh, estas tardes de sol, iguales una detrás de otra! Esa música que suena en algún sitio. Esas voces. Es lo que más me estremece. Esas voces oídas en la tarde desde mi cuarto. Gente que pasa riendo o llorando, hablando simplemente de si la película fue buena, o del último éxito de su equipo. *(Entra el* NIÑO 3.º, *se asoma a la barandilla del patio y grita: "¡Mamá!..." Una voz de mujer le contesta: "¿Qué?..." "¿Puedo ir a montar en los caballitos?" "...Se va a hacer de noche, hijo." "Solo un ratito, mamá..." "Está bien; pero vuelve pronto..." El* NIÑO *grita de gozo y sale corriendo.)*

ANDRÉS.—Despreocúpate. Sal a la calle con los amigos. ¡Y chicas!... Aventuras no te faltarán. Lo sabes mejor que yo.

JUAN.—¿Y qué quieres que haga con el amor de todas esas mujeres que me aman sin comprenderme? ¿Tengo yo la culpa? No lo comprendo.

ANDRÉS.—¿Qué?

JUAN.—Todo esto. No tiene ningún sentido. Vas por la calle y una muchacha se te queda mirando. O notas que la vecinita del piso de abajo te sonríe al bajar la escalera, y te das cuenta, no sé, de que es distinto. Y así un día. Y otro. Ir por ahí despertando sentimientos de los que te sientes extraño.

ANDRÉS.—¿No te has enamorado nunca?

JUAN.—Nunca; ¡y si vieras cómo lo he deseado!... Porque es que así es como ver la vida desde lejos. Es como mirar un acuarium. Ves moverse los peces dentro. Y tú estás fuera, excluido. Y los peces gritan y te llaman. Pero tú no puedes ayudarles porque estás lejos. Allí cerca, pero ¡tan lejos...!

ANDRÉS.—Tú llegarás. Todos tenemos gran fe en ti.

JUAN.—Es lo que más me duele. A veces pienso que os estoy estafando. Bueno, y aunque fuera cierto, ¿qué? Me lo pregunto muchas veces. ¿Merece la pena? ¿Qué sentido tienen todas estas cuartillas? ¿Qué me importa a mí toda esa gente desconocida que algún día quizá llegue a leerlas? ¿Qué me importan los sentimientos que despertarán en ellos? *(Pausa.)* Pero, Andrés, ¿qué sé de sus vidas? ¿Qué saben ellos de mí? *(Pausa.)* Verás, algunas tardes me asomo a la ventana y le invento una historia a cada uno que pasa. Esa muchachita que va mirándose en todos los escaparates va a su primera cita. El la besará. Luego querrá todo lo demás; pero ella se resistirá, aunque lo desea también. Después, un día. Y otro. Por fin, una noche... Y entonces todo habrá muerto. Porque cuando muere la ilusión, todo se vuelve costumbre. Hasta el amor. Al final terminará siendo un olor a cocina y un ruido de cañería en una habitación donde una cama cruje. Una habitación con una ventana abierta desde donde se ven unas estrellas que no son ya las mismas, que no lo serán nunca más. Entonces la muchacha dobla la esquina. Y todo vuelve a empezar.

ANDRÉS.—Viaja. Antes viajabas mucho.

JUAN.—El mundo es igual en todas partes, Andrés, ¿sabes? Algunas tardes estoy aquí, en mi cuarto, escribiendo, y oigo cantar a los chiquillos del barrio. Están ahí, en la terraza, jugando con sus espadas de madera y sus gorros de papel. Y entonces me acuerdo del niño que fui, y lloro. Es tonto, pero es así. ¿Por qué dejaremos de ser niños? Entonces cierro la ventana y pongo la radio a todo volumen para poder llorar sin que nadie me oiga. Y si en ese momento alguien me preguntara: "¿Por qué lloras?", tendría que responderle que no lo sé. Porque es como una congoja sin sentido, que no tiene principio ni fin, pero que a veces basta lo más mínimo para que todo estalle. ¡Dios mío, me siento tan solo!... *(Sale a la terraza.* ANDRÉS *le sigue con la botella y su vaso.* ANDRÉS *se sienta en una banqueta.* JUAN, *de pie.)*

ANDRÉS.—Mira: todos nos sentimos un poco solos, a veces, Juan.

JUAN.—Pero es que lo mío es distinto. Además, me ocurre a cada momento y en los sitios que menos podía esperarse. La otra tarde iba por el paseo. A mi alrededor pasaba mucha gente, abriéndose paso con los codos. Y, de pronto, me sentí solo, ¿comprendes? Fue como un latigazo. Me decía: "Estoy aquí. Miro a toda esta gente. Nos miramos. Pero ellos y yo sabemos que nada tenemos en común." Hubiera querido coger por un brazo a cualquiera de ellos y hacerle una pregunta humana.

ANDRÉS.—¿Qué...?

JUAN.—Cualquier cosa: "Que cuántos años tenía, si estaba contento con su trabajo, si tenía novia, si tenía ilusiones y cuáles eran sus proyectos para el futuro." Me hubiera tomado por un loco. Si dices: "¿Te gustó la última película de Brigitte Bardot, o el partido de fútbol de final de copa Barcelona-Madrid?", te responderán sí o no. Pero todo estará dentro de lo previsto. Sin embargo, di: "¿Te sientes en paz contigo mismo? ¿Amas la vida? ¿Sueñas aún alguna vez?" Se reirán de ti. Sufrieron en silencio porque les da vergüenza confesar que están solos. "Sí, señor..." "No, señor". ¡Comedia!... ¿Y todo para qué? Para que los demás no se den cuenta de su vacío interior, de su miedo... Perdona, te estoy aburriendo.

ANDRÉS.—No; nada de eso.

JUAN.—Mirabas el reloj.

ANDRÉS.—Sí, es que tengo una cita.

JUAN.—¿Aquella pelirroja?

ANDRÉS.—Sí.

JUAN.—Y qué..., ¿se da bien?

ANDRÉS.—Nos casaremos a principios de año.

JUAN.—¡Ah, vamos! Entonces... quieres decir que..., que la cosa va en serio.

ANDRÉS.—Sí.

JUAN.—La conocimos juntos, ¿recuerdas?

ANDRÉS.—El día de Año Viejo en el guateque de la tienda. Hace dos años.

JUAN.—¿Tanto tiempo ha pasado ya? *(Irrumpen de nuevo los* NIÑOS *persiguiéndose. Se entrecruzan entre* JUAN *y* ANDRÉS. *Este da un azote a uno, un capirotazo a otro.* JUAN *está como ausente.)* Parece que fue ayer cuando tú y yo íbamos dando gritos por el desmonte, y organizábamos pedreas contra los chiquillos de los otros barrios. *(En la realidad.)* Recuerdas cuando aquel..., ¿cómo se llamaba?..., le faltaban dos dientes, su madre tenía un estanco y el le robaba tabaco para toda la pandilla. Me dio una pedrada en la sien. Cuando recobré el conocimiento, estaba de rodillas a mi lado, llorando. ¡Qué cara de susto teníais todos!... *(Ausente.)* ¿Qué habrá sido de él? ¿Y de los demás? Unos se han casado. Otros se han ido. *(Recuerda.)* ¡Marcos!...

ANDRÉS.—Marcos, sí, hombre.

JUAN.—Se llamaba Marcos, ahora lo recuerdo. *(Se oye ruido de gente que sube.* JUAN *se asoma a la escalera.)* Ya están ahí esos. ¿Quieres llevarte otro libro?

ANDRÉS.—Pero...

JUAN.—Nada, hombre; haz un esfuerzo. *(Entran en la casa, suben al cuarto de* JUAN, *donde este busca un libro en la estantería y se lo da. En ese momento entra* PABLO *con sus amigos. Cuatro* MUCHACHOS *y tres* CHICAS *de su misma edad. Una de ellas es* PILI. *Entran riendo y bromeando entre sí. Traen un "pick-up" y algunos discos. Traen también farolillos, serpentinas, confeti y un buen número de "Coca-Colas", que abren y beben" ad líbitum" durante todas sus escenas. Se oyen fuera las voces, risas, y cantos de los* NIÑOS.)

PABLO.—*(Entrando.)* Vamos, chicos, ¡al abordaje!...

MUCHACHA 1.ª—Yo quiero oír este disco primero.

MUCHACHO 2.º—Qué, ¿colocamos los farolillos?...

MUCHACHAS 2.ª Y 3.ª—Sí, sí...

MUCHACHO 1.º—*(A* MUCHACHA 1.ª) ...¿Qué disco es?

MUCHACHA 1.ª—"Fascinación".

MUCHACHO 1.º—No seas cursi. Pon otra cosa. *(Entre todos colocan los farolillos.)*

MUCHACHO 3.º—*(A* PABLO.) Pero ¿no quedamos en que sin luces?... *(Se oye un disco.)*

PABLO.—Con apagar luego... *(Los* MUCHACHOS 1.º y 2.º *colocan los farolillos. Las* MUCHACHAS *han puesto "Fascinación". Y eligen los siguientes discos: "Oh, este es maravilloso..." "El reloj, el reloj, luego el reloj..." Una de las* CHICAS *saca un disco en cuya portada hay una foto de Paul Anka. Grita: "¡Paul Anka...! ¡Huy, qué guapo!... ¡Qué ilusión!..." Besa la foto y la aprieta entre los brazos con arrobo. Los* CHICOS *se burlan: "¡Huy, Paul Anka! ¡Qué mono!..." "¿Habéis oído? Paul Ankita... ¡Qué tierno!..." Hacen gestos de burla. Ellas se defienden: "¿Vosotros qué entendéis?", etc.)*

MUCHACHO 3.º—*(A* PABLO.) Podremos fumar, ¿no? *(Sale* LAURA *de la habitación. Atraviesa la sala y entra en la terraza.* PILI *va hacia ella y la besa.)*

PILI.—Hola, Laura.

LAURA.—Hola, Pili. ¿Cómo estás?

PILI.—Pues ya ves...

PABLO.—...Espera a que se meta mi hermana,

LAURA.—...Jesús, el tiempo que hace que no te veía.

MUCHACHO 3.º—...Pero a ti te dejan fumar, ¿sí o no?

PABLO.—No.

MUCHACHO 3.º—¿Entonces...?

PABLO.—Tú déjame a mí.

LAURA.—¡Cuánto has crecido! (PILI *ríe.)*

MUCHACHO 3.º—¿Y si sale tu padre?

PABLO.—A esta hora no está nunca en casa. (ANDRÉS *y* JUAN *bajan. Se encienden los farolillos. Todos gritan y aplauden. Las parejas bailan el rock "Time Bomb".* PABLO *da vueltas nervioso, esperando que su hermana suelte a* PILI.)

ANDRÉS.—*(Bajando.)* ¿Quieres que avise a Margarita y salimos los cuatro juntos? En el Odeón echan un programa magnífico. Luego podríamos ir a cualquier sitio.

JUAN.—No, gracias. Prefiero estar solo

LAURA.—*(Contrayéndose por un dolor repentino.)* ¡Oh!...

PILI.—*(Asustada.)* ¿Qué te pasa?

ANDRÉS.—...Está bien. Adiós.

PILI.—¿Te duele?

JUAN.—...Adiós.

LAURA.—...No es nada. Ya se pasará.

PILI.—¿Les digo que paren la música?

LAURA.—No, no. Divertíos. Esto es solo un momento. ¿Ves?... Ya pasó. Hasta luego, pequeña. Te dejo. Que está ahí Pablo mirándome con unos ojos...

PILI.—*(Sonriendo.)* ¡Qué cosas tienes! (LAURA *entra a la casa en el momento en que* ANDRÉS *sale.* PABLO *y* PILI *bailan junto a las otras parejas.)*

LAURA.—Hola, Andrés.

ANDRÉS.—Hola, Laura; ¿qué tal va eso?

LAURA.—¡Vaya!...

ANDRÉS.—¿Qué prefieres, niño o niña?

LAURA.—¡Niño! Las mujeres siempre sufriendo. ¿Sabes si está abajo Margarita?

ANDRÉS.—Cuando subí, hace un rato, sí. Y no creo que se haya ido; sale muy poco.

LAURA.—Ya. ¿Quieres decirle que suba un momento a hacerme compañía?

ANDRÉS.—Sí; voy en seguida, Laura. Hasta luego, Juan.

JUAN.—Hasta luego.

LAURA.—Adiós. (ANDRÉS *sale de la casa; atraviesa la terraza, hace a* PABLO *un gesto pícaro a espaldas de* PILI; *luego va donde esta y le dice al oído: "Esta niña es la monada del barrio..." y le acaricia el pelo.* PABLO *le aparta la mano de un golpe. Grita: "¡Eh, cuidado con las manos!..."* ANDRÉS *dice: "¡Celoso...!" Los chicos se arremolinan: "¡Mira, se pone colorado!..." "¡Que te la va a quitar, Pablo...!" "Andate con cuidado..."* PABLO*: "¿A mí...?" Y sigue bailando con gesto de desafío.* ANDRÉS *sale.* JUAN *se acerca a* LAURA.)

JUAN.—¿No te molestamos?

LAURA.—No. (JUAN *entra en la cocina, sale con un vaso de agua con el que toma una tableta.)*

LAURA.—¿Qué te ocurre?

JUAN.—La cabeza. Ya sabes. Se pasa en seguida. Y tú, ¿qué tal te encuentras ahora?

LAURA.—Mejor.

JUAN.—¿Te duele?

LAURA.—Ahora, no.

JUAN.—Es ya cuestión de muy poco tiempo.

LAURA.—Y después, ¿qué?

JUAN.—¿Cómo después?

LAURA.—Sí, sí; después. Cuando ya haya nacido este, vendrá otro y otro. *(Llora.)*

JUAN.—Pero, Laura, todas las mujeres...

LAURA.—Yo nunca quise ser mujer. Os he envidiado siempre. A ti y a Paco. Ser hombre y salir a la calle, y poder ir a todos los sitios, y gritar y reír todo cuanto quisiera. *(Uno de los* MUCHACHOS *grita de pronto: "Oíd, muchachos... ¿Por qué no bailamos la Conga?..." Todos corean: "Oh, sí..." "Magnífico..." "Vamos..." "En fila todos..." Y en fila, cogidos de la cintura, comienzan a bailar la Conga. Durante el diálogo, salen de escena, vuelven a entrar y a salir, cogidos, cantando: "Venga, hombre, que es para hoy..." "Uno, dos... y tres..." Todos: "La Congaaa... de Jaliscooo...", etc.* LAURA *se ha sentado y solloza sobre la mesa.)*

JUAN.—¿No le quieres?

LAURA.—¿A quién?

JUAN.—A Antonio.

LAURA.—¡Mírame! El tiene la culpa. A veces creo que le odio. Porque él sigue siendo libre. Y puede ir por ahí con los amigos, mientras yo me retuerzo de dolor a solas. ¡Oh!...

JUAN.—¿Qué te pasa?

LAURA.—Lo siento... Lo siento agitarse dentro. Juan...

JUAN.—¿Qué?

LAURA.—¿Te he dicho alguna vez que te quiero, que todos te queremos mucho, aunque no te comprendamos? También Margarita. Ella sobre todo. Sí, no me mires así con esa cara. Haría falta estar ciego y sordo para no darse cuenta. Quiérela, es buena.

JUAN.—Sí.

LAURA.—Debes tomar una decisión. Cásate con ella o con otra, o márchate por ahí detrás de tus sueños. Pero ¡decídete!... Tienes muchos caminos ante ti. Pero no puedes quedarte sentado viendo cómo se cierran uno tras otro porque no te decidiste a tiempo.

JUAN.—Lo haré. *(Entra* MARGARITA *en la terraza; saluda con un gesto a* PABLO. *Atraviesa la terraza.)*

LAURA.—Prométemelo.

JUAN.—Te lo prometo.

LAURA.—¿Sabes? Si es niño, le llamaremos como tú. Y será para todos como ese hijo que no has querido aún tener tú.

MARGARITA.—*(Entrando.)* ¿Se puede?

LAURA.—Pasa, Margarita.

MARGARITA.—¿Qué te pasa, Laura?

JUAN.—Hola.

LAURA.—*(Con un gesto de dolor.)* ¡Oooh!...

JUAN.—¿Crees que ha llegado el momento?

LAURA.—Sí... ¡Oh, esto es el fin! El fin... ¡el fin!...

JUAN.—Baja a tu casa y llama por teléfono a la clínica. Di que envíen una ambulancia. (MARGARITA *sale corriendo en el momento en que el grupo de* MUCHACHOS *entran corriendo, jadeantes. Van al "pick-up" y ponen el rock "Beatnik Lly." Bailan moviéndose obsesivamente, más rápidos cada vez. Dan palmas, gritan.* MARGARITA *tiene que apartarlos de su camino. Se inter-*

ponen, cruzan. Al fin logra salir. Debe quedar muy marcado el contrapunto entre el dolor de LAURA *y sus gritos ahogados por la música y el jadeante y rítmico movimiento de las parejas que va a más, a más, ¡a más!...)* ¿Te duele?

LAURA.—Sí. ¡Oooh!... Es horroroso.

JUAN.—Espera. *(Entra en la cocina.* LAURA *se retuerce y grita sin que sea oída por nadie. Entra* JUAN *al fin con una toalla mojada que pone sobre la frente de* LAURA. *La música está en el paroxismo.* JUAN *grita:)* ¡Pablooo...! *(Nadie le oye.* JUAN *deja a* LAURA *y abre la puerta y grita nuevamente.)* ¡Esa música...! ¡Parad esa música! (PABLO *corre y para el disco. Todos se miran sin comprender aún bien.* PABLO *entra en la sala.)*

LAURA.—*(A gritos.)* ¡No puedo resistir más!... ¡No puedo!... ¡No puedo!... ¡Dios mío, voy a morir!... ¡Esto es horroroso!... Lo sé. Voy a morir.

JUAN.—Ayúdame a levantarla. (PABLO *corre al otro lado y entre los dos la levantan con sumo cuidado.)*

LAURA.—¡Ooooh!...

JUAN.—¡Con cuidado!... *(La sacan de la habitación y atraviesan la terraza.)*

LAURA.—¡Ay Dios mío...! ¡No puedo más! ¡No puedo más!... ¡Quiero morirme!... ¡Quiero morirme!... *(El grupo de* MUCHACHOS *miran asustados.* JUAN *y* PABLO, *con* LAURA *entre los brazos, pasan entre la doble hilera de rostros asustados. La sirena de la ambulancia que se acerca lo inunda todo como un aullido gigantesco.)*

TELON

ACTO TERCERO

Son las diez y media de la noche—"Mamáaaa..."—; es realmente una hermosa noche: el cielo es como una gran cosa morada. Se oye cantar a los Niños—"Carrascláaas..., carrascláaas..., ¡qué boniiitaaa seeeerenaataaa...!"—. A lo lejos, el fulgor de la feria. De vez en vez, asciende hasta la terraza una bocanada de risas y músicas —..."¿Dónde está mi muñeca?"—, e incluso llegan a oírse claramente los gritos de las muchachas asustadas que giran en la ola —"¡oooooh...!"—, los disparos y las voces chillonas—"¡He perdido mi muñeca!..."—anunciando por los altavoces. Mas sobre todo importan los silencios—"Teeengo unaaa muñeeecaaa..."—, porque a veces todo se apaga hasta morir—"...vestidaaa de aaazuuul..."—y es como si realmente ya nada—"¡Dámela, es míiia!"... "¡Nooo, es míiiaaa!"...—importara. Están más solos, entonces. Hasta que todo, rumores, luces, música, risas y gritos, vuelve a girar y a girar como una noria dantesca. —"¡Muertooooo!..."—. Los niños juegan a guardias y ladrones—"¡Te matéeee...!"—, atraviesan sigilosos la escena en busca de escondite. —"¡No vale!... Me has visto esconderme..."—. Se encuentran, luchan, y el vencido es llevado a rastras prisionero. Disparan alargando el brazo con el índice extendido—"¡baaang...!"—, el herido cae sujetándose el vientre con las manos. Las Niñas buscan misteriosos tesoros escondidos: —"¿Jugamos a los alfileres?"—Tesoros de abalorios, alfileres con cabeza de colores y cristales de roca, residuos de viejos collares. —"Ya no se veee..."—. En todo momento debe existir un violento contraste entre el mundo fabuloso que los Niños crean con sus gestos y sus frases cifradas, cuyo sentido ellos solos saben, y la realidad de los hechos vividos por los mayores. En un momento dado entra corriendo un Niño con una chisporroteante hélice giratoria entre los dedos, como una flor que sangra luz de mil colores. Todos le rodean. La flor se apaga y ellos gritan un larguísimo—"¡Aaaaaaah...!"—de desilusión.

En este acto, la forma de intercalar las extrañas frases que brotan y caen duras y breves, o bien se alargan infinitamente hasta desaparecer, así como la regulación de las entradas y salidas de los Niños, queda a elección total del director, excepto aquellas veces en que se señale explícitamente un movimiento o una palabra.

Ricardo revuelve los cajones de la cómoda, tirando al suelo su contenido, en busca de algo. Adela charla con las vecinas por el hueco del patio. De la explanada llegan voces y risas de la verbena. Música de organillo. En el fondo del cielo brilla el fulgor intermitente de las estrellas.

Vecina 1.ª—*(Voz de.)* ¿Y es guapo?

Adela.—*(Riendo.)* ¡Ay, sí!; es precioso... Todo coloradito, como un cangrejo... ¡Y una de llorar...!

RICARDO.—*(Vocea.)* ¡Adela!... *(Para sí.)* Estoy seguro de haberla dejado en la cómoda.

VECINA 3.ª—*(Voz de.)* ¿Cuánto ha pesado?

ADELA.—Más de cuatro kilos...

VECINA 4.ª—*(Voz de.)* Estará usted...

ADELA.—¡Huy! No me diga, que estoy loca, ¡lo que se dice loca de alegría!...

RICARDO.—¡Adela!...

ADELA.—Ahora mismo acabamos de llegar de la Maternidad.

VECINA 1.ª—*(Voz de.)* Pero ¿cómo es que la han dejado sola?

ADELA.—Por nosotros, fíjese. Pero por las noches no dejan estar a los familiares.

RICARDO.—¡Adelaaa...!

ADELA.—*(A* RICARDO.*)* ¿Qué?... *(Volviéndose a las* VECINAS.) Perdónenme, que me llama mi marido. *(Va hacia la casa.)* ¿Qué quieres?

RICARDO.—¿Has visto la caja de los puros?

ADELA.—¿Qué puros?

RICARDO.—La que sobró cuando la boda.

ADELA.—¿No la pusiste en el cajón de la cómoda?

RICARDO.—Aquí no está.

ADELA.—¿Y yo qué quieres que te diga? La habrás cambiado de sitio.

RICARDO.—Pero si yo no los he vuelto a tocar...

ADELA.—Los habrán ido cogiendo los chicos, ¡qué sé yo! *(Volviendo a la terraza.)* ¡Ay!, perdónenme que las dejara con la palabra en la boca. Es que mi marido anda buscando unos puros para obsequiar a los amigos, y con el nerviosismo no acaba de dar con ellos. *(Ríe.)* Está que parece el padre y la madre juntos.

VECINA 3.ª—*(Voz de.)* Y Laura, ¿qué tal pasó el trago?

ADELA.—Ha sufrido mucho, la pobre. Yo llegué al final. Me fueron a avisar a casa de unas amigas. ¡En un velatorio!... Figúrese qué contrasentido.

VECINA. 4.ª—Y el padre, ¿qué dice?

ADELA.—¡Ja!... ¿El padre? Lo tuvimos que sacar a rastras. Está como loco. A estas horas, emborrachándose en alguna taberna. Los hombres ya se sabe: cuándo por penas, cuándo por alegrías, todo lo arreglan emborrachándose.

RICARDO.—No, pues como se los hayan fumado, me van a oír, vamos. *(Grita.)* ¡Adelaaa...!

ADELA.—*(A* RICARDO, *volviéndose.)* ¡Ya voy!...*(A las* VECINAS.) Ahora nos vamos al circo.

VECINA 1.ª—Con los chicos, ¿eh?

ADELA.—¿Los chicos?... ¡Cualquiera sabe dónde están ahora...! No, nosotros solitos, ¡solitos!...

VECINA 3.ª—¡Vaya con los abuelos!...

ADELA.—¡Ay!... Los abuelos... Pero si es que no me hago todavía a la idea.

RICARDO.—¡Adelaaa...!

ADELA.—*(A* RICARDO.) ¡Que ya voy, hijo! *(A las* VECINAS.*)* Una noche es una noche, y otras como esta no nos vendrán ya muchas.

VECINA 4.ª—Está usted que se le sale el alma por la boca.

ADELA.—¡Figúrese!... Es que tengo un hormigueo...

RICARDO.—*(A gritos.)* ¿Vienes o no vienes?

ADELA.—*(Volviéndose.)* ¡Ya va!... *(De nuevo a las* VECINAS.) ¡Ay Jesús!, lo que es este ¡está que no ve! Fíjense que aún no ha abierto los ojos la criatura y ya dice que tiene su mismo mirar... *(Ríen todos.)*

VECINA 1.ª—¡Pues enhorabuena!...

ADELA.—Muchas gracias. Adiós, hasta mañana.

VECINAS.—Hasta mañana. Adiós. ¡Y que siga la racha! *(Se oye la voz de una* NIÑA *que grita: "¡Una mariposa!... ¡Una mariposa negra...!" Todos: "¿A ver?... ¿A ver?" Un* NIÑO: *"Es un escarabajo, tonta..." La* NIÑA: *"¡Mentira!... ¡Mentira!... Es una mariposa negra..." Llora. Risas.)*

ADELA.—*(Entrando.)* ¿Qué te pasa, hombre? ¿Qué te pasa?

RICARDO.—Que no los encuentro.

ADELA.—Déjalos, ya comprarás otros.

RICARDO.—Pero no como estos. Eran unos puros magníficos. De contrabando, figúrate. No se encuentran en los estancos puros como esos. Además, estoy seguro de que los puse aquí.

ADELA.—A ver, a ver... *(Mira ella.)* ¡Dios mío, como has puesto esto! Parece un campo de batalla. Luego, para volverlo a colocar todo va a ser ella. A ver si están dentro. *(Entran los dos por el pasillo. En ese momento entra el* NIÑO 2.º, *disfrazado de piel roja. Grita tamborileando la mano sobre la boca muy abierta: "¡Ooooh...!", que debe ser en su opinión el grito de los sioux. Mira a un lado y a otro, se esconde al fin tras un cajón. Entran otros dos* NIÑOS *disfrazados de vaqueros, con pistolas. Le descubren. El* NIÑO 2.º *intenta huir. Los otros—"¡bang, bang!"—disparan. El* NIÑO 2.º *cae muerto. Los otros dos le cogen de piernas y brazos y le sacan a rastras por la puerta de la escalera. Entran en la sala* ADELA *y* RICARDO. *Este trae la caja de puros.)*

RICARDO.—Menos mal.

ADELA.—¿Estás contento ahora?

RICARDO.—Pues yo los dejé aquí...

VECINA 5.ª—*(Voz de.)* ¡Señora Adelaaa...!

RICARDO.—Te llaman

VECINA 5.ª—*(Voz de.)* ¡Señora Adelaaa...!

ADELA.—*(Saliendo.)* ¿Qué?

VECINA 5.ª—*(Voz de.)* Enhorabuena. Ya nos han dicho...

ADELA.—Muchas gracias, Martina, hija. *(Al* VECINO 2.º*)* Hola, Manuel. Pues sí, es un niño precioso. Fíjese que ha pasado de los cuatro kilos.

VECINA 5.ª—*(Voz de.)* ¿Y cómo le va a poner?

ADELA.—Juan, como el chico mayor. Yo quería Ricardo, como el abuelo. Pero se han empeñado...

VECINO 1.º—*(Voz de.)* Juan es muy bonito.

ADELA.—Sí, muy bonito. Y vosotros, ¿qué? A ver cuándo os animáis...

VECINA 4.ª—*(Voz de.)* Es que está todo tan caro...

ADELA.—Mujer, una casa sin niños es un tiesto sin flores, como dice el refrán.

VECINA 2.ª—*(Voz de.)* ¿Y cómo está Laura?

ADELA.—Pues bien; claro que aún... Siempre estuvo un poco delicaducha.

VECINA 4.ª—*(Voz de.)* Bueno, pero lo peor ya pasó.

ADELA.—Sí, claro. *(Transición.)* Oiga: ¿por qué no suben todos a tomar una copita, eh?

VECINA 3.ª—*(Voz de.)* Pero, mujer, si son casi las once de la noche...

ADELA.—¿Y eso qué importa? Al fin estamos todas

en casa. Son solo unas escaleritas. No me lo irán a despreciar, ¿eh?

VECINA 2.ª—*(Voz de.)* Pero...

ADELA.—Nada, nada. Les espero. Y avísenme también a todos los demás. ¡Un día es un día!

VECINA 4.ª—*(Voz de.)* Pero si es que estamos de trapillo. Como nos íbamos a ir ya a la cama...

VECINA 3.ª—*(Voz de.)* Nosotros salíamos ya para la verbena.

ADELA.—Suban como estén, que hay confianza. ¡Hala!, no se discuta más. Voy a preparar un poco esto. Hasta ahora. *(Entrando en la casa.)* ¡Ricardo!...

RICARDO.—Qué, ¿vamos ya?

ADELA.—Espera un poco. Van a subir los vecinos.

RICARDO.—¿A estas horas?

ADELA.—También para ellos era tarde, y les ha faltado tiempo, en cuanto lo han sabido, para llamar y darnos la enhorabuena. Anda, ayúdame. Trae el vino blanco y unas galletas. Oye: ¿te parece que deberíamos abrir alguna conserva?

RICARDO.—Supongo que no habrán pensado que les vamos a dar de cenar.

ADELA.—¿Ya estás?

RICARDO.—¿Dónde está el vino blanco?

ADELA.—En el armario de la cocina.

RICARDO.—*(Entrando en la cocina.)* Luego tendremos que ir con prisas, como siempre.

ADELA.—Vamos, vamos, que siempre tienes que gruñir por algo. Tráete una bandeja. ¡Y un par de servilletas!...

RICARDO.—La que se va a armar mañana en la taberna cuando entre.

ADELA.—Y yo en el mercado... *(Entran la* NIÑA 1.ª *y la* NIÑA 2.ª *La* NIÑA 1.ª *trae un bote de hojalata en la mano y lo coloca en un rincón, mira al cielo y lo cambia de sitio.)*

NIÑA 2.ª—¿Qué buscas?

NIÑA 1.ª—Estrellas...

NIÑA 2.ª—*(Mira al cielo.)* Están tan lejos...

NIÑA 1.ª—Siempre cojo algunas en el fondo del agua.

NIÑA 2.ª—¿Y qué haces con ellas?

NIÑA 1.ª—Beberlas; luego se sueña con hadas.

NIÑA 2.ª—¿Me dejarás beber a mí también?

NIÑA 1.ª—Bueno; pero solo una. El bote es tan pequeño que solo caben tres o cuatro.

ADELA.—Ya están aquí. Pasen, pasen... *(Comienzan a entrar los* VECINOS. *Son tres o cuatro mujeres y dos hombres. También están* MARGARITA *y sus padres. La* VECINA 1.ª *se dirige a la* NIÑA 1.ª, *que está en cuclillas en el suelo.)*

VECINA 1.ª—¡Margot!... ¿Qué haces tirada en el suelo?

NIÑA 1.ª—Estoy cogiendo estrellas.

VECINA 1.ª—A ti te voy a dar estrellas en cuanto baje. Trae esa porquería. *(La coge de un brazo y la arrastra hacia la puerta. Tira el bote por el hueco del patio; las dos* NIÑAS *salen corriendo cogidas de la mano.)*

ADELA.—Pasen, pasen con toda confianza.

VECINA 3.ª—¡Enhorabuena! Madre mía, la ilusión que debe hacer traer un hijo al mundo.

VECINA 4.ª—Si tuviera usted seis como yo... *(Entran todos. Los hombres abrazan a* RICARDO *y las mujeres besan a* ADELA. *Hablan todos a la vez.)*

ADELA.—Pero sírvanse, ¡sírvanse!... Trae más vasos, Ricardo. (RICARDO *entra en la cocina y saca más vasos; se sirven. El* VECINO 1.º *dice: "¡Un brindis...!" Todos: "Sí, sí; un brindis, un brindis..." Brindan: "¡Por los abuelos!..." Beben, ríen; alguien dice: ¿Por qué no cantamos algo?" "Sí, sí..." "¿Qué?" "¡Cualquier cosa!..." Uno comienza a cantar una canción: "En medio de los campos nació el romero, lerí, lerí", etc. Todos le siguen y gritan: "Vino..., ¡más vino! Eso, más vino..." Siguen cantando. De pronto se abre la puerta de la escalera y entra* JUAN. *Trae cogido de los hombros a* ANTONIO, *que está completamente borracho.)*

JUAN.—¡Cuidado!

ANTONIO.—¿Ya no hay más escalones? ¡Creí que subíamos al cielo!

JUAN.—Vamos, agárrate a mí.

ANTONIO.—¿Es esto el cielo? ¿Dónde están las estrellas?

JUAN.—*(Que ha escuchado.)* Serénate, que hay gente en casa.

ANTONIO.—*(Señalando las estrellas.)* ¡Míralas!...

(Ríe.) Se han subido al piso de arriba. ¿Vamos por ellas? *(Los* VECINOS *han oído ruido. Dejan de cantar, se asoman a la puerta.)*

VECINA 1.ª—Aquí está el padre.

ANTONIO.—Sí, señor. El padre... ¡Yo soy el padre!

VECINA 3.ª—¡Jesús, cómo viene...!

JUAN.—Está un poco mareado.

ANTONIO.—¿Mareado yo? *(Ríe.)* ¿Quién ha dicho que yo estoy mareado? *(Va a las vecinas y las besas ruidosamente. Abrazos. Risas.)*

ADELA.—*(Saliendo.)* ¡Dios mío, cómo viene! ¡Qué hombres, qué hombres!... *(A* JUAN.) Pero ¿cómo le has dejado beber de ese modo?

JUAN.—Cuando le encontré estaba ya así.

VECINA 3.ª—¡Un brindis!...

VECINA 4.ª—Sí, sí; un brindis.

RICARDO.—A ver, Antonio. Di algo. Se trata de tu hijo. (ANTONIO *coge un vaso. Se lo llenan. Una pausa. De pronto, inesperadamente, grita:)*

ANTONIO.—¡Porque llegue a vivir en un mundo menos cochino que este!... *(Todos ríen.* ANTONIO *bebe de un trago y rompe el vaso contra la pared. Todos quedan en suspenso, sin saber cómo reaccionar.)*

VECINA 1.ª—¡Jesús!...

ADELA.—¡Oh! ¡Dios mío!... Juan, desnúdale y métele en la cama. Ustedes perdonarán. Ya saben lo que son estas cosas. *(Los* VECINOS *asienten e inician la retirada.* JUAN *ha entrado en la casa y se lleva a* ANTONIO *a su habitación por el pasillo de la cocina.)*

MARGARITA.—*(A su madre.)* Yo bajaré en seguida, mamá.

VECINA 5.ª—Está bien; no tardes, hija.

RICARDO.—Y ahora, ¿qué hago con las entradas? ¿Las rompo?

ADELA.—No sé; no sé qué hacer. Estoy avergonzada. Mira que ha ido a presentarse en el momento oportuno.

MARGARITA.—Márchense tranquilos. Entre Juan y yo le atenderemos.

RICARDO.—¿Qué te parece?

ADELA.—Pues no sé. En fin, está bien. Vámonos. Muchas gracias, hija. *(La besa.)* Eres un sol. ¡Ay, si tuvieras la suerte de que entraras en esta casa!... Tú ya me entiendes. Pero yo no sé qué tienen los hombres a veces. Parece como si les pusieran vendas en los ojos.

RICARDO.—Vamos, mujer, vamos.

ADELA.—Adiós, hija, adiós. Ya le diré, al bajar, a tu padre que te quedas un ratito.

MARGARITA.—Muy bien.

RICARDO.—Hasta mañana, pequeña.

MARGARITA.—Adiós. *(Salen.* MARGARITA *entra en la casa. Se encuentra con* JUAN, *que ha entrado en busca de una toalla.)*

JUAN.—¿Se fueron todos?

MARGARITA.—Sí.

JUAN.—Trae un poco de agua.

MARGARITA.—Está bien. (MARGARITA *entra en la cocina.* JUAN *saca una toalla de la cómoda y sale. A poco sale* MARGARITA *de la cocina con la palangana y va a la habitación de* ANTONIO. *En ese momento entra* PABLO *corriendo por la puerta de la escalera. A poco entra* PILI. *Viene sofocada por el esfuerzo.)*

PABLO.—*(Ríe.)* ¡El primero, rey del cielo! *(Entra* PILI *tocándose un tobillo.)*

PILI.—¡Oooh!..

PABLO.—No puedes competir conmigo.

PILI.—Porque me caí. Si no, ya hubieras visto.

PABLO.—*(Preocupado.)* ¿Te has hecho daño?

PILI.—No. (PILI *jadea.)*

PABLO.—¿Qué te pasa?

PILI.—Estoy un poco cansada.

PABLO.—¡Oh, ven! ¡Siéntate aquí! *(Le acerca una banqueta.* PILI *se sienta.)*

PILI.—*(Abanicándose con la funda de un disco.)* Hace calor, ¿verdad?

PABLO.—Sí. Espera un poco. *(Va al fondo y coge una "Coca-Cola" de las que quedaron del baile. Ofreciéndosela.)* Solo quedaba esta.

PILI.—*(La coge.)* ¿Y tú?

PABLO.—Beberé lo que quede. (PILI *bebe.* PABLO *la mira.* PILI *vuelve a beber.* PABLO *mira inquieto con un gesto como diciendo: "¡A ver si se lo bebe todo ahora...!")*

PILI.—Ahora, tú. Vamos, ahora que está bien fría.

PABLO.—Sí. *(Bebe. Con el nerviosismo se le caen unas gotas sobre la camisa.)* ¡Oh!...

PILI.—¡Dios mío, te has calado la camisa!

PABLO.—No es nada. Ya se secará.

PILI.—Pero puede quedar mancha. (PILI *ha sacado su pañuelo e intenta limpiarle la mancha.* PABLO *le oprime la mano contra su pecho. Se miran. Parece que van a besarse. De pronto,* PILI *se separa. En esta escena lo que menos importa son las palabras. Han de ser los gestos de los chicos los que comuniquen al público toda su infinita ternura, su no saber qué decir ni dónde poner las manos, ni dónde mirar, etc. Desconcertada:)* Tengo frío ahora.

PABLO.—*(Sin saber qué decir.)* Es... es la "Coca-Cola".

PILI.—*(De pronto.)* Creo que deberíamos irnos. Es muy tarde. Van a reñirnos en casa. Tú coge el "pick-up". Yo llevaré los discos.

PABLO.—Pili... *(Estan de rodillas en el suelo recogiendo las cosas.)*

PILI.—¿Qué?..

PABLO.—¿Sabes que eres muy guapa?

PILI.—¿Sí?

PABLO.—Sí.

PILI.—Nunca me lo habías dicho.

PABLO.—Pues lo he pensado. Lo estoy pensando siempre.. Todos los días, cuando te veo, pienso: "Pili es la chica más bonita del mundo."

PILI.—Pero si yo estoy siempre en el colegio. No puedes verme.

PABLO.—Sí, te veo. Te veo salir todas las tardes. Cuando termino en la academia, voy corriendo para verte salir.

PILI.—Solo te vi un día. Yo iba con mis amigas. Y nos tiraste piedras.

PABLO.—Es que no quería que supieras... Las chicas andáis siempre riéndoos de esas cosas. *(Preocupado.)* ¿Te di...?

PILI.—¡Oh, no; a mí, no! A Conchi, sí. Y le estuvo muy bien. Siempre andaba diciendo que tú... Bueno, que tú la mirabas. Y... bueno, ya me entiendes.

PABLO.—¿A esa? ¿Con todas esas pecas y ese moño tan feo?

PILI.—*(Ríe.)* Y tiene la nariz respingona. ¿No te habías fijado? Así... *(Ríen. Una pausa.)* ¿Sabes? De pequeña, yo..., bueno..., no te apreciaba mucho... Ahora puedo decírtelo. Siempre andabas tirándome del pelo y haciéndome burla por todas partes.

PABLO.—Me hacías mucha gracia. Ibas siempre con tantos lazos... Yo iba por detrás y... ¡paf! No podía resistir la tentación. *(Ríen.)*

PILI.—*(Mira al cielo.)* Mira: ha salido una estrella.

PABLO.—Dos.

PILI.—Tres, cuatro... ¡Oh! Cada vez más. *(Se miran.)* Hace una bonita noche, ¿verdad?

PABLO.—Sí. *(Miran al cielo.* PABLO *se va arrimando a* PILI *poco a poco. Esta le presiente cada vez más cerca, sin atreverse a mover ni a dejar de mirar las estrellas.)*

PILI.—*(Volviéndose a él.)* ¿Por qué me miras así?

PABLO.—¿Cómo?

PILI.—No sé. *(Se aparta.)* Quiero irme.

PABLO.—Espera.

PILI.—Es ya muy tarde. Van a reñirme en casa.

PABLO.—Si es solo un momento.

PILI.—Bueno.

PABLO.—*(Traga saliva.)* Pili...

PILI.—¿Qué?

PABLO.—*(Entrecortadamente.)* Tengo..., quiero decirte una cosa... *(Respira fatigosamente.)* ¿Quieres..., quieres ser..., *(Al fin.)* mi novia?

PILI.—*(Sin mirarle.)* Pero... ¿tú me quieres?

PABLO.—*(Con el alma en un puño.)* Sí.

PILI.—¿Quieres decir que..., que estás enamorado de mí?

PABLO.—Sí.

PILI.—*(Volviéndose.)* ¿Como..., como en las películas?

PABLO.—*(Desconcertado.)* Pues... no sé. Algo parecido. Sí. ¿Qué dices?

PILI.—*(Titubeando.)* Que..., que sí.

PABLO.—¿Sí?...

PILI.—Sí.

PABLO.—¿De veras?

PILI.—Sí. (PABLO *ríe.)* ¿De qué te ríes?

PABLO.—*(Dando saltos.)* No sé. Soy tan..., ¡tan feliz!...

PILI.—Yo también.

PABLO.—Entonces, ¿tú me querías también un poquito?

PILI.—Sí.

PABLO.—Y yo que pensé que no podías verme. Y, bueno, como siempre estabas hablando con ese tonto de Ernesto...

PILI.—Como tú no decías nada... (PABLO *empieza a dar saltos por la escena. Grita: "¡Aaah...! ¡Soy feliz...! ¡Soy feliz...!"* PILI *le mira un poco asustada.)* ¿Qué te ocurre ahora?

PABLO.—¡Soy feliz!... ¡Soy feliz!...

PILI.—Me habías asustado.

PABLO.—*(Acercándose a ella. Con mucho misterio.)* Pili...

PILI.—¿Qué?

PABLO.—Voy a enseñarte una cosa. Pero tienes que prometerme que no se lo vas a decir a nadie.

PILI.—Te lo prometo.

PABLO.—¡Júralo!

PILI.—Lo juro... *(Hace una cruz con los dedos que besa por ambos lados.)*

PABLO.—Es que mi hermana me ha dicho que me daría una paliza si volvía a traer otro. Supongo que ahora que tiene un niño se le habrá pasado. Espera... *(Entra en la casa. Saca de debajo de la cómoda una caja de colorines. Sale. Va junto a* PILI.) Mira. *(Abre la caja.)* Es un ratón blanco.

PILI.—¡Qué bonito! ¿Cómo se llama?

PABLO.—No tiene nombre. Pero podemos ponerle uno, si tú quieres.

PILI.—*(Acariciándolo.)* ¡Qué suavecito es!... (PABLO *cierra de pronto la caja.)* ¿Por qué cierras?

PABLO.—Podría escaparse. Y los gatos no distinguen de colores.

PILI.—¿Me lo dejarás acariciar alguna vez?

PABLO.—Siempre que quieras. Me lo meto debajo de la camisa y nos vamos por ahí a darle de comer. Oye...

PILI.—¿Qué?

PABLO.—¿Sabes lo que he pensado?

PILI.—¿Qué?

PABLO.—Que te lo regalo.

PILI.—¿De veras?

PABLO.—Sí. *(Le entrega la caja.)*

PILI.—¡Qué chiquitín!... (PILI *aprieta la caja contra el pecho. Se aparta.* PABLO *se acerca a ella.)*

PABLO.—Y ahora..., ahora que somos novios..., ¿me dejas que te... que te dé... un beso? (PILI *queda sin saber qué decir.* PABLO *se acerca más, más.* PILI *cierra los ojos.* PABLO *la besa suavemente en la mejilla... En ese instante los* NIÑOS *se asoman. Uno de ellos dispara su tirador contra la pareja.* PILI *acusa el golpe, da un grito. Los* NIÑOS *corren.* PABLO *detrás de ellos.* JUAN *sale de la cocina terminando de secarse las manos.)*

PABLO.—Te he visto. ¡Te he visto!... ¡Ya te cogeré, ya! ¡Ahora vas a ver! *(Sale corriendo detrás del que disparó.* PILI *recoge el "pick-up" y los discos y sale corriendo detrás. Los* NIÑOS *ríen ante la puerta y se hacen entre ellos el amor falseando la voz exageradamente: "¡Pili, te quiero!"* JUAN *ha salido a la sala. Se sienta. Parece agotado. Tiene la cabeza entre las manos. "¡Mi vida!... ¿Me das un besito? ¡Huuumm!"* MARGARITA *se ha acercado por detrás a* JUAN, *le abraza y le besa. Estalla en el cielo una flor de luz, y otra, y otra.)*

NIÑO 1.º—¡Los fuegos!

NIÑO 2.º—¡Mira qué bonitos!...

NIÑA 2.ª—¡Cuántos colores!... *(Todos juntos, cerrando la mano sobre la boca, imitando el sonido característico de los fuegos artificiales.)*

TODOS LOS NIÑOS.—¡Sssssssttttttt...! ¡Aaaaahhhh...!

NIÑO 1.º—Vamos a verlos desde la explanada. *(Todos gritan: "Sí, sí; vamos, ¡vamos!" Y salen corriendo por la puerta de la escalera.)*

JUAN.—*(Desasiéndose del abrazo.)* Por favor...

MARGARITA.—Te quiero.

JUAN.—Déjame.

MARGARITA.—Te quiero tanto...

JUAN.—Lo sé.

MARGARITA.—No, no lo sabes. No lo podrías comprender jamás. Hay que sentirlo. Juan, no te pido nada. Solo estar a tu lado. No hace falta que me digas nada. Ni siquiera que me beses. Me callaré también si te molesta.

Solo sé decir cosas vulgares. Soy una muchacha vulgar.

JUAN.—No eres vulgar.

MARGARITA.—Sí. Lo soy. Lo soy. Y no me importa. Solo me importaría si supiera que siendo de otro modo pudieras llegar a quererme un poco. *(Pausa.)* ¿En qué piensas?

JUAN.—No sé. *(Los fuegos estallan en luz una y otra vez.)* ¿Qué es eso?

MARGARITA.—*(Sale a la terraza.)* Han comenzado los fuegos. Ven. *(Sale* JUAN.) Es bonito, ¿verdad? Tantas ventanas encendidas, y después las montañas y por fin el cielo. Y luz, toda esa luz en la noche. ¡Oh Juan, deseo tanto que triunfes! Lo deseo tanto... Otras veces, no...

JUAN.—¿Por qué?

MARGARITA.—Porque pienso que te perdería definitivamente. Y entonces deseo que todo te salga mal, que tus libros no los quiera nadie. Que todos se rían de ti. Entonces vendrías a mí, y llorarías sobre mi hombro, y yo te consolaría dándote todo mi amor. ¡Perdóname!...

JUAN.—Cuánto daño te estoy haciendo.

MARGARITA.—No me importa. Nada me importa ya. Te daría lo que me pidieras a cambio de nada. A veces creí que me había enamorado. Salía con un chico. Ibamos a la playa, al cine o al baile. Muchachos guapos y fuertes que de pronto me miraban serios con las manos en los bolsillos. Y yo entonces creía amarlos. "Sí, es el amor—me decía—. Esto es el amor..." Pero no.

JUAN.—¿Cómo lo sabes?

MARGARITA.—Por nada. Esto..., esto que siento por ti es quizá menos bello. Y no puedo luchar. ¡Dios mío! ¡Cuánto he deseado olvidarte! Pensar que te habías ido. ¡Incluso que habías muerto! Para ser libre. Pero no es posible.

JUAN.—No creo que yo merezca tanto amor. *(Pausa.)* Margarita...

MARGARITA.—¿Qué?

JUAN.—Nada.

MARGARITA.—Algo ibas a decirme. ¿Qué es? ¡Dímelo...! *(Ha entrado* PACO. *Viene con esparadrapos en la cara. Atraviesa la terraza.)*

PACO.—Buenas noches.

JUAN.—Hola... ¿Quién te ha puesto así? *(Ríe.)*

PACO.—¿Eh?... ¡Oh, nada! Me he caído.

JUAN.—*(Ríe.)* Qué... Esa resultó un poco arisca, ¿eh?

MARGARITA.—Si te viera Carmen así...

PACO.—Oye, no irás a decírselo a ella, ¿verdad?

MARGARITA.—No, no tengas cuidado.

PACO.—*(Entrando en la casa.)* ¿Dónde están los demás?

JUAN.—Han salido a divertirse. Hoy es una gran noche.

PACO.—*(Ha cogido un botijo.)* ¿Pues...? *(Bebe.)*

MARGARITA.—Laura ha tenido un niño.

PACO.—*(Atragantándose.)* ¿Un niño? ¿Que Laura ha tenido un niño? ¡Y me lo decís así!... ¡Hurra!... Un pequeño Suárez. El primero de la nueva hornada. Habrá que empezar en seguida la fabricación en serie. Voy a llamar a Carmen ahora mismo para decírselo. Todas las demás mujeres han muerto para mí. Así mismo voy a decírselo. ¡Y a fijar la fecha de la boda! Y tú, hombre, anímate. ¿No ves que te está comiendo con los ojos? *(Sale corriendo.)*

JUAN.—Siempre corriendo detrás de las muchachas.

MARGARITA.—Pero él y otros como él tienen también sus sueños. Pero saben conformarse. Por eso son felices.

JUAN.—¿Felices?...

MARGARITA.—Sí, felices. Estar alegre hoy, y triste mañana. Tener padres a los que respetar, y amigos en los que puede uno confiar siempre. Y una mujer y unos hijos a los que querer con toda el alma. Eso es ser feliz. Un poco de amargura y otro poco de placer. Y reír hoy y llorar mañana. Y así un año y otro. Lo que te pasa, Juan, es que sueñas demasiado. Hay que vivir, trabajar, ¡en lo que sea! Para venir a casa, por la noche, cansado, pero alegre, porque has hecho algo. No importa qué..., ¡algo! Y estar cansado al final de la jornada, pero sentirse en paz, porque al fin hay una meta. No importa cuál. La cuestión es que haya algo, al fondo, esperando. (JUAN *se ha sentado. Saca del bolsillo la carta que escribió horas antes.)*

MARGARITA.—¿Qué es eso?

JUAN.—Mi última oportunidad. Envié la novela a

varios editores. Ni siquiera se molestan ya en contestarme. Solo este lo ha hecho.

MARGARITA.—*(Esperanzadamente.)* ¿La acepta?

JUAN.—No. Solo unas frases amables.

MARGARITA.—¿Entonces...?

JUAN.—¿Qué puedo hacer? Insistir, ¡insistir siempre! Quizá algún día...

MARGARITA.—Y entre tanto, ¿qué? Sí, entre tanto, ¿qué? Los años pasan y tú, ¿qué? Esperando, esperando, aquí metido, sin hacer nada. Sufriendo y haciendo sufrir a los que te quieren. *(Le quita la carta. La rompe y arroja los pedazos a la calle.)*

JUAN.—¿Que ha...? ¡No!... ¿Por qué..., por qué has hecho eso?

MARGARITA.—¡Déjate de sueños! ¡Ya no hay tiempo para soñar! Vive... ¡Vive!...

JUAN.—*(A punto de llorar.)* ¡No quiero ser un fracasado!

MARGARITA.—¿Por qué un fracasado? ¡Hay cientos de caminos para un hombre!... *(Una pausa.* JUAN *la mira; de pronto se abraza a ella fuertemente como buscando refugio.)*

JUAN.—¡Ayúdame!... ¡Ayúdame!... (MARGARITA *se separa, le coge la cabeza entre las manos y le besa en la boca. El cielo es un mar de luz rojo, verde, blanco..., y la música y el público de la feria lo envuelven todo. Se abre violentamente la puerta de la escalera y entra* PABLO *corriendo, agitando la chaqueta por encima de la cabeza, como una bandera. Viene loco de alegría. Grita:)*

PABLO.—¡Me ha dicho que sí!... ¡Me ha dicho que sí!... ¡Me quiere!... ¡Me quiere!... *(Ha pasado sin ver a la pareja. Entra en la casa.)* ¡Mamá!... ¡Papá!... Me voy a la verbena con Pili. *(Coge una hucha de barro, la estrella en el suelo, recoge las monedas y se las mete en el bolsillo.)* ¿Es que no hay nadie aquí? ¡Mamá!... *(Entra en la cocina, vuelve a salir.)* Juan..., ¿estás ahí? *(Ha subido a la habitación de sus hermanos, mira y vuelve a bajar cantando. Sale a la terraza. Cuando ya va a salir, ve a la pareja. Se acerca a ellos y grita: "¡Eeeeh...!" Rompe a reír y sale dando un portazo.* JUAN *y* MARGARITA *se han vuelto sobresaltados, luego se miran y ríen también. La música sube de volumen. El cielo es un estallido de burbujas multicolores.)*

JUAN.—*(De pronto.)* ¿Nos vamos nosotros también?...

MARGARITA.—Sí, ¡vamos!... *(Salen. Una pausa. La música sube de volumen. El cielo es una sinfonía iridiscente. De pronto, la noche y el silencio. Una pausa. Se oye la voz de la* VECINA 5.ª, *que grita:)*

VECINA 5.ª—*(Voz de.)* ¡Señora Adela!... ¡Al teléfono!... ¡Señora Adela!...

VECINO 1.º—*(Voz de.)* ¡Andrés!...

ANDRÉS.—*(Voz de.)* ¿Qué?...

VECINA 5.ª—*(Voz de.)* ¡Señora Adela!...

VECINO 1.º—*(Voz de.)* Sube corriendo. Llaman de la clínica.

ANDRÉS.—*(Voz de.)* Voy.

VECINO 1.º—Recoge el recado, Marta. Yo seguiré llamando... ¡Señora Adela!... ¡Señora Adela!... *(Entra corriendo* ANDRÉS *en la terraza.)*

ANDRÉS.—¡Juan!... ¡Señora Adela!... *(Entra en la casa. Mira en la cocina. Sube a la habitación de* JUAN. *Baja.)*

VECINA 3.ª—¿Qué era?

ANDRÉS.—¡Señor Ricardo!...

VECINA 5.ª—¡Dios mío, qué horror!...

ANDRÉS.—¡Antonio!...

VECINA 4.ª—Pero ¿qué es? ¿Qué ocurre?

VECINA 5.ª—Laura... Laura... ¡ha muerto!

VECINA 3.ª—Pero ¿qué dice? ¡No es posible!...

ANDRÉS.—*(Asomándose al patio.)* No hay nadie, mamá. ¿Qué hago?

VECINA 5.ª—Corre a buscarlos, hijo mío. Deben de estar todos en la verbena. ¡Corre!... ¡Corre!... (ADRÉS *sale corriendo.)*

VECINA 1.ª—Pero ¿qué es? ¿Qué pasa? ¿A qué viene tanto grito?

VECINA 5.ª—Laura ha muerto. Acaban de avisar de la clínica. Y no hay nadie arriba.

VECINA 3.ª—No, no hay nadie. Han salido todos a la verbena. Precisamente a celebrar... ¡Dios mío, es espantoso!...

VECINA 4.ª—Hay que avisarles.

VECINA 5.ª—Ya ha ido mi hijo. *(Entre tanto,* ANTO-

NIO *ha entrado en la sala, a medio vestir. Se despereza, y sale a la terraza a punto de oír las últimas frases del diálogo.)*

VECINA 6.ª—Pero ¿qué ha ocurrido?

VECINA 1.ª—Laura ha muerto. Andrés ha ido a buscarles. No hay nadie en casa.

VECINA 4.ª—¿Es posible? ¡Qué horror!... No sabe uno dónde la tiene. Pobre chica. Y precisamente ahora. Con lo contentos que estaban todos con el chico. Mire usted por dónde... (ANTONIO, *que lo está oyendo todo, avanza hacia el borde de la terraza como un somnámbulo. Comienza la traca. El horizonte es una gran hoguera de luces multicolores. Una oleada de música de feria lo envuelve todo. Se oye una voz que grita:)*

UNA VOZ.—¡Serenoooooo!...

OTRA VOZ.—¡Vaaa! (ANTONIO *ha llegado al borde de la barandilla sobre el patio. Retrocede un poco y queda rígido, inmóvil, mirando al cielo incendiado, que estalla y estalla. Telón muy lento.)*

FIN DE

"CERCA DE LAS ESTRELLAS"

Y DEL

"TEATRO ESPAÑOL 1960-1961"

APENDICE

Relación de las obras estrenadas en los teatros de Madrid y provincias desde el 1 de septiembre de 1960 al 31 de agosto de 1961

Fecha de estreno	Título, características y lugar de estreno	Autores
1-9-60	*Eloísa, Abelardo y dos más.* Revista. 2 actos. T. Losada. Orense.	Manuel Santos López. Fernando García Morcillo.
2-9-60	*Nausica.* Tragedia. 3 actos. T. Marcelino Coll. Caldetas.	Juan Maragall Gorina. José María Roma Roig.
6-9-60	*La atareada del Paraíso.* Comedia. 3 actos. T. Rosalía Castro. Coruña.	José María Pemán Pemartín.
6-9-60	*Valentina.* Drama. 3 actos. T. Candilejas. Barcelona.	Enrique Ortenbach García.
7-9-60	*Nunca amanecerá.* Comedia. 3 actos. C. Sindical. Burgos.	Juan Ricardo López Aranda.
9-9-60	*No puedo vivir sin ti.* Comedia. 2 actos. T. Goya. Madrid.	Alvaro de Laiglesia.
11-9-60	*La bruja hechicera.* Cuento. 1 acto. T. Port. Herm. Largo. Lérida.	Francisco Largo Pérez. Ramón Osca Pérez.
11-9-60	*El caso Mayra.* Comedia. 3 actos. T. Adam. Villafranca del Panadés.	Ricardo Belmar Bris.
13-9-60	*Hija de mi vida.* Revista. 2 actos. T. Fuencarral. Madrid.	Pedro Llabrés Rubio. Vicente Carla Jiménez. Pedro Montorio Fajó.
15-9-60	*La esfinge furiosa.* Tragedia. 3 actos. T. Pereda. Santander.	Juan Germán Schroeder.
16-9-60	*Baile en Capitanía.* Zarzuela. 3 actos. T. Zarzuela. Madrid.	Agustín de Foxá. Federico Moreno Torroba Ballesteros.
16-9-60	*El niño de su mamá.* Comedia. 2 actos. T. Barcelona. Barcelona.	Alfonso Paso Gil.

Fecha de estreno	Título, características y lugar de estreno	Autores
18-9-60	*Amor per dar i per vendre.* Comedia. 3 actos. C. Católico Puigreig.	Juan Ballará Abayá.
22-9-60	*Vaya noche.* Comedia musical. 3 actos. T. Victoria. Barcelona.	Salvador Bonavia (Hros.). Ernesto Santandréu Dacunha. Emilio García Saumell. Jaime Mestres Pérez.
22-9-60	*Señora embajadora.* Comedia. 3 actos. T. Guimerá. Barcelona.	Javier Regas Castells.
29-9-60	*Tambor.* Cuento infantil. 3 actos T. Guimerá. Barcelona.	Armando Matías Guíu.
29-9-60	*L'amfora.* Comedia. 2 actos. T. Romea. Barcelona.	Ventura Porta Roses.
30-9-60	*La viudita naviera.* Farsa. 2 actos. T. Reina Victoria. Madrid.	José María Pemán Pemartín. Daniel Montorio Fajó.
10-60	*Almas sin piedad o codicia.* Comedia. 3 actos. Circo Tropical Agost.	M.ª Magdalena Chaparro Vázquez. Manuel Alvarez Donaldson.
10-60	*Escena del teniente coronel de la Guardia Civil.* Estampa.	Federico García Lorca (Hros.).
1-10-60	*Compañera te doy...* Comedia. 3 actos. T. Carrión. Valladolid.	Luis Tejedor Pérez.
1-10-60	*Historia de un sinvergüenza.* Comedia. 4 actos. Circo Tropical Agost.	Antonio Vega Gutiérrez. Manuel Alvarez Donaldson.
2-10-60	*La heroína de Alpedrete.* Comedia. 2 actos. Córdoba.	Alvaro Portes Alcalá. Aurelio López Monis.
2-10-60	*Pepete y el Dragón.* Cuento. 1 acto. T. Jaime Balmes. Cádiz.	José Segura López. Antonio Escobar Perera.
3-10-60	*Las andanzas de Pinocho.* Drama. 2 actos. T. Goya. Madrid.	Carlos Miguel Suárez Radillo. Fernando Martín Iniesta. D. P.
4-10-60	*Un hombre tranquilo.* Comedia. 3 actos. Ideal Cinema. Ubeda.	Adrián Ortega Martí.

Fecha de estreno	Título, características y lugar de estreno	Autores
5-10-60	*Mals d'altres rialles son.* Comedia. 3 actos. T. Principal. Palma Mallorca.	Antonio Mus López.
9-10-60	*Barataria.* Comedia. 2 actos. P. Arch. Alcalá Henares.	Manuel Martínez Azaña. Germán Luis Bueno. D. P.
9-10-60	*L'endimoniat.* Drama. 3 actos. T. Farándula. Sabadell.	Plácido Flor de Lis Genique.
10-10-60	*Rucamara.* Tragedia. 3 actos. T. Avenida. Buenos Aires.	Antonio Cillero Ulecia.
12-10-60	*Travesuras de Tontolete.* Comedia infantil. 2 actos. T. Hogar Patron. Valencia.	Rafael Martínez Coll.
12-10-60	*L'historia de uns inventors.* Comedia. 3 actos. T. Fomento Parroq. Agramunt.	Antonio Bajona Serra.
13-10-60	*Complace a tu mujer, Pepe.* Farsa. 2 actos. T. Panam's. Barcelona.	Armando Matías Guíu. José Sazatornill Buendía.
14-10-60	*Justicia con sangre.* Drama. 3 actos. T. España. Medina de las Torres.	Luis Alvarez Leyva. Eugenio Picazo Sánchez.
16-10-60	*La florista del carrer Major.* Comedia. 3 actos. T. Farándula. Sabadell.	José María Carbonell Barberá.
19-10-60	*Les festes del meu carrer.* Cuento. 2 actos. T. Virgen del Lidón. Castellón.	José Forcada Polo.
21-10-60	*El glorioso soltero.* Comedia. 3 actos. T. Lara. Madrid.	Joaquín Calvo Sotelo. Giuliana Arioli Cottini.
23-10-60	*Popelim y el ogro Traga Panes.* Guiñol. 1 acto. T. Jaime Balmes. Cádiz.	José Segura López. Antonio Escobar Parera.
23-10-60	*La mestresseta de la casa ensorrada.* Drama. 3 actos. T. Farándula. Sabadell.	Francisco Lorenzo García.
23-10-60	*Angelitos negros.* Comedia. 3 actos. T. Radio Miramar. Barcelona.	Luis Ibáñez García.

Fecha de estreno	Título, características y lugar de estreno	Autores
25-10-60	*Las alegres chicas de Portofino.* Revista. T. Latina. Madrid.	Ignacio Ferrés Iquino Francisco Prada Blasco. Ramón Ferrés Musolas. Enrique Escobar Sotes.
28-10-60	*Operación Divorcio.* Comedia. 3 actos. T. Goya. Madrid.	Luis Tejedor Pérez.
28-10-60	*Diálogo en las nubes.* Comedia. 3 actos. T. Capitol. Mieres.	Paulino González Posada.
29-10-60	*Un lío de faldas.* Revista. 3 actos. T. Ruzafa. Valencia.	Francisco Prada Blasco. Ignacio Ferrés Iquino. Juan Valls Volart. Enrique Escobar Sotes. Ramón Ferrés Musolas.
29-10-60	*Catalina se desdobla.* Comedia. 3 actos. T. Cervantes. Málaga.	Luis Tejedor Pérez. Luis Fernández de Sevilla.
30-10-60	*Conchirri y el espantapájaros.* Fantasía infantil. 2 actos. T. San Fernando. Sevilla.	Luis Calderón Rull. Andrés Sánchez Arillo. Cipriano Gómez Soto. Luis Rivas Gómez. José Gardey Cuevas.
30-10-60	*El reiet de l'oliveta.* Comedia. 3 actos. T. Farándula. Sabadell.	Ramón Turull Bargues.
30-10-60	*La neu dels anys.* Drama. 3 actos. T. Radio Barcelona. Barcelona.	Angel Millá Navarro.
31-10-60	*Renoi quin Tanorio.* Humorada. 3 actos. T. Romea. Barcelona.	Carlos Saldaña Beut. Antonio Santos Antolí.
3-11-60	*Este y yo, Sociedad Limitada.* Revista. 2 actos. T. Calderón. Madrid.	Ignacio Fernández Sánchez. Miguel Gila Cuesta. Daniel Montorio Fajó.
4-11-60	*Dos noches de boda.* Comedia. 3 actos. T. Cómico. Madrid.	Luis Tejedor Pérez. José Alfayate Alicostes.
5-11-60	*Don Gil de las calzas verdes.* Comedia. 3 actos. T. Goya. Madrid.	Miguel Suárez Radillo. D. P.
6-11-60	*Garrofeta.* Comedia. 3 actos. T. Farándula. Sabadell.	Esteban Renáu Vallribera.

Fecha de estreno	Título, características y lugar de estreno	Autores
6-11-60	*Tres ladrones en mi casa.* Comedia. 3 actos. T. C. Sta. Madrona. Barcelona.	José Obiols Mercade.
11-11-60	*De Las Vegas a España.* Revista. 2 actos. T. Cómico. Barcelona.	Joaquín Gasa Mompóu. Santiago Guardia Moréu. Augusto Algueró Dasca. Augusto Algueró Algueró. Adolfo Waitzman.
12-11-60	*Benditas las mujeres.* Comedia. T. Unión Mercantil. Madrid.	Luis Valderrama Mochón.
12-11-60	*El Totem en la arena.* Comedia. 3 actos. T. Ateneo Mercantil. Valencia.	Juan Alfonso Gil Albors.
13-11-60	*S'ha perdut un marit.* Comedia. 3 actos. T. C. S. Luis Gonzaga. Barna.	Domingo Puga Batllori.
13-11-60	*De espaldas al escenario.* Comedia. 3 actos. T. Radio Barcelona. Barcelona.	Vicente Calpe Clemente.
17-11-60	*La cabeza del dragón.* Opera. 3 actos. T. Liceo. Barcelona.	Ramón del Valle-Inclán. Ricardo Lamotte de Grignon.
19-11-60	*L'amor callat.* Comedia. 2 actos. T. Capsa. Barcelona.	Lorenzo Saborit Mayora.
20-11-60	*Dos branquillons a guisa de violí.* Teatro infantil. 3 actos. T. Farándula. Sabadell.	José Tremoleda Roca.
20-11-60	*Un bebé con bigotes.* Comedia. 2 actos. T. San Fernando. Sevilla.	Luis Calderón Rull. Andrés Sánchez Arillo. Cipriano Gómez Soto. Luis Rivas Gómez. José Gardey Cuevas.
20-11-60	*Cinc centims d'illusió.* Comedia. 3 actos. T. C. Moral Gracia. Barna.	Fausto Baratta Ruiz.
20-11-60	*El café sense sucre.* Comedia. 3 actos. T. Catequística Tiana.	Oriol Puig Almiral.

Fecha de estreno	Título, características y lugar de estreno	Autores
21-11-60	*La viuda valenciana.* Comedia. 2 actos. T. María Guerrero. Madrid.	D. P. Josefina Sánchez Pedreño.
22-11-60	*Mujeres y carcajadas.* Com. Cómico-Lírica. 2 actos. T. Cervantes. Alcalá Henares.	Francisco Moreno S. Mi. Miguel Cuenca Palacios. Miguel Rodríguez Algarra.
25-11-60	*Dios no está con nosotros.* Comedia. 2 actos. T. Principal. Lérida.	Jesús Riverola Garsabá.
27-11-60	*A la Lluna ni hi ha pins.* Comedia. 3 actos. T. Orfeón Badaloni. Barna.	Antonio Santos Antolí.
12-60	*Nuevos retablos de la carreta.* Retablos. 3 actos.	Juan A. de Laiglesia.
1-12-60	*Apariencies que enganyen.* Comedia. 3 actos. T. C. Nac. Sa de Llavaneras.	Miguel Casals.
2-12-60	*El triángulo blanco.* Drama. 3 actos. T. Guimerá. Barcelona.	Jaime Salom Vidal.
2-12-60	*El tren de tres quarts de quinze.* Comedia. 3 actos. T. Romea. Barcelona.	Luis Elías Bracóns. Juan Serrat Huguet. Antonio Santos Antolí.
4-12-60	*Poc home será qui de petit mentira.* Drama. 3 actos. T. Farándula. Sabadell.	Valentín Mestre Sors.
5-12-60	*La madriguera.* Comedia. 3 actos. T. María Guerrero. Madrid.	Ricardo Rodríguez Buded.
6-12-60	*El Cardo y la Malva.* Comedia. 2 actos. T. Recoletos. Madrid.	Alfonso Paso Gil.
7-12-60	*Sentencia de muerte.* Drama. 2 actos. T. Lara. Madrid.	Alfonso Paso Gil.
8-12-60	*Tontolete y la Princesa.* Cuento. 2 actos. T. Patronato S. Bult. Valencia.	Rafael Martínez Coll.
9-12-60	*El banco de madera.* Comedia dramática. 2 actos. T. Ntra. Sra. B. Consejo. Madrid.	Gustavo Viociana Pérez.

Fecha de estreno	Título, características y lugar de estreno	Autores
9-12-60	*Las Meninas.* Drama. 2 actos. T. Español. Madrid.	Antonio Buero Vallejo.
11-12-60	*Los tres pelitos del Diablo.* Comedia musical. 2 actos. T. Fuencarral. Madrid.	Pedro Llabrés Rubio. Jesús Bautista Turégano. Luis Araque Sancho. Juan Hernando Sanz.
11-12-60	*El poder de nuestra mente.* Drama. 3 actos. T. Instituto del Teatro Barna.	María Soler Baquer.
12-12-60	*Tiempo para percusión.* Drama. 1 acto. T. María Guerrero. Madrid.	Manuel Herrero Molina.
16-12-60	*La copla morena.* Fantasía lírica. 2 actos. T. Calderón. Barcelona.	Antonio Quintero Ramírez. Rafael de León. Manuel López Quiroga M. Andrés Valero García. Miguel Salinas Larraz.
18-12-60	*Popelim y el Portal de Belem.* Retablo. 1 acto. T. Jaime Balmes. Cádiz.	José Segura López. Antonio Escobar Perera.
18-12-60	*Belén, campanas de Belén.* Comedia infantil. 3 actos. Circl. Dom Bosco. Barcelona.	Luis Coquard Sacristán.
18-12-60	*Sor Piedad.* Comedia. 3 actos. T. Hnos. Díaz. Puente Genil.	José Moreno Martínez. Gerardo Gárate del Río.
22-12-60	*Verde esmeralda.* Drama. 2 actos. T. Alcázar. Madrid	Jaime Salom Vidal.
22-12-60	*María Coral (La Pessebrista).* Comedia. 3 actos. T. Barcelona. Barcelona.	Cecilia Alonso Bozzo.
25-12-60	*Las celosas.* Revista. 2 actos. T. Romea. Murcia.	Pedro Peña Allén. Luis Cuenca García. Matías Yáñez Jiménez. Domingo de Laurentis.
25-12-60	*Las mujeres del rajá.* Revista. 2 actos T. Romea. Murcia.	Pedro Peña Allén. Luis Cuenca García. Matías Yáñez Jiménez. Domingo de Laurentis.
25-12-60	*El diable fa turisme.* Comedia. 3 actos. T. C. Moral. Pueblo Nuevo.	Joaquín Fernández Carbonell.

Fecha de estreno	Título, características y lugar de estreno	Autores
26-12-60	*Alergia de marido.* Comedia. 2 actos. T. Cepa. La Guardia.	Emilio Berrio Mela.
30-12-60	*Se necesita un marido.* Revista. 2 actos. T. Apolo. Barcelona.	Antonio Paso Ramos. Matías Yáñez Jiménez. Domingo de Laurentis.
1-1-61	*Gloria a Deu en les altures.* Comedia. 3 actos. T. Stúdium. Barcelona.	Pedro Serramalera Serra.
6-1-61	*El somni de la nit de reis.* Comedia infantil. 1 acto. T. Orfeó Sans. Barcelona.	Joaquín Espáu Soler.
6-1-61	*Los talismanes.* Comedia. 3 actos. T. Pérez Galdós. Las Palmas.	Carlos Domínguez Hdez.
8-1-61	*El gran secreto de la princesa Melinda.* Drama. 2 actos. T. Calderón Barca. Valladolid.	Luis Laforga Herrero.
10-1-61	*Com si fos un tros de vida.* Drama. 2 actos. T. Romea. Barcelona.	Eduardo Criado Aguirre.
14-1-61	*Mort d'home.* Tragedia. 2 actos. T. Fomento A. Decor. Barna.	Ricardo Salvat Ferre.
15-1-61	*Quan l'amor va de baixa.* Comedia. 4 actos. T. Romea. Barcelona.	Francisco Pineda Verdaguer.
15-1-61	*Blanca Nieve y el enanito Pok.* Cuento. 2 actos. T. Español. Madrid.	D. P. Mariano Fernández Villanova.
20-1-61	*Dinero.* Comedia. 3 actos. T. Alcázar. Madrid.	Joaquín Calvo Sotelo.
24-1-61	*Isabel i el Lladre.* Comedia. 3 actos. T. Orfeo Gracienc. Barcelona.	Pedro Gili Canet.
29-1-61	*Historias del viejo Oeste.* Humorada. 1 acto. T. Municipal. Gerona.	Juan Ribas Feixas.
29-1-61	*Han passat els Reis.* Drama. 3 actos. T. Casa Paroq. S. Pedro de las Puellas (Barna).	Luis G. Vila Carreras.

Fecha de estreno	Título, características y lugar de estreno	Autores
2-61	*Por ejemplo, enamorarse.* Farsa musical. 2 actos. T. Alcázar. Madrid.	Alfonso Paso Gil. Daniel Montorio Fajó.
2-61	*Noches de ensueño.* Revista. 2 actos.	Pedro Peña Allén. Luis Cuenca García. Matías Yáñez Jiménez Colsada. Domingo de Laurentis Avolio.
1-2-61	*Retrato de boda.* Comedia. 2 actos. T. Comedia. Madrid.	Alfonso Paso Gil.
4-2-61	*Aurelia y sus hombres.* Comedia. 2 actos. T. Lara. Madrid.	Alfonso Paso Gil.
4-2-61	*El acero de Madrid.* Comedia. 3 actos. T. Goya. Madrid.	D. P. Miguel Suárez Radillo.
4-2-61	*Somnis d'un faller.* Comedia. 1 acto. T. Casa Obreros. Valencia.	Enrique Albi Hernández.
5-2-61	*El príncipe judío.* Drama. 2 actos. T. Comedia. Vall de Uxó.	Manuel Tejela Lavado.
5-2-61	*La bella dormida del Bosc.* Comedia infantil. 3 actos. T. Orfeó Popular. Olot.	Luis Coquard Sacristán.
12-2-61	*Jaimito el príncipe y el Mendigo.* Cuento. 5 actos. T. Imperio. Sevilla.	Vicente Flores Centeno.
12-2-61	*En juli la bola i els trens.* Comedia. 3 actos. T. Farándula. Sabadell.	Jaime Beneyto Llobregat.
13-2-61	*Tres Juanes Pérez.* Comedia. 2 actos. T. Español. Madrid.	José L. Díaz Gómez de la Serna.
14-2-61	*Festival en la costa gris.* Comedia. 2 actos. T. Martín. Madrid.	José Muñoz Román.
15-2-61	*Operación Ferrete.* Apropósito. 2 actos. T. Rosalía Castro. Coruña.	Antonio Santiago Alvarez. Variedades.

Fecha de estreno	Título, características y lugar de estreno	Autores
15-2-61	*El tintero.* Farsa. 2 actos. T. Recoletos. Madrid.	Carlos Muñiz Higuera.
18-2-61	*Nou passatges per Palma de Mallorca.* Comedia. 3 actos. T. C. Moral Pblo. Nuevo. Barna.	José Escobar Saliente.
18-2-61	*Nostra festa.* Comedia. 1 acto. T. Sdad. Coral Micalet. Valencia.	Enrique Albi Hernández.
19-2-61	*Pare Filla.* Apropósito. 2 actos. T. Sdad. Coral Micalet. Valencia.	José Sánchez Jordán.
19-2-61	*La ruta del pirata.* Drama. 3 actos. T. Farándula. Sabadell.	Juan de la Cruz Ballester.
21-2-61	*Misterio en el círculo rojo.* Drama. 3 actos. T. Panam's. Barcelona.	Antonio Samóns.
22-2-61	*Coplas de Rosa Pinzón.* Fantasía lírica. 2 actos. T. Alvarez Quintero. Sevilla.	Antonio Quintero Ramírez. Rafael de León Arias de S. Manuel López Quiroga Miquel.
23-2-61	*La medalla.* Comedia. 1 acto. T. Candilejas. Barcelona.	Juan Navarro Pueo.
23-2-61	*Solo de violín.* Comedia. 3 actos. T. Candilejas. Barcelona.	Juan Navarro Pueo.
24-2-61	*Los inocentes de la Moncloa.* Comedia. 3 actos. T. Candilejas. Barcelona.	José M.ª Rodríguez Méndez.
25-2-61	*Un gangster de Paper Fi.* Drama. 3 actos. T. Club Diagonal. Barcelona.	Francisco Lorenzo García.
25-2-61	*Los huérfanos de la caridad.* Melodrama. 4 actos. T. Salón Llers. Gerona.	Amalia Calero Fuentelzas.
26-2-61	*Flors de nostre raco.* Apropósito. 1 acto. T. Casa Obreros. Valencia.	Juan Plaza Salcedo.

Fecha de estreno	Título, características y lugar de estreno	Autores
26-2-61	*Ninots.* Apropósito. 1 acto. T. Casa Obreros. Valencia.	Ricardo Vivó Barberá.
26-2-61	*Tres obretes.* Comedia. 3 actos. T. Farándula. Sabadell.	Juan Tarafa Rovira.
26-2-61	*Dos pretendents de qualitat.* Comedia. 3 actos. T. Radio Barcelona (Barna.).	Perfecto Amella Perolet.
27-2-61	*Hipólito.* Comedia. 3 actos. T. María Guerrero. Madrid.	Gonzalo García Vivas. Víctor Vadorrey Gil.
27-2-61	*Proceso a la vida.* Comedia. 2 actos. T. Español. Madrid.	Jaime Ministral Masía.
27-2-61	*El tenorio mágico.* Comedia. 3 actos. T. Calderón. Barcelona.	Antonio de Armenteras.
2-3-61	*Las moninas de Velázquez.* Revista. T. Maravillas. Madrid.	Leandro Navarro Benet. Ignacio Fernández Sánchez. Daniel Montorio Fajó.
3-3-61	*El anzuelo de Fenisa.* Comedia. 3 actos. T. María Guerrero. Madrid.	Juan Germán Schroeder. D. P.
3-3-61	*Cartell de festa.* Apropósito. 1 acto. T. Sdad. Coral Micalet. Valencia.	Manuel Marzal Barberá.
3-3-61	*Per una escala de flors.* Apropósito. 1 acto. T. Sdad. Coral Micalet. Valencia.	Manuel Marzal Barberá.
5-3-61	*Jesús crucificat.* Poema sacro. 3 actos. T. Sala Loyola. Manresa.	Blas Pedro Sala.
5-3-61	*El rei de la mosca al nas.* Comedia. 2 actos. T. Farándula. Sabadell.	Ramón Turull Bargues.
5-3-61	*Jaimito y la bruja Pico de Loro.* Cuento. 4 actos. T. Imperio. Sevilla.	Vicente Flores Centeno.

Fecha de estreno	Título, características y lugar de estreno	Autores
5-3-61	*Bunyol d'Or.* Apropósito. 2 actos. T. Teodoro Llorente. Valencia.	Manuel Marzal Barberá.
5-3-61	*La ofrena de Batiste.* Apropósito. 1 acto. T. Alcázar. Valencia.	Eugenio Garés Cardona.
6-3-61	*Final de horizonte.* Drama. 2 actos. T. María Guerrero. Madrid.	Fernando Martín Iniesta.
7-3-61	*El juglar.* Balada dramática. 3 actos. T. Romea. Murcia.	José Molina Sánchez.
7-3-61	*El mon per un forat.* Tragicomedia. 3 actos. T. Principal. Palma Mallorca.	Juan Mas Bauzá.
8-3-61	*En la red.* Comedia. 3 actos. T. Recoletos. Madrid.	Alfonso Sastre Salvador.
10-3-61	*Amor por correspondencia.* Revista. 2 actos. T. Fortuny. Reus.	Luis Cuenca García. Pedro Peña Allén. Matías Yáñez Jiménez. Domingo de Laurentis.
10-3-61	*Quasi una dona moderna.* Comedia. 4 actos. T. Principal. Palma Mallorca.	Juan Bonet Gelabert.
10-3-61	*La gran pietat.* Comedia. 3 actos. T. Romea. Barcelona.	Juan Oliver Sallarés.
10-3-61	*Trampa para un asesino.* Drama. 3 actos. T. Marquina. Pilar Horadada.	Antonio Vega Gutiérrez.
11-3-61	*La bota de Sant Farriol.* Comedia. 1 acto. T. Club Montclar. Barcelona.	Luis Coquard Sacristán.
11-3-61	*El negocio de Salomé.* Revista. 2 actos. T. Ruzafa. Valencia.	Pedro Peña Allén. Luis Cuenca García. Matías Yáñez Jiménez. Domingo de Laurentis.
12-3-61	*Quan el vent gemega.* Drama. 3 actos. T. Casino. Granollers.	Francisco Lorenzo García.
12-3-61	*La pedrada.* Comedia. 1 acto. T. Orfeó de Sans. Barcelona.	José M.ª González Cubertaret.

Fecha de estreno	Título, características y lugar de estreno	Autores
12-3-61	*El sol de la llar.* Comedia. 3 actos. T. España Industrial. Barcelona.	Vicente Sola Loza.
12-3-61	*Una mujer perfecta.* Comedia. 3 actos. T. Centro Cultural Tranvías, Barna.	Emilio Nadal del Moral.
13-3-61	*Mala rel.* Comedia. 3 actos. T. Principal. Palma Mallorca.	Martín Mayol Moragues.
15-3-61	*Una mujer sin pasado.* Comedia. 2 actos. T. Calderón. Barcelona.	Antonio Losada Blanch. Jaime Torrent Gutiérrez.
18-3-61	*Mujeres delincuentes.* Comedia. 3 actos. T. Casa de la Mancha. Madrid.	Purificación García Gómez. Etherina García Gómez.
19-3-61	*L'oncle Julia.* Comedia. 1 acto. T. Farándula. Sabadell.	Esteban Renáu Vallribera.
19-3-61	*Teresita la Cenicienta.* Cuento. 2 actos. T. Español. Madrid.	Juan Antonio Villarejo.
19-3-61	*Un mundo de embudo.* Lteraria. 1 acto. T. Alcázar. Tarancón.	José L. Carbonell. Ramón Moreno Hernández.
25-3-61	*Oseas.* Comedia. 3 actos. T. Ateneo Mercantil. Valencia.	Juan Alfonso Gil Albors.
26-3-61	*Entre Montsere i Castelimila.* Comedia. 3 actos. T. Farándula. Sabadell.	Juan de la Cruz Ballester.
26-3-61	*Una casa a contrallum.* Drama. 3 actos. T. Centro Moral. Ripollet.	Francisco Lorenzo García.
27-3-61	*Pasión y muerte del Redentor.* Drama. 3 actos. T. Guimerá. Tenerife.	Manuel Carrera Chust.
30-3-61	*Reflejos de la Semana Santa Sevillana.* Canto poético. 2 actos. T. Conde Jorquera. Madrid.	Andrés Molina Moles. D. P.

Fecha de estreno	Título, características y lugar de estreno	Autores
4-61	*Volem fer comedia.* Juguete. 1 acto.	Luis Millá Gacio (Hros.).
4-61	*Catro ladros honrados.* Comedia. 2 actos.	José Ibáñez Fernández.
4-61	*Estudiante fracasado.* Monólogo. 1 acto.	José Ibáñez Fernández.
4-61	*O velorio.* Comedia. 2 actos.	José Ibáñez Fernández.
4-61	*Morto e vivo.* Monólogo. 1 acto.	José Ibáñez Fernández.
4-61	*O borio.* Comedia. 3 actos.	José Ibáñez Fernández.
4-61	*A birisca.* Sainete. 1 acto.	José Ibáñez Fernández.
4-61	*Lucifer.* Monólogo. 1 acto.	José Ibáñez Fernández.
4-61	*O esmoleiro.* Sainete. 2 actos.	José Ibáñez Fernández.
2-4-61	*Buscando una estrella.* Revista. 2 actos. T. Victoria. Barcelona.	Francisco Codoñer. Domingo de Laurentis. Antonio Paso. Manuel Paso Andrés. Matías Yáñez.
2-4-61	*Ellas, ellos y el taxista.* Comedia musical. 2 actos. T. Arriaga. Bilbao.	Pedro Llabrés Rubio. Eduardo Arana Mena. Juan Valls Volart. Antonio García Cabrera. Antonio García Torregrosa.
2-4-61	*Los habladores.* Entremés. 1 acto. T. Goya. Madrid.	D. P. Miguel Suárez Radillo.
2-4-61	*El novio de mi señora.* Juguete. 1 acto. T. Alcázar. Valencia.	José María Beltrán. Octavio Ferrer San Juan. Ramón Puig Hernández. José Quinto Ibáñez.
2-4-61	*Un marido para todas.* Pasatiempo. 1 acto. T. Alcázar. Valencia.	José María Beltrán. Octavio Ferrer San Juan. Ramón Puig Hernández. José Quinto Ibáñez.
2-4-61	*La copla ha vuelto.* Fantasía lírica. 2 actos. T. Alvarez Quintero. Sevilla.	Antonio Quintero Ramírez. Luis Estévez Martínez. Rafael de León Arias. Arturo Pavón Sánchez. Manuel López Quiroga.

Fecha de estreno	Título, características y lugar de estreno	Autores
3-4-61	*No la condenéis.* Farsa. 3 actos. T. Marquina. Pilar Horadada.	Magdalena Chaparro.
3-4-61	*La señorita que pintó un biombo.* Comedia. 3 actos. T. Recoletos. Madrid.	José Montoto de Flores.
7-4-61	*Técnica de cambra.* Drama. 3 actos. T. Palacio Música. Barcelona.	Manuel de Pedrolo Molina.
9-4-61	*La manzana.* Comedia. 3 actos. T. Peña Cultural. Barcelona.	Antonio Santos Antolí.
9-4-61	*La perla del colmado.* Comedia. 3 actos. T. Ct. Parroq. Sta. Madrona. Barna.	José Obiols Mercadé.
9-4-61	*La vida a ciutat.* Comedia. 3 actos. T. Romea. Barcelona.	Ramón Arrufat Arrufat.
10-4-61	*Un hábito para Sara.* Comedia. 2 actos. T. Recoletos. Madrid.	José Niño León.
12-4-61	*En el umbral de la Puerta.* Drama. 3 actos. T. Guimerá. Barcelona.	Manuel Escobedo Freginals.
13-4-61	*Cuando tú me necesites.* Comedia. 2 actos. T. Lara. Madrid.	Alfonso Paso Gil.
13-4-61	*Hombres de mar.* Comedia. 2 actos. T. Tropical. Cartagena.	Manuel Alvarez Donalson. Julia Tejela Lavado.
13-4-61	*La trompeta y los niños.* Comedia. 2 actos. T. Fomento Art. Decor. Barna.	Juan Germán Schroeder.
15-4-61	*Gustavo.* Comedia. 3 actos. T. Candilejas. Barcelona.	Julio Zarraluqui.
16-4-61	*L'embolic d'una mentida.* Drama. 3 actos. T. CPS. Vicente Sabadell.	Valentín Maestre Sors.

Fecha de estreno	Título, características y lugar de estreno	Autores
16-4-61	*Olga Ninoska.* Drama. 2 actos. T. C. S. Luis Gonzaga. Barcelona.	Bruno Roméu Castillo.
19-4-61	*El rey de oros.* Comedia. 3 actos. T. Cómico. Madrid.	Luis Fernández de Sevilla. Luis Tejedor Pérez. Federico Moreno Torroba.
21-4-61	*Veinte años y una noche.* Comedia. 3 actos. T. Moderno. Carcagente.	Angela Aguilera Alcaraz. Francisco Aizpuru.
26-4-61	*Solo una mujer.* Comedia. 3 actos. T. Tropical Cartagena.	Manuel Alvarez Donalson. Julia Tejela Lavado.
26-4-61	*Otros tiempos.* Comedia. 1 acto. T. P. M. M. Madrid.	Eugenio García Toledano. Jesús Alarcos Morales.
26-4-61	*Sempre fogueres o Alacant es la gloria.* Fantasía. 2 actos. T. Monumental. Alicante.	José Gallardo Fernández. Francisco Hernández Rodríguez Antulio Sanjuán Ribes.
29-4-61	*Aparición de un recuerdo.* Comedia. 3 actos. T. Circo Omar. Mejorada del Campo.	Anastasio Alvarez.
30-4-61	*El hombre lobo.* Comedia. 1 acto. T. Marionetas. Madrid .	Natalio Rodríguez López.
5-61	*En Flandes se ha puesto el sol.* Comedia. 3 actos. T. Español. Madrid.	Eduardo Marquina. (Hros.). Manuel Parada de la Puente.
5-61	*El sí de las niñas.* Comedia. 3 actos. T. Español. Madrid.	Gustavo Pérez Puig . D. P.
1-5-61	*Chacolí contra Atila.* Comedia. 1 acto. T. Marionetas. Madrid.	Natalio Ridríguez López.
1-5-61	*Amor i monocle.* Comedia. 3 actos. T. Casal Cat., Olesa Montserrat.	Juan Cumellas Graells.
4-5-61	*Feria de cantares.* Fantasía lírica. 2 actos. T. Alvarez Quintero. Sevilla.	José Alfonso Sánchez. Luis Rivas Gómez. José Gardey Cuevas.

Fecha de estreno	Título, características y lugar de estreno	Autores
5-5-61	*Cerca de las estrellas.* Comedia. 3 actos. T. María Guerrero. Madrid.	Ricardo López Aranda.
5-5-61	*Pobrecitas millonarias.* Revista. 2 actos. T. Latina. Madrid.	Ramón Perelló Ródenas. Antonio Paso Díaz. Daniel Montorio Fajó. José García Bernalt.
7-5-61	*El mort os deia Manolo.* Comedia. 3 actos. T. C.º Moral Pueblo Nuevo. Barcelona.	Joaquín Fernández Corbonell.
7-5-61	*Pacto con el Diablo.* Comedia. 1 acto. Marionetas. Madrid.	Natalio Rodríguez López.
8-5-61	*La prudencia en la mujer.* Comedia. T. Gran Teatro. Puertollano.	D. P. Cecilio de Valcárcel Serra.
12-5-61	*Cásate con una ingenua.* Opereta. 2 actos. T. Martín. Madrid.	José Muñoz Román.
13-5-61	*Fes be.* Comedia. 1 acto. T. Micalet. Valencia.	José Marco Ripollés.
16-5-61	*Venta por pisos.* Comedia. 2 actos. T. Cómico. Madrid.	Eduardo Arana Mena.
20-5-61	*U fiscal Requeséns.* Drama. 3 actos. T. Candilejas. Barna.	J. M.ª Sagarra Castellarnáu. D. P.
21-5-61	*Lo que no dijo Flavio.* Drama. 3 actos. T. Orfeó Gracienc. Barna.	Rafael Tamarit Crespo.
27-5-61	*El asesino soy yo.* Comedia. 2 actos. T. Cabrera. Córdoba.	Ricardo Alpuente Sánchez.
31-5-61	*La felicidad no lleva impuesto de lujo.* Comedia. 2 actos. T. Beatriz. Madrid.	Juan J. Lorente Millán
31-5-61	*Mi pobre Facundo.* Comedia. 3 actos. T. Olimpia. Medina Campo.	Alfredo López Antón.

Fecha de estreno	Título, características y lugar de estreno	Autores
2-6-61	*Audiencia pública.* Comedia. 2 actos. T. Casa Cultura. Alcoy.	Modesto Moiña Alvarez.
3-6-61	*Con traje de escena.* Monólogo. 3 actos. T. C. Católico S. Roque. Burjasot.	Rafael Brines Lorente.
3-6-61	*Una tal Dulcinea.* Comedia. 2 actos. T. Recoletos Madrid.	Alfonso Paso Gil.
3-6-61	*El trionf de l'amor matern.* Comedia. 4 actos. T. C. Paz y Justicia. Pueblo Nuevo.	José Plana Rubio.
7-6-61	*Un balcón sobre un volcán.* Comedia. 3 actos. T. Principal. Vitoria.	J. Manuel Iglesias Ortega.
10-6-61	*Alma de acero.* Zarzuela. 2 actos. T. C. Elíseos. Bilbao.	Luis Gimeno Gay.
11-6-61	*La tía.* Comedia. 6 actos. T. C. Católico Puigreig.	Juan Ballará Abaya.
15-6-61	*Las dos hermanas.* Comedia. 3 actos. T. Arriaga. Bilbao.	Guillermo Sautier. Doroteo Martí. Rafael Barón Valcárcel.
16-6-61	*El Diablo Cojuelo.* Comedia. 2 actos. T. Español. Madrid.	Josita Hernández Meléndez. D. P.
17-6-61	*La florista i el lampio.* Comedia. 3 actos. T. C. Leridano. Barcelona.	Juan Munté Boqué.
17-6-61	*Una familia en desorden.* Farsa. 2 actos. T. Royal. Málaga.	José Sazatornill Buendía. Armando Matías Guíu.
20-6-61	*El crimera perfecte, pero.* Comedia. 3 actos. T. Romea. Barcelona.	Enrique Claraguera Munté.
24-6-61	*Era necesario un torrente.* Comedia musical. 3 actos. T. Español. Madrid.	Gerardo Martín Sacristán. Juan Guerrero Urresti.

Fecha de estreno	Título, características y lugar de estreno	Autores
26-6-61	*Andalucía y la copla.* Com. lírico-dramática. 2 actos. T. Vejer Cin. Vejer de la Frontera.	Jose Medina Vicente. Antonio Casas Navarro.
27-6-61	*Eramos pocos y...* Revista. 3 actos. T. Rosalía Castro. Coruña.	Angel de Echenique. Vicente Carla Jiménez. Daniel Montorio Fajó. José García Bernalt.
28-6-61	*Cartas marcadas.* Comedia. 3 actos. T. Comedia. Madrid.	José L. Miranda Roldán.
7-61	*Chacha Espartina.*	Luis Calderón Rull. Manuel Garrido López.
2-7-61	*Ladrón a la fuerza.* Revista. 3 actos. T. Jofre. Ferrol.	Angel Laborda Murillo. Alfonso Suárez del Real.
4-7-61	*La infame.* Comedia. 3 actos. T. Carrión. Valladolid.	Carlos Martín Alvaro. Mauricio Torres García.
7-7-61	*Estampas y sainetes.* Comedia. 2 actos. T. Comedia. Madrid.	Antonio González Calderón. Eduardo Vázquez Carrasco.
9-7-61	*Luz y sonido.* Literario-musical. 1 acto. Jardines Sabatini. Madrid	Juan Contreras L. de Ayala. Fernando Moraleda Bellver.
14-7-61	*Historias de Gaspar de Porres.* Comedia. 3 actos. T. Griego. Barcelona.	Enrique Ortenbach García. D. P.
16-7-61	*Un combat de mala lacha.* Entremés. 1 acto. T. Terraza Imperio. Valencia.	Antonio Lázaro Torres.
17-7-61	*Inolvidable Angelina.* Comedia. 3 actos. T. Auditorio. Valladolid.	Arturo López Sanmartín. Julio López Medina.
18-7-61	*Zacarías que la lías.* Comedia. 3 actos. T. Goya (portátil), Covaleda.	Hilario Torres Sánchez. Ildefonso Almagro Cuevas. Carlos Enguídanos Bares.
21-7-61	*Diana a l'oficina.* Comedia. 3 actos. T. Romea. Barcelona.	Cecilia Alonso Bozzo.

Fecha de estreno	Título, características y lugar de estreno	Autores
6-8-61	*Trabajos de amor perdidos.* Drama. 2 actos. I Fest. Castillo Castelldefels.	Ricardo Salvat Ferré. D. P.
9-8-61	*Había una vez un hombre decente.* Comedia. 3 actos. T. Avenida. Burgos.	Vicente Soriano de Andía. Francisco Martínez Soria. Pedro Llabrés Rubio.
17-8-61	*Pi Noguera i Castanyer.* Comedia. 3 actos. T. Romea. Barcelona.	Angel Millá Navarro. Luis Casañas Parcerisas.

INDICE

INDICE